中国检察年鉴 1991

中國检察出版社　　北京

《中国检察年鉴》编辑部
各省、自治区、直辖市人民检察院
联系人名单

北京市人民检察院	李柱才
天津市人民检察院	简邦荣
河北省人民检察院	王战其
山西省人民检察院	段庆臣
内蒙古自治区人民检察院	王连升
辽宁省人民检察院	王艳红
吉林省人民检察院	阎学勤
黑龙江省人民检察院	李金栓
上海市人民检察院	华　英
江苏省人民检察院	章　琴
浙江省人民检察院	张柏高
安徽省人民检察院	张　静
福建省人民检察院	柯国芳
江西省人民检察院	陈绍翊
山东省人民检察院	赵　泉
河南省人民检察院	赵钟麟
湖北省人民检察院	黄德新
湖南省人民检察院	刘志红
广东省人民检察院	梁兆明
广西壮族自治区人民检察院	韦乃煌
海南省人民检察院	王少黄
四川省人民检察院	夏黎阳
贵州省人民检察院	张光国
云南省人民检察院	杨慎言
西藏自治区人民检察院	罗英超
陕西省人民检察院	柴定生
甘肃省人民检察院	权小琴
青海省人民检察院	石　峰
宁夏回族自治区人民检察院	赵立志
新疆维吾尔自治区人民检察院	石月秀

▲ 最高人民检察院检察长刘复之。

▲ 1990年3月15日，最高人民检察院召开新闻发布会，介绍全国检察机关开展反贪污、贿赂斗争情况。图为张思卿副检察长在会上发表新闻讲话。

▲ 1990年5月25日至7月20日，全国检察机关惩治贪污贿赂展览在北京中国人民解放军军事博物馆展出。图为展览大厅。

▲ 1990年8月21日至27日，首届全国检察机关政治工作会议在北京召开。

▲ 1990年12月19日，最高人民检察院在北京人民大会堂召开聘请民主党派、无党派民主人士特约检察员会议。

▲ 最高人民检察院检察长刘复之和副检察长张思卿、王晓光、冯锦汶、梁国庆在一起。

▲ 1990 年 6 月 12 日，朝鲜民主主义人民共和国主席金日成会见刘复之检察长率领的中国检察代表团全体成员。

编 辑 说 明

一、《中国检察年鉴》是一部记载中国检察工作情况，反映检察工作全貌和各个年度的新发展、新成就的大型资料性年刊。《中国检察年鉴》以法律赋予检察机关的任务为轴心，收集了丰富、翔实的信息、数据和来自检察实践的第一手资料。所采用的资料都是由最高人民检察院各业务部门和各省、自治区、直辖市人民检察院组织专业人员撰写和提供的，具有准确性和权威性。

二、《中国检察年鉴》1991 年刊反映的是 1990 年的情况，内容共有 12 个部分：(一) 检察工作概况；(二) 工作报告；(三) 最高人民检察院负责人重要报告和讲话；(四) 最高人民检察院司法解释选载；(五) 最高人民检察院重要文件选载；(六) 最高人民检察院重要会议和展览会简介；(七) 外事活动；(八) 检察刊物 (续)；(九) 检察机关大事记；(十) 检察机关负责人名单；(十一) 最高人民检察院表彰的先进集体和个人；(十二) 统计资料。

三、根据 1990 年检察工作的实际情况，《中国检察年鉴》1991 年刊在栏目和内容上作了一些调整：撤销了"教育、研究、出版机构"部分；恢复"外事活动"部分；"最高人民检察院重要会议简介"部分改为"最高人民检察院重要会议和展览会简介"；增设了英文目录。

四、《中国检察年鉴》收录的资料，均未包括台湾省。

五、《中国检察年鉴》的编辑工作，得到各省、自治区、直辖市人民检察院和最高人民检察院有关业务部门的大力支持和协助，谨在此表示衷心的感谢。

六、《中国检察年鉴》在编辑工作中的缺点和不足，恳请读者提出宝贵意见。

《中国检察年鉴》编辑部

1991 年 10 月

目 录

第一部分
检察工作概况

第二部分
工 作 报 告

第三部分
最高人民检察院负责人重要报告和讲话

第四部分
最高人民检察院司法解释选载

第五部分
最高人民检察院重要文件选载

第六部分
最高人民检察院重要会议和展览会简介

第七部分
外　事　活　动

第八部分
检察刊物（续）

第九部分
检察机关大事记

第十部分
检察机关负责人、检察委员会、咨询委员会、特约检察员名单

第十一部分
最高人民检察院表彰的先进集体和先进个人

第十二部分
统　计　资　料

第一部分　检察工作概况

1990年全国检察工作概况

1990年，全国各级人民检察院在以江泽民同志为核心的党中央的正确领导下，认真执行宪法和法律，坚持四项基本原则，充分发挥法律监督职能作用，坚决惩治贪污、贿赂犯罪，严厉打击严重刑事犯罪活动，积极开展各项检察业务，加强队伍建设，取得了很大成绩，为维护正常的经济秩序、社会秩序，保障进一步治理整顿和深化改革的顺利进行，促进国民经济持续、稳定、协调发展，为国家稳定、社会稳定和经济稳定做出了新的贡献。

一、惩治贪污贿赂犯罪的斗争深入了一步，有了明显进展

1990年，检察机关继续把依法惩治贪污贿赂犯罪作为打击经济犯罪的第一位工作，作为检察工作的重点，认真履行法律监督职责，集中力量查处大案要案，在贯彻最高人民法院、最高人民检察院《关于贪污、受贿、投机倒把等犯罪分子必须在限期内自首坦白的通告》的重大成果的基础上，又取得了新的成绩。据统计，1990年全国检察机关共受理贪污贿赂罪案94686件，立案侦查51373件，其中贪污案29188件，贿赂案22185件。在立案侦查的案件中，万元以上的大案11295件，五万元以上的重大案件1113件，被查处的县处级以上干部1188人（其中司局级干部61人）。对于查实的犯罪分子，已向人民法院提起公诉23344人，免予起诉30049人，撤案和不起诉4400人。追缴赃款赃物折合人民币81000万元。

1990年，检察机关针对贪污贿赂犯罪的新情况、新特点，采取了积极有效的措施，保证了斗争的深入开展。

第一，集中力量查处贪污贿赂犯罪大案要案特别是要案，成绩显著。主要表现是：

一是侦破了一批重大贪污案。全年立案侦查万元以上贪污大案7435件，其中五万元以上的重大贪污案869件，比1989年的637件增加36.42%；五十万元以上不满一百万元的21件，比1989年的11件增加90.9%；一百万元以上至五百万元的17件，比1989年的3件增加467%。这些重大贪污犯罪分子都是直接掌握财物的人。如深圳市上埗区轻工业品业务部经理杨锦棠、上埗区经济发展公司副经理杨锦镇，采取以单位名义向银行贷款不入帐、不申报贷款去向等手段，从1988年初起，不到一年时间就贪污、诈骗人民币500多万元，美金70多万元。这是几年来检察机关查获的最大的一起贪污案。

二是侦破了一批受贿要案。1990年立案侦查万元以上贿赂大案3860件，在查获的贿赂案中，有县处级以上干部915人，比1989年的644人增加42%。其中，司局级干部52人，省部级干部4人。这些受贿分子多是掌实权的。如青海省人大常委会副主任韩福才，从1987年到1989年，在先后担任副省长和省人大副主任期间，利用职权帮助工程队、包工头承揽基建工程等，索取、收受贿赂共计人民币38000余元。

三是在不正之风比较严重的某些行业和部门侦破了一批“群案”。一些行政执法部门和银行、物资、建筑、铁路、粮食等单位的国家工作人员，利用本行业、部门的特权，侵吞国家财产，特别是索贿受贿。检察机关经过深入细致的侦查工作，往往“破一案带出一串”。如：福建省检察机关通过办理7个案件带出157个贪污、赌赂案，北京在办46个“群案”中，挖出贪污、贿赂犯罪分子242人。

第二，树立为经济建设服务的思想。1990年，检察机关在反贪污贿赂的同时，还查处了挪用公款罪案10556件，偷税抗税罪案7564件，假冒商标罪案358件，维护了国家经济秩序，促进了经济发展。各级检察机关处理每一个案件都从全局出发，千方百计地为经济建设创造良好环境，取得了积极的社会效果。通过实践，取得了不少新的经验。如严格区分经济交往中必要的应酬与贪污、贿赂犯罪的界限；对罪与非罪界限不清和有争议的案件，慎重处理或暂缓处理；在办理涉及生产、经营、管理部门主要领导成员和关键岗位的技术、管理人员的案件时，及时提出调整有关人员的建议，采取适当措施，避免生产、经营、管理和流通等活动脱节；注意保护企业产品产、供、销正常渠道的畅通，不轻易冻结银行帐户；对因管理疏漏、制度不健全而发生贪污、贿赂等犯罪案件的单位，提出检察建议；通过典型案例，向广大干部群众进行宣传教育，纠正“反贪污贿赂影响生产发展”、“搞活经济就要对经济犯罪‘松绑’”等错误观点。

第三，专门的侦查破案工作与发动群众相结合，发动“小高潮”，扩大社会效果。一些地方的检察机关注意抓住有典型意义的大案要案，召开体现宽严政策的会议，大张旗鼓地宣传国家法律，宣传坦白从宽、抗拒从严的政策，推动斗争的深入发展。广东省清远市人民检察院，在市委领导下，于1990年7月，抓住英德县公安局局长张文列贪污受贿要案，冲破县委个别领导人的阻力，公布案情，发动群众揭发、举报，召开宽严处理大会，敦促有贪污、受贿问题的人自首坦白。仅一个半月，就有119人自首坦白，而1989年“两高”《通告》期间全县只有20人投案自首。

第四，坚持“一要坚决，二要慎重，务必搞准”的方针。1990年，各级检察机关毫不手软地查处贪污、贿赂犯罪案件，同时，注重把案件办得扎扎实实，使每一个案件都要经得起历史的检验。在指导思想上，强调实事求是，不搞简单的办案数量攀比，在认定罪行时，不凑数，不拔高。在侦查中，坚持具体情况具体分析，每一个大案要案都逐案进行具体部署和指导，依法运用各种侦查手段和强制措施，着眼点放在搜集证据上。在审查起诉中，严格依法办事，全面分析案情，保证严肃准确地惩处犯罪分子又不误伤仅属犯有错误的人。在从严惩治犯罪的同时，充分考虑从轻、减轻或免除刑罚的情节。发现有定性、定罪不准，或者搞错了的案件，如实复查，加以纠正。

第五，继续抓好举报工作。1990年，检察机关共受理举报贪污贿赂线索159000件。在立案侦查的贪污、贿赂罪案中有60%左右的线索是群众举报的。通过举报既得到了群众的有力支持，又使检察工作置于人民群众的监督之下，是专门工作与群众路线相结合的好形式。

第六，依法正确行使免诉权。1990年，最高人民检察院几次发出通知、通报，要求各级检察院严格依法行使免诉权。同时规定，免诉决定须各级检察院的检察委员会讨论作出；下级检察院作出的免诉决定要报上一级检察院备案，上级检察院对下级检察院免诉不当的，应予以撤销；对免诉的申诉，由上级检察院复查。经过检查，绝大多数免诉案件的处理是正确的。

第七，加强反贪污贿赂机构的建设。到1990年底，全国已有23个省级检察院、155个市级检察院成立了反贪污贿赂工作局，这对于提高反贪污贿赂侦查工作水平，增强侦破大案要案的能力已显示出重要作用。各级人民检察院大力加强侦查工作，正确、适时地运用各种法定侦查手段，反对以捕代侦的简单化做法，做到认定或否定一个案件，都必须有充分的、扎实的证据，提高了办案质量和工作效率。

第八，举办《全国检察机关惩治贪污贿赂展览》。1990年5月25日至7月20日，最高人民检察院在北京举办了《全国检察机关惩治贪污贿赂展览》，广大群众参观非常踊跃。展览宣传了党和国家惩治腐败的一贯方针和决心，剖析了贪污贿赂犯罪的严重危害性，鼓舞了广大人民群众同贪污贿赂犯罪做斗争的积极性，收到了很好的社会效果。

1990年，地方各级人民检察院还按照《全国人大常委会关于惩治贪污罪贿赂罪的补充规定》的有关规定，着手查处了巨额财产来源不明罪案件，最高人民检察院加强了对这类案件的调查研究工作。

二、坚持严厉打击严重刑事犯罪，大力加强社会治安综合治理

1990年，全国各级检察机关坚持贯彻依法从重从快严厉打击严重刑事犯罪活动的方针，坚定不移地把“严打”作为检察工作的又一个重点。据统计，全国检察机关共受理公安机关提请逮捕各种刑事犯罪分子69.2万多名，审查批准逮捕60.5万多名；受理公安机关移送起诉人犯69.4万多名，经审查已提起公诉59.9万多名。一年来，检察机关在打击刑事犯罪工作中，着重做了以下几项工作：

（一）依法处理动乱暴乱中的犯罪案件。1990年，全国检察机关审查起诉1989年春夏之交反革命暴乱中的犯罪分子的工作已基本结束。在工作中，检察机关进行了大量的反复的调查、取证和深入细致的法制教育工作，坚持以事实为根据，以法律为准绳，贯彻执行惩办与宽大相结合的政策，只要能够争取、教育、改造的，都立足于挽救，对国家稳定、社会稳定起了重要的作用。

（二）积极参加“严打”斗争。1990年，检察机关参加了各地开展的专项斗争，依法从重从快严厉打击杀人、抢劫、爆炸等犯罪和惯犯、累犯、团伙犯罪分子；参加扫黄、除“六害”斗争，对严重刑事犯罪分子，及时从严惩处；狠狠打击严重刑事犯罪的嚣张气焰，挖出了一大批犯罪团伙，教育、挽救了一批失足青少年，促进了社会治安的稳定。

（三）加强了侦查监督和审判监督。各级检察院通过审查公安机关提请逮捕和移送起诉的工作，对51002名不构成犯罪的或已经构成犯罪不需要逮捕的人犯，作出了不批准逮捕决定；对3507人作出了不起诉的决定。在工作中注意发现线索深挖余罪、漏罪和隐蔽较深的犯罪分子，共追捕8381人，追诉5030人。对公安机关侦查活动中的违法情况提出纠正意见12700件（次）。对人民法院审判活动中的违法情况提出纠正意见3200件（次），在审判监督中，重点抓了二审监督和再审监督，对人民法院确有错误的判决、裁定提出抗诉 2396 件。

（四）大力开展社会治安综合治理。1990 年，检察机关积极参加了社会治安的综合治理工作：结合办案进行法制宣传；发动群众，揭发、检举犯罪；对免诉人员做帮教工作；监所检察部门协助“两劳”单位开展教育改造工作；控告申诉检察部门及时处理来信来访，耐心疏导教育，避免矛盾激化；对发案单位行政管理工作中存在的隐患、漏洞，积极提出检察建议，等等。

（五）坚持了提前介入制度。1990 年，各级检察院对重大、特大犯罪案件，特别是重大团伙犯罪案件，基本上做到了提前介入。各级检察院在审查批捕环节上提前介入 51206 件（次）；在审查起诉环节上提前介入 16007 件（次）。提前介入工作的进一步开展，加强了法律监督工作，同时也提高了办案效率，锻炼了干部，对严重犯罪分子的打击更加准确、及时、有力。

三、加强了查处侵犯公民民主权利、人身权利和渎职犯罪工作

查处“侵权”、渎职案件，是检察机关履行法律监督职责的重要内容。1990 年，全国检察机关共立案侦查这类案件 16713 件。其中立案侦查渎职案件 7465 件（玩忽职守案 3030 件，重大责任事故案 3894 件，妨害邮电通讯案 199 件，徇私舞弊案 217 件）。这些案件的查处，对于制止、消除侵犯公民权利的行为，促进民主法制建设和用法律武器同官僚主义作斗争，促进党政机关干部勤政廉政，保障国家和人民生命财产安全，发挥了重大的作用。

一年来，各级检察机关把主要精力放在查处大案要案上，重点查处了绑架、扣押人质型的非法拘禁案、贪赃枉法、徇私舞弊案、刑讯逼供致人伤残、死亡案、后果严重的玩忽职守和重大责任事故等几类犯罪大要案件 2303 件，比 1989 年同期增加 27．5%。

四、监所检察、铁路运输检察、控告申诉检察等工作都有新的进展

积极开展监所检察，稳定监管改造场所秩序，促进文明改造。1990 年，全国检察机关共起诉劳改犯、劳教人员犯罪案犯 7697 人，查办了少数监管改造场所干警体罚虐待、索贿受贿、私放罪犯等犯罪案件，加强了对监管改造场所执行法律情况的监督，发挥了促进文明管理、提高改造质量、保证判决、裁定正确执行的作用。

各级铁路运输检察院与铁路公安、法院密切配合，大力整顿铁路治安秩序，重点打击洗劫旅客、哄抢铁路运输物资和盗卖铁路设施的“车匪路霸”、犯罪团伙和重大盗窃等犯罪活动。同时，结合纠正铁路行业不正之风，认真查处了“以车谋私”、“以路谋私”和发生在货运、工程、多种经营中的贪污贿赂犯罪案件，在整顿铁路治安、促进铁路部门廉政建设中发挥了积极作用。

积极受理、认真查处控告、申诉案件，保障公民控告、申诉权利的行使。1990 年，全国各级检察机关共受理公民控告、申诉 73 万余件；查处不服免诉的申诉 4495 件，经过复查纠正 614 件；查处不服法院判决、裁定的申诉 1912 件，向人民法院提出纠正意见 141 件。在工作中，对容易引起矛盾激化和集体上访的案件，检察机关及时采取果断措施，做好教育疏导工作，平息事态，维护了社会安定。各级检察院坚持了检察长批阅来信、接待来访群众的做法，密切了检察机关与人民群众的联系。

运用现代科学技术为侦查工作服务。1990 年，检察技术部门边建设、边工作，共作检验鉴定 27000 多件，为侦查工作和认定犯罪事实提供了科学依据。目前，各地正在落实检察机关省、地、县三级侦查技术网点建设规划，以进一步提高搜集、鉴别证据的能力，使科学技术为办理贪污贿赂犯罪案件和其他刑事案件服务。

民事、行政诉讼法律监督工作开始起步。为依法履行对行政诉讼实行法律监督的职责，最高人民检察院先后两次发出通知，对行政诉讼法实施后检察机关所承担的工作作出部署和安排，要求各级检察机关认真学习行政诉讼法，深刻理解实施行政诉讼法的重要意义，认识检察机关在保障行政诉讼法正确实施中的责任。一年来，检察机关认真抓了民事、行政检察干部的上岗培训工作，进行了对民事、行政法律监督问题的调查研究工作。最高人民检察院与最高人民法院联合发出了《关于开展民事、经济、行政诉讼法律监督试点工作的通知》。在人民法院的支持和帮助下，一些地方的试点工作正在进行中。

司法解释工作有了加强。1990 年，最高人民检察院单独或与最高人民法院等部门联合发布了《关于办理淫秽物品刑事案件具体应用法律的规定》、《关于非法种植罂粟构成犯罪以制造毒品罪论处的规定》、《关于以人质勒索他人财物案件如何定罪问题的批复》、《关于依法严惩盗窃通讯设备犯罪的规定》等 16 个司法解释文件。对盗伐森林问题、巨额财产来源不明问题、单位贿赂犯罪问题、国家工作人员索取、收受“回扣”、“手续费”等问题进行了调查和研究，为进行必要的司法解释作了准备。

五、加强思想政治工作，从严治检，建设队伍

1990 年，经党中央批准，最高人民检察院成立了政治部，政治部的主要任务是负责检察系统党的建设和思想政治工作，开展具有行业特点的思想教育。各级检察院的政治工作机构在当地党委的领导和支持下也陆续建立起来，这对加强检察队伍建设，提高检察机关的战斗力提供了组织保证。8 月，最高人民检察院召开了全国检察机关首届政治工作会议，确定了检察机关政治工作的基本任务。

1990 年，检察机关把学习马列主义、毛泽东思想的基本原理，特别是建设有中国特色的社会主义的基本理论摆在政治工作的首位，全国绝大多数分、市以上检察院建立了以领导成员为主的学习中心组，有计划地组织广大检察人员学习党的基本路线和学习马列主义的基本理论。同时，广泛深入地进行了职业道德、职业责任和职业纪律教育，广大检察人员坚持四项基本原则的自觉性，为经济建设服务的思想，严以律己的思想都得到了进一步提高。一年中，有一大批检察人员受到各级检察院的表彰，最高人民检察院通令嘉奖了在反贪污贿赂斗争中做出卓著贡献的 114 个先进集体和 199 名先进个人。同时，各级检察机关重视自身廉政建设，结合纠正行业不正之风，坚决查处了检察人员违法违纪行为。

1990 年，干部培训工作基本完成了“七五”计划期间的培训规划，检察队伍的文化、专业结构有了改善，有 40％的各级检察长受过短期培训，全国已有 5 万多名检察人员接受过短期专业培训。1990 年中国高级检察官培训中心培训出两批共 320 名学员。全国检察机关“八五”培训计划已经拟定，《检察官条例》以及与此相配套的有关文件正在起草过程中。这些措施，对实现检察官管理的科学化、正规化，提高检察队伍的整体素质，是十分必要的。

1990 年 12 月，最高人民检察院在中央统战部的协助下，从 8 个民主党派和全国工商联正式聘请了18位民主党派和无党派人士为最高人民检察院特约检察员。特约检察员的职责主要是反映或传递对国家工作人员违法犯罪的检举、控告和不服刑事处罚的申诉材料；参加一些大案要案的调查、研究和复查；参与讨论研究有关法律、政策和检察工作的重大问题，宣传社会主义法制和检察制度。一些省、市和大中城市也已经或正在进行这方面的工作。

（最高人民检察院办公厅宋寒松）

最高人民检察院工作报告

——1990 年 3 月 29 日在第七届全国人民代表大会第三次会议上

最高人民检察院检察长　刘复之

（1990 年 4 月 4 日第七届全国人民代表大会第三次会议通过）

各位代表：

1989 年春夏之交，我们国家经受了一场政治风波的严峻考验。在党中央、国务院正确领导下，在以邓小平同志为代表的老一辈无产阶级革命家支持下，人民解放军、武警部队、公安干警依靠广大干部、群众制止了一些地方的动乱、平息了北京的反革命暴乱。中央坚决果断决策，粉粹了国内外敌对势力妄图推翻中国共产党的领导和社会主义制度、颠覆中华人民共和国的阴谋活动，保卫了社会主义人民共和国。这一伟大胜利，极大地鼓舞了全国人民建设有中国特色的社会主义的信心和决心。6 月，中共中央召开了十三届四中全会，选举产生了以江泽民同志为核心的新的党中央领导集体；11 月，召开了五中全会，作出了《中共中央关于进一步治理整顿和深化改革的决定》。最近，党中央又召开了六中全会，审议通过了《中共中央关于加强党同人民群众联系的决定》。这三次中央全会的精神举国上下正在学习和贯彻。一年多来，治理整顿和深化改革已经取得了比较明显的成效。我们的国家是稳定的，社会是稳定的，国民经济正逐步走上持续、稳定、协调发展的道路。

1989 年，党中央、国务院采取有力措施推进廉政建设，克服腐败现象，惩治贪污、贿赂，开展清查工作，打击刑事犯罪，“扫黄”、除“六害”，取得了很大成绩。检察机关围绕党和国家的中心工作，依照宪法和法律，认真履行法律监督职责，工作也有新的进展。现在，我就 1989 年的主要工作向大会作报告，请予审议。

一、关于惩治贪污、贿赂犯罪的情况

在党中央的正确方针指引下，最高人民检察院领导地方各级人民检察院和专门检察院，继续把反贪污、贿赂犯罪作为检察机关的工作重点，自觉地为国家稳定服务，为治理整顿和深化改革服务，集中力量查处大案要案，取得了显著效果。

1989 年，全国检察机关共受理贪污、贿赂罪案 116763 件。经过审查，已立案侦查 58926 件，约占受案数的 50%。受案数和立案数分别比上年增加 1．6 倍和 1．8 倍。在立案侦查的案件中，贪污案 33681 件，贿赂案 25245 件，已决定逮捕贪污、贿赂人犯 20794 名；已向人民法院提起公诉 19406 名。已追缴贪污、贿赂赃款赃物合人民币 48286 万元。

在惩治贪污、贿赂犯罪中，检察机关

主要做了七项工作：

1、根据《中共中央、国务院关于近期做几件群众关心的事的决定》，最高人民法院、最高人民检察院8月15日发布了《关于贪污、受贿、投机倒把等犯罪分子必须在限期内自首坦白的通告》（以下简称《通告》）。按照党和国家对犯罪分子实行“惩办与宽大相结合”的一贯政策，依据刑法第五十九条、第六十三条，刑事诉讼法第一百零一条等有关条款和全国人大常委会1988年1月《关于惩治贪污罪贿赂罪的补充规定》，《通告》规定从8月15日至10月31日，凡有贪污、受贿、投机倒把等犯罪行为的人，如果在限期内自首坦白、积极退赃或有检举他人犯罪等立功表现的，将得到从轻、减轻处罚或免除刑事处罚；对拒不自首坦白的，将依法予以从严惩处。《通告》发布以后，很快就掀起了反贪污、贿赂的高潮，群众举报大量增加，违法犯罪分子纷纷投案自首。在贯彻《通告》期间，检察机关收到举报贪污、贿赂的线索133765件，受理投案自首的贪污、贿赂犯罪分子25544人，加上其他经济犯罪分子，共达36171人。追缴的贪污、贿赂赃款有20900万元。犯罪金额在万元以上的有3935人，其中五万元以上不满十万元的有239人，十万元以上不满五十万元的有78人，五十万元以上不满一百万元的有3人，一百万元以上的有3人。在已被逮捕、判刑关押的人犯中，还有9457人坦白交代了新的犯罪事实。在自首人员中，县处级干部742人，司局级干部40人，副省级、副部级干部各1人。

在党的领导下，各级人大和政府大力推动、监督、支持检察机关贯彻《通告》的活动。中央和地方各有关部门做了大量的宣传、动员和组织工作。各级检察院同公安、法院、司法行政以及各有关部门配合得比较好，工作比较得力，因而在全国范围内取得了比较突出的成绩。例如，广东省检察机关接受自首的犯罪分子有3400多人，交代犯罪金额4880万元，至去年10月底已收缴赃款3356万元；10月31日晚，该省在内蒙古出差的清远市日杂公司购销部负责人，打电话给单位，让该公司经理代他到市检察院交代贪污10万元的犯罪事实。上海市在党委领导下，宣传、贯彻《通告》声势很大，有1739名犯罪分子自首，有人从广州乘飞机赶回上海投案；在《通告》限期的最后一天，有400多人投案，在限期内的最后一分钟，还有10个人急急忙忙踏进检察院的门来自首。湖南省自首的多达3700多人，交代犯罪金额2222万元。全国各个地方都取得了相当好的成绩。

各级检察院依照法律和《通告》的规定，对自首的人认真地做查证处理，兑现政策。凡符合立案标准的，按照立案侦查的工作程序进行审查处理，基本上做到了既贯彻从宽精神，又注意掌握依法宽严适度。据不完全统计，截至1989年底，检察机关已对1010人向人民法院提起公诉；对5800余人作了免予起诉的决定。

最高人民检察院一再宣告，在《通告》规定期限结束以后，坦白从宽的大门仍然是敞开的，号召有贪污、贿赂犯罪行为的人走自首坦白的道路。《通告》限期结束以后，各级检察院对不断来自首的人，依照刑法和刑事诉讼法的有关规定，都将从宽处理。

贯彻《通告》的实践证明，号召、敦促犯有贪污、贿赂行为的人自首坦白，对他们依法实行从宽政策，是非常正确的。发布和贯彻《通告》是继1952年开展以反贪污、反浪费、反官僚主义为内容的“三反”运动和1982年打击严重经济犯罪活动之后又一次大张旗鼓的反贪污、贿赂斗争，是发动群众和依靠群众反贪污、贿赂的成功实践。它发挥了党的政策的感召力，显示了国家法律的威慑力，表明了党和国家的一贯决心，促使数以万计的犯罪分子自首坦白；挽救了一批正在犯罪的邪路上往下滑的人；揭露出很多重要的违法犯罪线索；提高了干部、群众的法制观念，增强了反贪污、贿赂的信心和积极性。

2、集中力量查处大案要案。从最高人民检察院做起，各级检察长亲自办理大案要案，指导侦破工作，掌握进度，发现问题，实施领导。在检察机关内部，我们坚持实行分级负责制度，规定：发生在中央国家机关的大案要案和涉及省、部级以上干部的案件，由最高人民检察院为主查办；涉及司局级干部的案件，由省、自治区、直辖市检察院为主查办；涉及县处级干部的案件，由地、市、州级检察院为主查办。一年来，以最高人民检察院为主查办了中央国家机关和涉及地方的大案要案25件。领导亲自动手，是克服官僚主义，打开工作局面必不可少的措施。我们还协调了地区之间的办案步调，加强了侦破大案要案的统一指挥。

1989年，检察机关立案查处万元以上的贪污、贿赂大案13057件，比上年的2943件增加3.4倍；查处县处级以上干部贪污、贿赂要案案犯875名，比上年的194名增加3.5倍，内有司局级干部70名（1988年8名）；立案查处副省级干部1名，副部级干部1名。这两个省、部级干部的案件，一个是新疆维吾尔自治区人民政府副主席托乎提·沙比尔受贿案。他受贿15000元，在《通告》期限内到自治区人民检察院自首坦白，积极退赃，有悔罪表现，经最高人民检察院检察委员会讨论批准免予起诉。另一个是铁道部副部长罗云光受贿案。最高人民检察院铁路运输检察厅和河南省人民检察院在侦查郑州铁路局副局长潘克明（初步查出受贿10多万元，已捕）和铁道部运输局原局长徐俊（贪污受贿12万余元，已捕）特大受贿案中，发现罗有严重失职和接受贿赂问题。在《通告》期间，罗向最高人民检察院铁路运输检察厅自首，坦白了受贿4600余元的事实。国务院已决定撤销罗的副部长职务，并对他的问题继续进行审查。最高人民检察院检察委员会决定对罗立案侦查。一年来，在中央国家机关和地方都侦破了一批大案要案。例如，中共中央宣传部宣传局原常务副局长曹斌（正局级）受贿案，他受贿17000余元。经贸部派驻广州办事处特派员朱冰（正局级）受贿案，初步查出朱受贿18000元，已逮捕。又如公安部查出的预审局副处长王乃刚特大贪污案，已查出王利用进口设备之便，贪污港币34500元、人民币23000元，用赃款为本人及其亲属非法购买四本外国护照，已逮捕。再如，广东省驻澳门南粤五金矿产机械有限公司业务员张玉维贪污案，张在境外贪污公款10.3万港元，用于赌博，全部输光。张已逮捕归案。苏州市副市长唐韧受贿案，他利用职务之便收受所属春花吸尘器厂四分厂贿赂现金1万多元。1989年查处大案要案的数量激增，主要是党委加强了领导，发动了群众，人大、政府大力支持，检察机关加强了侦查工作的结果。

3、发动群众和依靠群众同贪污、贿赂犯罪作斗争。贪污、贿赂是旧社会遗留下来的污浊，是一种顽症。新中国成立以后，扫荡了旧社会遗留下来的丑恶现象，经过反复打击、整顿、治理，贪污、贿赂犯罪大为减少，但并未根绝。在我们社会主义社会里，为什么还会有贪污、贿赂现象呢？我们认为，这有历史的原因，也有外部资本主义的影响，还有我们工作方面的缺点。

这几年，在改革开放的新形势下，由于法制不够完善，规章制度不够健全，工作有漏洞，以及打击不力等原因，特别是思想政治工作一度受到削弱，“一切向钱看”的腐朽思想一度泛滥，在一些地方和部门中，贪污、贿赂犯罪乘机活动起来，有的相当猖獗。因此，必须足够估计贪污、贿赂现象的严重性，坚决地把反贪污、贿赂斗争进行下去；必须持久、深入地开展群众举报，形成反贪污、贿赂斗争的群众声势；必须使检察机关的侦查工作，同群众斗争相结合，形成强大力量，充分揭露贪污、贿赂分子的丑恶嘴脸，把他们置于光天化日之下，变成人人喊打的过街老鼠。

举报工作是检察机关走群众路线的好形式。去年，最高人民检察院制定和公布试行了《人民检察院举报工作若干规定》，对举报的受理、查处、反馈、奖励等作了具体规定，使举报工作逐步制度化、法制化。1989 年全国检察机关共受理群众举报线索 604800 件，其中贪污、贿赂线索 276000 件。不少干部、群众署名检举和据实揭发，正气凛然，给侦查破案提供了有力依据。大量的举报材料，使我们查实了一大批犯罪案件，澄清了不少涉嫌问题。去年七届人大二次会议上我曾报告尚有四个涉及省部级干部的问题有待进一步调查，现已查清释疑。群众举报已成为检察机关侦查线索的主要来源之一。在举报工作中，我们强调要抓住认真查处和信息反馈这两个环节。各地检察院基本上能够做到按照工作程序办事，热情接待举报人，严格登记、记录，替举报人保密，落实奖励政策，严肃处理打击报复举报人的分子，依法惩办诬告陷害他人的分子。

4、加强侦查工作业务建设。当前，贪污、贿赂犯罪活动有几个特点：一是共同贪污犯罪多；二是“一对一”受贿犯罪多；三是一人犯数罪的多；四是很多“小金库”、帐外资金成为贪污、贿赂犯罪的温床；五是假借“奖金”、“劳务费”等名义向上级主管干部行贿。针对这些特点，检察机关加强侦查工作，运用法定的各种侦查手段，通过公开和秘密的调查工作，取得证据，用确凿证据制服犯罪分子。

去年夏天，最高人民检察院推广了广东省人民检察院设立反贪污贿赂工作局的经验，并得到党中央、全国人大常委会和国务院的支持。在检察院内设立侦查贪污、贿赂犯罪的专门机构，有效地加强了查处大案要案的工作。全国已有 14 个省级检察院和 55 个地、市级检察院设立了反贪污贿赂工作局。凡是设立了专门侦查机构的地方，侦破工作都有了显著进展，办案质量有了提高。

5、贯彻执行一要坚决、二要慎重、务必搞准的原则。为此，在加强侦查工作的同时，各级检察院都实行了侦查与决定逮捕、起诉分开，由两个机构分别办理的制度。检察机关建立这样的内部制约机制，对于保证办案质量、防止发生错案起了很好的作用。

6、最高人民检察院加强了司法解释工作。我们与最高人民法院联合制定了《关于执行全国人大常委会〈关于惩治贪污罪贿赂罪的补充规定〉的若干问题的解答》，这类司法解释，对严格执行法律和正确掌握政策，起了积极作用。

7、加强法制宣传、教育工作。针对一些干部、群众把反贪污、贿赂与发展社会主义有计划商品经济对立起来的模糊观点，各级检察院同司法行政部门和报刊、电视、广播等宣传部门相结合，运用发生在人们身边的贪污、贿赂典型案例，宣传党和国家的政策、法律，宣传反贪污、贿赂斗争对稳定局势和治理整顿、深化改革的意义，增强干部、群众的法制观念。1989年有15个省、市检察院举办了大中型反贪污、贿赂展览，群众踊跃参观，社会效果很好。今年，最高人民检察院也将举办全国性的惩治贪污、贿赂展览。

检察工作的成绩，都是在党中央和各级党委的领导下，在全国人民代表大会及其常委会和地方各级人民代表大会及其常委会的监督下，在国务院和各级人民政府的支持下取得的。七届全国人大常委会第十次会议和全国人大内务司法委员会第十二次会议分别听取了最高人民检察院的汇报。国务院和各级人民政府及其所属有关部门积极支持检察机关查处贪污、贿赂犯罪案件，密切配合查处大案要案。各级政府解决了检察机关办案经费不足、侦查设施缺乏等不少实际困难。各省、自治区、直辖市党委多次召开会议，听取汇报，统一思想认识，排除干扰，支援办案力量，支持依法办案。

从这几年检察机关查处的大量贪污、贿赂犯罪案件来看，在我们党政机关中滋生的贪污、受贿分子始终是极少数。事实证明，中国共产党和人民政府是全心全意为人民服务的，广大共产党员和国家工作人员是清正廉洁的。我们根据事实做实事求是的估计，目的是为了更好地深入开展反贪污、贿赂斗争。当然，这丝毫不意味可以低估贪污、贿赂犯罪的严重性和危害性。我们党和政府惩治贪污、贿赂的决心是坚定不移的。检察机关始终坚持以事实为根据，以法律为准绳，严格依法办案。我们竭诚欢迎和随时受理任何人对贪污、贿赂犯罪的举报，凡是有事实根据的，不管涉及什么人，绝不手软，一查到底。我们一定坚决贯彻公民在法律面前一律平等的原则，严格执法。

在发展社会主义有计划商品经济过程中，剥削阶级腐朽思想和生活方式的腐蚀，资产阶级自由化思想的侵袭，将长期存在。必须旗帜鲜明地坚持四项基本原则，加强思想政治工作，增强拒腐蚀的能力。腐蚀与反腐蚀、渗透与反渗透、和平演变与反和平演变的斗争是长期的，是现阶段阶级斗争的重要表现。1986年初，邓小平同志在分析贪污、盗窃、贿赂犯罪的严重情况后说："不能不讲四个坚持，不能不讲专政，这个专政可以保证我们的社会主义现代化建设顺利进行，有力地对付那些破坏建设的人和事。"我们教育广大检察人员深刻认识坚持人民民主专政的重要意义，要有精神准备，保持警惕性，把人民民主专政的工作做得更好。

反贪污、贿赂犯罪的斗争只取得了初步的成绩，任务是艰巨的。这项工作还存在不少的缺点和不能轻视的问题，主要是：一、工作发展不平衡，一些地方群众没有发动起来，局面没有打开。二、一些地方以经济处罚和政纪、党纪处分代替刑事处罚的现象依然存在。三、一些地方还存在"以言代法"、"以权压法"的不良现象，给办案工作带来干扰。四、少数检察人员缺乏秉公执法的勇气，对涉及领导干部的案件畏首畏尾。五、一些地方还存在"以捕代侦"的简单做法，有的甚至发生逼供、诱供的违法行为。六、检察机关办案经费短缺，侦查设施落后，办案力量不足，还亟待解决。

此外，过去一年，全国检察机关还立案查处偷税抗税罪案6737件，假冒商标罪案354件，挪用公款罪案1568件，共追缴赃款人民币14900万元。这些工作，对于维护正常的经济秩序，起了积极作用。

二、关于严厉打击严重刑事犯罪的情况

依法从重从快严厉打击严重刑事犯罪

活动，是检察机关一个常抓不懈的工作重点，是长期的重要任务。

1989年我国的社会治安总的说是基本稳定的，但存在不少不安定的因素，形势相当严峻。一些地方刑事案件大幅度上升，杀人、抢劫、强奸、流氓团伙滋扰、盗窃等犯罪比较猖獗；少数城镇和铁路、公路沿线“车匪、路霸”活动嚣张；不少地方卖淫嫖娼、制作贩卖传播淫秽物品、聚众赌博和利用封建迷信骗财害人等社会丑恶现象继续蔓延；少数地方还有拐卖妇女儿童，私种、吸食和贩运毒品的严重现象。对此群众意见很大。面临这种严峻形势，检察机关坚决贯彻执行依法从重从快严厉打击严重刑事犯罪活动的方针，去年全国检察机关共受理公安机关提请逮捕人犯632323人，比上一年增加33.9%。批准逮捕548960人，比上一年增加35.8%。受理公安机关移送起诉的案犯604263人，经审查，已提起公诉520257人，分别比上一年增加36.9%和36.5%。在检察机关批准逮捕的几类严重刑事犯罪分子中，杀人犯13743人，比上一年增加14%；伤害犯27727人，增加10.5%；爆炸犯580人，增加34.9%；重大盗窃犯70882人，增加82.9%；强奸犯32820人，增加9%。

在严厉打击严重刑事犯罪活动中，检察机关重点做了五项工作：

1、在制止动乱和平息反革命暴乱中坚决打击严重刑事犯罪活动。检察机关履行法律监督的职责，维护宪法和法律的尊严，立场坚定、旗帜鲜明地捍卫中国共产党的领导，捍卫社会主义制度，保卫社会主义人民共和国。各级检察院积极投入这场关系国家前途和命运的斗争，通过批捕、起诉和出庭支持公诉，揭露和惩处了极少数在动乱和暴乱中触犯刑律的犯罪分子。这些犯罪分子有的策划、指挥暴乱，阴谋颠覆政府；有的抢夺枪支弹药，残杀人民解放军和武警官兵；有的进行反革命宣传煽动；有的危害公共安全，侵犯公民人身权利，侵犯财产，破坏社会秩序。对于有过激言行而未触犯刑律的人，我们一律不予法律追究。最高人民检察院要求各级检察院依法提前介入侦查活动，审慎地区分罪与非罪、此罪与彼罪的界限，重证据，重调查研究，不轻信口供，做到事实清楚，证据确凿，定性准确，程序合法，稳、准、狠地打击各种犯罪分子，保障国家稳定和社会安宁。

2、为了维护社会治安，检察机关与公安、法院、司法行政等部门密切配合，积极参加了打击重大盗窃、拐卖妇女儿童、破坏邮电通讯设备等犯罪和“扫黄”、除“六害”的专项斗争。去年，共批捕拐卖妇女儿童犯罪分子11086人；批捕制作、贩卖淫秽物品犯罪分子1192人。在7月份打击流窜犯罪的行动中，就批捕了3200多名进行盗窃、抢劫、强奸的犯罪分子。

3、加强侦查监督和审判监督。各级检察院在审查公安机关提请逮捕的人犯中，对47803人作了不批准逮捕决定，追捕各类犯罪分子9728人。在公安机关移送起诉的案件中，经审查，对不构成犯罪的2936人作了不起诉的决定；追诉各类犯罪分子5201人。同时，对公安机关侦查活动中的违法情况提出纠正意见5190件(次)。1989年上半年全国各级检察机关提前介入公安机关对重大特大案件的侦查活动55112件(次)。对人民法院审判活动中的违法情况提出纠正意见2354件（次）；对人民法院确有错误的判决、裁定提出抗诉的案件1800件，到1989年底，已收到人民法院判决、裁定703件，其中改判473件。同时，各级检察院对自身的审查批捕、审查起诉工作开展了质量检查，发现该批捕而没有批捕的967人，批准逮捕不当的334人；该起诉而没有起诉的239人，起诉不当的847人，已依法予以纠正。

4、在监所检察工作中，1989年向监管改造场所提出纠正违法建议24579件（次）；查处监管改造场所干警体罚虐待被监管人、徇私舞弊、私放罪犯、索贿受贿等犯罪案件382件。对犯人重新犯罪和劳教人员犯罪案件起诉5700件。在工作中，同司法行政部门密切配合，认真办理犯人和劳教人员的申诉，发现疑点，及时与原判法院或原决定机关联系，进行调查工作，逐件落实。1989年有关部门已对817名劳改人员、109名劳教人员所作的不当判决、决定做了纠正。对无理申诉的也及时予以驳回，并进行认罪服法教育。

5、各级铁路运输检察院针对少数线路治安秩序混乱的情况，主动与铁路公安、法院协调配合，开展了打击在列车上流窜犯罪活动的行动。全年受理铁路公安机关提请逮捕各类人犯10812人，经审查批准逮捕9765人，其中重大特大案犯4643人，分别比1988年增加40%和70%。同时，查处极少数掌管铁路运输审批权的铁路工作人员收取、勒索钱财和贪污、贿赂的犯罪活动。1989年全国铁路运输检察院查处贪污、贿赂犯罪分子935人，其中，对32名处级干部、11名司局级干部追究了刑事责任，促进了路风的整顿。

经过公安机关的大力整顿和政法各部门的通力合作，当前，治安秩序基本上是好的。但形势仍然是严峻的，维护社会稳定的任务十分艰巨。各级检察机关将坚持不懈地依法从重从快严厉打击严重刑事犯罪活动，积极参加对社会治安的综合治理。

三、关于查处侵犯公民民主权利和渎职犯罪的情况

依法查处侵犯公民民主权利、渎职犯罪是检察机关的一项重要任务。1989年，全国检察机关立案侦查这类案件15298件。其中，造成人员伤亡和严重经济损失的重大案件2000多件。全年查处县处级以上干部犯罪97人，已追究了60名被告人的刑事责任，其中，厅局级干部7人。

我们查处了少数公安、司法人员徇私枉法、刑讯逼供、泄露机密、私放罪犯等案件。如：吉林省通化市公安局副局长孙玉民徇私枉法案。孙扣压群众对一个流氓抢劫集团的举报信件，并把内容透露出去，使该犯罪集团转移作案地点，逍遥法外。孙已被判处有期徒刑二十年。四川省内江市检察院经济检察处副处长邓宗行、助理检察员刘玉章二人，为谋取私利，替受贿犯出谋划策，将检察机关侦查情况透露给罪犯家属，让行贿人涂改帐目，毁灭证据，此案已提起公诉。湖南省湘阴县法院院长刘绍明，自1987年以来，利用职权，徇私枉法，将两名已判刑的罪犯改为不予追究刑事责任，将一名已判二十年徒刑的罪犯改判为七年。此案已提起公诉。

我们查处了少数国家工作人员玩忽职守和重大责任事故案。如：原四川省国防科工办副主任、新光工业进出口公司总经理郑亨康（正厅级）玩忽职守案。郑在与港商合资办蜀辉实业有限公司过程中，不作资信调查，致中方股金400万元港币被不法港商骗走，已立案侦查。山东省枣庄市曹庄乡煤矿负责人张同启、褚洪道在管理生产中严重不负责任，对事故隐患熟视无睹，瞎指挥，致使矿井发生瓦斯爆炸，使33人丧生，直接经济损失20多万元。张、褚已被判刑。

我们改进控告、申诉工作，完善接待群众来访、处理来信的工作程序。1989年全国检察机关共受理各类控告、申诉1042000件。为了保障公民的控告、申诉权利，最高人民检察院作出决定：对不服检察机关处理决定的申诉案件，由上一级检察院复查。去年，复查不服逮捕申诉案234件，纠正47件；复查不服免予起诉决定申诉案2024件，改变原决定591件。复查不服法院判决的申诉案件2201件，依照审判监督程序，提请法院重新审理并已改判521件。

我们党和国家在加强社会主义民主和法制建设中，历来十分重视保护公民的民主权利、人身权利以及其他合法权益。根据宪法和法律的明确规定，检察机关把保障公民权利当作自己的神圣职责和光荣义务，进行了不懈的努力，取得了很大的成绩。平息暴乱以来，霸权主义者和国际反动势力，在“人权问题”上对我国制造了种种谎言和进行恶毒攻击。他们以“人权问题”为幌子，粗暴干涉我国内政，对伟大社会主义中国施加压力。这种推行强权政治的行径，只能激起中国人民的强烈愤慨，加深中国人民对霸权主义本质的认识。我们坚决依法保护公民的合法权益，同时对于那些肆意践踏法律，破坏社会治安，侵犯他人合法权益、触犯刑律的分子，也坚决依法予以制裁。检察机关过去这样做了，今后还将坚定不移地保障公民行使控告权、申诉权、检举权和其他各项民主权利不受侵犯。检察机关还将积极加强对民事、行政诉讼法律实施的监督工作，为人民群众全面行使当家作主的权利提供法律保证。

四、关于加强思想政治工作和队伍建设情况

1988年冬，我们提出：“从严治检”的方针，加强法律监督机关的自身建设，要求建设一支“严格依法办案，秉公执法，掌握政策，实事求是，联系群众，精通业务”的检察官队伍。经过一年多的努力，队伍建设有了较为明显的进步。在制止动乱、平息暴乱中，广大检察人员忠实执行党中央、国务院的决定，积极参加斗争。去年11月，江泽民总书记和李鹏总理接见全国检察长工作会议代表时，作了重要讲话，代表党中央和国务院给检察队伍以高度的评价。各级检察院和广大检察人员在党的领导下，忠于职守，积极工作，涌现出一批英雄人物和先进集体。1989年有八位同志出席了全国劳动模范、先进工作者表彰大会，黑龙江省兰西县检察院党支部被评为全国基层优秀党支部。检察机关必须自觉地接受党的领导，坚决贯彻执行党的以经济建设为中心，坚持四项基本原则，坚持改革开放的基本路线，坚持进行反对资产阶级自由化的教育和斗争，这是使检察工作不致迷失方向的根本保证。

广大检察人员在任务繁重、人手紧张、工作条件较差、生活比较清苦的情况下，努力工作，恪尽职守。这支队伍是好的，有战斗力的。但也存在一些问题，主要是政治素质、法律素质和业务素质还不适应形势发展的需要。去年，我们着重抓了检察官培训工作，参加各类学历教育和法律（检察）专业证书教育的检察人员达6万人；地方检察院建立了26个电大分校、检察学校和培训中心；中国高级检察官培训中心反贪污、贿赂专业已培训了第一批学员，第二批学员正在学习，并举办了检察政工干部培训班。干部培训工作刚刚开始，我们决心继续办下去，使队伍素质不断得到提高。

为了发扬党的优良传统，发挥党组织的政治优势，密切同群众的联系，去年11月，最高人民检察院作出了《关于加强检察机关思想政治工作的决定》，制定并试行《检察人员纪律》，即：要热爱人民，不准骄横霸道；要服从指挥，不准各行其是；要忠于职守，不准滥用职权；要秉公执法，不准徇私舞弊；要调查取证，不准刑讯逼供；要廉洁奉公，不准贪赃枉法；要提高警惕，不准泄露机密；要接受监督，不准文过饰非。这“八要八不准”的纪律要求正在宣传教育和贯彻执行。检察系统一年一次的执法大检查也坚持进行，对于违法乱纪的人员进行了严肃处理。1989年受到各种处分的有490人，占检察队伍总人数的2.9‰。其中，开除公职22人，开除党籍41人，追究刑事责任97人。对在动乱和暴乱中丧失立场犯有严重错误的6名检察人员，已开除党籍并清出检察机关。

我们要求各级检察机关认真学习贯彻党的十三届六中全会决定，加强同群众的血肉联系，自觉接受群众的监督，加强自身廉政建设，纠正有法不依，执法不严，违法不究的现象。要组织广大检察人员认真学习马克思列宁主义、毛泽东思想，学习邓小平同志的著作，坚持马克思主义的立场、观点和方法，掌握辩证唯物主义和历史唯物主义，运用阶级分析的方法，坚定建设有中国特色的社会主义的信心。

五、关于1990年检察工作的任务

去年11月，我们召开了全国检察长工作会议，总结了1989年的工作，部署了1990年的工作，制定了《1990年检察工作计划要点》。检察工作总的指导思想是：认真贯彻党的十三届四中全会、五中全会和六中全会决定，充分发挥法律监督职能，坚决惩治贪污、贿赂犯罪，严厉打击严重刑事犯罪活动，维护正常的经济秩序和社会秩序，保障进一步治理整顿和深化改革的顺利进行，促进国民经济持续、稳定、协调发展，为国家稳定、社会稳定和经济稳定做出新贡献。1990年是进行治理整顿和深化改革的关键性的一年，我们要求各级检察院抓紧惩治贪污、贿赂犯罪和打击刑事犯罪这两个重点不放松。继续深入发动群众举报，开展揭发检举贪污、贿赂犯罪分子的活动，提高破获大案要案的能力，使反贪污、贿赂斗争向纵深发展；坚持依法从重从快严厉打击严重刑事犯罪活动，推动社会治安继续向好的方向发展。围绕上述两个重点，加强各项检察工作。

各位代表：

当前，全国人民的最大利益和最迫切的愿望，就是保持国家的稳定。稳定是压倒一切的头等大事，没有稳定，经济就不可能发展，改革开放就不可能顺利进行，人民物质文化生活的改善就得不到保证，安定团结的政治局面就难以巩固。人民检察院一定在以江泽民同志为核心的党中央的领导下，在全国人民代表大会及其常委会的监督下，紧紧依靠人民群众，为维护国家稳定、社会稳定和经济稳定，发挥法律监督职能，同各种犯罪行为进行坚决的斗争。

北京市人民检察院工作报告（摘要）

——1990年3月6日在北京市第九届人民代表大会第三次会议上

北京市人民检察院检察长　何访拔

（1990年3月9日北京市第九届人民代表大会第三次会议通过）

一、关于制止动乱和平息反革命暴乱的斗争

在制止动乱和平息反革命暴乱的斗争中，全市广大检察人员坚决执行党中央的决策，旗帜鲜明、立场坚定地投入到斗争中去，依法打击反革命分子和打砸抢烧杀等严重刑事犯罪分子。在发生反革命暴乱以后，各级检察院及时介入公安机关的侦查、预审活动，及时进行批捕、起诉工作。在办案中，本着严格区分两类不同性质的矛盾，严格区分罪与非罪的界限，坚决打击极少数反革命分子和打砸抢烧杀等严重刑事犯罪分子的原则，坚持以事实为根据，以法律为准绳，稳、准、狠地打击了极少数严重犯罪分子，保障了首都的社会安定。目前，办理反革命暴乱案件的工作尚在进行中。

二、关于反贪污、贿赂的斗争

这是1989年检察机关的工作重点。一年里，共受理贪污、贿赂等经济违法犯罪案件1915件，比上年增长57%。经过逐件调查，决定立案追究刑事责任的1090件，比上年增长86%，其中大案要案291件，是上年的2.3倍。立案侦查的案件中，有贪污案件537件、索贿受贿案件386件、行贿案件38件，三项合计占立案总数的88%，与上年查处的这三种案件总数比较，增长83%；其余129件是偷税抗税、挪用公款等犯罪案件。这些案件共有被告人1289名，其中有国家机关的司局级干部9人、县处级干部34人，企事业单位的经理、厂长203人，与上年查处的这几种人员总数比较，增长93%。还有担任其他领导职务的267人。通过查处这些经济犯罪案件，共为国家和集体挽回经济损失2241.86万元，是上年的1.6倍。这些统计表明，本市1989年惩治贪污、贿赂犯罪的工作取得了很大进展。

各级检察院在反贪污、贿赂斗争中的主要做法是：

第一，教育全体检察人员就反贪污、贿赂斗争不断提高认识，统一思想，明确任务。1988年12月，市检察院召开全市区、县检察院和铁路运输检察院检察长会议，认真传达贯彻1988年11月全国检察长工作会议关于把反贪污、贿赂列为检察机关打击经济犯罪的第一位工作，作为检察机关工作重点的部署，进一步提高了广大检察人员开展反贪污、贿赂斗争的自觉性、责任感和紧迫感。在1989年一开始，各级检察院就发扬不怕疲劳和连续作战的传统作风，振奋精神，主动出击，在第一季度立案总数比上年同期增长了84.9%，其中大案要案增长27%。4月份，又认真传达贯彻市九届人大二次会议关于人民法院、人民检察院工作报告的决议中提出的“加强反贪污、反受贿的斗争，继续严惩严重经济罪犯”的要求。平息反革命暴乱以后，通过学习党的十三届四中全会关于坚决惩治腐败的要求，广大检察人员更加认清了这场斗争不仅关系到经济的发展，而且关系到政治的稳定，从而更增强了使命感，激发了积极性，保证了斗争一步一步地深入发展，出现了立案数逐季递增的局面，使更多的犯罪分子被揭露出来，受到了法律的制裁。

第二，为了发现和揭露贪污、贿赂犯罪案件，各级检察院采取了如下主要措施：

（1）继续发动群众，进一步开展举报工作。各级检察院认真总结了1988年建立举报制度以来的经验，采取公开举报制度；抓住“及时查处”和“迅速反馈”两个环节，取信于民；加强宣传，利用多种方法引导群众 举报等办法，巩固和发展了举报工作。特别是最高人民法院、最高人民检察院在8月15日发布《关于贪污、受贿、投机倒把等犯罪分子必须在限期内自首坦白的通告》以后，举报数量猛增。在《通告》限期的两个半月内，受理举报2535件。去年全年群众举报各种线索中，有贪污、贿赂案件线索3491件，经审查，立案368件，占立案总数的33.8%。如丰台区检察院办理的北京小小汽车公司修理厂会计许友增贪污11.2万余元的案件（判处无期徒刑，剥夺政治权利终身）；宣武区检察院办理的北京三月服务公司咨询服务部顾问兼北京市广播技术研究所联建办公室主任姚善贻贪污39.5万元（一审判处死刑缓期执行，剥夺政治权利终身）等大案，都是根据群众举报的线索，经过检察机关侦查而揭露出来的。

（2）有重点、有目标地在一些行业或单位内开展反贪污、贿赂的专项斗争。怀柔县检察院在县供电系统专门开展这项斗争，侦破了县供电局包括当时的前后两任局长在内的一批经济犯罪案件，共立案14件14人，其中贪污、受贿万元以上的8件8人。另有12人慑于法律的威严，主动到检察院投案自首。同时，通过查处这些案件，顺藤摸瓜，还在一些机关、企业内查出了13件贪污、受贿案，涉及16人，为国家和集体挽回经济损失27万余元。

（3）同党的纪委和国家的监察、审计、工商、税务以及财务、税收大检查办公室等有关部门加强联系、配合、协作，认真受理机关、团体、企业单位提出的控告。4月中旬，通县检察院受理县监察局移送的县市政管理所工段长胡占鳌贪污一案后，连续破获了发生在该县市政管理所的上下串通、内外勾结，涉及县市政管理所副所长兼党支部书记张金兰、副处长张玉福等14人的经济违法犯罪问题。胡占鳌贪污、受贿10万余元，一审被判处无期徒刑，剥夺政治权利终身；张金兰贪污、受贿1万余元，一审被判处有期徒刑五年；张玉福贪污、受贿1.6万余元，一审被判处有期徒刑九年。

（4）发挥党的政策和国家法律的威力，促使犯罪分子投案自首。最高人民法院、最高人民检察院在8月15日发布《关于贪污、受贿、投机倒把等犯罪分子必须在限期内自首坦白的通告》，市检察院立即召开各区、县和铁路运输检察院主管检察长和处、科长会议，认真学习“两高”《通告》，要求各级检察院立即行动，广泛宣传《通告》，形成一个打击经济犯罪的强大声势。各级检察院除了加强昼夜值班制度，接待投案自首者和来访者外，还充实办案力量，抓紧查处投案自首的案件。从8月15日到限期截止的10月31日，全市共有907人投案自首。其中，到检察机关投案自首的344人，内有贪污、受贿万元以上的41人，县处级干部21人、司局级干部1人。全市自首人员共交出赃款143．49万元。在这段时间里，检察机关与法院密切配合，在全市和各区、县共召开34次政策兑现大会，有力地促进了犯罪分子的分化瓦解，不少犯罪分子走上了坦白自首的道路。

第三，及时总结交流经验，提高侦查工作水平，不断推动斗争向前发展。市检察院在4月份召开全市各级检察院主管贪污、贿赂检察工作的检察长和处、科长会议，及时总结交流了在当时情况下开展反贪污、贿赂斗争的经验。这次会后，尽管出现了学潮和动乱，但绝大多数检察院都认真学习和推广了先进经验，坚守岗位，排除干扰，克服困难，毫不动摇地狠抓了这项斗争。从4月15日到5月底，全市检察机关立案数比上年同期上升37%。在平息反革命暴乱以后，市检察院又在6月28日和7月18日，两次召开反贪污、贿赂工作会议，贯彻党的十三届四中全会精神，研究部署在平息反革命暴乱取得决定性胜利的形势下，如何继续抓好反贪污、贿赂的工作。7月份，全市检察机关立案73件，是前7个月中立案最多的一个月。同时，各级检察院为了充分、准确地揭露和证实犯罪，还围绕提高侦查工作水平，教育和培训反贪污、贿赂侦查人员树立良好的侦查工作作风，进一步学会使用法律规定的各种侦查手段；加强侦查工作的组织指挥，实行检察长亲自办案的制度；加强学习有关政策、法律；开展犯罪规律、动态的调查研究工作；改善包括侦查技术设施建设在内的侦查工作的基础建设，使办案的质量和效率都有了提高。在案件大量增多的情况下，仍保持结案率在80%以上。

第四，开展执法检查工作，改善执法状况，提高办案质量。根据市人大常委会的要求，各级检察院对1988年1月至1989年6月侦查处理的949件贪污、贿赂等经济犯罪案件，执行刑法有关条款和全国人大常委会《关于严惩严重破坏经济的罪犯的决定》、《关于惩治贪污罪贿赂罪的补充规定》的情况进行了检查。市检察院对这次检查提出了比较具体的要求，并强调检查执法要与改善执法结合起来进行。各级检察院对这次检查工作都很重视，分别成立了专门的执法检查小组，由一名检察长抓这项工作。在分院和各区、县检察院自查的基础上，市检察院对东城、海淀、通县、石景山、大兴5个区县检察院进行了抽查。从平时检查和这次检查的结果来看，全市检察院的执法情况总的说是好的，但也有严重问题。对这些错误，随发现随纠正，并且认真进行了总结、分析，汲取教训，有针对性地提出了改善执法的措施。主要是进一步健全了案件审批制度和执法情况考核制度，加强了广大检察人员的政策、法律学习，教育广大检察人员必须以对人民高度负责的精神，坚持客观全面、实事求是的作风，依法办案。这对于提高办案质量起到了促进作用。

第五，结合办案，促进廉政建设。查处案件，惩治贪污、贿赂等犯罪分子，是廉政建设的一项重要内容。各级检察院在惩治犯罪的同时，还普遍注意了选择贪污、贿赂等犯罪案例，通过报刊、电台、电视台、有线广播、开群众会等多种形式公诸于世，以儆效尤。根据海淀、丰台、朝阳3个区检察院的统计，一年来在各种范围，采取各种形式公布的案例就有84件。同时，也注意了调查犯罪得逞的原因，向发案部门发出堵塞漏洞、健全规章制度的建议，促进有关部门制订廉政措施。还注意了及时综合贪污、贿赂犯罪活动情况，报请党委批转给各部门。市检察院曾向全市各区、县、局、总公司的领导干部通报当前的贪污、贿赂犯罪情况，市委办公厅据此向市属各单位印发了情况通报；通县县委将通县检察院的综合材料，作为廉政教育的教材和廉政建设的参考转发到全县各单位，收到了良好效果。

1989年，惩治贪污、贿赂犯罪的工作虽然取得了明显成效，但是，从"两高"《通告》发布后的情况来看，投案自首的多是原来就已经掌握了一定线索或者是已经触动的，隐蔽较深的不多，而且仍然有"顶风作案"、以身试法的。贪污、贿赂作为一种社会现象将会长期存在。因此，反贪污、贿赂的斗争，将是一场艰巨、复杂、长期的斗争。各级检察院决心树立长期作战的思想，紧紧依靠人民群众的支持和监督，克服各种困难，坚定不移地把这场斗争进行下去。

三、关于打击刑事犯罪的斗争

这始终是检察机关的又一个工作重点。在1989年，各级检察院继续坚持依法从重从快的方针和稳、准、狠的原则，严厉打击了严重危害社会治安的刑事犯罪活动。一年中，共批准逮捕人犯9065人，比上年增长25.45%，占公安机关提请批准逮捕人犯总数的93%。这是1984年以来批准逮捕人犯最多的一年。在批准逮捕的人犯中，属于重点打击的有3556人，占批准逮捕人犯总数的39.23%。对公安机关移送起诉的案件，经审查，决定起诉的有6065件、9803人，分别比上年上升29.93%和36.1%，占公安机关移送起诉案件总数的92.68%。在起诉的案犯中，属于重点打击的案犯占决定起诉人犯总数的25.3%。对于重点打击的严重刑事犯罪分子，做到了依法从重从快批捕、起诉。市检察院分院在动乱期间交通受阻的情况下，克服困难，对趁动乱抢劫邮电学院储蓄所和汽车司机钱财的金文成、石子龙等7名案犯从快批捕，从快起诉，使这伙歹徒及时受到了严厉制裁。

在严厉打击严重刑事犯罪斗争中，各级检察院在坚持过去行之有效的工作方法的基础上，又有了新的进步、新的发展。主要是：

第一，积极配合公安、法院等有关部门开展专项斗争和专项治理，继续保持了"严打"声威。主要是围绕解决社会治安的突出问题，坚决、及时地打击了危害严重的刑事犯罪分子。一年来先后与公安、法院密切配合，开展了打击流窜犯罪、重大杀人犯、抢劫犯、强奸犯和"扫黄"、扫除"六害"等"压大案、打现行"的专项斗争和专项治理。北京铁路运输检察系统与铁路公安、法院密切配合，开展了以打击盗窃路材路料为重点的专项斗争。据不完全统计，1至11月，各级检察院配合人民法院共召开群众大会62场，宣告了286名犯罪分子的犯罪事实和对罪犯的审判结果；还执行死刑临场监督任务40次，震慑了犯罪，教育了群众，维护了社会治安和铁路运输正常的治安秩序。

第二，认真贯彻执行了《北京市未成年人保护条例》的有关规定。市九届人大常委会第五次会议通过的《北京市未成年人保护条例》，是维护未成年人合法权益，优化未成年人的成长环境，保护未成年人成长的一项重要法规。市检察院在3月份，发出了《关于贯彻执行＜北京市未成年人保护条例＞的通知》，要求各级检察院在认真学习《条例》的基础上，根据《条例》的规定建立起专门的"未成年人犯罪案件起诉组"，采取适合未成年人特点的方式进行讯问、审查。西城、东城、海淀、丰台、密云、顺义、房山等区县检察院还结合办案，开展了旨在预防、减少青少年犯罪的综合治理工作。丰台区检察院在办理一起8名未成年人抢劫案时，除严格按照《条例》规定做好讯问、教育等工作外，还分别将被告人的家长请到检察院，针对被告人的不同情况做工作，请家长不要抛弃有罪的孩子，要为他们创造悔罪自新的条件，给他们以温暖。家长们感到检察人员不辞辛苦地实心实意地挽救孩子，十分感动地说：自己的孩子犯了罪，做家长的有不可推卸的责任，检察机关为我们的孩子改正罪错下这么大力量，我们更应当尽职尽责。西城、丰台、房山、密云等区县检察院在办好未成年人犯罪案件的基础上，还对未成年人犯罪的趋势、特点、原因等问题，进行了比较广泛的社会调查，写出报告，提请有关部门加强青少年犯罪的预防工作。

第三，改进了对公安机关侦查的刑事案件提前介入的做法。实践证明，检察机关及时地提前介入公安机关的侦查、预审活动，提高了侦查监督水平，不但可以提高办案效率，及时打击犯罪，而且对于确保案件质量，也具有实际意义。

第四，加强了二审案件的审判监督。去年，市检察院分院针对二审案件审判监督工作比较薄弱的情况，从三个方面加强了这项工作。(1) 调整、充实了二审案件的办案力量。(2) 建立健全了二审案件审判监督制度。市检察院与高级法院协商，确定了检察院受理二审案件的范围、种类，落实了检察长列席高、中级法院审判委员会研究重大疑难二审案件的制度。(3) 认真总结了近几年来二审监督工作的经验。市检察院和分院一年当中，共受理二审案件165件，其中抗诉案24件，上诉案件141件。检察院对原审判决提出纠正意见的有38件，除6件二审法院维持原判外，其余均已改判或发回原审法院更审。二审案件审判监督工作的改善，提高了检察机关审判监督的水平。

第五，坚持案件复查制度，查错查漏，总结教训，改进工作。如市检察院对1988年批准逮捕后又无罪释放的案件进行了检查分析。1988年，全市检察机关共批准逮捕7226人，有15人捕后又无罪释放。通过认真分析发生错批捕的原因，对提高办案质量起了促进作用，也帮助干部提高了办案能力。

1989年，各级检察院为维护首都的社会治安做出了积极的努力。当前，首都社会治安形势是稳定的，但是，仍然处于一种严峻的状态之中，重大、特大案件数量仍居高不下，社会上的不安定因素还很多，今后的任务还是相当艰巨的。各级检察院决心继续坚决执行依法从重从快的方针，不断提高审查批捕、起诉、出庭支持公诉和侦查监督、审判监督的工作水平，准确、有力地打击各种刑事犯罪分子，为治理整顿和深化改革提供一个稳定的社会环境而努力。

四、关于同侵犯公民民主权利、人身权利和渎职犯罪的斗争

这是检察机关的一项重要工作。1989年，全市检察机关共受理“侵权”、渎职案件532件。经过调查，对其中138件已构成犯罪的案件，检察机关立案进行了侦查处理；394件不构成犯罪的案件，转请主管机关作了处理，对可能引起矛盾激化的案件，及时做好当事人的思想工作，收到了较好的社会效果。案件的数量与上年相比，受理数与上年持平，立案数上升11．3%。在这项工作中，查办了一批重、特大案件和比较有影响的案件。如正在侦查中的中国出口商品基地建设总公司派驻香港的百孚有限公司董事长兼总经理姚学聪（副局级）、副总经理兼财务部经理王珠江（正处级）二人重大玩忽职守案，现已查明他们违反经贸部有关规定，擅自委托美籍华人倒卖黄金，给国家造成1000万美元损失。通过办案，保障了国家机关的正常活动，保护了公民的合法权利。

另外，各级检察院还围绕加强监管秩序、提高改造质量，开展了监所检察工作；在控告申诉检察工作中，处理了群众来信来访13140件（次）。市检察院、分院和顺义等三个区县检察院成立了行政、民事检察机构，为迎接行政诉讼法的正式实施作了调查研究、培训干部等准备工作。

五、关于检察队伍的建设

在检察工作实践和严峻的斗争中，全市广大检察人员经受了锻炼和考验，涌现出一批立场坚定，旗帜鲜明，艰苦奋斗，无私奉献的先进集体和先进个人。全市检察机关有11个院、处、科级单位被评为北京市检察系统制止动乱、平息反革命暴乱的先进集体，4人荣立二等功，9人荣立三等功，62人被评为先进工作者。其中，昌平、大兴、石景山三个区县检察院受到最高人民检察院通令嘉奖，北京铁路运输检察分院被评为全国检察系统的先进集体。在反贪污、贿赂斗争中，有3个单位荣立集体二等功，10个单位荣立集体三等功，8个单位被评为先进集体，15人荣立二等功，40人荣立三等功，99人被评为先进工作者。实践证明，本市的检察队伍素质和主流是好的，是可以信赖的队伍。但是这支队伍的政治素质和业务素质距形势和任务的要求还是有差距的，特别是违法乱纪的现象时有发生。针对检察人员中出现的问题，各级检察院已经和正在采取措施，加以解决。一是组织全体检察人员认真学习党的十三届三中、四中、五中全会文件，开展了坚持四项基本原则，反对资产阶级自由化的教育；二是加强了马列主义、毛泽东思想基本理论的学习和教育；三是加强了检察纪律教育和以秉公执法、不以权谋私为中心内容的廉政教育；四是采取多种形式进行了法律和业务的培训，提高检察人员的执法水平和工作能力。市检察院还正在准备逐步向社会公布检察人员的办事规则和有关制度，依靠人民群众的监督，把这支队伍建设得更好。

根据1989年11月全国检察长工作会议的部署，结合本市的实际情况，本市各级检察院在1990年的主要任务是：在党的十三届四中全会、五中全会精神指引下，全力抓好四件大事，即：惩治贪污、贿赂的斗争；打击刑事犯罪的斗争；处理动乱、暴乱中的反革命分子和其它刑事犯罪分子；加强思想政治工作，从严治检。要充分发挥检察机关的职能作用，为维护社会治安，促进廉政建设，保障大局稳定而奋斗。同时，依法查处侵犯公民民主权利、人身权利和渎职犯罪案件，保护公民的合法权益，保障国家机关的正常活动。各项检察业务工作都要更好地为进一步治理整顿和深化改革以及国民经济持续、稳定、协调发展服务。

第一，继续深入开展反贪污、贿赂斗争。在新的一年里，要坚定不移地把这项斗争继续作为检察机关的工作重点。要主动到那些贪污、贿赂犯罪较多、群众反映强烈的部门和行业，继续号召犯罪分子坦白自首，充分发动群众检举揭发，从抓大案线索入手进行突破，把斗争引向深入。要把大案要案和犯罪活动比较严重的行业或单位作为重点来抓。同时，抓紧处理“两高”《通告》期限内坦白自首的案件；进一步发动群众，搞好举报工作；继续加强与有关部门的联系、配合，协同作战，力争能够做到及时发现犯罪。对贪污、贿赂犯罪分子坚持依法从严惩处的方针，在处理案件时该严就严，该宽就宽。在严惩贪污、贿赂犯罪分子的同时，要大力开展法制宣传、综合治理，加强预防犯罪，促进廉政建设。各级检察院要加强反贪污、贿赂侦查机构的建设；各级检察长要亲自办案，特别是要带头办大案要案和疑难案件；对侦查人员分期分批地进行培训；要及时总结破案和办案的经验，不断提高侦查工作水平，以更好地完成惩治贪污、贿赂犯罪的工作任务。

第二，继续依法从重从快严厉打击严重刑事犯罪活动。积极配合有关部门开展好“扫黄”、除“六害”等各项专项斗争和专项治理。当前打击的重点是杀人、抢劫、强奸、拐卖妇女儿童、贩毒、重大盗窃、行凶报复、聚众赌博以及强迫、引诱、容留妇女卖淫等严重犯罪分子，特别是坚决打击流窜犯罪分子和犯罪集团的首要分子。要与公安、法院密切配合，继续发扬“严打”声威，及时有力地打击各种严重的刑事犯罪分子。在这个斗争中，首先要做好批捕、起诉和出庭支持公诉工作，同时要完善对公安机关侦查的刑事案件的提前介入制度，进一步加强侦查监督和审判监督，做好监所检察工作，努力为经济建设和亚运会的召开创造一个良好的社会环境。

第三，坚决镇压制造动乱、反革命暴乱的犯罪分子。抓紧处理制造动乱、暴乱的反革命分子和打砸抢烧杀等其他刑事犯罪分子。要严格依照法律规定办案，严格区分两类不同性质的矛盾，严格区分罪与非罪的界限，以团结教育多数，孤立打击极少数，巩固制止动乱和平息反革命暴乱的胜利成果。

第四，加强查处侵犯公民民主权利、人身权利和渎职犯罪案件的工作。重点查处玩忽职守、重大责任事故和“侵权”案件。同时，注意查处徇私舞弊、泄露国家机密、报复陷害、妨碍邮电通讯等犯罪案件。要把查处这类案件同清除各种腐败现象，促进廉政建设紧密结合起来进行。还要继续做好控告申诉检察工作，积极进行民事、行政诉讼法律监督的调查研究和试点工作，以履行这方面法律监督的职责。

第五，坚决贯彻《最高人民检察院关于加强检察机关思想政治工作的决定》和《中共北京市委关于加强党的建设和思想政治工作的决定》，搞好检察队伍的建设。要利用多种形式开展思想政治工作，培训干部，不断提高检察人员的政治素质和业务素质，建成一支严格依法办案，秉公执法，掌握政策，实事求是，联系群众，精通业务，为人民服务的检察队伍。

天津市人民检察院工作报告（摘要）

——1990 年 4 月 24 日在天津市第十一届人民代表大会第四次会议上

天津市人民检察院检察长　陶毅民

（1990 年 4 月 27 日天津市第十一届人民代表大会第四次会议通过）

1989 年，是不寻常的一年。在这一年里，我们经受了一场政治风波的严峻考验。在市委和最高人民检察院的领导下，在市人大及其常委会的监督下，我市各级检察机关根据十一届人大二次会议批准的《天津市人民检察院工作报告》，继续把严厉打击严重刑事犯罪和严重经济犯罪作为检察工作的重点，坚持"一切为了人民，一切依靠人民"的基本工作思路，把专门工作和群众路线结合起来，充分发动群众，深入开展反贪污、贿赂犯罪斗争，加强各项检察工作，自觉地为稳定服务，为治理整顿和深化改革服务，取得了一定成绩。现在，我就去年人大二次会议以来至今年 3 月底这个期间，检察机关围绕治理整顿和深化改革所进行的几项主要工作，向大会做报告，请予审议。

一、惩治腐败，开展反贪污、贿赂犯罪斗争

一年来，我市各级检察机关共受理各类经济违法犯罪案件 1849 件，构成犯罪决定立案侦查的 1198 件，其中受理贪污、贿赂案件 1704 件，立案侦查 1090 件，分别比上一年度上升 76.2%和 69.8%。在立案侦查的贪污、贿赂犯罪案件中，万元以上大案和县处级以上领导干部犯罪的要案 258 件，占 23.7%，上升 97%；决定逮捕 291 人，向人民法院提起公诉 483 人；追缴赃款和赃物折款共计 1491 万余元。此外，我们还立案查处偷税、抗税罪案 86 件，共追缴赃款 264 万余元。

在反贪污、贿赂犯罪斗争中，我们主要抓了以下几方面的工作：

1、贯彻执行《通告》，开展反贪污、贿赂犯罪斗争教育

党的十三届四中全会，把坚决惩治腐败、切实做好几件人民普遍关心的事情作为当前要特别注意抓好的四件大事之一。去年 6 月，邓小平同志在一次重要讲话中指出，要始终坚持一手抓改革开放，一手抓惩治腐败。惩治腐败要认真做几件大事，搞一个临时大政策，限一个期限，给贪污、受贿犯罪分子一次悔罪的机会。为贯彻四中全会和邓小平同志重要讲话精神，8 月 5 日，我们市人民检察院和市高级人民法院联合发布了《关于敦促贪污、受贿等违法犯罪分子自首坦白的通告》。8 月 15 日，最高人民法院、最高人民检察院发布《关于贪污、受贿、投机倒把等犯罪分子必须在限期内自首坦白的通告》后，8 月 16 日，我市"两院"又发布《补充通告》，规定凡在限期内自首坦白、积极退赃或有检举他人犯罪等立功表现的，将依法从宽处理；拒不自首坦白的，将依法从严惩处。为贯彻

好《通告》，在报社、电台、电视台等宣传部门的密切配合下，通过各种形式，大张旗鼓地进行了宣传工作。与此同时，我们还编发了宣传教育提纲，在全市县处级以上单位开展反贪污、贿赂犯罪斗争教育。通过宣传教育，使干部群众认清保持廉洁、惩治腐败是党和国家的一贯主张，提高法制观念，树立与贪污、贿赂等腐败现象做斗争的信心，积极举报犯罪和敦促犯罪分子自首坦白，对犯罪分子形成了一种攻势，迫使他们自首坦白。在《通告》规定的限期内，共受理群众举报3162件，月平均超过千件，比上一年同期上升52.5%，其中涉嫌贪污、贿赂问题的1824件，占57.7%。经甄别调查，构成犯罪立案侦查的247件，其中贪污、贿赂犯罪的208件。有815人自首坦白，退交赃款和赃物折款共计380万余元。其中厂长、经理、科长及管理财物、供销业务人员240人；局级干部1人，处级干部14人；贪污、受贿万元以上的71人，数额最大的15万余元。

2、发动群众，积极开展经济罪案举报工作

我们坚持专门工作与群众路线相结合，充分发动群众举报贪污、贿赂犯罪。共受理群众举报罪案8434件，其中涉嫌贪污、贿赂问题的4794件，占56.8%。大量的举报材料，给我们侦查破案提供了有力依据，使我们及时澄清了不少涉嫌贪污、贿赂的问题。为加强举报工作，我们健全和完善了工作制度，加快举报线索的消化处理，做到认真查办和信息反馈，奖励举报有功人员，鼓舞了群众同贪污、贿赂犯罪做斗争的积极性，不仅为查处案件提供重要线索，还提供罪证，积极支持我们办案。

3、抓住重点，集中力量查处大案、要案

我们始终把工作重点放在查处万元以上大案和县处级以上领导干部犯罪的要案上。为集中力量办大案、要案，我们采取了六条措施：一是充实和加强办案力量，各区、县人民检察院投入贪污、贿赂犯罪案件侦查工作的人数一般达到干警总数的四分之一，有的还达到了三分之一；二是强化干警办大案、要案的意识，正确处理好大案、要案与一般案件的关系；三是市人民检察院成立了大案侦查处，专门侦查大案、要案；四是各级检察长亲自办案，主要也是办大案、要案；五是从市人民检察院和分院先后抽调150名干部下到大案、要案多的区、县，协助查处大案、要案；六是协调各区、县检察院之间的办案步调，加强办大案、要案的统一指挥。由于采取了以上措施，在查处大案、要案工作上取得了突破性进展。去年年初，我们立案查处的天津市房管局第四房屋建筑公司器材科科长邓云良贪污、受贿16万余元案，天津医学院第二附属医院财务处复核员王岩贪污14万余元案，宝坻县方家庄乡信用社记帐员杨文明贪污30万余元案，均已侦查终结，依法提起公诉。邓云良被法院判处死刑，已经执行；王岩被判处死刑，缓期二年执行。去年下半年，我们立案查处的天津房地产开发集团实业公司万新建材商店经理张晓明贪污公款和建筑材料折款总计68万余元案，已依法向人民法院提起公诉。天津海关东港办事处会计杨强、干部王新宇等人挪用公款410万余元案，已侦查终结。今年，我们又决定立案侦查了天津市原材料资源开发公司副经理杨振镖受贿10万余元案，天津地方铁路局工程公司经理宋鸿宾特大贪污、受贿案。

4、加强宣传，增强工作的透明度

我们依靠报社、电台、电视台等新闻单位的密切配合，加强对反贪污、贿赂犯罪的宣传工作。同时，建立了新闻发布会制度。通过举行新闻发布会、记者招待会、与各阶层人士的座谈会，及时向社会通报检察机关开展反贪污、贿赂犯罪斗争的工作进展情况，公开重大案件、重要举报线索的查处结果，宣传政策和法律，进行法制教育，扩大了反贪污、贿赂犯罪工作的社会效果。

5、结合办案，进行综合治理

为了把贪污、贿赂犯罪减少到最低限度，我们一方面抓紧案件的查处工作，严惩贪污、贿赂犯罪分子。另一方面，通过办案，注意研究犯罪活动的特点，发现发案单位管理工作上存在的问题，及时提出“检察建议”，协助改章建制，加强管理，堵塞漏洞，消除隐患，提高防范能力，预防和减少犯罪。

我们在反贪污、贿赂犯罪斗争中，为了更好地接受人大及其常委会的监督，加强了向人大及其常委会报告工作制度。主动报告工作，并邀请人大代表视察和座谈，听取对反贪污、贿赂犯罪工作的意见。市人大主任、副主任和各区、县人大主任以及人大代表都很重视和支持，多次到检察机关视察，听取反贪污、贿赂犯罪斗争情况的汇报，提出许多很重要的意见和建议，对我们正确执行法律，查处贪污、贿赂犯罪案件给予了有力的监督和支持。

我们为保证案件质量，认真贯彻执行“一要坚决、二要慎重、务必搞准”的方针，正确执行法律和政策，严格依法办案，重证据、重调查研究、不轻信口供，在立案、逮捕、起诉等环节上严格把好质量关，努力做到所办案件事实清楚、证据确凿、定性准确、处理恰当、程序合法，经得起历史检验。

我市反贪污、贿赂犯罪斗争虽然取得了初步成效，但是不能估计过高。我们工作中还存在不少缺点和不能轻视的问题。主要是在宏观指导上深入实际、深入群众、调查研究不够，对区、县检察院工作帮助不够，斗争发展不平衡，去年贯彻执行《通告》，有的单位走了过场。个别案件办的时间过长，工作效率不高，有的把关不严。普遍的问题是办案力量不足，侦查技术装备落后，不适应工作的需要。

当前，贪污、贿赂犯罪情况仍很突出。从我们掌握的大量线索看，还有不少隐藏较深的犯罪分子没有被揭露出来。在我们国家工作人员中，虽然贪污、贿赂犯罪的始终是极少数，但这是一种社会现象，是阶级斗争的反映。在发展商品经济的条件下，由于剥削阶级腐朽思想和生活方式的腐蚀，资产阶级自由化思潮的影响，滋生贪污、贿赂犯罪是不可避免的，即使查处了现在那些隐藏较深的犯罪分子，还会滋生新的犯罪分子。因此，反贪污、贿赂犯罪斗争是一项长期、复杂、艰巨的任务，我们要保持严惩贪污、贿赂犯罪的势头，把这一斗争深入、持久地开展下去，绝不能半途而废。

二、制止动乱、严厉打击严重刑事犯罪活动

严厉打击严重刑事犯罪，维护社会秩序和治安秩序的持续稳定，始终是检察机关工作的重点之一。1989 年，我市各级检察机关认真贯彻执行中央关于坚决制止动乱、平息反革命暴乱的决策和市委关于防止与制止动乱的正确方针，通过批捕、起诉、出庭支持公诉，揭露和惩处了极少数在动乱中触犯刑律的犯罪分子，为保卫天津、保卫人民，维护我市的政治稳定和社会稳定做出了积极贡献。

我们加强刑事检察工作。共受理公安机关提请逮捕人犯 6123 人，经审查，批准逮捕 5313 人，不批准逮捕 337 人，追捕各类犯罪分子28人；受理公安机关移送起诉案件3554件6567人，经审查，依法向人民法院提起公诉3197件5619人，人民法院已对5261人做出有罪判决；决定不予起诉49人，追诉各类犯罪分子55人。对人民法院的判决、裁定提出抗诉25件，人民法院已决定改判8件。

我们配合公安机关，开展查禁取缔赌博活动、打击盗窃和抢劫犯罪、整顿夏季治安、打击流窜犯罪和流氓犯罪、“扫黄”和“扫除六害”等专项斗争，形成此伏彼起的打击浪潮，保持了高压气势，显示了人民民主专政的强大威力，维护了我市社会秩序的持续稳定。

我们加强监所检察工作。配合监管改造部门维护场所秩序，促进文明管理，提高改造质量。对在押人犯和劳教人员在监管改造场 所继续犯罪的共批准逮捕15人，起诉57人。我们与有关部门配合，在监管改造场所开展坦白检举活动，有834人坦白交待余罪1257条，检举他人犯罪5263件。对254名检举他人犯罪有功的，依法从宽处理。同时，我们认真做好在押人犯和劳教人员申诉案件的复查工作，本着严格执法精神，对58件申诉案件进行调查，发现确有错误，需要纠正的，建议原审法院予以改判或建议公安机关改变原决定；对那些申诉无理的，驳回申诉，并做好认罪服法教育。

我们坚持把综合治理工作做为一项重要任务来抓。全市各级检察机关通过审查批捕和审查起诉，针对发案单位制度上和工作中存在的漏洞，采取口头或书面形式提出改进意见。共发出“检察建议”1533份，从反馈回来的情况看，已有640件得到落实。我们继续坚持了对免诉人员实行帮教考察的做法，对208名免诉人员会同有关单位建立了帮教组织，实行定期或不定期的考察，鼓励他们弃旧图新，做守法公民。

一年来，我市社会治安形势保持了持续稳定的局面。全市刑事案件发案率在全国大中城市中是最低的。但是应当看到，当前治安形势也是严峻的，刑事犯罪活动还比较严重。检察机关审查批捕的刑事犯罪分子中，抢劫犯罪562人，比上一年度上升46．7%；重大盗窃犯罪776人，上升110．3%。杀人、强奸、伤害等犯罪也不见减少。各种社会矛盾和不安定因素还很多，国内反革命分子和极少数顽固坚持资产阶级自由化的人和国外敌对势力遥相呼应，妄图进行颠覆和破坏活动。因此，加强对敌斗争，依法从重从快打击严重刑事犯罪活动的任务是十分艰巨的。我们要保持清醒的头脑，牢固树立长期作战的思想，继续保持严打势头，加强社会治安综合治理，为治理整顿和深化改革创造良好、稳定的社会治安环境。

三、维护民主与法制，认真查处“侵权”、渎职犯罪案件

依法查处侵犯公民民主权利、人身权利和渎职犯罪案件，是检察机关的一项重要职责。一年来，我市各级检察机关依靠有关部门的支持，排除各种干扰，重点查处了非法拘禁、诬告陷害、徇私舞弊、玩忽职守、重大责任事故等严重侵犯公民民主权利、人身权利和严重渎职犯罪案件。共受理各类法纪案件227件，决定立案侦查130件，其中重大、特大案件36件，比上一年度上升了44%。如天津市金属材料公司钢材供应站副主任王思华、第二经营部副股长于增强、业务员孙以三人玩忽职守，致使700余万元的货款被骗案，已侦查终结，依法提起公诉；河南省安阳县北郭乡建筑队队长张学平在承建天津警备区某仓库土建工程中，违章作业，造成4人死亡、

1 人重伤、4 人轻伤的重大责任事故案，法院已依法判处其有期徒刑六年；南郊公安分局北闸口派出所民警王孟瑶利用职务之便，为重大经济案犯通风报信，转移、隐匿赃款 3 万余元案，经起诉到法院，法院也做了有罪判决。这些人的犯罪行为，有的给国家造成巨大经济损失，有的导致重大伤亡事故，有的严重侵犯公民的民主权利和人身权利，造成极坏影响，检察机关依法坚决查处了这些案件，得到群众的拥护和支持。

我们加强控告、申诉检察工作，完善了接待、处理群众来信来访制度。共受理控告“侵权”、渎职违法犯罪案件 198 件，经甄别调查，对构成犯罪的 22 件，决定立案侦查。我们重点对不服检察机关决定不捕、不诉和免诉案件进行复查，本着有错必纠精神，保障无罪人不受法律追究。受理各类申诉案件 425 件，其中不服“两不一免”决定的 95 件，经认真复查，改变原免诉决定的 11 件。对不服判决的 8 件，建议人民法院复议。对 403 件申诉无理的，依法予以驳回。

当前，侵犯公民民主权利、人身权利的现象还时有发生，一些渎职犯罪和重大责任事故造成的后果也是十分严重的。我们要继续把查处“侵权”、渎职犯罪案件做为重点，抓紧办案工作，对触犯刑律的，坚决依法追究，维护社会主义民主，维护法律的尊严。

四、加强队伍建设，提高干警的政治、业务素质

坚持从严治检，大力加强思想政治工作。广大干警勤政为民，忠于职守，在工作中严格依法办案，秉公执法，掌握政策，实事求是，联系群众。在队伍建设方面取得了新的进展。

我们对干警着重加强了马克思主义基本理论教育，党的基本路线教育，坚持四项基本原则、反对资产阶级自由化的教育和“一切为了人民，一切依靠人民”，全心全意为人民服务的教育，不断提高其坚持四项基本原则、反对资产阶级自由化的自觉性和政治敏感性，增强阶级斗争观念和专政意识。在去年春夏之交的政治风波中，我市检察干警立场坚定、旗帜鲜明、坚守岗位、积极工作、严守纪律、维护大局，在思想上、行动上与党中央保持高度一致，经受住了严峻考验。

我们还加强了反腐倡廉教育，使干警认识做为人民检察员，肩负着惩治腐败，打击贪污、贿赂犯罪的重任，要做好检察工作，就必须保持自身廉洁。最高人民检察院制定了《检察人员八要八不准》的规定，作为必须遵守的纪律。我们市人民检察院和各区、县人民检察院也都做出相应规定。各级领导干部以身作则，带头做出表率；广大干警认真贯彻，身体力行。对违反规定的 15 名干警，我们都做了认真检查和严肃处理。

我们坚持岗位培训，加强政策、法律教育。有计划、分期分批地举办短期专业培训班，多渠道、多层次培训干部，不断提高干警政策水平和业务素质。

通过以上教育，广大检察干警自觉接受党的领导，坚决贯彻党的以经济建设为中心，坚持四项基本原则，坚持改革开放的基本路线，恪尽职守，努力工作，为治理整顿和深化改革做出了积极贡献。全系统共有 89 个先进单位和部门，350 名先进个人立功受奖，受到市委、最高人民检察院和各区、县委的表彰。

今年是进一步治理整顿和深化改革极为重要的一年。我们工作的指导思想是：认真学习，坚决贯彻落实党的四中全会、五中全会、六中全会和市委全体扩大会议精神，把维护稳定做为压倒一切的任务，一切着眼于稳定，变困难为机遇，充分发挥法律监督职能，努力做好各项检察工作，继续严惩严重贪污、贿赂犯罪和严重刑事犯罪，维护党政机关廉洁，维护安定团结和社会治安秩序，保障进一步治理整顿和深化改革的顺利进行，促进国民经济持续、稳定、协调发展。

我们要认真贯彻第七届全国人民代表大会第三次会议和我市这次人民代表大会精神，在市委和各级党委的领导下，在各级人大及其常委会的监督下，在人民群众的支持下，深入、持久地开展反贪污、贿赂犯罪斗争，重点查处大案、要案，依法严惩破坏经济的犯罪分子；进一步加强刑事检察，强化专政职能，打击国内敌对分子的破坏活动，继续依法从重从快惩处危害社会治安的严重刑事犯罪分子；加强法纪检察，认真查处“侵权”、渎职犯罪案件；加强监所检察，坚决打击监管改造场所内的犯罪活动；加强举报和控申工作，保障公民行使控告、申诉等各项民主权利不受侵犯。我们要继续发挥政治优势，大力加强和改善思想政治工作，不断提高干警的素质，坚持“一切为了人民，一切依靠人民”的基本工作思路，发扬艰苦奋斗，实事求是的作风，紧紧依靠群众，做好各项工作，为维护我市的政治稳定、经济稳定和社会稳定做出新的贡献。

河北省人民检察院工作报告（摘要）

——1990年4月22日在河北省第七届人民代表大会第三次会议上

河北省人民检察院检察长　　刘宗欣

（1990年4月25日河北省第七届人民代表大会第三次会议通过）

1989年，我省各级检察机关在省委、最高人民检察院和各级党委的领导下，在各级人大及其常委会的监督、支持下，认真贯彻党的十三届四中全会、五中全会精神，从稳定大局出发，紧紧围绕治理整顿、深化改革这个中心，充分发挥法律监督职能作用，严厉打击了严重刑事犯罪活动，坚定不移地开展了反贪污、贿赂斗争。在春夏之交发生政治动乱和北京地区反革命暴乱期间，全省各级检察机关和检察干警坚决响应党中央的号召，立场坚定、旗帜鲜明地反对和制止动乱。积极参加彻底清查、坚决打击参加反革命暴乱和制造动乱的严重刑事犯罪分子的工作。8月中旬以后，集中精力抓了最高人民法院、最高人民检察院《关于贪污、受贿、投机倒把等犯罪分子必须在限期内自首坦白的通告》(以下简称“两高”《通告》）的贯彻落实工作。在紧张的斗争中，全省检察队伍经受了锻炼和考验，尤其是战斗在第一线的检察干警，在斗争复杂、条件艰苦的情况下，发扬无私奉献精神，顽强拼搏，努力工作，为维护全省政治稳定、经济稳定和社会稳定，促进廉政建设，保障治理整顿和深化改革的顺利进行，做出了积极贡献。

一、关于深入开展反贪污、贿赂斗争的情况

反贪污、贿赂是经济领域中一场尖锐复杂的阶级斗争，也是全党反腐败斗争的重要组成部分。全省检察机关坚决贯彻执行党中央关于惩治腐败的指示，遵照省委、最高人民检察院的部署，把反贪污、贿赂作为工作的突出重点，集中力量查处大案要案，取得了明显成效。1989年，全省检察机关共受理贪污、贿赂等各类经济罪案5840件，比上年度增加50.32%；立案侦查3012件，比上年度增加72.7%，比立案最多的1986年多991件。在立案侦查的案件中，贪污、贿赂案1881件，比上年度增加1.1倍；逮捕贪污、贿赂等犯罪分子819名，比上年度增加36%；已查结贪污、贿赂等罪案2724件，比上年度增加71.43%；已向法院提起公诉837件(1022人)，比上年度增加67.4%。通过办案，为国家和集体挽回直接经济损失5753万余元，比上年度增加60.29%。反贪污、贿赂斗争的这些成绩，都是在省委、最高人民检察院和各级党委的领导下，在各级人大及其常委会的监督和政府的支持下取得的。省委和各级党委不仅从工作部署、方针政策上加强领导，而且从力量的组织协调、排除阻力干扰、支持依法办案等方面加强领导。各级人大及其常委会经常听取汇报，派员深入基层视察，及时提出意见和建议。省人大常委会专门作出“关于深入开展反贪污、反受贿斗争的决议”，全省上下更加重视反贪污、贿赂斗争。各级政府在财力紧张的情况下解决检察机关办案经费不足、侦查设施缺乏等不少实际困难，有力地支持和推动了反贪污、贿赂斗争的开展。在反贪污、贿赂斗争中，全省检察机关主要做了以下几项工作：

1、认真抓了“两高”《通告》的贯彻落实工作。8月15日，“两高”《通告》发布后，全省各级检察机关按照省委、最高人民检察院的部署和要求，在党委领导下，与法院、司法等有关部门密切配合，集中主要精力，广泛开展宣传，深入发动群众，敦促贪污、贿赂等犯罪分子自首坦白，很快掀起了反贪污、贿赂斗争高潮。据统计，在“两高”《通告》两个半月期限内，全省检察机关收到举报贪污、贿赂等犯罪案件线索4948件，比前两个半月增加2.76倍；受理自首坦白的贪污、贿赂等犯罪分子944人，涉及犯罪金额924万余元，退出赃款626万余元。在自首坦白人员中，贪污、贿赂犯罪分子662人，占71.1%；犯罪金额在万元以上的有181人，占19.3%。其中万元以上不满五万元的150人，五万元以上不满十万元的20人，十万元以上的11人。涞水县北庄乡太平村岩锌矿矿长赵春录携带赃款11万元投案自首，交代了他与副矿长等三人，进行贪污活动的犯罪事实。河北日报社驻秦皇岛办事处通力工贸公司聘任经理黄元章自首坦白了与他人勾结进行贪污、行贿、投机倒把等犯罪活动，犯罪金额达91万余元。与此同时，全省监管改造场所关押的人犯中，有61人坦白交代了余罪，有273人检举揭发他人犯罪线索509件，其中贪污、贿赂等经济犯罪线索355件，退交赃款28万余元。

对在“两高”《通告》限期内投案自首的人员，全省各级检察机关依照法律和“两高”《通告》的规定，认真地做查证处理工作，兑现政策。基本上做到了既贯彻从宽精神，又注意掌握依法宽严适度。据不完全统计，截止今年2月底已对26人向法院提起公诉；对364人作了免予起诉的决定；交有关部门处理的196人。

贯彻“两高”《通告》的实践证明，邓小平同志关于“制定一个临时大政策”的指示非常英明；党中央建议“两高”发《通告》，号召、敦促犯有贪污、贿赂行为的人自首坦白，对他们依法实行从宽政策，十分正确。表明了党和国家严厉惩治贪污、贿赂犯罪的决心，增强了广大干部群众反腐败的信心和斗争的积极性。

2、集中力量查处大案要案。在斗争中，全省检察机关始终把查处大案要案作为重点，各级检察长集中主要精力，亲自指挥，带头办案。并认真执行最高人民检察院规定办理要案实行分级负责的制度，即涉及地厅级干部的案件由省检察院为主查办；涉及县处级干部的案件由分、市院为主查办。从而有力地推动了大案要案的查处工作。1989 年全省检察机关共立案查处大案要案 913 件，占立案总数的 30. 3%，比上年度增加 1. 27 倍；其中查处县处级以上干部贪污、贿赂要案 43 件，比上年度增加 7. 6 倍。唐山市京兆公司吴振华等人贪污、诈骗、投机倒把 5550 万余元特大犯罪案件，望都县农业银行城关营业所会计王军贪污 295000 余元特大犯罪案件等，地市检察长都直接指挥或亲自参与侦破工作。据不完全统计，全省检察机关查处的大案要案，各级检察长亲自办理或直接参与查处的占 80%以上。

3、充分发动群众，开展举报工作。在斗争中，全省各级检察机关始终注意把举报工作作为深入开展反贪污、贿赂斗争的重要环节来抓。通过抓宣传，抓案件的及时查处，抓制度建设，形成反贪污、贿赂斗争 的群众声势，保证了举报工作深入、持久、健康地开展。举报工作已成为检察机关依靠和发动群众同贪污、贿赂犯罪作斗争的有效途径，是检察机关走群众路线的好形式。1989 年全省各级检察机关共收到群众举报贪污、贿赂等犯罪线索 13975 件。经过筛选对 3295 件涉嫌贪污、贿赂等犯罪案件线索进行调查，从中立案侦查贪污、贿赂等犯罪案件 1203 件，其中有大案要案 319 件，追缴赃款 3636 万余元。1989 年全省检察机关立案查处的贪污、贿赂案件，群众举报的占 80%左右。

4、加强侦查工作，提高斗争艺术。针对犯罪分子多是利用职权进行贪污、贿赂犯罪活动，作案手段隐蔽、狡猾，反侦查能力较强，侦查、预审难度较大的特点，全省检察机关在办案中坚持专门机关与群众路线相结合，增强侦查意识，强化侦查措施，充分运用法律规定的各种侦查手段，并注意在斗争中不断总结经验，着力突破立案难、取证难、结案难的问题，收到了比较好的效果。

5、认真贯彻一要坚决，二要慎重，务必搞准的原则，确保办案质量。在办案中，坚持以事实为根据，以法律为准绳，严格按照法律规定的程序和制度，严把立案、逮捕、起诉关。为了保证办案质量，除坚持办理大案要案分级负责制度、逐级上报备案审查制度、加强对办案质量监督检查外，还坚持把侦查、预审和决定逮捕、起诉分开，强化内部制约机制。1989 年全省检察机关向法院提起公诉的贪污、贿赂案件，法院审结作有罪判决的占 98%。

6、结合办案，加强法制宣传教育工作。针对一些干部、群众把反贪污、贿赂与发展社会主义有计划商品经济对立起来的模糊观念，全省各级检察机关同司法行政部门和报刊、电视、广播等新闻宣传部门相配合，运用查处的贪污、贿赂典型案件，宣传党和国家惩治腐败的决心和政策、法律，宣传反贪污、贿赂斗争对稳定局势和治理整顿、深化改革的意义，增强广大干部群众的法制观念，提高同贪污、贿赂犯罪作斗争的积极性。仅在贯彻“两高”《通告》期间，全省检察机关利用电台、电视台发表讲话2200多次，利用报刊发表宣传材料770多篇，办法制宣传栏近千期。有力地配合了反贪污、贿赂斗争。

我省反贪污、贿赂犯罪的斗争虽然取得了一些成绩，但是贪污、贿赂犯罪还相当严重，深入开展反贪污、贿赂犯罪的斗争任务仍然是艰巨的。一是发案多，重大案件突出。今年1至3月，全省检察机关受理贪污、贿赂等犯罪案件1332件，立案侦查749件，比去年同期分别增加51.8%和88.1%。立案查处大案要案257件，比去年同期增加1.6倍。二是共同犯罪增多。据调查，1989年石家庄市检察机关查处的案件中，共同作案的比上年度增加46.7%。共同犯罪涉及人多面广，查处工作难度大。三是犯罪手段更加隐蔽、狡猾。

从我们的工作看，一是发展不平衡，还有一些地方、一些经济犯罪严重的系统和行业，群众没有发动起来，局面没有打开；二是有的地方存在着以经济处罚和政纪、党纪处分代替刑事处罚的现象；三是一些案件在办理过程中，干扰多、阻力大，少数检察人员缺乏办大案要案的勇气；四是检察机关办案经费严重短缺，侦查设施落后，办案力量不足的问题亟待解决。

同时，全省检察机关会同有关部门开展打击偷税抗税、假冒商标的专项斗争和专项治理。1989年共受理这两类案件985件，立案侦查566件。仅是通过打击偷税抗税违法犯罪活动，就会同税务部门为国家追缴税款24000万余元。对于维护正常的经济秩序起了积极作用。

二、关于严厉打击严重刑事犯罪的情况

1989年，全省检察机关把依法从重从快打击严重刑事犯罪活动，作为检察机关的又一个工作重点和一项长期的重要任务，抓得很紧。积极配合公安、法院，在全省范围内严厉打击严重刑事犯罪分子。针对社会治安中的突出问题，积极参加集中打击的统一行动和专项斗争、专项治理，坚持对重特大案件提前介入，坚持“两个基本”，依法从快审查批捕、从快审查起诉，及时有力地打击了严重刑事犯罪分子的破坏活动。

在春夏之交发生政治动乱和北京地区反革命暴乱后，全省检察机关坚决执行党中央的决策，认真贯彻党中央关于制止动乱、平息反革命暴乱的方针，加强提前介入工作、信息工作和调查研究工作，审慎地区分罪与非罪、此罪与彼罪的界限，稳、准、狠地打击了打、砸、抢、烧、杀等严重刑事犯罪分子。

在打击严重刑事犯罪斗争中，坚持贯彻依法从重从快的方针，进一步加强了侦查监督和审判监督，较好地完成了审查批捕、审查起诉任务。1989年，全省检察机关共受理公安机关提请逮捕人犯23109人，比上年度增加39.1%。批准逮捕20144人，比上年度增加39.3%。受理公安机关移送起诉案犯26774人，比上年度增加35.8%；经审查，已提起公诉18752人，比上年度增加34.7%。在全省检察机关批准逮捕的严重刑事犯罪分子中，抢劫犯2253人，比上年度增加76%；破坏电力设备犯777人，比上年度增加1.2倍；拐卖人口犯694人，比上年度增加2.5倍；盗窃犯9578人，比上年度增加44%。通过侦查监督，追捕该逮捕而未报捕的各类犯罪分子376人，比上年度增加46.9%；追诉该起诉而未移送起诉的犯罪分子208人，比上年度增加41.5%。通过审判监督，对法院判决、裁定不当的提出抗诉73件118人，法院已改判30件46人。在侦查监督、审判监督活动中，共提出纠正违法意见326件。同时，结合办案，积极参加社会治安的综合治理工作，配合法院召开公判大会，向发案单位提出检察建议，均收到较好的社会效果。

我省社会治安总的说来是稳定的，但存在的不安定因素仍然不少，治安形势仍很严峻。必须继续坚持依法从重从快的方针，把严厉打击严重刑事犯罪活动，作为一项长期的重要任务，坚持不懈的抓下去。

三、关于查处“侵权”和渎职犯罪的情况

依法查处侵犯公民民主权利、人身权利和渎职犯罪，是检察机关的一项重要任务，也是反腐败斗争的一项重要内容。根据宪法和法律的规定，全省检察机关把保障公民的民主权利、人身权利以及其他合法权益当作自己的神圣职责和光荣义务，进行了不懈的努力。对于严重侵犯他人合法权益、构成犯罪的分子，坚持依法查处。1989年全省检察机关共受理这类案件2407件，立案侦查735件。受理数、立案数都是1980年以来最多的一年。其中，立案查处玩忽职守、重大责任事故和非法拘禁等“侵权”案件588件，占立案总数的80%；立案查处重大案件119件，比上年度增加26.6%；立案查处特大案件39件，比上年度增加1.3倍。全年查处地厅级干部犯罪2人，县处级干部犯罪3人。查处的这些案件，共造成195人死亡，直接经济损失2196万余元。已向法院提起公诉387人，免予起诉524人。涉县商业局副局长程所昌到深圳采购三合板，工作严重不负责任，对供方的资金信誉情况未作任何调查，擅自将400万元汇款交给已被吊销营业执照、资产不足2000元的一个村办企业承包人陈连玉，全部被骗。检察机关向法院起诉后，程所昌被判处有期徒刑三年。通过查处这些案件，不仅增强了国家工作人员和广大群众的法制观念，维护了国家利益和公民的合法权益，而且有力地推动了反腐败斗争。

四、关于开展监所检察、控告申诉检察工作的情况

监所检察工作，坚持把监管改造场所执行政策、法律的检察放在首位，以实现监所检察经常化、制度化、规范化为重点，较好地发挥了法律监督作用。1989年向监管改造场所提出纠正违法建议1574件（次）；查处监管改造场所干警犯罪案件3件6人。对犯人重新犯罪和劳教人员犯罪案件起诉62件72人。办理劳改犯人申诉案件91件，经过复查建议法院改判26件，驳回无理申诉33件。

控告申诉检察工作，对维护全省社会安定，直接依靠群众实施法律监督，配合反贪污、贿赂斗争，发挥了积极作用。1989年全省检察机关共受理群众来信来访（含举报）35987件（次）；受理投案自首人员1056人；立案查处各类控告申诉案件697件，追捕追诉各类犯罪分子35人。复查不服检察机关不批准逮捕、不起诉和免予起诉的申诉案件119件，纠正36件；复查不服法院判决，虽经法院复查，仍有错误可能的再申诉案件12件，纠正1件，维持原判11件。同时，查办省以上领导机关要结果案件74件，解决信访老户问题140件，防止矛盾可能激化问题242件。

五、关于加强思想政治工作和队伍建设情况

1989年，全省各级检察机关认真贯彻省委、最高人民检察院关于加强检察队伍建设的指示，坚持“从严治检”方针，紧紧把握在政治上、思想上、行动上与党中央保持高度一致的政治方向，大力加强了思想政治工作。开展党的基本路线教育；反腐败、抓廉政，进行职业责任、职业道德、职业纪律教育；坚持抓执法大检查；多层次、多形式地进行业务培训；深入开展争创文明检察院，争做文明检察官，树立检察机关、检察干警良好形象的“两争一树”活动。经过一年的努力，全省检察队伍建设有了明显进步。动乱期间，全省检察干警遵守纪律，听从指挥，明辨是非，没有一个人参加游行、声援等活动，立场坚定、旗帜鲜明地积极参加制止动乱和平息反革命暴乱的斗争，坚决拥护党的四中全会作出的各项决定，坚决拥护以江泽民同志为核心的党中央。在斗争复杂、任务艰巨、工作艰苦的情况下，经受了锻炼和考验。1989 年，全省检察系统有 213 个单位被评为先进集体，1800 多人立功受奖；有四位同志被评为省劳动模范，光荣出席了全省劳动模范、先进工作者表彰大会；保定市人民检察院、三河县人民检察院被最高人民检察院授予全国检察系统制止动乱、平息反革命暴乱先进集体称号。但是，有少数检察干警经不起考验，违法违纪问题也有发生。1989 年全省检察机关共查处检察干警违法违纪案件 14 件 14 人。在改革开放的新形势下，腐蚀与反腐蚀的斗争十分激烈，检察机关面临着严峻考验。必须坚持从严治检，强化思想政治工作，进一步抓好队伍建设。

六、关于 1990 年全省检察工作的任务

去年 12 月，我们召开了全省分市院检察长工作会议，认真传达贯彻了省委三届八次全会和全国检察长工作会议精神，总结了 1989 年的工作，部署了 1990 年的工作，制定了《1990 年全省检察工作计划要点》。全省检察工作总的指导思想是：认真学习贯彻党的十三届四中全会、五中全会、六中全会和省委三届八次全会、九次全会精神，牢固树立稳定压倒一切的思想，充分发挥法律监督职能作用，以反贪污、贿赂斗争和打击严重刑事犯罪活动为重点，全面开展各项检察业务，强化思想政治工作，进一步加强队伍建设，更加自觉地为治理整顿和深化改革服务。为维护全省政治稳定、经济稳定、社会稳定，促进国民经济的持续、稳定、协调发展做出新贡献。

当前，我省同全国一样，形势很好，局势稳定，政策稳定，人心稳定。稳定是当前的大局。维护稳定，是全党和全国人民压倒一切的政治任务。我们要在省委、最高人民检察院和各级党委的领导下，在各级人大及其常委会的监督下，充分发挥检察职能，为稳定这个大局服务。第一，要认清形势，始终保持坚定正确的政治方向，在思想上、行动上与党中央保持高度一致。面对当前复杂的国际形势和东欧发生的变化，全省各级检察机关必须立场坚定、旗帜鲜明地站在党中央一边，无论国际风云发生怎样的变化，无论国内出现怎样的风波，无论形势怎样严峻，作为人民民主专政的检察机关，都要始终不渝地坚持四项基本原则，坚持改革开放，坚持党的群众路线，坚持正确的政治方向。第二，要继续把反贪污、贿赂作为打击经济犯罪的第一位工作，作为检察工作的重点，深入发动群众开展举报工作，检举揭发贪污、贿赂犯罪分子的活动；要继续坚持抓大案要案，从实际出发，选择重点系统、重点行业搞重点突破，保持对贪污、贿赂犯罪主动进攻的态势，提高侦破大案要案的能力；继续宣传贯彻惩办与宽大相结合的政策，通过各种形式号召犯罪分子自首坦白，争取从宽处理，使反贪污、贿赂斗争向纵深发展。第三，要继续坚持依法从重从快的方针，保持“严打”声威，坚持做好对重特大刑事案件提前介入工作，坚持“两个基本”，依法从快批捕、起诉各类刑事犯罪

分子，严厉打击严重刑事犯罪活动。积极配合有关部门开展“扫黄”、扫除“六害”等专项斗争和专项治理。严密注视社会动向，在党委统一领导下，主动配合有关部门坚决果断地处置突发事件。第四，要继续把打击、服务和促进结合起来。在办案中，要准确打击犯罪，注重法律效果；要多挽回损失，注重经济效果；要搞好综合治理，注重社会效果。最大限度地减少和预防犯罪，努力消除不安定因素，推动全省社会治安继续向好的方向发展。

山西省人民检察院工作报告（摘要）

——1990年3月7日在山西省第七届人民代表大会第三次会议上

山西省人民检察院检察长　扆耀光

（1990年3月10日山西省第七届人民代表大会第三次会议通过）

过去的一年，是我国历史上不平凡的一年，也是检察工作不平凡的一年。全省检察机关在中共山西省委和最高人民检察院的领导下，坚持四项基本原则，反对资产阶级自由化，立场坚定、旗帜鲜明地积极参加了制止动乱和平息反革命暴乱的斗争，坚决贯彻执行党的四中全会、五中全会的决议。省人民检察院根据山西省第七届人民代表大会第二次会议批准的工作报告，领导全省检察机关，坚持以反贪污、贿赂和打击严重刑事犯罪为重点，积极开展各项检察工作。在斗争实践中，我省检察队伍经受了锻炼和考验，为惩治腐败，加强廉政建设，维护安定团结的政治局面，保障治理整顿、深化改革和经济建设的顺利进行，发挥了积极的作用。概括起来说，去年我省检察工作的特点和主流是：政治方向明确，工作重点突出，各项检察工作都有了新的发展。

一、反贪污、贿赂斗争取得了明显成效，促进了廉政建设，维护了社会主义经济秩序

一年来，我省检察机关认真贯彻执行了党中央加强廉政建设、坚决惩治腐败的指示，按照省委和最高人民检察院的部署，把反贪污、贿赂斗争列为打击经济犯罪的第一位工作，作为检察工作的重点来抓，使反贪污、贿赂斗争取得了明显的成效。主要表现在：

——查获的经济犯罪案件大幅度上升。去年，全省检察机关共受理贪污案、贿赂案、挪用公款、挪用救灾、抢险、防汛、优抚、救济款物案、偷税抗税案、假冒商标案、巨额财产来源不明案等经济罪案3434件，比上年增加1.7倍。已立案侦查1686件，比上年增加2倍。其中查处大案要案354件，占立案数的21%，比上年增加1.7倍。逮捕各类经济犯罪分子489人，比上年增加1.2倍。已向人民法院提起公诉414人，比上年上升76%，免予起诉923人，比上年增加1.4倍。通过办案，追回赃款和赃物折款共计1532万元，比上年增加1.1倍。

——查处贪污、贿赂大案要案和巨额

财产来源不明案取得了突破性的进展。全省检察机关立案侦查的1686件经济罪案中，有贪污案760件，贿赂案462件，两项合计占立案总数的72%。在立案的1222件贪污、贿赂案件中，万元以上的大案和县处级以上干部犯罪的要案占19.2%，比上年上升77%。在我们破获的案件中，有些重大贪污、贿赂案件是过去少见的。我省检察机关还认真贯彻执行全国人大常委会议通过的《关于惩治贪污罪贿赂罪的补充规定》，对国家工作人员的财产或支出明显超过合法收入，差额巨大，本人不能说明其来源是合法的，以非法所得论处的规定，首次立案侦查了四起巨额财产来源不明案。其中，晋城矿务局机电处副科长延富，因有63000元巨额财产来源不明，被检察机关起诉后，法院以非法所得罪判处延富有期徒刑四年。

——贯彻"两高"《通告》推动了反贪污、贿赂斗争的深入开展。最高人民法院、最高人民检察院《关于贪污、受贿、投机倒把等犯罪分子必须在限期内自首坦白的通告》发布后，我省各级检察机关在党委的统一部署和各级人大常委会、人民政府及社会各界的大力支持下，与法院、公安、监察、司法等部门密切配合，全力以赴贯彻执行。从8月15日至10月31日的两个半月中，全省有1302名贪污、贿赂等经济违法犯罪人员到检察机关投案自首，其中县处级干部有15人。在投案的人员中，贪污、贿赂的有772人，占59.3%。还有313名在押人员坦白交代了罪行，1053名在押人员检举了他人的违法犯罪线索。截止今年1月底，检察机关对经侦查证实罪行较轻或罪行较重但有立功表现的354名自首、坦白的犯罪分子，按照《通告》精神，作出了免予起诉的从宽处理；对13名虽投案自首但罪行严重的犯罪分子提起公诉，建议人民法院从轻或减轻处罚；对于那些拒不自首坦白或避重就轻、企图蒙混过关的犯罪分子，一经发现，抓紧立案侦查，坚决予以打击。各地检察院还积极配合人民法院，对一些典型案件，进行了公开处理。在贯彻《通告》期间，广大群众向检察机关举报的贪污、贿赂犯罪线索也大幅度上升。8、9、10这三个月全省检察机关受理举报线索3900余件，占全年受理总数的40%，比上年同期的200件上升了18倍。通过贯彻《通告》，使我省反贪污、贿赂斗争掀起了一个高潮。

——查处煤炭系统的贪污、贿赂案件取得初步进展。去年9月13日，省检察院就我省检察机关开展反贪污、贿赂斗争的情况，向省人大常委会第十二次会议作了报告。在审议执行时，多数委员对查处煤炭系统贪污、贿赂案件没有大的突破问题，诚恳地提出了意见。省检察院对此专门作了研究和部署，要求各级检察院在反贪污、贿赂斗争中，把查处煤炭系统的经济犯罪案件作为重点，抓紧抓好。据不完全统计，截止去年年底，全省检察机关共立案侦查煤炭系统的贪污、贿赂等经济犯罪案件68案84人，其中有大案要案28案33人。事实说明，我省煤炭系统的贪污、贿赂犯罪是严重的，危害很大，我们要继续采取措施，下大气力抓好煤炭系统的反贪污、贿赂斗争。

——办案效率和办案质量有了提高。我们一直强调各级检察机关在查处贪污、贿赂等犯罪案件中，要严格执行"一要坚决、二要慎重、务必搞准"的办案原则，处理好打击犯罪与保护改革的关系。为了既要及时惩治犯罪，又要使办理的每一起案件都经得起历史的检验，我们认真贯彻执行了省委和最高人民检察院的有关政策和规定，坚持以事实为根据，以法律为准绳，对具体案件作具体分析，加强调查研究和请示报告。在检察机关内部实行了侦查、预审与批捕、起诉机构分设，建立了自我制约机制，取得了较好的效果。

在反贪污、贿赂斗争中，我们坚持了以下几点做法：

第一，自觉接受党委的领导，这是搞好检察工作和反贪污、贿赂斗争的根本保证。在开展反贪污、贿赂斗争和贯彻“两高”《通告》中，我们及时向省委汇报请示，省委和各级党委多次召开会议进行动员部署。在动乱期间，省委指示我们，要高举反腐败斗争的旗帜，狠抓反贪污、贿赂斗争。根据省委的指示，我们及时召开各地、市检察长会议，研究措施，加强和引深了反贪污、贿赂斗争。因而在动乱期间，我省查处贪污、贿赂案件不但没有滑坡，而且大幅度上升。以实际行动表明了我们党反腐败斗争的决心，得到了群众的好评。在实际工作中，党委和各级纪检部门给了我们很大的支持，使一些重大疑难案件及时得到了处理。

第二，主动接受各级人大及其常委会的监督。我省各级检察机关在反贪污、贿赂斗争中，积极主动地向人大常委会汇报工作，自觉地接受人大及其常委会的监督。各级人大及其常委会也非常重视检察工作。去年 3 月和 9 月，省人大常委会议先后听取了临汾检察分院和省检察院关于反贪污、贿赂斗争情况的报告，并作出了《关于加强反贪污、受贿、投机倒把斗争决议》。去年，全省各级检察机关向同级人大常委会书面和口头报告反贪污、贿赂工作情况以及请示重大贪污、贿赂案件共计 500 余次。各级人大常委会的监督，对检察机关反贪污、贿赂斗争的顺利开展，起了很大的推动作用。

第三，积极主动地争取各级人民政府的支持与配合。我省各级政府在大力加强政府机关廉政建设的同时，对检察机关开展反贪污、贿赂斗争给予了很大的支持。省政府和各级政府在财力比较困难的情况下，给检察机关解决了不少的实际困难和问题。在反贪污、贿赂斗争中，我们与政府的监察、审计、工商、税务等部门密切配合，相互支持，有力地打击了贪污、贿赂等经济违法犯罪活动。

第四，大力开展举报工作，坚定不移地依靠和发动群众。去年，全省检察机关按照最高人民检察院制定的《人民检察院举报工作若干规定》，积极开展了举报工作。共接到人民群众举报的各类案件线索 9926 件，其中属于检察机关管辖的 7155 件，内有贪污、贿赂违法犯罪的线索 4216 件，占检察机关管辖总数的 60%。在检察机关立案侦查的贪污、贿赂案件中，有 70%以上是群众举报的。有不少案件是在群众协助下直接抓获犯罪分子或扣押赃款赃物的。实践证明，要深入开展反贪污、贿赂斗争，就必须依靠和发动群众。

第五，增强侦查意识，提高侦查水平。全省检查机关认真贯彻了最高人民检察院召开的第一次反贪污贿赂侦查工作会议精神，总结推广了一批我省检察机关侦破贪污、贿赂案件的经验，对侦查骨干普遍进行了培训。在斗争实践中，以老带新，经常研究如何抓准突破口，如何调查取证的问题，并抓住典型案例，及时总结经验教训，教育干警增强侦查意识，提高侦查水平，使办案质量有所提高。

第六，各级检察长以身作则，带头查办大案要案和疑难案件。这是去年全省检察机关开展反贪污、贿赂斗争的一个明显特点，是加强领导的一项有效措施。据省检察院和 10 个地市统计，去年，各级正副检察长亲自查办贪污、贿赂案件 450 件。太原市两级检察院的 31 名正副检察长，去年亲自参加办理大案要案共 114 件，占全市大案要案总数的 76%。检察长身先士卒，带头办案，不但强化了对具体案件的指导，及时发现和解决问题，克服办案中的阻力和干扰，而且加强了上级检察院对下级检察院的领导和业务指导，改变了领导机关的作风，密切了上下级之间的联系，推动了反贪污、贿赂斗争的健康发展。

一年来，我省检察机关反贪污、贿赂工作虽然取得了明显成效，但是不能估价过高。经过打击，贪污、贿赂等经济犯罪活动虽有所收敛，但仍很严重。不仅在经济发达的地区有，而且向贫困落后地区蔓延；不仅发生在企事业单位，而且渗透到党政机关、执法部门；不仅有掌管财物实权的干部，而且有一定数量的领导干部。目前，还有一部分隐藏深、保护层厚的犯罪分子没有被揭露出来；《通告》期间拒不投案自首的犯罪分子，有相当多的人已做了手脚，查案的难度将会越来越大；"顶风"作案、以身试法的还不少，在去年立案查处的案件中，1988年和1989年作案的占到82.6%；群众举报的案件线索还有相当大的一部分没有查证，有的大案要案特别是要案还没有触动。

从检察机关本身来看，我们的工作还存在不少问题和缺点。主要有：一是有些检察院的领导同志对反贪污、贿赂斗争的重要性、紧迫性认识不足，有畏难情绪，工作重点不突出，措施还不够有力，在这些地方反贪污、贿赂斗争还没有形成一定的声势，查处的案件少，投案自首的也少。二是我们对群众反映问题多的煤炭、基建、运销等一些重点行业，还没有取得重大突破。已查处的案件，浮在面上的多，隐藏深、保护层厚的犯罪分子查获的少。三是检察机关的侦查力量、人员素质、技术装备、办案经费在许多地方还远远不能适应当前反贪污、贿赂斗争的需要，在一定程度上影响了反贪污、贿赂斗争的深入开展。

以上情况说明，同贪污、贿赂等经济犯罪活动作斗争，仍然是一项长期的、复杂的、艰巨的任务，决不是搞一阵子就结束了。我们同贪污、贿赂犯罪作斗争，是反腐败斗争的一个重要方面，是一场经济领域中的阶级斗争和政治斗争，关系到党和国家的生死存亡，决不能有丝毫的放松，必须坚持不懈地抓下去。

今年，我们要继续把反贪污、贿赂作为检察工作的重点，摆在首位，当作中心工作来抓，以优异的成绩，更好地为廉政建设服务，为稳定大局服务，为治理整顿、深化改革服务。今年，全省检察机关反贪污、贿赂斗争的主攻方向是：一要在查处煤炭、基建、金融、运销等重点行业的案件上有个大的突破；二要在查处要案上有个大的突破；三要在查处执法人员特别是政法人员贪赃枉法的案件上有个大的突破；四要积极配合纪检、监察、工商、审计等部门，在清理整顿公司、清理"小金库"、清理干部违章建私房、清理拖欠等工作中，发现和查处贪污、贿赂等经济犯罪案件，同时还要继续抓紧查处巨额财产来源不明案件。力争把我省反贪污、贿赂的斗争进一步引向深入，取得更大的战果。

二、依法从重从快打击了严重刑事犯罪活动，维护了社会安定

去年，全省各级检察机关在加强同贪污、贿赂等经济犯罪作斗争的同时，坚决执行党中央、省委和最高人民检察院有关制止动乱的指示，忠实地履行了国家法律监督机关的职责，发挥了人民民主专政机关的职能作用。与公安等部门密切配合，全力以赴地投入了制止动乱的斗争，对极少数趁动乱之机进行犯罪活动的犯罪分子及时进行了打击，对稳定我省局势起了积极的作用。太原市南城区人民检察院在动乱期间，抓紧查处打、砸、抢犯罪案件，效果显著，被最高人民检察院授予制止动乱、平息反革命暴乱先进集体的光荣称号。

全省各检察机关依法从重从快打击了各种严重刑事犯罪活动，维护了社会治安。去年，共受理公安机关提请批准逮捕的人犯 13867 人，比上年上升 29%；经审查，已批准逮捕 11817 人，比上年上升 30%。追捕犯罪分子 233 人，对 1110 人作出了不批准逮捕的决定。受理公安机关移送起诉的案犯 12662 人，经审查，已起诉 10475 人，比上年上升 29%。到去年年底，人民法院已判决 7652 人，其中作出有罪判决的 7642 人。在无罪判决的 10 人中，检察机关已对 6 人提起抗诉。此外，还追诉 52 人，对 1222 人作出免予起诉决定，对 57 人作了不起诉的决定。

在刑事检察工作中，各级检察机关针对违法取证、刑讯逼供、徇私枉法、违反法定的诉讼时限和程序以及赃物处理不合法等侦查、审判活动中的违法问题，提出口头纠正意见 1000 余次，书面纠正意见 200 余份。对贪污、贿赂的重大案件，对公安机关移送批捕、起诉的重大案件，对动乱中的犯罪案件，大都做到了提前介入。通过介入现场勘察、预审、案件讨论、提前阅卷等活动，主动了解和熟悉案情，协助侦查部门搜集证据。全省刑事检察部门共提前介入公安机关侦查的重特大案件 1885 起，提出建议 1400 条。介休县检察院在提前介入一起抢劫案中，配合公安机关挖出了漏犯 23 人。应县有一起奸淫幼女案件，案犯出 3700 元与被害人家长私了，县检察院发现后，作出逮捕决定，并把案犯抓获送交公安机关。通过认真执行提前介入制度，进一步提高了办案效率，防止和纠正了一些错漏案件，保证了案件质量，收到了良好效果。

针对社会治安中的突出问题，各级检察机关抽调干警积极参加了打击盗窃、抢劫、流氓滋扰、流窜犯罪、破坏电力设备和水利设施、拐卖妇女儿童犯罪活动和扫“六害”的专项斗争。依法审查和批准逮捕了盗窃、抢劫、流氓和流窜犯罪分子 7898 名，批准逮捕了“六害”犯罪分子 265 名。同时，还积极参加了社会治安的综合治理工作。针对治安防范工作中的漏洞和问题，发出《检察建议书》700 余份，调解可能激化的群众内部纠纷 600 余次。通过建立综合治理联系点、建立帮教小组、上法制课等工作，宣传法制，教育群众，预防和减少了犯罪，为解决社会治安中的突出问题作出了一定成绩。

去年，全省刑事检察工作存在的主要问题是：在审查批捕、起诉工作中，有极少数案件把关不严，办案质量不高。存在有错捕、漏捕、错起诉和把应该起诉或应予撤销的案件作了免予起诉处理等问题。在实行内部制约制度之后，刑事检察承担着检察机关自行侦查案件的审查批捕、起诉、出庭等工作，公安机关移送过来的案件又大幅度增加，任务繁重，工作量加大，而刑事检察干部的数量，政治、业务素质和工作条件，都不适应新的要求。当前，我省政局稳定，但面临的社会治安形势仍相当严峻：一些地方对刑事犯罪打击不力，刑事案件特别是重大、特大案件呈上升趋势；危害严重的抢劫、凶杀、流氓团伙滋扰、盗窃等犯罪猖獗；少数城镇、铁路公路沿线犯罪团伙活动突出；极少数顽固坚持资产阶级自由化立场的人不甘心失败；在人民内部还有不安定的因素；国际反动势力亡我之心不死，对我们进行和平演变，进行渗透、颠覆等破坏活动。对此，我们必须保持清醒的头脑和高度的警惕。

今年，全省各级检察机关要牢固树立稳定是压倒一切的思想，继续贯彻依法从重从快打击严重刑事犯罪活动的方针。打击的重点是：反革命分子的破坏活动，制造动乱的刑事犯罪分子及犯罪团伙，严重暴力犯罪和流窜犯罪，破坏工农业生产和科研器材、物资、设施的犯罪活动，以及严重危害人民生命、财产的犯罪活动。继续坚决打击“六害”犯罪活动。治安状况不好的重点地区、大中城市和交通沿线的检察机关，要注意配合公安机关开展专项打击和专项治理。继续坚持“两个基本”的办案原则和“严打”斗争以来行之有效的一些做法，加快办案速度，保持严打声势。同时，要结合办案，积极参加社会治安的综合治理工作。

三、法纪、监所和控告申诉检察工作取得了新的进展，保护了国家的利益和公民的合法权益

一年来，全省检察机关在积极做好反贪污、贿赂和依法严厉打击严重刑事犯罪活动这两个重点工作的同时，对其他检察工作做了统筹安排，使各项检察业务都取得了新的进展。

——运用法纪检察职能，严肃查处了一批“侵权”和渎职犯罪案件，保障了公民的民主权利和人身权利，促进了廉政建设和社会主义民主与法制的建设。去年，全省检察机关共受理“侵权”、渎职等法纪案件1912件，比上年上升11.6%。立案侦查677件，比上年上升71.8%。其中有国家工作人员严重不负责任，给国家和集体造成重大经济损失的玩忽职守案110件，有重大责任事故案342件，给国家造成直接经济损失500余万元，致使288人死亡。去年，全省检察机关还立案侦查非法拘禁案、诬告陷害案、报复陷害案、非法侵入他人住宅案等“侵权”案件156件。各级检察机关在法纪检察工作中，认真贯彻了省人大常委会议作出的《关于加强法纪检察工作的决议》。去年6月份，广泛开展了法纪检察宣传月活动，增加了法纪检察工作的透明度，并把侦查破案工作作为法纪检察的中心环节来抓，第一次实现了县县都立案查处法纪案件的良好局面，使我省法纪检察工作进入了全国法纪检察工作的先进行列。我省法纪检察工作虽然有了较大的发展，但是还远远不适应发展社会主义民主与加强社会主义法制建设的要求。今年，我们要继续贯彻省人大常委会《关于加强法纪检察工作的决议》，要求各级检察机关都要办几起重大的或有影响的法纪案件，进一步打开局面。要在查处国家工作人员玩忽职守和司法工作人员徇私舞弊、贪赃枉法等案件方面有个大的突破。在查处法纪案件中，注意发现贪污、贿赂案件，扩大办案效果。

——积极行使监所检察职权，加强了对劳改、劳教单位和看守所活动的法律监督。在开展监所检察工作中，我们针对一些劳改、劳教单位执行法律、政策中存在的问题，及时提出纠正意见3326件次。对刑事案件的判决、裁定执行情况进行了检察，对错误处理和适用法律不当的案件提出了纠正意见。共审查犯人减刑、假释裁定副本1770份，纠正减刑、假释不当的85人。对各级劳动教养管理委员会作出的1650份劳教决定进行了检察，对其中处理不当的23份决定，提出了纠正意见。对极少数抗拒改造又犯罪的在押犯给予了严厉打击，共办理劳改犯又犯罪案件81件106人。积极办理劳改犯、劳教人员及其家属的申诉控告案件182件241人，其中建议原判法院和劳教机关改判和纠正了185人。对监外执行的2359名罪犯的执行情况进行了检察，对失去监外执行条件的276名罪犯及时建议收监执行。进一步加强了对看守所羁押人犯超诉讼时限和混押混管问题的检察，维护了看守所的监管改造秩序和执法的严肃性。同时，配合有关部门加强了对刑满释放和解除劳教人员的管理教育。截止去年年底，全省有近三年来刑满释放、解除劳教的人员16475人，其中已落实帮教措施的有14353人。通过“接茬帮教”工作，在一定程度上预防和减少了犯罪，巩固了改造成果。此外，还立案查处监管干警犯罪案件13案15人。目前，监所检察工作存在的主要问题是，部分检察院对监所检察工作重视不够，抓得不紧，致使一些驻监驻所检察工作不落实，对已发现的一些问题，监督纠正不力。

今年，全省检察机关要认真贯彻执行省人大常委会对监所检察工作提出的要求，继续监督和配合有关部门认真落实党的劳改劳教工作方针，做好监所检察工作。重点是要加强对犯罪分子的判决、裁定的执行情况的监督；配合主管部门做好监管教育工作，促进依法管理、文明管理、严格管理和科学管理，防止脱逃、暴狱、凶杀、哄监闹事等问题的发生，维护正常的监管改造秩序；及时纠正违法问题，抓紧办理监管改造场所发生的各种案件；进一步做好“两劳”回归人员“接茬帮教”的落实工作。使我省监所检察工作在保障社会安定和维护社会秩序中发挥更大的作用。

——控告申诉检察工作是人民检察院直接依靠群众实施法律监督的一项重要工作，也是加强党和政府与人民群众血肉联系的“桥梁”和“纽带”。去年，全省检察机关共受理各类控告、申诉案件16439件，比上年上升36.7%。其中重复信访由上年的3582件次下降为3221件次。通过审查控告、申诉材料，共办理了不服不批准逮捕、不服不予起诉、不服免予起诉、刑满释放人员再申诉、上级领导交办的控告申诉案件465件。其中，复查申诉案件105件，纠正错案25件，进一步发挥了控告申诉检察工作的法律监督作用。今年，我们要继续加强控告申诉检察工作，严肃负责地处理公民的控告申诉。要把主要精力放在查处案件上，尤其要重视查处不服检察机关处理的申诉案件，告状无门、久诉不息的案件，可能引起矛盾激化的“告急”案件，以及领导机关交办的控告申诉案件。

——刑事技术工作有了较大的开展，在法律监督中发挥了重要作用。去年，省检察院和各分、市院的刑事技术部门共受理需要检验、鉴定的各类案件1084件，出具各种鉴定书和检验报告443件。提前介入公安机关重大刑事案件现场勘查60余起。在反贪污、贿赂斗争中，检验和鉴定各种票据200余件。对非正常死亡的533具尸体进行了法医学检验，为查清案情和正确定性提供了科学依据。今年，我们要对公安机关移送批捕、起诉案件中有关技术鉴定方面的问题，继续加强审查监督工作；对自行侦查的贪污、贿赂案件和法纪案件，要运用科学技术手段，获取罪证，证实犯罪，使刑事技术工作更好地为检察机关办案和实施法律监督服务。

四、检察机关的思想政治工作和队伍建设进一步得到加强，保证了各项任务的顺利完成

一年来，全省检察机关按照最高人民检察院“从严治检”和建设一支“严格依法办案，秉公执法，掌握政策，实事求是，联系群众，精通业务”的队伍的要求，加强了检察队伍的建设。

在去年春夏之交发生的政治动乱和北京地区反革命暴乱中，我省检察机关坚决贯彻执行党中央、国务院的正确决策，各级检察长态度坚决，措施得力，广大检察干警明辨是非，严守纪律，旗帜鲜明，立场坚定。全省5000多名检察干警没有一人上街游行和声援，表现出高度的政治觉悟和职业责任感，经受住了这场严峻的政治斗争的锻炼和考验。全省广大检察干警在斗争复杂、任务繁重、条件艰苦、困难很多的情况下，以坚强的党性和高度的责任感投入了战斗，保持了旺盛的斗志，克服了种种困难，坚持秉公执法，出色地完成了任务，涌现出一批事迹生动感人的先进集体和先进个人。临汾市院检察长逝全锁同志被评为全国检察系统的八名先进工作者之一，光荣地出席了全国劳动模范、先进工作者表彰大会。省检察院对全省75个先进集体、146名先进个人进行了表彰和奖励，在全省检察机关开展了向先进集体和先进个人学习的活动。在改革、开放的新形势下，各级检察机关狠抓了为检清廉教育，绝大多数检察干警是奉公守法、廉洁自律的。据不完全统计，去年，全省检察干警中有228人拒贿68000元。如大同市人民检察院助理检察员马青山，去年12月，在查处一起"倒煤"大案中，有两名案犯给他行贿2万元现金，要求马青山同志"手下留情"，遭到拒绝后，案犯又悄悄地把钱留下，马青山同志如数交给了机关。检察干警因违法乱纪受处分的也比上年明显减少（前年有26人，去年有11人）。在队伍建设中，我们还抓紧了检察干警的业务培训工作。去年，省检察院和各分、市院共举办各类业务培训班15期，培训干警3000余人次。同时，还普遍开展了评选优秀侦查员和公诉人活动，提高了侦查、起诉人员的业务能力。根据最高人民检察院和省人大常委会的部署和要求，去年，全省检察机关从上到下开展了执法大检查，对检查出来的执法中存在的问题，有的已经作了纠正，有的正在进行纠正。一年来，我省检察队伍的建设虽然有了较为明显的进步，但从检察机关的职责和所承担的任务来看，当前，我们检察干警的政治素质和业务素质还不能完全适应形势和任务的需要。甚至有极少数干警经不起改革开放的考验，腐化堕落，违法乱纪。整个检察队伍的法律专业水平还不高。继续加强检察队伍的建设，仍是一项紧迫的任务。

根据当前的形势和面临的任务，我们要继续把建设一支政治、业务素质较强，能适应新形势下斗争要求的过硬队伍，作为检察机关自身建设的重要任务来抓。要组织全体检察干警认真学习马列主义、毛泽东思想的基本理论和邓小平同志的重要著作，提高广大检察干警的理论水平和思想觉悟。要继续加强思想政治工作，深入搞好坚持四项基本原则，反对资产阶级自由化教育，使检察工作始终沿着党的基本路线指引的正确方向前进。要坚持从严治检，努力加强检察机关的廉政建设。着重提高各级领导干部和广大检察干警的抗腐蚀能力。继续开展"不为金钱所惑，不为人情所动，不因执法耍特权"的"三不"教育，使广大检察干警过好金钱关、人情关、权力关。要认真执行省委制定的政法人员"八不准"的规定和最高人民检察院制定的检察人员"八要八不要"的纪律。对检察干警中的违法乱纪行为，一定要严肃查处。要继续坚持多层次、多渠道培训干警，不断提高检察干警的政治素质和业务素质。

内蒙古自治区人民检察院工作报告(摘要)

——1990年4月23日在内蒙古自治区第七届人民代表大会第三次会议上

内蒙古自治区人民检察院检察长　张鹤松

(1990年4月28日内蒙古自治区第七届人民代表大会第三次会议通过)

1989年，我区各级检察机关围绕党和国家的中心工作，自觉接受党委领导，主动接受人大监督，积极争取政府支持，依照宪法和法律，全面履行法律监督职能，在惩治贪污贿赂，开展清查工作，打击刑事犯罪，“扫黄”、除“六害”斗争中，发挥了积极作用，为自治区的社会稳定和经济发展作出了贡献。

一、关于反贪污贿赂犯罪的情况

贪污、贿赂犯罪不仅直接侵害了我国法律所保护的财产关系，而且损害党和国家的形象，破坏党和人民群众的血肉关系，是一种最严重的腐败现象，具有极大的社会危害性。过去的一年，我们根据最高人民检察院的工作部署和自治区七届人大二次会议的决议精神，把反贪污贿赂犯罪作为检察工作的一个重点，加强领导，周密部署，集中力量查处大要案，自觉地为党中央提出的治理整顿、深化改革的战略决策服务，为自治区的团结建设服务，取得了显著效果。1989年全区检察机关共受理贪污、贿赂罪案1617件，比上年的682件增加1.4倍；立案侦查767件，比上年的289件增加1.7倍；通过办案，为国家和集体挽回经济损失2703万余元，其中在案前调查阶段挽回1729万余元，立案后侦查阶段挽回974万余元。

在反贪污贿赂斗争中，检察机关主要做了以下几个方面的工作：

(一)狠抓了“两高”《通告》的贯彻落实。根据中共中央的部署，最高人民法院、最高人民检察院于1989年8月15日发布了《关于贪污、受贿、投机倒把等犯罪分子必须在限期内自首坦白的通告》(以下简称《通告》)。《通告》发布后，全区各级检察机关立即行动，广泛宣传，认真贯彻，共印发《通告》85347份，组织街头宣传2151人次，出动宣传车656台次，发表电视讲话100多次，发表广播讲话131次，召开新闻发布会30多次，召开宽严大会175次，自治区检察院和部分基层检察院还举办了反贪污贿赂斗争展览。通过各种形式的宣传，群众举报大量增加，犯罪分子纷纷投案自首，掀起了反贪污贿赂斗争的高潮。在短短两个半月的时间内，全区各级检察机关共收到群众举报2570件，有339名贪污、贿赂等犯罪分子到检察机关投案自首。其中，交待犯罪金额在一万元至五万元的有77人，五万元至十万元的有11人，十万元至五十万元的有7人，县处级干部5人。《通告》期间追缴赃款赃物折合人民币357万余元。

依照法律和《通告》的规定，我区各级检察机关认真执行党的坦白从宽、抗拒从严的政策，对投案自首案件认真地做了查证处理工作，及时兑现政策。凡符合立案标准的，按照法定程序进行审查处理，基本做到了既贯彻从宽精神，又注意严格执法，宽严适度。截至1989年底，共立案238件264人。经审查，免予起诉170件190人；提起公诉11件11人；不起诉1件1人；正在办理的25件26人。对在《通告》限期内拒不坦白自首的犯罪分子，依法严厉打击。《通告》结束后，根据已掌握的证据材料，组织了一次全区性的集中打击行动，逮捕、拘留了124名贪污、贿赂犯罪分子。

贯彻《通告》的实践证明，实行这样一个临时政策，是完全必要的，非常正确的。它发挥了党的政策的感召力，显示了国家法律的威慑力，表明了党和国家惩治腐败的决心，促使一批犯罪分子走自首坦白、认罪服法的道路；挽救了一批在贪污、贿赂犯罪邪路上下滑的人；发现了一批隐蔽、狡猾的犯罪分子；增强了干部、群众的法制观念，提高了广大人民群众同贪污、贿赂等犯罪作斗争的积极性。

（二）集中力量查处了一批大要案。去年，我们把反贪污贿赂斗争的重点放在侦破大要案件上，明确提出检察长要亲自办案，尤其要办大案要案。一年来，各级检察长身体力行，率先垂范，亲自办案140多件，鼓舞了干警士气，加快了办案速度，提高了办案质量，使查处大要案件工作取得了突破性进展。全年立案查处万元以上贪污、贿赂大案127件，比上年30件增加3.2倍；查处县处级以上干部贪污、贿赂要案22件，比上年9件增加1.4倍，其中，厅局级干部贿赂要案2件。在检察机关内部，我们坚持实行分级负责制度，规定厅局级干部犯罪案件由自治区院为主查办，县处级干部犯罪案件由盟市院为主查办。一大批大要案件的查处，对开展反贪污贿赂斗争起到了极大的推动作用，也使人民群众切实看到了党中央惩治腐败、肃贪倡廉的决心和行动。

（三）突破重点，带动一般，消灭了“空白点”。1989年，各级检察机关把反贪污贿赂工作的重心放在重点部门和重点系统。通过一年的努力，在一些对国计民生有直接影响的金融、物资、供销、粮食、铁路、医药、外贸等系统，侦破了一批隐蔽较深、作案人数多、犯罪金额大、对国家集体造成严重损失的贪污、贿赂案件，使查处利用行业特权进行经济犯罪活动的工作收到了较好的效果。全区105个基层检察院，出现了一个积极主动办案的局面。自检察机关恢复重建以来，首次消灭了没有办理贪污、贿赂案件的“空白点”。绝大部分分市院受案、立案数较之上年都有大幅度上升。

（四）深入开展了举报工作，推动了全区反腐败斗争的深入发展。举报工作是实行民主监督和专门机关法律监督相结合的好形式，是党的群众路线的最好体现，是检察机关办案制度的一项重大改革，是检察机关一种有效的案源渠道。现在，全区已有109个检察院设立了举报机构，有315名检察干部从事举报工作。1989年，全区检察机关共受理群众举报线索6578件，其中贪污、贿赂线索3346件。目前，举报质量在不断提高，出现了敢于署名举报、敢于协助查办、敢于提供查处线索的好势头。特别是在《通告》期间，群众举报大量增加，其中有一批很有价值的线索成为我们查处案件的重要来源。据不完全统计，近50%的贪污、贿赂案件是根据举报线索侦破的，其中大要案有70%是群众举报揭发的。

实践证明，举报工作的开展，虽然时间不长，但已经充分显示出了强大的生命力。

（五）在开展在反贪污贿赂斗争的同时也积极地查处了其他经济犯罪案件。1989年，全区共受理偷税抗税、假冒商标、挪用公款等案件557件，比上年202件增加355件；立案274件，比上年96件增加178件。其中重特大案件47件，比上年11件增加3.3倍。

这些案件的查处，推动了检察机关打击经济犯罪斗争的全面开展，发挥了经济检察的职能作用，有效地维护了我区正常的经济秩序。

二、关于严厉打击严重刑事犯罪的情况

依法从重从快严厉打击严重刑事犯罪活动，始终是检察机关的工作重点，是一项长期的重要任务。1989年，我区的政治、经济和社会是稳定的，并且朝着更加稳定的方向发展。但是治安形势相当严峻。表现在国内外敌对势力颠覆、渗透、反革命煽动、制造民族分裂、扩张地下宗教势力等破坏活动频繁，反革命案件剧增；刑事犯罪活动严重，暴力案件有增无减，抢劫、盗窃、诈骗等侵犯财产案件突出，危及人身安全的绑架人质讹诈钱财的案件也开始出现；各种治安问题增多，治安案件持续上升，伤害、流氓滋扰案件上升幅度很大，赌博、卖淫嫖娼、吸毒贩毒等社会丑恶现象严重蔓延；经济犯罪活动相当猖獗，贪污、贿赂、挪用公款、诈骗、投机倒把案件最为突出；经济、民事纠纷案件明显增多。面临这种严峻形势，全区各级检察机关坚决贯彻执行依法从重从快的方针，与公安、法院密切配合，突出打击重点，有力地打击了严重刑事犯罪活动。全年共受理公安机关提请批捕人犯10998人，比上年8197人增加2801人，上升34.2%。经审查，批准逮捕9576人，比上年7042人增加2534人，上升36%，其中，重特大案犯3191人，占批捕人犯数的33.3%，比上年上升51.2%；共受理公安机关移送起诉、免诉案件7180件11801人，比上年上升27.7%和35.4%。经审查，向人民法院提起公诉5918件9182人，其中，审查起诉重特大案件2623人，比上年上升49.2%。

在严厉打击严重刑事犯罪活动中，检察机关重点做了以下几方面的工作；

（一）在制止动乱和平息反革命暴乱中，全区检察机关采取了既坚决而又慎重的方针，坚持严格依法办事，以事实为根据，以法律为准绳，严格区分罪与非罪的界限，严格区分反革命罪与普通刑事犯罪的界限。动乱比较集中的呼市、包头、赤峰、通辽等地区的检察机关，积极配合有关部门，开展了清查清理工作，对清查中发现的触犯刑律的犯罪分子，依法作了严肃认真的处理。

（二）积极参加了专项斗争。在1989年先后开展的“打击流窜犯罪”、“扫黄”和除“六害”等专项斗争中，全区各级检察机关积极组织力量，与公安、法院、司法等部门密切配合，共查获各类违法犯罪分子14052人，侦破各类违法犯罪案件5201起，摧毁犯罪团伙186个834人，有力地惩治了违法犯罪和社会丑恶现象。

（三）加强了侦查监督和审判监督。1989年，全区各级检察机关在审查公安机关提请逮捕的人犯中，对966人作了不批准逮捕决定，追捕各类犯罪分子108人。对公安机关移送起诉的案件，经审查，对不构成犯罪的105人作了不起诉决定；追诉各类犯罪分子80人。提前介入公安机关对重特大案件的侦查、预审活动1356人（次），提前介入的案件占重特大案件的44.9%。对公安机关侦查活动中的违法情况提出纠正意见88件（次），对人民法院审判活动中的违法情况提出纠正意见34件（次）。公安、法院对检察机关的纠正违法意见都很重视，均作了实事求是的处理。对人民法院确有错误的判决、裁定提出抗诉的案件80件，现已收到人民法院判决、裁定28件，其中改判17件，占已审结抗诉案件的60.7%。通过积极主动的两项监督，减少了错漏案件的发生，保证了刑事法律的统一实施。

（四）积极开展了对监管改造场所的监督活动。1989年全区检察机关共受理监管改造部门移送起诉的犯人重新犯罪和劳教人员犯罪案件124件。经审查，起诉115件。同时，查处监管改造场所干警徇私舞弊、私放罪犯、贪污受贿等犯罪案件36件；提出以纠正超期羁押、违法保外就医、违法减刑、减期、延期为重点的检察建议1231件（次）。有力地协助和配合监管改造机关打击了监管改造场所内的犯罪活动，维护和稳定了监管改造秩序。

三、关于查处侵犯公民民主权利罪、渎职罪的情况

依法查处侵犯公民民主权利、人身权利和渎职犯罪案件，是检察机关的一项重要职能，也是反腐败斗争的一个组成部分。1989年，全区检察机关共受理这类案件681件，比上年566件上升20.3%；立案查处210件，比上年177件上升18.6%。其中，立案查处侵犯公民民主权利、玩忽职守、重大责任事故给国家和人民生命财产造成重大损失的三类案件174件，比上年148件上升17.6%；重特大案件39件，比上年上升14.7%

在查处"侵权"、渎职案件方面，我们主要做了以下几项工作：

（一）查处了一批国家工作人员和司法人员贪赃枉法、徇私舞弊、私放罪犯等恃权枉法的犯罪案件。这些案件严重损害党和政府的形象，亵渎法律的尊严，破坏党和人民群众的关系，为人民群众深恶痛绝。例如，内蒙二道河劳改支队干部方群、刘凯等人，采取弄虚作假、出据假诊断书等手段，先后为3名罪犯非法办理保外就医手续，从中收受贿赂，受到法律应有的制裁。

（二）查处了一批国家工作人员严重官僚主义、弄权渎职的玩忽职守和重大责任事故案件。某些国家工作人员和厂矿企事业单位的管理人员，对国家、集体利益和人民生命财产极端不负责任，滥用职权，指挥蛮干，造成惨重的人身伤亡和惊人的经济损失。例如，乌达矿务局五虎山矿一采区，1988年11月17日发生局部瓦斯、煤尘爆炸，造成11人死亡、11人重伤、直接经济损失379000元的特大事故。直接责任人已被依法追究刑事责任。

（三）查处了一批基层干部和公安司法人员非法拘禁、非法搜查、非法侵入他人住宅以及诬告陷害等侵犯公民民主权利、人身权利的犯罪案件。

（四）加强了控告、申诉工作。全区各级检察机关在建立健全举报制度的同时，进一步加强了控告申诉检察工作。据统计，去年共处理控告申诉11902件。其中，不服检察机关逮捕、免诉决定的213件；不服人民法院判决的500件。根据案件"归口办理，分级负责"制度，检察机关自办2046件，纠正和改变原决定72件。

四、关于检察队伍建设情况

1989年，全区各级检察机关坚持从严治检，切实加强思想政治工作，积极地开展了形势教育、党的基本路线教育、"四有""三职"（职业道德、职业责任、职业纪律）教育和为检清廉教育，为建立一支"严格依法办案，秉公执法，掌握政策，廉洁奉公，联系群众，精通业务”的检察队伍奠定了思想基础。在制止动乱和平息反革命暴乱中，各级检察院坚定不移地贯彻执行党中央的英明决策和最高人民检察院以及各级党委的有关指示，认真组织检察人员学习中央领导同志讲话，进行坚持四项基本原则、反对资产阶级自由化教育，使全体检察干警明辨是非，站稳立场，经受了政治动乱的考验。去年，通辽市检察院被评为全国检察系统制止动乱、平息反革命暴乱先进集体；年内，全区共有22个检察院被当地政府命名为文明单位；34个检察院的党支部被评为先进党支部；144名检察干警被评为优秀党员；104个单位被评为先进集体；7个检察院荣立集体功；678名干警被评为先进工作者，15个旗县检察院和125名检察干部被评为全区政法系统先进集体、优秀干警；3个检察院、2名干警被最高人民检察院授予先进集体、先进个人称号和通令嘉奖。此外，不少检察干警拒收贿赂，见义勇为，帮助群众做好事，显示了当代检察机关的良好精神风貌。为了保证检察队伍的纯洁，对极少数违法乱纪的检察干警坚决严肃处理。1989年共受到各种处分的干警有14人，占全区检察干警总人数的2.7‰。

回顾过去一年，检察机关的各项工作虽然取得了一定成绩，但同党和国家对检察工作的要求还有差距。主要是：我们的思想和工作还跟不上政治、经济发展的新形势；在全局上，面向基层、深入基层、加强基层基础工作还不够；对工作中的一些新情况、新问题系统地调查研究，及时提出解决的办法和意见也不够；反贪污贿赂斗争不够深入，工作发展不平衡，以经济处罚和政纪、党纪处分代替刑罚等问题还不同程度地存在。这些都需要在今后的工作中认真加以改进。另一方面，我们在工作中也存在一些困难。检察机关所面临的任务同自身现有的检察力量之间的矛盾，案件的大量增加同业务经费不足和必要的装备紧缺的矛盾十分突出，长期影响着检察工作的开展。对这些困难，各级党委、人大常委会和政府都很重视。我们希望在今年能得到适当解决。

五、关于1990年的检察工作任务

1990年是进行治理整顿和深化改革的关键性一年，也是落实中央全会精神的重要一年。根据全国政法工作会议精神，稳定压倒一切，竭尽全力维护社会稳定，是今年和今后一个时期检察工作的基本指导方针。我们要以全国全区政法工作会议精神为指针，继续以反贪污贿赂斗争和从重从快严厉打击严重刑事犯罪活动为重点，增强阶级斗争观念和专政意识，增强反渗透、反颠覆、反和平演变的意识，全面开展各项检察工作，充分发挥检察机关法律监督的职能作用，加强思想政治工作和队伍建设，加强基层基础建设，团结一致，艰苦奋斗，努力完成各项任务，为治理整顿、深化改革和推动国民经济进一步发展，创造一个安定的社会环境。

根据这样一个总的指导思想和总的任务，1990年要突出抓好以下几项工作。

（一）把反贪污贿赂斗争进一步引向深入。我们要在总结经验的基础上，精心安排，组织力量，决心把反贪污贿赂斗争引向深入，在今年打一场反贪污贿赂斗争的攻坚战。力争做到：重点地区和重点系统的反贪污贿赂斗争要有新的进展；查处重特大贪污、贿赂案件要打开新的局面；侦破隐蔽较深的贪污贿赂犯罪要取得新的成效；侦查水平和办案质量要有新的提高。

为此，我们要在思想上进一步明确反贪污贿赂斗争是稳定局势的重要措施，在工作上继续把反贪污贿赂斗争作为打击经济犯罪的第一位工作，列为检察机关的工作重点，从领导精力，力量分配，装备、经费使用上重点安排，重点保证。各级检察长要从党和人民的利益出发，排除阻力和干扰，秉公执法，敢于碰硬，敢于办案，亲自办大要案，为广大干警作出表率。要尽快建立和强化贪污贿赂侦查机构，实现举报——初查——侦查一体化。要进一步加强举报工作，对贪污、贿赂犯罪线索优先查，对重大经济犯罪线索重点查，有效地发挥举报在反贪污贿赂斗争中的案源主渠道作用。在坚决打击贪污、贿赂犯罪的同时，依法查处挪用公款、偷税抗税、假冒商标等检察机关直接受理的其它经济犯罪案件。把全区的反贪污贿赂为重点的打击经济犯罪活动推向一个新的阶段。

（二）严厉打击惩治严重刑事犯罪，维护社会安定。要在各级党委的统一领导和统筹安排下，从地区的实际出发，有计划、有组织地开展专项斗争。要从重从快严厉打击杀人、抢劫、强奸、拐卖妇女儿童、贩毒、重大盗窃、行凶报复、聚众赌博及强迫、引诱、容留妇女卖淫等严重犯罪分子和流窜犯罪集团的首要分子。积极开展法制宣传，加强社会治安综合治理。认真做好应付突发事件的准备工作。作为人民民主专政重要工具的检察机关，必须强化对敌专政的职能。刑事检察工作直接关系到国家的安危，社会的稳定，必须进一步加强。

（三）统筹安排，积极开展法纪、监所、控申检察工作。要把查处“侵权”、渎职和群众反映强烈的法纪大要案件，维护监管改造场所的正常秩序，保护人民的合法权益，作为建设社会主义民主和法制、惩治腐败、稳定大局的一项重要任务，摆到重要位置，全面完成法律赋予检察机关的职责。

（四）抓好思想政治工作和检察队伍建设。我们要认真组织干部学习四中全会、五中全会、六中全会的文件，用中央精神统一全体干警的思想。坚持党的领导，充分发挥党组的核心领导作用和机关党组织的保证监督作用，以及党员的模范带头作用。要认真做好领导干部和各级班子的考核工作，确保各级领导集体由真正忠诚于马克思主义的人组成。要建立健全政治工作机构，抓好检察机关的思想政治工作和廉政建设。要坚持党的群众路线，坚持专门工作与群众工作相结合的原则，继续通过多种方式和渠道，加强同人大代表、政协委员、民主人士、社会各界群众的联系，倾听他们的意见和呼声，接受他们的监督和批评。要加强对全区检察干警进行马克思主义基本理论教育，坚持四项基本原则、反对资产阶级自由化教育，党的方针政策教育，全心全意为人民服务教育，政法工作优良传统教育，严格执法和纪律作风教育。要通过各种有效措施，进一步提高干警的政治素质和业务素质。要把狠抓整顿队伍纪律作风，改善干群关系和警民关系作为一件大事长期抓下去，并在今年抓出显著成效。要教育干警，尊重群众，严守法纪，严格依法办事，认真执行政策，树立为检清廉、秉公执法的良好风气。

辽宁省人民检察院工作报告（摘要）

——1990年3月9日在辽宁省第七届人民代表大会第三次会议上

辽宁省人民检察院检察长　徐　生

（1990年3月11日辽宁省第七届人民代表大会第三次会议通过）

1989年，全省各级检察机关在省委、最高人民检察院的领导和省人大常委会的监督下，坚持贯彻党的十三届四中全会和五中全会精神，切实履行法律监督职能，深入开展反贪污、贿赂斗争，严厉打击反革命和严重刑事犯罪活动，为促进廉政建设，维护社会治安的稳定，保卫国家安全，保障治理整顿和深化改革的顺利进行，做出了积极努力。

一、深入开展反贪污、贿赂斗争

一年来，特别是平息反革命暴乱以来，全省各级检察机关认真贯彻中央关于惩治腐败、加强廉政建设的一系列指示，以高度的政治责任感和法律责任感，更加自觉地把反贪污、贿赂斗争列为打击经济犯罪的第一位工作，作为检察工作的重点，通过查处贪污、贿赂案件，来体现我们党和政府惩治腐败的决心，取信于民，缓解矛盾，促进社会的稳定。普遍加强了举报工作，强化了侦查措施，集中力量重点办理了大案要案，积极认真地贯彻了"两高"《通告》，工作取得了重大进展。

1、办案数量成倍增长。一年中，全省各级检察机关共受理各类经济犯罪案件4381件，立案侦查2335件，结案1668件，分别比上年上升了210.7%、341.4%和178.5%，是我省检察机关重建11年来，办理经济案件最多的一年。

2、反贪污、贿赂斗争向更高、更深层次发展。各级检察院从加强廉政建设的宗旨出发，注意重点查处与廉政建设、党的建设、治理整顿密切相关和人民群众普遍关心的案件，加重了斗争的政治份量。一是集中力量查处了大案要案。全年共立案236件，占立案总数的31.5%。其中，县处级以上干部犯罪案件147件，厅局级干部4件，有的受贿几万、十几万，甚至二、三十万元。对有影响的大要案公开处理后，在社会上引起了很大震动。二是注意把工作重点转向一些重点部位和问题较多的系统。一年来，在党政机关工作人员中立案侦查252件，占立案总数的10.8%，其中发生在省直机关、中直驻省机关的有10多件，标志着反贪污、贿赂斗争开始向深层次发展。在金融、房产、粮食、能源、供销、铁路等系统集中查处了一批贪污、贿赂案件，通过深挖，掏出了一些犯罪"窝子"。有的一起案件，就涉及十几人或几十人的违法犯罪问题，收到了"查一案、带一片"的效果。

3、"两高"《通告》感召和震慑了一大批违法犯罪分子自首坦白。自8月15日至10月31日，全省有1373名贪污、贿赂、投机倒把等违法犯罪分子到检察机关自首坦白。其中，构成大要案的有485人，占总数的33.4%。自首坦白人员共交代犯罪数额3356万元，在期限内退回赃款、赃物合计1074万元。对于在《通告》期限内主动自首坦白、积极退赃、有立功表现的人，检察机关都依据刑法和《通告》有关规定，分别作出了从宽处理。至1989年年底，全省各级检察机关已查处821人，占自首坦白总数的67.2%。其中，起诉131人，免诉554人，转作其他处理的136人。

4、反贪污、贿赂斗争取得了较好的社会效果。各级检察机关遵循"一要坚决、二要慎重、务必搞准"的原则，在反贪污、贿赂斗争中，加强了法律政策研究，正确区分罪与非罪的界限，注意把办案的政治效果、社会效果和经济效益结合起来，使斗争一直沿着正确的方向发展。对于确实构成犯罪的案件，不管涉及什么人，都坚决进行查处；对于罪与非罪不好区分、法律政策界限难以划清的案件，不贸然查处，更不轻易采取强制措施。特别是在查处发生在企业中的案件时，注重从有利于治理整顿和深化改革出发，既惩处犯罪分子，又保护企业经营者、广大职工的劳动热情和生产积极性，促进生产的发展。如辽阳市检察院在办理熊家庆特大受贿犯罪案件时，院领导和办案人员深入到辽阳纺织厂与厂方一起研究制定廉政建设措施，稳定了领导班子，有效地保证了生产的持续发展。

一年中，全省检察机关反贪污、贿赂斗争之所以取得了重大进展，首先是中央、省委以至各级党委，加强了对反腐败的领导，把检察机关的反贪污、贿赂斗争纳入了廉政建设的总体部署。特别是在贯彻"两高"《通告》期间，形成了党委统一领导，全党动员，全社会参与，层层抓宣传，层层抓落实的局面。没有党委的统一领导，贯彻"两高"《通告》就不会取得那么大的成果。对于办理牵涉面广、干扰阻力大的案件，党委给予了坚决支持和有力的指导，为检察机关严格执法，提供了可靠的政治保障。其次是各级人大常委会和政府对反贪污、贿赂斗争给予了监督和支持。各级人大常委会主动听取检察机关开展反贪污、贿赂斗争的情况汇报，许多人民代表对反贪污、贿赂斗争提出了很好的建议和意见。各级政府积极为检察机关解决人力、财力和物力等方面的实际困难，积极改善检察机关的执法条件，使我们的侦查手段和设施设备建设得到了一定加强，促进了反贪污、贿赂斗争的深入发展。第三是人民群众惩治腐败的强烈呼声和积极参与，是检察机关开展反贪污、贿赂斗争的原动力，而检察机关深入开展反贪污、贿赂斗争，又极大地调动了人民群众同贪污、贿赂犯罪分子作斗争的积极性。一年中，各级检察机关共受理群众举报各类经济案件线索21730件。其中，贪污、贿赂案件线索17157件，占经济案件线索总数的78.96%。特别是在"两高"《通告》期间，出现了群众举报高潮。两个半月里，就举报案件线索8900多件，是上年同期的3.6倍。为取信于民，各级检察机关经过认真筛选，对4183件举报线索进行了初查，结果表明，群众举报所提供的事实更清楚，指证更准确，成案率更高。我们深深感到，有人民群众的积极支持，反贪污、贿赂斗争就会取得明显成效。

去年一年，全省检察机关反贪污、贿赂斗争虽然取得了很大成绩，但也存在许多不容轻视的问题，主要是：工作发展还不平衡，某些领导机关、一些县区的群众还没有广泛发动起来，局面还没有打开；一些问题较多，人民群众意见较大的系统还是"死角"，一些隐藏较深的犯罪分子尚未被揭发出来；侦查水平还不高，查处大要案、疑难案件的能力还不强；在执行法律政策方面，由于调查研究不够，对少数案件的处理还欠稳妥，"以捕代侦"的做法还未杜绝；办案力量不足，侦查手段、设备设施落后，很不适应斗争需要等等。所有这些问题，我们将认真总结经验教训，力争早日解决。

二、依法从重从快打击了严重刑事犯罪活动

1989 年，全省社会治安形势相当严峻。刑事案件大幅度上升，重大恶性案件成倍增加。尤其是 4 月中旬以来，北京发生的动乱和反革命暴乱也波及到我省，部分城市出现了程度不同的动乱。面对上述严峻形势，各级检察机关始终没有放松刑事检察工作，完成了大量的审查批捕和审查起诉任务，为维护政治安定和社会治安作出了积极努力。一年来，共审查批捕公安机关提请逮捕的人犯 28534 人，起诉 27889 人，免诉 2490 人，分别比上年增长了 33.4%、37%和 66.5%。

各级检察机关把彻底清查和坚决打击制造动乱和参加反革命暴乱的严重打、砸、抢、烧、杀等犯罪分子作为打击刑事犯罪的头等任务，严肃认真地进行批捕、起诉工作。办案中，我们既注意不放纵犯罪分子，又严格区分两类不同性质的矛盾，划清罪与非罪的界限，严格执行了法律、政策。

从重从快地严厉打击了严重刑事犯罪活动，积极参与了专项斗争和专项治理。各级检察机关继续坚定地贯彻依法从重从快的方针，始终把矛头指向那些社会危害性大的严重犯罪，严厉打击，决不手软，普遍实行了提前介入制度，及时了解掌握案情，加快办案速度，既依法履行侦查监督职能，又及时、有力、从重从快地打击严重犯罪分子。一年来，各级检察机关还积极配合公安机关进行了各种专项斗争和专项治理。3、4 月，参与了公安机关集中打击抢劫、盗窃犯罪的专项斗争；7 月，参与了全国性的打击流窜犯罪的统一行动；9 月以后，参加了以“扫黄”、“除六害”为内容的社会综合治理，并对犯罪活动进行了打击。各地针对一个时期内扒窃、企业内盗和破坏农电、通信设备犯罪突出的情况，协同公安机关进行集中或重点打击。通过参与专项斗争和专项治理，促进了社会治安的稳定。

进一步加强了侦查监督和审判监督工作。1989 年，各级检察机关在独立行使检察权、强化法律监督职能方面作出了一定努力，使侦查监督、审判监督工作有所进展。坚持以事实为根据，以法律为准绳，严格依照法律程序办案。认真审查案件，既防错、又防漏，共依法不批准逮捕 3465 人，不起诉 136 人，追捕犯罪分子 567 人，追诉 299 人。对侦查活动和审判活动是否合法，也程度不同地加强了监督工作。监所检察部门积极开展了对监管改造场所执行法律政策情况的检察，配合监管场所做好被监管人员的改造教育工作。在贯彻“两高”《通告》期间，深入监管场所宣讲《通告》，敦促被监管人员坦白交代余罪，检举揭发他人罪行，有 67 名被监管人员坦白交代了贪污、贿赂犯罪，检举揭发犯罪线索 230 多件。

刑事检察工作面临的主要问题是：由于受案量激增，人员不足，案件积压的现象普遍存在；对侦查活动和审判活动是否合法的监督还是薄弱环节。对此，我们要在力所能及的范围内，认真加以改进。

三、依法查处了渎职、“侵权”等犯罪案件，促进了社会主义民主和法制建设

各级法纪检察部门在坚持“全面承担，有案必办”的同时，重点查处了有害于廉政建设的弄权渎职案件；有害于治理整顿的重大责任事故案件；有害于社会主义民主与法制建设的侵犯公民民主权利和人身权利案件，特别是加强了对大要案的侦破工作，使全省法纪检察工作取得了较大进展。一年中，全省共立法纪案件 395 件。其中，重大案件 45 件，特大案件 17 件。共查处弄权渎职、重大责任事故和“侵权”等三类案件 325 件，占法纪案件总数的 82.3%。同时还比较成功地办理了一些有影响的案件，查处了一些群众反映强烈的刑讯逼供致人死亡的案件，维护了公民的合法权利，取得了较好的政治效果和法律效果。一年来，各级控告申诉检察部门把工作重点放到处理各类申诉案件上。注意改变"转来转去"的作风，妥善解决了一些"老、大、难"的问题。在积极配合反贪污、贿赂斗争和"严打"工作的同时，严肃认真地办理了不服检察机关不捕、不诉和免诉决定的申诉案件，为实行内部制约，维护法律的正确实施，发挥了职能作用。我们也注意到，同国家工作人员渎职、"侵权"等违法犯罪现象作斗争，是一项十分艰巨的任务，我们必须充分发挥法律监督职能作用，克服执法不严、查处不力的倾向，才能真正维护社会主义民主和法制，促进政治上的安定团结。

四、加强思想政治工作，促进检察队伍建设

一年来，全省各级检察机关积极开展了思想政治工作，认真抓了检察队伍的思想建设、组织建设和作风建设，注重提高广大检察干警的政治素质和业务素质。首先，各级检察机关坚持把提高广大干警的政治觉悟，树立坚定正确的政治方向，作为思想政治工作的根本任务来抓。坚持进行四项基本原则和反对资产阶级自由化的教育、爱国主义教育、共产主义思想教育，组织干警反复学习邓小平同志的有关论述和中央有关文件，提高了广大干警的政治觉悟。在去年春夏之交的制止动乱和平息反革命暴乱的斗争中，认真组织学习"四·二六"社论和邓小平、李鹏同志的重要讲话，统一广大干警的思想行动。"两乱"期间，广大干警都能坚守岗位，忠于职守，认真履行法律监督职责，从思想到行动始终与党中央保持一致，与宪法和法律保持一致。沈阳、鞍山市检察院在这场政治斗争中表现突出，受到最高人民检察院的表彰。其次，按照干部"四化"标准，狠抓了各级领导班子的考核、配备，使领导班子的革命化、年轻化、知识化和专业化程度有了很大提高。第三，贯彻"从严治检"的方针，认真抓了检察机关内部的廉政建设，广泛开展廉政教育，认真进行执法检查。根据最高人民检察院的要求和省七届人大常委会第六次会议的决议，全省各级检察机关认真开展了执法遵纪情况的检查。针对检查中发现的问题，总结经验教训，增强干警惩治腐败的责任感、紧迫感和执法遵纪的自觉性，提高了干警惩治腐败和防腐败的能力。许多检察院还结合本院实际，制定整改措施和规章制度，不论领导同志还是一般干部都遵照执行。坚持开展"争先创优"活动，涌现出一大批忠于职守、秉公执法、廉洁奉公、勤奋工作的先进典型。第四，坚持多层次、多渠道地开展业务培训，提高干部业务素质，使检察队伍的知识结构和专业结构发生了很大变化。

我们也清醒地认识到，检察机关的思想政治工作，由于受前一时期忽视和淡化思想政治工作的影响，也程度不同地存在着"一手硬、一手软"的问题。近年来，学习马列主义基本理论的风气不浓了，资产阶级自由化的影响，也程度不同地波及到了我们的队伍里，少数干警在"两乱"中，也产生了一些模糊的思想认识，这对司法机关来说，是个不容忽视的问题。有的检察干警，受社会上出现的各种不正之风和腐败现象的影响，经不住金钱、物质的诱惑，发生了徇私枉法、腐化堕落等违法乱纪问题，虽为数极少，却造成了很坏影响，玷污了人民检察官的形象。这些，将是今后检察队伍建设中要重点解决的问题。

当前，保持国家稳定是全党、全国各族人民的根本利益所在，是压倒一切的任务。我们检察机关是国家法律监督机关，维护国家和整个社会的稳定，既与我们的工作密切相关，又是法律赋予我们的义不容辞的职责。1990年，鉴于“两乱”所提供的经验教训和东欧、苏联所出现的政治动荡，根据中央指示精神，我们要牢固地树立维护和促进社会稳定这一指导思想，增强阶级斗争和人民民主专政观念，树立为治理整顿、深化改革服务的思想，强化党的领导权威和宪法观念，坚定社会主义必胜的信念，以惩治贪污、贿赂犯罪，严厉打击严重刑事犯罪活动，加强队伍建设为重点，并带动其他各项检察工作的开展，充分发挥法律监督职能作用，维护正常的经济秩序和社会秩序，保障治理整顿和深化改革的顺利进行，促进国家和社会的稳定。各级检察机关将坚定不移地把反贪污、贿赂斗争深入地开展下去，在深化上下功夫，紧紧抓住与治理整顿、廉政建设、党的建设密切相关和人民群众最为关切、意见最大的问题，确定工作方向和打击重点，提高办案的质量和政治份量，扩大办案的法律效果和政治效果。继续抓紧处理“两乱”案件，贯彻依法从重从快方针，严厉打击严重刑事犯罪活动，维护社会治安稳定。随时掌握社会治安动态，积极消除潜在的不安定因素，同时做好应付突发事件的准备。进一步加强思想政治工作，抓好队伍建设。深入开展坚持四项基本原则和反对资产阶级自由化的教育，并把它作为思想政治工作的基本建设来抓。根据中共中央三号文件精神，我们将认真组织机关干部下基层开展调查研究，转变机关作风，为基层解决实际问题，倾听人民群众的呼声，虚心接受人民群众的批评意见，切实把1990年的检察工作做好。

吉林省人民检察院工作报告（摘要）

——1990年3月6日在吉林省第七届人民代表大会第三次会议上

吉林省人民检察院检察长　李向武

（1990年3月8日吉林省第七届人民代表大会第三次会议通过）

1989年，全省检察机关和广大检察干警在各级党委的领导下，在同级人大的监督和政府的支持下，坚决贯彻执行党的基本路线和全国人大常委会的各项决议、决定，充分发挥职能作用，积极地开展了打击严重经济犯罪和严重刑事犯罪的斗争，为保障治理整顿和深化改革的顺利进行，为经济稳定、政治稳定、社会稳定做出了应有的贡献。

一、坚定不移地深入开展以反贪污、贿赂犯罪为重点的打击严重经济犯罪的斗争

一年来，特别是党的十三届四中全会以来，全省检察机关认真贯彻执行党中央、省委关于惩治腐败、加强廉政建设的指示和省人大常委会《关于深入开展打击贪污、受贿犯罪活动的决议》，自觉把反贪污、受贿斗争作为工作重点，取得了较好的成绩。全年共立案侦查各类经济犯罪案件2460件，比上年上升75%。其中，贪污、贿赂犯罪案件1609件，占立案总数的65.4%，比上年上升104.2%；万元以上大要案602件，比上年上升173.6%；县处级以上干部犯罪案件40件，是上年的6.6倍；党政机关工作人员犯罪案件154件，比上年上升

450%；为国家和集体挽回经济损失5187.5万元，比上年上升30.3%。

把肃贪倡廉、为治理整顿和深化改革服务的思想贯穿于经济检察工作的始终。去年年初，我们在全省第九次检察工作会议上明确提出，要把反贪污、贿赂斗争同党和国家惩治腐败结合起来，同治理整顿和深化改革结合起来，同稳定经济、稳定政治、促进生产发展结合起来，自觉为党的中心工作服务。工作中，各级检察院认真贯彻这一指导思想，积极开展反贪污、贿赂斗争。省检察院先后四次派出工作组，由检察长带队，深入到65个基层检察院具体指导斗争的深入开展。为了适应斗争的需要，大多数检察院调整了人员，充实了力量，使全省投入反贪污、贿赂斗争的干警由1988年的700人增加到1000多人，保证了斗争的深入开展。

紧紧依靠党委的领导，主动接受人大的监督，积极取得政府的支持，深入开展反贪污、贿赂斗争。去年以来，省检察院先后11次以口头或书面的形式向省委常委和省人大常委会汇报全省开展反贪污、贿赂斗争的情况、存在的问题以及需要采取的措施，都得到了大力的支持。省委转发了《全省第九次检察工作会议纪要》；省人大常委会在听取省检察院关于全省反贪污、受贿斗争工作情况报告后，作出了《关于深入开展打击贪污、受贿犯罪活动的决议》；省委、省人大还专门听取了省检察院《关于全省宣传、贯彻、执行“两高”〈通告〉的情况》汇报，加强了对斗争的领导，保证了斗争的深入发展。

认真抓好举报工作，发动和依靠群众同贪污、贿赂犯罪作斗争。斗争中，全省检察机关普遍加强了对举报工作的领导，许多检察长亲自接待举报人员，亲自处理举报信件，带头查处重大举报案件，取信于民。为了尽快使举报工作走上正规化的轨道，省检察院制定了《关于为举报人保密的九项规定》等一系列切实可行的制度。为了鼓励举报人的举报积极性，全省各级检察院在财政部门的支持下，共奖励举报有功人员40余人，发放奖金近2万元。为了维护举报人的合法权益不受侵犯，全省共查处24起打击报复举报人的案件，收到了较好的效果。

突出重点，领导带头，集中力量查处大要案件。一是检察长带头亲自查。据统计，全省共有200多名正副检察长亲自查处或参与查处数额大、危害大、影响大、难度大的大要案件350起。二是集中力量，快速出击，打歼灭战。三是深入重点系统挖掘大要案。一年来，全省检察机关在管钱、管物等重点系统和行业破获贪污、贿赂等经济犯罪案件612件，比上一年上升42.9%，突破了一些死角死面。

以“两高”《通告》为武器，推动反贪污、贿赂斗争向纵深发展。1989年8月15日，“两高”《关于贪污、受贿、投机倒把等犯罪分子必须在限期内自首坦白的通告》发布后，全省检察机关依靠党委领导，积极进行宣传，组织工作组深入到有举报线索和群众反映大的单位，有针对性地工作，公开处理典型案件，用《通告》的感召力和法律的威慑力，迫使犯罪分子缴械投降，取得了较大的成果。在宣传贯彻《通告》的两个多月里，全省共有1042名贪污、受贿等经济犯罪分子到检察机关投案自首，交待犯罪金额803万元，退交赃款赃物折款606万元。其中，万元以上不满五万元的215人，五万元以上不满十万元的16人，十万元以上的7人。在投案自首人员中，贪污、受贿722人，占69.3%，县处级干部25人，党政机关工作人员92人，企事业单位的厂长、经理等210人，管钱、管物的财会、供销、保管等人员740人。还有339名被立案侦查或在押的贪污、贿赂等犯罪分子和劳改劳教人员主动坦白交待罪行，并检举揭发他人犯罪线索764件。共接到群众举报的经济犯罪线索4339件，立案查处各类经济犯罪案件1089件，相当于《通告》发布前7个月的总和。截止1989年底，全省已处理投案自首人员901人。

全省检察机关在重点抓好反贪污、贿赂斗争的同时，还积极开展了打击偷税抗税等经济犯罪活动。全年共查处偷税、抗税案件452件，其中国、省营和集体单位偷税、抗税案件78件，比1988年的28件上升178.6%。通过办理偷税、抗税案件，共为国家追缴偷抗税款2682万元，维护了国家的正常税收秩序。

二、继续依法从重从快打击严重刑事犯罪活动

全省检察机关认真贯彻党中央的指示和全国人大常委会的有关决定，充分发挥刑事检察职能作用，坚决打击了各种破坏社会治安的严重刑事犯罪活动，共批准逮捕各类刑事案犯17230人，决定起诉10521件16011人，为维护国家安全和社会的安定，起到了应有作用。

把打击动乱和反革命暴乱中的犯罪分子作为首要的政治任务来抓。在去年春夏之交发生的政治动乱中，我省各级检察机关和广大检察干警在各级党委的统一领导下，立场坚定、旗帜鲜明地参加了制止动乱的斗争，充分运用检察职能，坚决打击各种犯罪分子，坚持提前介入侦查、预审活动，及时批捕起诉，加快办案速度。

继续贯彻依法从重从快的方针，严厉打击严重刑事犯罪活动。省七届人大二次会议以来，全省检察机关针对刑事犯罪严重的情况，配合有关部门积极地开展了集中打击严重刑事犯罪的专项斗争。4至6月，按照省委的统一部署，参加了全省集中打击、查禁、整顿统一行动。斗争中，全省检察机关始终把那些影响大、危害严重的刑事犯罪分子作为打击重点，共批准逮捕各类案犯5186人，起诉3030件4585人，为稳定我省动乱期间的局势起到了积极的作用。7月，全省检察机关组织了1652名干警，配合公安机关开展了集中打击流窜犯罪的统一行动，及时批捕起诉了440名犯罪分子。11月以来，又集中力量配合有关部门开展了“扫黄”、“除六害”的专项斗争。

在工作中，全省检察机关认真贯彻依法从重从快的方针，坚持“两个基本”，提前介入公安机关对重、特大案件的侦查、预审活动3262人（次），有力地打击了严重刑事犯罪分子的嚣张气焰，维护了社会治安秩序。

认真履行法律监督职能，积极地开展了侦查、审判、执行监督工作。去年以来，全省检察机关认真贯彻省人大常委会关于加强法律监督工作的意见，不断增强法律监督意识，强化法律监督职能，较好地保证了国家法律的统一正确实施。在工作中，广大检察干警坚持以事实为根据、以法律为准绳的原则和行之有效的办案制度，重证据，重调查研究，不轻信口供，严格执法，秉公办案，依法追捕、追诉漏犯911人，防止错捕405人。全省检察机关还加强了对自行侦查案件的监督工作，建立健全了内部制约机制，从去年1月1日开始，普遍实行了自侦案件侦、诉分开制度，保证了办案质量。

加强监所检察工作。坚决打击在押人犯重新犯罪活动，是检察机关的一项重要任务。一年来，全省检察机关围绕“两打”斗争深入开展了打击监管场所内的严重犯罪活动，共查办“两劳”人员犯罪案件372件462人，审查批捕66人，审查起诉306件401人，对稳定监管场所的改造、生产、生活秩序起到了重要作用。同时，对全省38个监管场所进行了6603次执法情况检察，检查出各类问题2303件，口头提出纠正意见1871次，发出纠正违法通知书和建议234份，进一步促进了监管场所干警执法水平的提高。

全省检察机关还认真贯彻省委、省政府《关于社会治安综合治理的规定》，结合检察业务积极开展了综合治理工作，取得了较好的成绩。1989年，共建立和巩固综合治理联系点398个，提出检察建议731份，对769名免诉人员落实了帮教措施。同时进行法制宣传1112场（次），编制法制宣传电视剧1部，举办反贪污、贿赂斗争成果展览9次，结合办案帮助148个企业建章健制、整顿生产和工作秩序，为企业追回流失资金2360余万元。

三、认真查处侵犯公民民主权利、人身权利和渎职犯罪案件

1989年，全省检察机关进一步加强了法纪检察工作，排除干扰，克服困难，狠抓重、特大犯罪案件的查处工作，取得了新的进展。全年共立案查处各类法纪犯罪案件547件，其中大要案件78件，比上一年的70件上升11.4%。各级检察院在认真查处非法拘禁、诬告陷害等侵权犯罪案件、维护公民民主权利和人身权利的同时，还围绕着惩治腐败、加强廉政建设狠抓了对徇私舞弊、私放罪犯等案件的查处工作，共立案查处此类案件30件。为了更好地维护正常的经济秩序，保障治理整顿和深化改革的顺利进行，全省检察机关还重点打击了国家工作人员渎职犯罪活动，共立案查处重大责任事故案件192件，玩忽职守案件107件。

严肃认真地处理好公民的控告申诉案件，维护公民的合法权益，是检察机关的一项重要职责。1989年，全省检察机关本着认真负责的精神，积极地开展了控告申诉检察工作。共受理群众来信来访36774件（次），比上一年上升66.8%，提供各类案件线索11891件。全省控告申诉检察部门共办理检举控告、“两不一免”和刑满释放人员再申诉案件625件，纠正错案54件。原柳河县公安局侦查员袁玉林，1952年因破坏军婚罪被判刑，刑满释放后长期向各级有关部门申诉，均未得到解决。柳河县检察院经过认真复查，否定了原判事实，向法院提出了改判建议。去年7月，通化市中级人民法院对袁玉林宣判无罪，平反了一起37年的冤案。

为了更好地为群众排忧解难，减少社会不安定因素，为稳定大局服务，全省检察机关积极开展了文明接待活动，认真处理群众来信来访，努力做到案案有着落、件件有答复。各级检察长亲自批阅群众来信、接待群众来访、办理来信来访案件11615件。共处理矛盾可能激化案件105件，各类信访老户案件70件，为维护社会秩序，促进安定团结起到了积极作用。

四、大力加强自身建设，进一步提高检察干部队伍的政治、业务素质

省七届人大二次会议以来，全省检察机关在深入开展“两打”斗争和各项检察业务中，按照最高人民检察院关于努力建设一支“严格依法办案，秉公执法，掌握政策，实事求是，联系群众，精通业务”的检察队伍的要求，坚持两个文明一起抓，加强检察队伍自身建设，保证了各项检察工作任务的完成。

坚持开展思想政治工作，加强队伍思想建设。为了加强对思想政治工作的领导，省检察院制定下发了《思想政治工作条例》、《加强和改进思想政治工作的意见》、

《关于进一步加强检察队伍建设的意见》等文件。各级检察院围绕党的十三届四中、五中全会精神，组织广大干警认真学习党的路线、方针、政策和邓小平同志的一系列重要指示，进行坚持四项基本原则、反对资产阶级自由化教育，进一步提高了坚持四项基本原则的自觉性，做到在政治上、思想上、行动上与党中央保持一致。动乱期间，广大检察干警严守纪律，坚守岗位，工作不松，思想不散，干劲不懈，表现出良好的政治素质。同时，各级检察院还认真地开展了形势教育，有针对性地解决干警思想上的“热点”、“疑点”、“难点”问题，统一认识，坚定信心，增强为治理整顿和深化改革服务的自觉性。为使思想政治工作生动活泼、有的放矢，各级检察院都注意把思想政治工作同各项检察业务、争先创优活动和一年一度的执法大检查以及解决干警的工作、生活困难结合起来，并注意运用正面典型进行引导，收到了良好的效果。一年来，有 297 名干警立功受奖，涌现出 207 个先进集体和 813 名先进个人。省检察院刑检一处被最高人民检察院授予制止动乱、平息反革命暴乱先进集体光荣称号。全省各级检察院共收到表扬信 342 封、牌匾 53 块、锦旗 93 面。

坚持学习和整顿，加强领导班子建设。一年来，我们注意抓了各级检察机关领导班子建设工作。通过组织各级领导干部认真学习党的路线、方针、政策和马列主义基本理论，进一步提高了各级领导干部的理论水平和领导艺术，保证了检察工作坚定正确的政治方向。同时还结合基层检察院检察长换届工作，对县、区检察院领导班子进行了考核和重点整顿，较好地解决了个别班子存在的软、散问题，加强了民主集中制建设，增强了团结，提高了战斗力，在制止动乱、“两打”斗争和各项检察业务中发挥了凝聚、核心作用。

坚持从严治检，加强廉政建设。1989 年，全省各级检察院普遍开展了“不为金钱所惑，不为人情所动，不因执法而要特权”和具有检察机关特色的“职业道德、职业纪律、职业责任”为内容的为检清廉教育，教育广大干警过好金钱关、人情关、权力关。同时，集中时间进行了纪律作风整顿，并严肃认真地处理了 18 名违法违纪的干警，使广大干警从中受到了教育，进一步增强了反腐蚀能力。全省检察机关还加强了廉政制度建设，并坚持用制度和规定来约束干警的行为，先后建立健全了《办案回访制度》、《廉政档案制度》、《“两公开一监督”制度》、《“三不一免”案件责任制》等等。经过狠抓廉政建设，在全省检察干警中出现了拒礼拒贿的良好风气。

坚持抓好干部培训，进一步提高队伍的政治、业务素质。按照最高人民检察院的要求，省检察干校重点抓了岗位职务培训。一年来，先后组织了三期培训班，共培训干警 203 人。同时，继续进行了法律（检察）专业证书教育，培训了 585 人。还选送了 14 名业务骨干到最高人民检察院高级检察官培训中心进行学习。在培训干部中，我们还特别注意组织干警学习马列主义基本理论，进行政治理论培训，从而使检察干警既提高了法律业务水平，又提高了政治理论水平。

1989 年全省检察工作取得了较好的成绩。但也存在着一些不容忽视的问题。由于有的检察院领导同志对反贪污、贿赂斗争认识不足，措施不得力，致使工作开展不平衡，存在着死角死面；个别案件处理不当，既存在着打击不力、也存在着不该定罪而定了罪等质量问题；侦查机构不健全，办案力量和经费不足，侦查技术装备、交通工具、通讯设备短缺，远不适应工作需要；对新形势下经济犯罪出现的新情况、新问题调查研究得不够，个别案件执行政策法律掌握得不够准确；在打击刑事犯罪中，有些重、特大案件坚持提前介入不够；特别是法律监督工作开展得不够有力；思想政治工作还比较薄弱，少数检察院存在着“一手硬一手软”的问题；个别干警违法违纪，以案谋私，甚至贪赃枉法。这些问题有待于我们在以后的工作中认真加以解决。

我省当前的政治形势、经济形势、治安形势基本上是稳定的。改革开放取得了巨大成就，国民经济实力显著增强，城乡人民生活水平明显改善，深入开展的治理整顿初见成效，近年来经济发展中的一些突出问题开始得到解决。特别是经过制止动乱和平息反革命暴乱的斗争，最大限度地减少了不安定因素，整个形势向着好的方向发展。但危害政治和社会安定的问题仍大量存在。当前我省危害社会治安的刑事犯罪活动相当严重。在经济领域里，大量的隐藏较深的贪污、贿赂等经济犯罪分子还没有被揭露出来。这些都充分说明，打击严重刑事犯罪和以反贪污、贿赂犯罪为重点的打击经济犯罪的斗争将是长期的、复杂的、艰巨的。

1月，我们召开了全省检察长工作会议，回顾总结了1989年的工作，部署和安排了1990年的工作，制定了《1990年全省检察工作计划》。1990年检察工作的指导思想是：认真学习贯彻党的十三届四中全会、五中全会精神，充分发挥法律监督职能作用，以反贪污、贿赂斗争和打击严重刑事犯罪活动为重点，全面开展各项检察业务，强化思想政治工作，加强队伍建设，更加自觉地为治理整顿和深化改革服务，为维护我省的经济稳定、政治稳定、社会稳定，促进国民经济持续、稳定、协调发展做出新的贡献。突出要抓好以下几项工作：

一是认真学习贯彻党的十三届四中全会、五中全会精神，牢固树立稳定压倒一切的思想，不断提高为稳定服务的自觉性。进一步强化阶级斗争观念、人民民主专政观念，充分发挥检察机关打击敌人、惩罚犯罪、保护人民、服务四化的作用。

二是把以反贪污、贿赂为重点的打击经济犯罪斗争深入持久地进行下去。继续把反贪污贿赂斗争作为检察工作的重点，进一步加强领导，坚持检察长带头查处大要案。坚持全面执行党的坦白从宽、抗拒从严政策，分化瓦解犯罪分子。坚持专门机关与群众路线相结合的原则，进一步加强举报工作，依靠人民群众同犯罪行为作斗争。继续保持打击的势头，依靠党委领导，对于坑农、害农、卡农等破坏农业生产的经济犯罪活动进行集中打击，维护农业生产秩序，促进农业生产顺利发展。

三是严厉打击反革命犯罪分子和其他严重刑事犯罪活动。继续贯彻依法从重从快方针，坚持提前介入，严厉打击严重刑事犯罪活动，努力消除不安定因素。认真开展侦查、审判、执行监督工作，坚决纠正各种违法问题。积极探索、逐步开展对民事、行政诉讼实行法律监督工作。大力加强监所检察工作，严厉打击监管场所的犯罪活动。深入开展综合治理工作，最大限度地减少和预防犯罪。

四是认真查处侵犯公民民主权利、人身权利和渎职犯罪案件，维护社会主义民主和法制。把查处“侵权”、渎职犯罪案件提高到惩治腐败、促进廉政建设的高度来认识，领导带头，集中力量，突出查处那些阻力大、难度大的玩忽职守、重大责任事故、非法拘禁等大要案件，维护公民的合法权益，为治理整顿和深化改革创造良好的环境。

五是加强思想政治工作，搞好队伍建设。认真贯彻最高人民检察院《关于加强思想政治工作的决定》，进一步解决“一手硬一手软”的问题，组织干警认真学习马克思主义基本理论，继续进行坚持四项基本原则、反对资产阶级自由化教育和形势教育；大力加强检察队伍廉政建设，认真执行最高人民检察院制定的检察人员的“八要八不准”纪律，严肃处理违法违纪问题，不断提高检察干警的反腐蚀能力；加强检察机关党的组织建设，充分发挥党支部的战斗堡垒作用和共产党员的先锋模范作用；继续抓好干部培训工作，不断提高干警的政治、业务素质。

六是进一步增强党的观念，自觉地接受和服从党的领导、人大的监督。及时向党委报告重大决策、重要问题、重大情况、重要案件，依靠党委领导完成各项检察工作任务。同时，主动接受各级人大的监督，认真贯彻执行省人大常委会《关于吉林省各级人民代表大会常务委员会监督本级人民法院、人民检察院工作的规定》，及时报告工作，并邀请人民代表视察检察工作，接受意见，听取批评，改善执法活动，提高执法水平。

黑龙江省人民检察院工作报告（摘要）

——1990 年 3 月 4 日在黑龙江省第七届人民代表大会第三次会议上

黑龙江省人民检察院检察长　贯成文

（1990 年 3 月 8 日黑龙江省第七届人民代表大会第三次会议通过）

1989 年，是我们党和国家历史上不平凡的一年。全省检察机关的工作任务十分繁重和艰巨，与往年相比有三个显著不同的特点：一是中央抓反腐败，全党搞廉政建设，检察机关在打击贪污、受贿等经济犯罪活动中肩负着重要的职责。二是刑事犯罪案件大幅度增长，刑事检察工作的任务日趋繁重；打击制造动乱和反革命暴乱犯罪分子的工作，政策性很强，对检察工作提出更高的要求。三是反腐蚀斗争，特别是去年春夏之交的政治风波，给检察队伍带来一系列考验，加强自身廉政建设，加强思想政治工作，显得更加突出和重要。在新形势和繁重的任务面前，全省检察机关的领导和广大干警，按照党中央、最高人民检察院和省委的要求，在各级人大常委会的监督和政府的支持下，奋发进取，努力工作，加强了反贪污、受贿斗争，加强了打击刑事犯罪活动，各项检察工作都有新的进展，为加强人民民主专政，维护社会安定，推进廉政建设，促进经济发展，保障治理整顿和深化改革的顺利进行，发挥了积极的作用。

一、以反贪污、受贿为重点的打击经济犯罪斗争取得了明显的成效

去年，全省各级检察机关按照省七届人大二次会议关于省人民检察院工作报告的决议和最高人民检察院的要求，坚持把反贪污、受贿犯罪斗争作为打击经济犯罪的第一位工作，作为检察工作的重点，采取各项有力措施，取得了明显的成效。全省检察机关共受理经济案件 6117 件，立案

3303件，分别比上年增加91.28%、91.81%。在立案查处的案件中，大要案611件，比上年增加2.6倍；贪污、贿赂案件1991件，占立案总数的60.28%，比上年增加96.35%；其中处以上干部75人(正副厅级干部7人)。共挽回经济损失4243万元，已结案件追缴赃款3900多万元，比上年增加2700多万元。为了实现党中央、最高人民检察院和省委确定的反贪污、受贿工作目标，全省各级检察机关主要做了以下八项工作：

第一，早部署、早安排，迅速行动。1988年底，省检察院把全国检察长工作会议的有关文件印发到全省各级检察院，使全体检察干警及早了解最高人民检察院的工作部署。去年1月初即召开了全省检察长工作会议，及时地统一了全体干警特别是各级检察长对把反贪污、受贿斗争作为打击经济犯罪第一位工作和检察工作重点的认识。各级检察院在工作部署、力量投放、组织领导以及物质保证上都十分注意突出和保障反贪污、受贿斗争这项重点工作，主动出击，迅速行动。第一季度受案、立案分别比上年同期增加78.4%、54.8%，大要案增加1.5倍，挽回经济损失增加2.74倍。

第二，普遍实行了领导包案责任制，重点突破大要案。对于难度大的重特大经济犯罪案件，绝大多数地方的检察长亲自包案，亲自指挥办案。全省566名正副检察长中有362人对547起经济犯罪大要案件实行包案责任制。有些案件，采取三级联合办案的方法，集中优势兵力进行突破，很有威力。哈尔滨市王立忠、大庆市关文斌和李克祥等厅级干部的经济犯罪案件，大兴安岭地区林管局林产工业公司王连才、牡丹江林管局柴河厚纸板厂姜桂超、绥化烟厂朱万林等特大经济犯罪案件，都是省检察院指导参与，分、市院会同基层检察院一起组织力量、直接指挥突破的。

第三，充分利用举报渠道，扩大案源。去年，全省检察机关接受群众举报经济犯罪线索9105件，比上年增加一倍多，其中贪污、贿赂案件线索6877件。已立案件中有70%来自群众举报。牡丹江林业管理局所属柴河厚纸板厂总会计师姜杜超贪污66万余元的特大案件和很多大要案都是在人民群众的支持下，通过举报揭露出来的。

第四，抓住贯彻“两高”《通告》的有利契机，掀起开展反贪污、受贿斗争的新高潮。“两高”《通告》发布后，全省各级检察机关一是依靠党委、人大和政府，加强领导，发动群众，同有关部门密切协作，把贯彻《通告》作为惩治腐败、加强廉政建设的大事来抓，结合本地实际情况，制定了具体方案，并努力抓好落实。二是采取多种形式，广泛宣传《通告》精神，大造舆论声势，发动广大群众积极揭发检举经济犯罪活动。三是认真做好举报和投案自首的接待工作。四是调整力量，抓紧对自首、坦白案件的查结工作，并注意及时反馈。五是与有关部门配合，分层次地召开宽严处理大会，发挥政策法律的威力。到《通告》期满时，全省共有1240名犯罪分子向检察机关自首或坦白。其中处以上干部40人，犯罪金额在万元以上的400人，自首、坦白人员交待的犯罪金额1670多万元，已追缴款、物折合人民币1062多万元。对于那些拒不自首、坦白或避重就轻、企图蒙混过关的犯罪分子，一经发现，检察机关坚决立案侦查，《通告》期满后10天内，全省各级检察机关对68名拒不自首坦白的犯罪分子采取了强制措施，依法从严从重处理。对于《通告》期限内自首、坦白的案件，检察机关已处理1107人，其中立案查处836人（免诉568人、起诉110人），转有关部门处理271人。

第五，通过各种方法强化侦查工作。全省检察机关依照《刑事诉讼法》规定，加强了侦查业务建设。举办侦查骨干培训班，对干警进行侦查知识和技能的培训，并加强了岗位练兵，干警的侦查意识和侦查能力有了明显提高，还总结了一些侦查工作经验。许多地方的政府在财政困难的情况下，为检察机关拨款购置了部分必要的侦查技术设备，对提高侦查工作水平起了重要作用。

第六，针对我省某些行业犯罪比较突出的特点，选择一些重点行业深挖经济犯罪。去年，在查处“以木谋私”、“以车谋私”和“以化工原料谋私”等具有行业特点的经济犯罪上，都取得了不同程度的进展。大兴安岭两级检察院立案查处86起经济犯罪案件，有49起发生在木材生产、流通领域，占57%；哈尔滨铁路运输检察机关查处148起经济案件，有64起属于“以车谋私”犯罪，占43.2%。

第七，严格执法，提高办案效率和质量。继续坚持定案件、定人员、定时间、保质量的“三定一保”办案责任制，促进和保证了办案的效率和质量；坚持了集体讨论案件和案件请示报告制度；坚持了案件复查制度，实行了基层检察院自查，分、市院联查，省检察院抽查的办法，严把办案质量关。同时，省检察院和分、市院加强了办案指导工作，办案质量有明显提高，撤案率由上年的3%下降到1.8%。

第八，积极依靠各级党委的领导、人大的监督和政府的支持，加强同各有关部门的协调工作。去年省检察院就开展反贪污、受贿等项工作，两次向省委汇报，三次向省人大常委会汇报。各地检察机关也主动把上级指示和工作部署及时向本级党委和人大汇报，各级党委、人大和政府及有关部门对检察机关开展反贪污、受贿斗争给予了高度的重视和支持。去年年初，省委明确提出了我省打击贪污、受贿犯罪取得明显成效的六条工作要求。7月，省人大常委会作出了《关于深入开展反贪污、受贿斗争的决议》。全省绝大多数地方都成立了由纪检委牵头的包括反贪污、受贿斗争内容的纪律监督协调领导小组，加强了协调工作。10月，继哈尔滨市检察院成立反贪污贿赂专门侦查机构之后，省里又批准了省和齐齐哈尔、牡丹江、佳木斯、大庆市检察院成立反贪污贿赂工作局。有些地方政府增拨了一些专款，使检察机关在办案经费、装备方面的困难得到一些缓解，保证和推动了反贪污、受贿斗争的深入发展。

面对严峻的经济形势，我们对反贪污、贿赂斗争已取得的成绩不能估计过高，对贪污、受贿的严重性、复杂性不可低估，特别是一些隐藏较深、保护层较厚的犯罪分子还没有完全揭露出来。目前，我们手中已掌握的贪污、贿赂犯罪线索有2000多件待查，其中大要案线索300多件；已受理的案件中，还有3000多件待立；已立的案件中，还有300多件待结，加上新发现和新举报上来的案件线索，今年的任务相当繁重和艰巨。同时，我们工作中还存在着不可轻视的问题。工作不平衡的问题依然比较突出，极少数检察院的工作还长期处于落后状态；有些系统的反贪污、贿赂斗争虽已打开局面，还有待深入；工作中存在着许多亟待解决的新问题和实际困难。反贪污、贿赂斗争的侦查工作缺乏经验，人力不足，经费短缺，侦查设施缺乏和落后也是一个不容忽视的问题。今年，我们在开展反贪污、贿赂斗争中要着重抓好以下六项工作：

一是要组织干警认真学习和深刻领会

党的五中全会、省委六届四次全会和全国检察长工作会议精神，认清反贪污、贿赂犯罪是党和国家惩治腐败总任务中的一项重要任务，是坚持四项基本原则的一项重要内容，把反贪污、贿赂犯罪斗争提高到维护社会主义制度，维护人民民主专政的高度认识，加强责任心和紧迫感，树立长期作战的思想，巩固成绩，扩大战果。力争把现有的案件线索基本查清，特别是300多件大要案线索，要一件一件地查清搞透，扎扎实实地把反贪污、贿赂斗争深入开展下去。二是搞好系统清查和重点突破。利用木材、石油、化工产品等资源优势和行业特权进行贪污、贿赂犯罪，是我省经济犯罪活动的一个显著特点，要适当集中一些人力，对这些行业和系统，有计划、有步骤地进行清查，特别是查处“以木谋私”、“以车谋私”和金融、建筑、粮食等系统的犯罪，力争有更大的进展。三是进一步搞好举报工作。举报工作是检察工作走群众路线的有效方法，是我们依靠广大群众与贪污、贿赂作斗争的重要渠道，要进一步完善举报制度，广泛深入地发动群众揭发检举。要优先查处群众举报的大要案线索，把那些隐藏较深的贪污、贿赂犯罪分子挖出来；要及时反馈，保护群众举报的积极性，严肃查处打击报复举报人的案件，保护举报人的合法权益不受损害，并警惕和查处那些利用举报进行诬告和陷害的案件。同时，要切实兑现对举报人的奖励政策。通过开展群众性的举报工作，把反贪污、贿赂斗争深深扎根于广大人民群众之中。四是要注意抓好党政机关干部经济犯罪的查处工作。能不能突破党政机关干部中极少数人的贪污、受贿案件，特别是大要案，是体现党和政府有没有决心、有没有能力惩治腐败的重要问题，也是检验检察机关是否严格遵循公民在法律面前一律平等原则的一个重要问题。去年，共查处了144件党政机关干部经济犯罪案件，取得了一定的成效。今年我们要加强这方面的工作，实事求是地以令人信服的工作，消除在一些群众中存在的“灯下黑”、“只打苍蝇不敢打老虎”的疑虑，在群众中进一步树立起党和政府的良好形象和崇高威望。五是进一步加强侦查工作建设，包括加强侦查机构、技术装备和侦查技能、手段方面的建设。对于已批准的反贪污贿赂工作局要尽快组建起来，以强化检察机关反贪污、贿赂的职能。要采取各种有效的措施，不断提高侦查和预审水平，提高破案率。六是要体现宽严相济的政策，对于投案自首和坦白的贪污、贿赂等经济犯罪分子，要严格依法予以从宽处理；对于拒不自首坦白的，要依法从重惩处。并要选择一些有影响的重特大案件，配合法院进行公开宣判，扩大办案的社会效果。

二、严厉打击严重刑事犯罪分子，维护社会的安定团结

去年，全省检察机关在抓好反贪污、受贿工作重点的同时，没有放松另一个工作重点，积极开展了打击严重刑事犯罪活动的工作。共受理公安机关提请批捕人犯23437人，决定逮捕18818人，分别比上年上升44.64%和38.63%；受理公安机关移送起诉、免诉18501件30023人，分别比上年上升28.46%和38.87%；决定起诉12793件19006人，免予起诉1231人。在打击刑事犯罪中，全省检察机关主要做了五项工作：

第一，统一对形势的认识，坚定不移地贯彻依法“从重从快”的方针。各级检察院注意引导广大干警正确分析当地的社会治安形势，认清综合发案持续上升、重特大案件居高不下的严峻现实，明确检察机关在整治社会治安中负有的重要责任，积极主动地与有关部门协调配合，搞活整治社会治安这"一盘棋"，全面履行检察机关在打击刑事犯罪工作中的职责，为稳定大局贡献了力量。在认真搞好审查批捕、审查起诉工作的同时，还积极参加了全省范围内的打击团伙犯、盗窃犯和流窜犯等专项斗争。为解决在检察环节上可能出现的某些打击不力问题，省检察院和分、市院组织力量对免诉和判缓刑的案件进行复查。各级检察机关结合办案积极开展社会治安综合治理工作，为维护全省的社会安定做了大量的工作。

第二，大力抓好提前介入工作。按照最高人民检察院的要求，全省普遍推行了对特大案件提前介入的试行工作，许多检察院主动与公安部门协商制定了提前介入制度，保证了这项工作的顺利开展，及时有力地打击了犯罪，防止和纠正了一些错漏案件。

第三，在实践中摸索强化法律监督办法，进一步搞好"两个监督"。各级检察院在继续解决强化监督意识的同时，积极探索改进监督的新途径、新方法。有的基层检察院总结出了《建立审查批捕案件跟踪制度，加强侦查活动监督》的经验，有的由人大常委会牵头，组织制订了《检察机关对人民法院再审和申诉案件实施监督的试行办法》，对进一步搞好"两个监督"工作，起到较好的指导和推动作用。在对公安机关侦查活动和法院审判活动的法律监督中，防止错捕1333人，追捕229人；防止错诉160人，追诉288人。向法院提出抗诉案件47件。

第四，认真抓好内部制约工作。检察机关自办的经济和法纪案件的侦、捕、诉分开后，各级检察院除加强侦查工作外，对审查批捕、审查起诉的力量也做了必要的调整充实。同时，还及时总结了一些成功的经验，使内部制约工作得到健康发展，对于提高办案质量起了重要的作用。

第五，按照上级部署，与公安部门密切配合，认真清查处理制造动乱的犯罪分子，对于动乱、暴乱涉及到的单位和人员，有关检察院抽出专人，积极参加了清查处理工作。

目前，我们国家仍然存在许多不可轻视的不安定因素。国民经济在治理整顿中不仅还有许多困难，而且还会出现一些新的矛盾和问题；西方帝国主义加强对我国实行"和平演变"战略；世界某些地方局势的急剧动荡和演变，必将会对我国产生一定的影响；极少数反党、反社会主义的敌对分子，极少数顽固坚持资产阶级自由化立场和搞政治阴谋的分子，决不会甘心失败，还会进行种种破坏活动，伺机再起。当前，我省的社会治安形势仍很严峻。重特大刑事案件发案上升，居高不下；直接威胁人民群众安全的抢劫、强奸、盗窃和流氓滋扰等犯罪活动猖獗；集团、团伙犯罪有增加的趋势。清查动乱中犯罪分子的工作任务仍需深入进行，"扫黄"和除"六害"工作的深入开展也给检察机关增加了新的任务。就我们自身的工作来说，某些地方在开展侦查监督、审判监督和打击严重刑事犯罪工作中，有时存在着不够及时、不够有力的问题。所以，我们要进一步加强刑事检察工作，提高警惕，增强捍卫党的领导，捍卫社会主义制度的历史责任感和工作紧迫感。在抓好反贪污、贿赂斗争的同时，要把打击严重刑事犯罪抓得再紧一些，再实一些。今年，打击刑事犯罪的中心任务是贯彻《黑龙江省整治社会治安总体作战方案》。检察机关要侧重抓好以下几项工作：

一是在党委、政府的统一领导和部署下，根据省检察院制订的《黑龙江省检察机关参加整治社会治安总体作战实施方案》，与政法各部门协调一致，紧密配合，严厉打击影响群众安全感的多发性案件和重特大案件。在检察环节上，一定要贯彻和体现“从重从快”的方针；严格依法办事，严格区分罪与非罪的界限；注意防错防漏，及时有力地打击严重刑事犯罪分子和反革命破坏分子。二是把清查和镇压动乱中犯罪分子的工作搞彻底。三是进一步搞好自侦案件的内部制约工作。不断完善内部制约的工作程序和制度，特别要在提高办案效率、保证办案质量上下功夫。四是对公安机关办理的一些重特大案件，在立案、侦查、预审等执法活动中，要继续坚持提前介入制度。五是加强侦查监督和审判监督工作。这两项工作是法律赋予我们的重要职责。今后要继续探索和完善法律监督制度，注意总结和推广侦查监督和审判监督的经验。要继续提高出庭支持公诉水平，认真履行法律规定的监督职责。

三、积极开展法纪检察工作，促进民主与法制建设

依法查处侵犯公民民主权利、人身权利和渎职犯罪案件，是检察机关的一项重要工作，也是反腐败斗争的一个重要组成部分。去年，全省各级检察机关从惩治腐败、促进廉政建设的高度，始终强调法纪检察工作只能加强不能削弱，继续突出抓好以“侵权”、渎职、重大责任事故三类案件为重点的办案工作，取得了较好的成效。全省共受理各类法纪案件2178件，立案查处837件，分别比上年增加9.12%和14.66%，是历史上查处法纪案件最多的一年。在办案过程中，各级检察院领导十分重视重大、疑难或有影响案件的查处工作，全省查处的66起重特大案件，主要领导都能亲自参与或者直接办案，据15个分、市院和151个基层检察院的统计，检察长、副检察长亲自办案393件；对干扰多、阻力大的案件敢于碰硬，紧紧依靠党委、人大和上级检察院的支持，排除干扰，一查到底。结合查处渎职和重大责任事故案件，煤矿地区的检察机关对矿区重大恶性事故屡屡发生的问题进行了调查研究，与有关部门一起研究制定了相应的措施。

查处“侵权”、渎职案件是法律规定检察机关直接受理的案件。目前，我们这方面的工作仍比较薄弱，远不能适应发展社会主义民主与加强法制建设的要求。今年，全省各级检察机关要充分认识法纪检察工作在反腐败斗争中的重要地位和作用，把法纪检察工作摆上重要日程，巩固已取得的成绩和发展良好的势头。要集中力量抓破案工作，查处的重点是发案率高的玩忽职守、重大责任事故案件，以及民愤大、影响大的非法拘禁、刑讯逼供等严重“侵权”案件。为惩治腐败现象，促进廉政建设，要注意查处徇私舞弊、泄露国家重要机密、私放罪犯、妨害邮电通讯等渎职犯罪案件；为配合反贪污、贿赂斗争，对诬告陷害、报复陷害及伪证案件也要积极查处。要树立敢于碰硬，善于斗争的精神，对涉及领导干部的要案，要敢于排除干扰和阻力，一查到底。凡是干扰阻力大的案件，上级检察院一定要参与办案，给予支持与帮助。对于干扰阻力特别大的重特大案件，一定要及时向党委、人大汇报，取得指示、支持与监督。同时，要增加法纪检察工作的透明度，利用新闻媒介，公布一些社会影响大、后果严重的“侵权”、渎职犯罪案件的处理结果，扩大办案效果，提高广大干部群众的法制观念，促进民主与法制建设。

四、统筹安排，监所、控申、农林、铁路运输等各项检察工作，都有新的进展

在突出和保证重点工作的同时，积极

开展了其他各项检察业务工作，使整个检察工作协调发展。

——监所检察工作，突出了对监管干部执法和监管场所各项规章制度执行情况的监督检察。去年，全省共纠正各种违法1427次，解决超期羁押501人，对不符合保外就医的71名犯人收监执行。协助有关部门健全落实监改组织209个，帮助监管场所改造顽固犯556人，预防脱逃、行凶、自杀、各种事故和解决生产中不安全因素2072件次。在监所检察工作中主要抓了以下几项工作：一是比较普遍地对“两劳”场所派员驻所检察；二是建立了齐嫩地区、滨江地区两个劳改检察院；三是重点抓了对保外就医工作的监督，省检察院与有关政法部门共同建立了对保外就医统一检查鉴定的制度和组织，使保外就医混乱状况有所改变。今年，要在全面开展监管场所执法情况检查的基础上，重点解决好看守所某些方面执法不严的问题和超期羁押人犯的问题；坚持和完善保外就医实行检察程序的制度；加强对死刑、减刑、假释的判决和执行情况的监督工作。

——控告申诉检察工作，通过接待举报和正常信访，共受理各类案件线索31456件，绝大多数都做了及时处理。受理公民控告申诉32392件，比上年同期增加61.94%。查处不服逮捕和免予起诉的申诉133件，纠正31件，对经调查认为确有错误，向人民法院提出纠正意见8件。今年控申检察工作除做好信访接待外，重点是加强对不批准逮捕、不起诉和免予起诉案件的办理。同时，要搞好社会信息和动态反映工作，充分发挥“窗口”作用。

——农林检察工作，在原有工作基础上各项检察工作都有新的发展，大多数检察机关在查处经济犯罪案件特别是办理大要案上都有新的突破，工作成效比较显著，对于稳定垦区、林区经济秩序，促进生产发展，起到了有效的保障作用。今年要努力克服各种困难，充分发挥职能作用，认真抓好薄弱单位的工作，要在全面抓好各项检察工作的同时，重点抓好“以木谋私”和实权人物贪污、受贿犯罪的案件，争取有较大的突破，保障垦区、林区治理整顿和深化改革的顺利进行。

——铁路运输检察工作，原有工作基础比较扎实，各项检察工作的形势都比较好，在维护铁路运输秩序，配合铁路政法部门打击盗窃铁路物资、整顿站、车秩序，特别是查处“以车谋私”案件等工作上，取得了很大成绩。今年要继续加强对“以车谋私”犯罪的查处工作，力争有更大的突破和深入发展。

五、加强思想政治工作和队伍建设，进一步提高检察干警的两个素质

根据新时期的形势和检察队伍的现状，去年我们提出了要坚持不懈地一手抓业务、一手抓队伍，努力建设一支严格依法办事、秉公执法、掌握政策、廉洁奉公、联系群众、精通业务的检察队伍，在实际工作中，着力抓了五个方面的工作。一是在制止动乱和平息暴乱期间，全省各级检察院的领导教育和带领广大干警在这场严峻的政治斗争中，明辨是非，旗帜鲜明地反对动乱和暴乱，与党中央在政治上保持高度的一致，严守政治纪律，坚守工作岗位，保证了各项工作的正常运行，在关键时刻，经受住了考验。通过学习党的四中全会、五中全会精神，进一步认清了这场斗争的实质，坚定了坚持四项基本原则的信念；进一步认清了十年改革的伟大成就及其经验教训，坚定了搞好治理整顿和深化改革的信心。二是坚持分级负责，积极协管的原则，认真抓好各级班子建设。省检察院协助地方党委对三分之一的分、市院班子进行了考察，分、市院对80%左右的基层检察院班子进行了考察，重点解决了不齐不力的问题。三是突出了队伍自身的廉政建设。通过抓教育、树典型和加强制度建设，促使广大干警做廉洁奉公、严格执法的模范。据去年秋季组织的执法检查统计，全省干警在办案中拒礼拒贿1991人次、金额41.44万元，拒吃请2998人次，拒说情3924人次，做好事841件次，见义勇为144人次，立功受奖76人。省检察院今年1月份表彰了反贪污、贿赂斗争先进集体50个，先进个人140名。四是加强了业务培训工作。在抓好法律自学辅导班结业工作的同时，在全省检察机关大范围地组织了有3277名干警参加的法律（检察）专业证书班的学习，从已完成的五个学科考试成绩看，及格以上占考试总人数的94.66%。通过上述工作，从总体上看，全省各级检察机关的思想政治工作有所加强，检察队伍的政治素质和业务素质有所提高，整个队伍的状况是好的，也总结和积累了一些思想政治工作经验，涌现出象兰西县检察院那样的全国模范检察院、全国基层优秀党支部，象张金那样的全国先进工作者和王学文那样的全国模范检察干部等先进典型。但是，也应该看到，近几年来由于国际垄断资产阶级思想的渗透和国内资产阶级自由化思想的泛滥，检察队伍也受到了一定的影响，以致极少数人经不起改革开放的考验，被资产阶级思想所腐蚀，干警违法违纪的有所增多。去年全省检察干警违法违纪44人，比上年增加12人。违法违纪的增多，在一定程度上影响了检察机关的声誉，对此，我们要引起高度的重视和警惕。为适应国内外形势和检察工作的需要，必须进一步加强检察机关的思想政治工作，加强干警的业务培训，不断提高干警的政治素质和业务素质。今年，全省检察机关要认真贯彻最高人民检察院《关于加强检察机关思想政治工作的决定》和最高人民检察院制订的《检察人员纪律》，认真贯彻落实全省政法队伍建设会议精神。一是抓好马列主义、毛泽东思想的基础理论学习，特别是要学习马克思主义哲学和邓小平同志关于建设具有中国特色的社会主义的理论，掌握辩证唯物主义和历史唯物主义立场、观点和方法，提高干警的理论水平，从而增强党的观念、阶级斗争观念和人民民主专政观念，增强敌我意识和忧患意识，提高执行党的基本路线的自觉性。二是抓好坚持四项基本原则，反对资产阶级自由化的教育。对干警进行经常性的党的基本路线教育、形势任务教育、共产主义理想教育和艰苦奋斗传统教育，提高干警的政治觉悟，增强政治警惕性和免疫力，保证检察队伍在任何复杂的形势下都能保持正确的政治方向，同党中央保持高度的一致。三是加强以严格执法、秉公办案为中心内容的廉政建设。对检察干警进行职业道德、职业责任、职业纪律教育，抵制各种腐朽思想的侵蚀，树立“为检清廉”的风气，人人争做清正廉明的检察官；广泛开展“争先创优”、立功受奖和学雷锋活动；进一步完善廉政制度建设，建立和健全监督制度，更加自觉地接受人大及其常委会的监督和舆论监督，不断提高执法水平。对违法违纪的干警一定要认真追查，严肃处理，决不护短，决不姑息迁就。四是抓好政工队伍建设，在全省检察系统内建立一支专门的政工队伍。尽快地把各级检察院的政治工作机构完善和组建起来，充分发挥其职能作用。五是抓好班子建设。协助地方党委和人大做好今年县（区）检察院检察长换届的准备工作，按照最高人民检察院和省委的要求，把县（区）检察院检察长配强一些。协助地方党委继续搞好对县以上检察院领导班子的考察，解决好不齐不力班子的问题。同时，抓好后备干部队伍建设。六是抓好检察干警培训。要全力抓好法律（检察）专业证书班和法律自学班的结业工作，搞好检察干部的岗位培训，培养和造就更多更强的检察人才。

检察工作面临着崭新的形势和繁重艰巨的任务，为做好1990年的检察工作，我们要深入学习贯彻党的十三届五中全会、省委六届四次全会、全国检察长工作会议和这次大会精神，脚踏实地，努力工作，从稳定大局出发，更加自觉、更加有效地服从于服务于党的中心工作，突出抓好反贪污、贿赂斗争和打击严重刑事犯罪这两个工作重点，努力搞好“三个服务”，即：为治理整顿和深化改革、为整治社会治安、为反腐败和推进廉政建设服务。为稳定我省大局，保障治理整顿和深化改革的顺利进行，促进国民经济持续、稳定、协调发展，使我省社会治安明显好转，成为全国社会治安较好的省份之一做出贡献。

上海市人民检察院工作报告（摘要）

——1990年4月26日在上海市第九届人民代表大会第三次会议上

上海市人民检察院检察长　石祝三

（1990年4月30日上海市第九届人民代表大会第三次会议通过）

1989年是不寻常的一年。本市检察机关在市委和最高人民检察院的领导下，在市人大及其常委会的监督、支持下，运用法律监督职能，竭尽全力维护大局稳定，深入开展反贪污、贿赂斗争，坚决惩治反革命犯罪和其它严重刑事犯罪活动。

一、坚持不懈地开展反贪污、贿赂斗争，促进廉政建设

一年来，各级检察机关认真贯彻党的惩治腐败方针和“两高”《通告》，采取各种形式，大张旗鼓地进行宣传教育，发动和依靠群众同贪污、贿赂等违法犯罪作斗争；积极依靠各单位党政组织，排疑查漏，深挖犯罪；选择典型案件，协同有关部门，兑现宽严政策，促使犯罪分子自首坦白；强化侦查工作，集中精力查处大案要案。从而把反贪污、贿赂斗争逐步引向深入，下半年迈出更大步子，形成了一定的规模和声势。

——群众举报大幅度上升。这是当前检察机关侦查线索的主要来源之一。去年检察机关共受理举报30512件，比1988年增加2倍。其中，举报贪污、贿赂23623件，占77%。去年春天，通过举办反贪污、贿赂罪案展览等宣传形式，调动了群众积极性，月均举报1200件以上。春夏之交的动乱和北京地区的反革命暴乱，对举报有所影响，6月份只有900多件。党的十三届四中全会以后，全党把惩治腐败作为大事来抓，极大地激发了群众的政治热情，8月份举报达到4400余件，9月、10月、11月均在5000件以上。这充分表明，党的坚强决心和宣传声势，激励了群众举报；而广泛的群众举报，又进一步推动反贪污、贿赂斗争的深入发展。

——侦查破案成效显著。集中侦查力

量，强化侦查意识，把专门工作同依靠和发动群众结合起来，侦破效率不断提高。全年共查获贪污、贿赂等经济罪案 2622 件、2908 人，分别比上年增加 3.4 倍和 2.9 倍；追回赃款赃物折合人民币 1759 万元，比上年增加 1.9 倍。其中，上半年侦破 703 件，超过 1988 年破案总数；下半年破案 1919 件，又比上半年增加 1.7 倍。在办案中，各级检察机关注意深挖犯罪线索，去年侦破的案件，案中破案的占四分之一。在一些行业、部门和单位中开展的专项斗争，都取得了显著成效。在医药卫生系统，查获药品购销活动中的贿赂罪案 84 件，犯罪总金额 80 余万元；在水产局所属的鱼品批发和加工行业，查获 56 件，犯罪总金额 52 万余元；在基本建设方面查获 410 件，犯罪总金额 334 万余元；在银行金融系统查获 40 件，犯罪总金额 65 万余元；在铁路运输部门查获 73 件，犯罪总金额 118 万余元。专项斗争得到了有关行业、部门和单位党政组织的有力配合和支持。

——查处大案、要案取得重大进展。各级检察机关把查处大案要案放在首要地位，各级检察长亲自办案，加强指导。全年共破获大案要案 815 件，占破案总数 31%。其中，万元以上大案 742 件，处以上干部犯罪要案 73 件，分别比上年增加 5.3 倍和 17.3 倍。有一批案件是近年来所罕见的。崇明县港西供销社记帐员顾宗元贪污 22 万元、挪用公款 3 万余元（已执行死刑、剥夺政治权利终身）；市外贸公司仪器医保部经理万国裕受贿 13 万余元（一审已判处无期徒刑，剥夺政治权利终身）；上海港高阳装卸公司财务科干部郭金福，虚列开支贪污 42 万余元（一审已判处死刑，剥夺政治权利终身）；特别是一批处以上干部的犯罪案件被陆续揭露出来，标志着斗争的发展和深入。中共中央宣传部宣传局常务副局长曹斌（正局级），接受上海影视公司副总经理王达夫（在押）贿赂 1.7 万元（移送北京市检察院办理）；市物资局计划处处长陈慧娟贪污 6.48 万美元（一审已判处无期徒刑、剥夺政治权利终身）。嘉定县副县长钮楚元受贿 7000 余元（已提起公诉）；崇明县副县长陶汉周受贿 9000 余元（已判处有判徒刑三年缓刑三年）；金山县副县长马四度受贿 1.5 万余元（在“两高”《通告》期间投案自首，已免予起诉）。这一批案件的揭露和处理，有利于鼓舞群众，消除疑虑，张扬正气，纯洁队伍，表明在法律面前人人平等，一切犯了罪的人，到头来都将受到应有的惩罚。

——一大批贪污、受贿分子自首坦白。全年因贪污、贿赂等问题向检察机关投案自首的有 1970 人。特别是在“两高”《通告》期间投案自首的有 1759 人，占自首总数的 89%。在上述人员中，贪污、受贿金额在十万元以上的 11 人，五万元以上不满十万元的 10 人，一万元以上不满五万元的 209 人，二千元以上不满一万元的 911 人；处以上干部 30 人，科级干部 235 人；交代犯罪总金额 1253 万元。《通告》限期内，还有 156 名在押人犯交代了余罪，有 1211 名在押人犯检举揭发犯罪线索 2351 件。《通告》的宣传和贯彻，是在各部门、各地区党政组织的领导和推动下进行的，并得到了宣传部门和广大群众的大力支持，从而形成了“兵临城下”之势，促使犯罪分子分化瓦解，挽救了一批正在贪污、受贿斜坡上下滑的人。

检察机关在查处贪污、贿赂犯罪案件中，坚持“打击、保护、促进、服务”的办案指导思想，既坚决打击犯罪分子，又保护企业的合法权益，促进生产发展和经济繁荣。一是在工厂企业中查获贪污、贿赂罪案 1154 件，挖出了犯罪分子，使企业利益免遭进一步侵害；二是通过办案帮助企业挽回经济损失3500余万元，减轻了受害的程度；三是针对企业管理中的漏洞，发出《检察建议》800余份，派出干部协助堵漏建制，综合治理；四是在采取逮捕等强制措施时，对身居关键岗位或有一技之长的人，一般待安排好接替人员后再予执行；五是结合办案，主动帮助有关企业沟通业务渠道。采取上述措施，使办案取得了更好的社会效果。

在反贪污、贿赂工作中，检察机关坚决贯彻"一要坚决，二要慎重，务必搞准"的原则，坚持以事实为根据，以法律为准绳，重证据，不轻信口供。牢牢把握罪与非罪的界限，充分注意改革开放中出现的各种新情况，具体案件，具体分析。对确已构成犯罪的，坚决依法追究，但决不把不正之风和一般违法当成犯罪，更不把因工作失误而产生的问题当成违法犯罪。一时吃不准的，不轻易下结论。在破案中，特别注意防止以拘代侦，以捕代侦。检察机关内部还实行侦、捕和侦、诉分开，加强制约。万元以上大案和处以上干部犯罪要案，均报市检察院备案审查；重大案件以及《通告》期间万元以上投案自首拟免予起诉的案件，经市院检察长集体讨论；各级检察机关还采取自查和互查相结合的方法，对执行法律的情况进行检查，发现问题及时纠正。由于坚持了依法办案和严格办案制度，去年办理的案件质量是好的。截止今年2月底，共结案2306件，结案率为87.9%。其中，提起公诉1194件（1378人），免予起诉1047件（1133人），撤销案件65件（74人）。免予起诉的比例较高，主要是因为根据"两高"《通告》的规定，对投案自首的人，多数作出了免予起诉的从宽处理。

反贪污、贿赂斗争的实践充分证明，党中央关于坚决惩治腐败的决策是十分英明、十分正确的，对取信于民，凝聚人心，发展经济，稳定大局具有极其重要的意义。斗争实践也证明，党和政府的工作人员绝大多数是廉洁的，贪污、受贿等腐败现象毕竟是极少数。我们相信，只要坚持不懈地作出努力，贪污、受贿等腐败现象必将得到有效的遏制，党风和社会风气也将进一步好转。

二、严厉打击严重刑事犯罪分子，维护社会安定

运用法律监督职能，打击反革命分子和其他严重刑事犯罪分子，保障社会治安秩序的稳定，巩固人民民主专政，是检察机关的一项长期任务，也是检察工作的一个重点。一年来，共批准逮捕各类刑事犯罪分子10958名，提起公诉10919名，分别比上年增加63%和80%。批准逮捕的人犯中，杀人、抢劫、纵火、强奸、流氓、盗窃等严重破坏社会治安秩序和严重危害人民生命财产安全的重大案犯4193名，占38.3%，比上年增加114%。尤其是在制止动乱和平息北京地区反革命暴乱这场关系到党和国家前途的斗争中，各级检察机关立场坚定，旗帜鲜明，坚决拥护、坚决执行党中央、国务院的决定和市委的指示，密切注视社会动态，紧密协同公安、国家安全机关、法院，依法严惩制造动乱，乘机进行反革命活动和打、砸、抢、烧等严重破坏社会秩序的犯罪分子。各级检察机关还针对各个时期突出的刑事犯罪活动，协同公安机关在1月、7月、10月和12月，开展了反盗窃、打流窜、国庆保卫和扫除"六害"等专项斗争，共批准逮捕犯罪分子1429名；配合法院选择典型案件，进行公开处理，保持了"严打"的声威。各级检察机关还加强了监所检察工作，坚决打击劳改犯、劳教人员的犯罪活动，维护改造场所的监管秩序。积极协同司法劳改部门开展法制教育，健全监管制度，加强防范工作。全年劳改犯、劳教人员犯罪案件分别比上年下降55%和66%。

在打击刑事犯罪的斗争中，各级检察机关加强了侦查监督和审判监督，通过审查批捕、审查起诉，追捕追诉漏网罪犯103名，不应追究刑事责任依法作出不批准逮捕决定的940名、不起诉的47名，提出抗诉，法院予以改判或发回更审的9件，使有罪的人受到法律制裁，无罪的人免受法律追究，保证了国家法律的正确实施。

为了有效地贯彻依法从重从快严惩严重刑事犯罪的方针，根据最高人民检察院、公安部《关于加强检察、公安机关相互联系的通知》，对重大刑事犯罪案件坚持参与勘察现场，掌握情况，搜集、鉴别证据，提前介入公安机关的侦审活动。去年，各级检察机关参与勘察现场198次，提前介入公安机关的侦审活动2369次。对构成犯罪的坚持做到快捕快诉；事实不清，证据不足的，及时提出补充侦查；尚未构成犯罪的，作其他处理。通过这些工作，加快了办案速度，保证了办案质量。据统计，先行拘留的人犯审查批捕时间平均1.6天，未刑事拘留的人犯审查批捕时间平均6.7天，审查起诉时间平均16.8天。

三、积极查处侵犯公民民主权利和玩忽职守等渎职犯罪案件，维护社会主义法制，保障公民合法权益

同侵犯公民民主权利和玩忽职守等渎职犯罪行为作斗争，是检察机关一项重要任务。一年来，检察机关共受理各类法纪案件668件，其中立案侦查206件，分别比上年增加21.4%和73%，决定逮捕46名，向法院提起公诉113名。

检察机关办理法纪案件的重点是，玩忽职守，重大责任事故和侵犯公民人身权利、民主权利的案件。一年来，共立案侦查上述三类案件115件，占立案总数的56%。这些案件给国家和集体利益造成了严重损失。如上海石洞口电厂职工陈志民，在安装发电机组复水器时，违章作业，引起火灾，造成直接经济损失190余万元，间接损失800余万元。现已向法院提起公诉。尤应引起重视的是国家机关工作人员和执法人员弄权渎职，恃权枉法等案件。因为这类案件严重损害党和政府的形象，亵渎法律的尊严。如上海市公证处工作人员李海波，利用当事人急于申请出境的心情，勒索钱财2.4万余元，造成极坏影响。及时查处上述案件，坚决绳之以法，有利于平息民愤，改善党和人民群众的关系；同时，也起到教育国家工作人员增强法纪观念的积极作用。

一年来，检察机关还受理公民控告、申诉15521件，比上年增加76%。其中，已初查控告案件5695件，向有关部门提供违法犯罪线索3344件；查处不服检察机关逮捕和免予起诉的申诉78件，纠正27件；查处不服法院判决、裁定的申诉30件，经调查认为确有错误，向人民法院提出纠正意见的4件。不属检察机关管辖的8557件，已转请有关单位处理。

四、坚决查处偷税抗税犯罪案件，维护国家税法的实施

依法查处偷税、抗税犯罪案件，是检察机关维护税法尊严，保障国家财政收入，推动经济建设的一项重要职责。一年来，检察机关在税务部门的配合下，共查获偷税、抗税罪案327件，其中万元以上大案219件，占78%；共查补税金、罚款1700余万元，已追缴入库1210余万元。在办案中，检察机关坚持把查处不法个体户偷税抗税犯罪案件作为重点，共立案侦查282件，占偷税抗税案件立案总数的86%，比上年增加4.7倍。这些案件的特点：一是偷税数额巨大，情节严重，个人偷税五万元以上的特大案件即有53件，其中十万元以上的23件；二是无证经营个体户占很大比例，共有122件，占43%；三是利用租柜经营进行偷税的情况突出，共有86件，占30%。对这些案件的及时查处，得到了社会各界的坚决支持，维护了税法的实施，有利于治理整顿，深化改革。

在反偷、抗税斗争中，检察机关和税务部门密切配合，广泛开展了税法宣传教育，发动和依靠群众维护国家税法的实施，敦促自觉履行纳税义务，全年有119人向检察机关投案自首，退出税款197万元；有4139人主动申报、补税553万余元。检察机关还参加对个体工商户的税务突击检查131次，补罚税款170万余元；对长期拖欠拒交税款的“钉子户”责令限期交出税款，依法作出严肃处理；对妨碍税务干部执行公务的违法犯罪活动，坚决依法惩处。杨浦区5名税务干部在查处个体户逃税事件时，遭到歹徒围攻殴打。检察机关及时批准逮捕其中2名主犯，支持了税务人员严格执法。

五、抓紧思想政治工作，加强检察队伍建设

建设一支政治立场坚定，廉洁奉公，实事求是，联系群众，精通业务，严格依法办案的检察队伍，是充分发挥法律监督职能，完成各项检察任务的根本条件。去年年初，我们召开了思想政治工作会议，强调各级主要负责人亲自动手，认真贯彻市委指示和最高人民检察院关于“从严治检”的方针。接着，在队伍中开展了坚持四项基本原则的教育和争先创优活动。春夏之交，上海地区发生了动乱，我们要求全体检察人员与党中央保持高度一致，并且明确确定：1、检察干警决不能参加游行，并要做好家属子女工作；2、遵守纪律，坚守岗位，努力做好各项业务工作；3、密切注视社会动态，坚决依法打击打、砸、抢、烧等严重刑事犯罪分子；4、加强值班力量，做好应付突发事件的准备。事实证明，广大检察干警的表现是好的，经受住了这场严峻考验。目前，检察队伍的精神面貌是好的，在任务繁重，人手不足，工作条件较差，生活比较清苦的情况下，忘我工作，恪尽职守，任劳任怨，艰苦奋斗，认真地履行了自己的职责，涌现了一批先进集体和个人。去年，被评为先进和记功的集体有168个、个人586名。其中被国务院授予“先进工作者”称号的1名，最高人民检察院通令嘉奖和评为先进集体的4个，被评为市劳动模范、市巾帼英雄的各2名。在工作中，检察干警谢绝馈赠、拒收礼品248人次，上交礼品和现金5.9万元，拒绝吃请、旅游173人次，抵制说情、打听案情290人次，体现了检察干警应有的职业道德。

为了提高干部的执法水平和实战能力，我们举办了侦查、刑事、现场勘察、出庭公诉、税检等各项专业培训班，并采取以会代训、边战边训的总结交流经验等形式，提高干部的业务水平。同时，继续办好电大和检察专业证书班，目前具有大专以上文化程度的干警已达50%。

六、服从党的绝对领导，自觉接受人大和群众监督

检察工作必须切实置于党的绝对领导之下，置于人大和人民群众、社会各界的监督之下，更好地发挥法律监督作用，促进高效廉洁，严格依法办事。去年，各级检察机关共向各级党委、人大报告工作259次，向各级政协介绍工作情况39次，邀请人大代表、政协委员视察、检查工作47次。对于人大代表、政协委员的提案、建议和批评，认真研究，指定专人进行处理和回复。实践证明，坚持这样做，使检察工作得到了及时有力的领导和支持。去年4月，经市委同意，检察机关举办了“反贪污、反受贿罪案展览”，市委、人大、市政府、政协等领导同志参观了展览会，江泽民同志还亲自题了会标。7月，市委发出了《关于进一步深入开展反贪污、反受贿斗争的意见》，决定在市检察院设立“上海市查处贪污、受贿罪案协调办公室”，并批准从全市机关抽调干部支援检察机关办案。“两高”《通告》颁布后，市委召集部委办、区县局会议，进行部署。市政府对检察工作十分关心，特别是在保证办案方面提供了必要的经费和物质条件。

为了更好地贯彻检察工作的群众路线，接受社会各界的民主监督，检察机关在工厂企事业单位聘请了3000多名检察助理员，从各机关借用了500多名干部帮助工作，还接受了200名大学生参加倡廉肃贪的社会实践。这既是专门机关贯彻群众路线的有力措施，也是检察工作接受群众监督的重要形式。

我们还广泛地向人民群众汇报检察工作。去年，先后两次编印了7.5万份反贪污、贿赂斗争宣传汇报提纲，发至各基层单位广泛宣传。并组织市区县检察干部深入机关、工厂企业、街道、乡村，向群众汇报，听取意见。与此同时，检察机关召开新闻发布会29次，发表电视和电台讲话62次，发表通讯、报道、评论等共2000余篇，从而增强了透明度，使广大人民群众了解检察工作，为对检察工作实施民主监督创造了条件。

一年来，各项检察工作还存在不少问题。反贪污、贿赂斗争发展不平衡，在一些地区和单位群众没有发动起来，或者虽有群众举报，但未深入调查，局面没有打开；去年批准逮捕和提起公诉的刑事犯罪分子，虽比上年有较大幅度的增加，但犯罪分子的嚣张气焰还未得到有效的遏制；检察机关的侦查监督和审判监督仍是一个薄弱环节；检察队伍的建设亟需进一步加强，干警的政策、法律和业务水平有待提高。

当前上海的政治、经济形势是稳定的，治安形势也是基本稳定的。人心思安，人心思定，这是当前的主流。但是，必须清醒地看到潜在的不安定因素大大多于往年，治安形势仍然相当严峻。今年一季度，发生各类刑事案件7076件，其中刑事大案2136件，分别比去年同期上升97.2%和90.4%。除“六害”斗争虽然取得了一定的成绩，但群众对“六害”等社会丑恶现象和社会风气不好的意见仍比较强烈。贪污、贿赂等经济犯罪活动仍很严重，已经查获的犯罪分子只是一部分，还有相当数量，特别是隐藏较深的重大罪犯没有被挖出来。一些犯罪分子还在顶风作案，今年查获的贪污、贿赂案件中，属“两高”《通告》后继续作案的占23.7%。因此，1990年，各级检察机关要竭尽全力维护社会稳定和治安秩序，进一步开展反贪污贿赂斗争，保障和促进治理整顿、深化改革的顺利进行。

一、坚决打击煽动闹事、制造动乱，妄图颠覆人民民主专政的反革命活动和特务间谍活动，继续依法从重从快严厉打击杀人、抢劫、爆炸、重大盗窃等严重刑事犯罪活动。密切注意社会动向，配合有关部门，及时发现、预防和制止闹事。紧密结合各项检察业务，积极参加社会治安综合治理，加强对监管场所的检察工作，维护监管秩序。

二、继续广泛发动群众，依靠各级党政组织，强化侦查工作，进一步深入开展反贪污、贿赂斗争。坚决查处大案要案。重点查处领导机关、领导干部、执法监督部门及其工作人员利用职权的贪污、贿赂犯罪案件和社会反映强烈、群众意见很大的以权谋私，弄权勒索构成犯罪的案件。重大案件要及时公布查处结果，并做好预防和减少犯罪的工作，进一步提高办案的社会效果和经济效益。要继续会同税务机关，抓紧查处偷税、抗税犯罪案件，维护税法尊严。

三、加强同严重侵犯公民民主权利等犯罪的斗争，尤其要严肃查处由于严重官僚主义，玩忽职守致使公共财产、国家和人民利益遭受重大损失的渎职犯罪案件，认真处理公民的控告、申诉，切实保障公民的合法权益。

四、坚决贯彻《中共中央关于坚持和完善中国共产党领导的多党合作和政治协商制度的意见》，市人民检察院已在本市民主党派和无党派人士中聘请20位有一定声望者担任特约检察员。要认真执行《上海市人民代表大会常务委员会监督司法工作条例》。自觉接受人大及其常委会的监督，定期进行执法检查，保证检察机关严格依法办事，正确履行法律监督的职能。

五、进一步加强队伍建设，坚持从严治检。教育干警自觉遵守“八要八不准”的检察纪律，做到令行禁止，言行一致。切实加强思想政治工作，自觉地在政治上、思想上、行动上与党中央保持高度一致。增强责任感、使命感，继续发扬艰苦奋斗，无私奉献的精神，全心全意为人民服务。

江苏省人民检察院工作报告（摘要）

——1990年2月25日在江苏省第七届人民代表大会第三次会议上

江苏省人民检察院检察长　秦杰

（1990年2月27日江苏省第七届人民代表大会第三次会议通过）

省七届人大二次会议以来，我省各级人民检察院认真贯彻执行治理整顿和深化改革的指导方针，贯彻执行党的十三届四中全会和五中全会精神，充分发挥法律监督职能，以反贪污贿赂和打击严重刑事犯罪为重点，全面开展各项检察业务，为稳定大局，维护治安秩序和经济秩序，促进廉政建设作出了贡献。

一、惩治贪污贿赂犯罪，推动反腐败斗争的开展

根据最高人民检察院的要求，去年，我省各级检察机关把反贪污贿赂作为工作重点，依法查处了一大批贪污、受贿案件。特别是党的十三届四中全会以后，我们坚决贯彻党中央关于“坚决惩治腐败，切实做好几件人民普遍关心的事情”的精神，贯彻省委、省政府《关于近期做几件群众关心的实事的决定》，克服困难，排除干扰和阻力，集中力量查处国家工作人员贪污受贿、弄权勒索、徇私枉法等犯罪案件，有力地推动了惩治腐败和廉政建设工作的开展，维护了党和政府在人民群众中的威信，促进了治理整顿和经济建设的顺利进行。全省共立案侦查经济犯罪案件3180件，比上年增加126.7%，其中贪污、贿赂案件2635件，占82.86%，为国家和集体挽回经济损失 3964 万元，比上年增加近两倍。

在反贪污贿赂工作中，我们着重抓了以下几个方面：

一是鼓励群众举报。1988 年下半年，我省各检察院逐步建立举报机构，设立举报监督电话和专用邮政信箱，并在取得实践经验的基础上，不断健全和完善了有利于群众检举揭发的一系列规章制度和工作秩序。各地在工作中广泛宣传举报的性质和意义，认真调查处理举报线索并及时答复举报人，适时向社会反馈举报工作的成果，公布群众关心的典型案件的查办情况，激发了广大人民群众同经济犯罪作斗争的积极性，举报线索不断增多，案源大量增加。去年，全省共受理各类举报案件线索 47577 件，其中属于检察机关管辖的案件线索 35117 件。为鼓励举报，省检察院和省财政厅共同研究制订了对举报有功人员的奖励规定，和省纪委、省监察厅一起制定了保护举报人合法权益、协同查处打击报复举报人事件的办法。去年，全省共奖励举报有功人员 188 名，奖励总金额 28150 元，依法办理打击报复举报人的犯罪案件 2 件，协同有关部门调查处理 12 件。

二是狠抓大案要案。大案要案社会危害性大，群众反映强烈，查办以后震动较大，能够有效地促进反腐败斗争的深入开展。去年，我们始终把办案的重点放在大案要案上。广大检察干警以党的事业和人民的利益为重，不怕得罪人，冲破关系网，依靠各级党委排除干扰和阻力，不管案件涉及到哪个部门、哪个单位，也不管涉及到哪一级干部，坚持一查到底。全省共立案查处大案要案 724 件，比上年增加 2.1 倍，其中五至十万元的 108 件，十万元以上的 74 件，县以上干部犯罪的 19 件。如盐城市政协主席孙世安受贿 1 万元，洪泽县副县长陈国建受贿 5000 元，金坛县城东供销社综合批发部承包人邵国顺贪污 52 万元，农业银行江阴市西石桥营业所记帐员黄顺清贪污 42 万元，无锡市商业局基建科长王增荣受贿 35 万元，等等。这些有较大影响案件的查处，引起了强烈震动，取得了较好的社会效果。去年，我们还会同纪委、监察部门调查了省经济协作委员会副主任徐安顺和苏州市副市长、市人大代表唐韧的经济犯罪问题，现已证实，这两个人均有严重受贿罪行。经省人民检察院决定，分别由南京市人民检察院和苏州市人民检察院立案，并予以刑事拘留。目前，两案正在继续侦查中。

三是加强侦查工作。贪污受贿是发生在党政机关、企事业单位内部的案件，犯罪分子狡猾，作案手段隐蔽。针对这一特点，全省检察机关积极采取措施，加强侦查和预审工作，运用法律赋予的各种手段，与犯罪分子斗智斗勇。受贿案件面广量大，但由于没有现场，证据难取，过去一直办得很少，去年，我们注意研究新形势下受贿案件的特点，研究犯罪心理，采取快速出击、政策攻心等方法，挖出了一批隐藏较深的犯罪分子。全省共立案侦查贿赂案件 1092 件，比上年增加了 4 倍。

四是抓住线索深查细究。贪污贿赂案件往往盘根错节，犯罪分子通过上下左右各种渠道，相互勾结，相互利用，如果突破一点，就可能带出一串。根据这种情况，各地在办案中注意抓住线索、顺藤摸瓜，一查到底，破获了不少成窝成串的案件。溧水县检察院从查处县水利建筑工程公司第三工程队队长诸木林贪污问题入手，共查出 38 人有贪污受贿行为，犯罪金额达 18 万余元。洪泽县检察院在查处万集缫丝厂厂长袁以武受贿案过程中，查出了县政府、县供销社、县农业银行、县农资公司等单位负责人的贪污、受贿问题，共挖出违法、犯罪分子26人，其中股级干部9人，科以上干部6人。江苏省振华轻化实业公司严重投机倒把，总经理熊严受贿4万余元，被判刑十三年。在查处该案过程中，检察机关与纪委、监察、工商等部门密切合作，顺藤摸瓜，查出了十几个案中案，现已逮捕或采取其他强制措施20人。如顺着振华公司贷款中发现的线索，查出省工商银行信托投资公司业务部经理黄明玉伙同信贷员王明霞利用贷款之机索贿受贿2万余元，黄、王已被逮捕。在信托投资公司进一步调查，又发现该公司经理沈明明及其丈夫有受贿问题，沈夫妇都已被逮捕。顺着信托投资公司贷款流向继续往下查，查到了《扬州日报》办的扬子实业开发公司采用请客送礼手段贷款2600余万元的问题。公司经理姚宝生从中大肆贪污，案发后在其家中搜出现金、赃物达30多万元，而公司却亏损数百万元。姚已被逮捕。又如顺着振华公司倒买倒卖重要生产资料中发现的线索继续调查，发现了无锡市锡北包装材料厂厂长任炳炎贪污2万余元的犯罪事实，任已被逮捕。又从该厂发现的线索查到了省石油化工配件公司材料科科长袁林受贿1万余元的问题，袁已被判刑。

在重点打击贪污、贿赂犯罪的同时，全省检察机关还立案查处了偷税抗税案161件、挪用公款案310件，假冒商标案13件。

在办理经济案件过程中，各检察院继续坚持“打击、保护、服务、促进”的原则，在打击犯罪的同时，针对发案单位在管理制度、安全防范等方面存在的突出问题，积极提出“检察建议”，协助他们堵塞漏洞，建立健全规章制度，有的还主动提供法律服务，帮助排忧解难，从而扩大了办案的社会效果，促进了企业的经济发展。

二、贯彻“两高”《通告》，敦促经济犯罪分子投案自首

去年8月15日，最高人民法院、最高人民检察院根据中共中央政治局全体会议的建议，为了给经济犯罪分子一个悔过自新的机会，发布了《关于贪污、受贿、投机倒把等犯罪分子必须在限期内自首坦白的通告》。我省各级检察机关抓住这一有利时机，与有关部门密切配合，认真贯彻执行《通告》，推动了反腐败斗争的深入开展。在《通告》规定的两个半月期限内，全省共有1649名违法犯罪分子到检察机关投案自首，交待犯罪金额1880万余元，退出赃款1295万余元。

《通告》一发布，省检察院立即组织学习，研究制订贯彻执行的具体措施，尔后，迅速向省委汇报，请求各级党委加强领导。8月16日，省检察院会同省委宣传部、省法院联合下发了做好《通告》宣传工作的通知。省检察院部署以后，全省检察机关迅速采取多种形式，大力宣传《通告》，开展政治攻势，敦促犯罪分子投案自首。一是召开新闻发布会或约见记者，发表广播、电视讲话，宣传《通告》精神，公布受理投案自首的地点，重申举报电话和举报信箱。省检察院和省法院于8月19日联合举行新闻发布会，向社会各界表明了司法机关贯彻执行《通告》的决心和措施。二是在党委领导下，与有关部门密切配合，召开各种规模的宣传、动员大会，由检察长宣讲《通告》，党政主要负责人作动员讲话。三是组织宣传车开赴城乡和基层单位巡回宣传。不少地方还举办宣传专栏，开展法律咨询，制作幻灯片，等等。四是印发《通告》，编写宣传提纲，在基层单位广为张贴和散发。

在全面宣传发动的同时，不少检察院组织力量深入问题较多的行业、系统和单位，进行重点宣传，敦促了一大批犯罪分子投案自首。徐州市检察机关深入煤炭系统宣传《通告》后，该系统有49人投案自首。泰县检察院会同县纪委、县政法委先后三次到经济问题较多的溱潼镇建筑公司宣传《通告》。该公司共有15人投案自首，其中包括经理1名、副经理4名、总帐会计1名，交待贪污总金额9万余元，当场退出8.7万元。

对投案自首的案件，各检察院抓紧调查处理，除少数构不成犯罪的及时移送给纪委、监察等部门查处外，对属于检察机关管辖的犯罪案件，依法立案侦查。对查证属实的，依据《通告》规定，一律给予从宽处理，并将处理情况公布于众。各检察院主动与法院联系，召开从宽处理大会，用实际行动表明党和政府说话是算数的，以此进一步掀起宣传《通告》的高潮。在这期间，投案自首的人数明显增多，特别是那些等待观望的犯罪分子从中看到了希望，纷纷到检察机关投案。许多地方出现了父送子、子代父、妻劝夫、领导带领部属投案自首的生动事例。建湖县农业银行记帐员崔佳峰于8月22日在其姐夫陪同下到县检察院投案自首，交待了自己多次贪污银行资金共计14万元的犯罪事实。在《通告》期限的最后时刻，相当数量的犯罪分子终于选择了自首之路。全省10月31日一天投案自首的达200余人。

在贯彻《通告》期间，全省检察机关深入监管改造场所会同主管部门组织在押人犯开展"学习《通告》、交代余罪、揭发同伙、争取立功"活动。不少县、区检察院检察长亲自给犯人上课，阐明坦白从宽、抗拒从严、检举有功的政策和法律，鼓励他们认清形势，不要错失良机。有的检察院还和主管部门一起按犯罪分子捕前职业、犯罪性质等情况进行排队分析，列出有隐瞒罪行和知情可能的重点对象，逐个疏导教育。还有的把监内教育延伸到监外，动员人犯家属写规劝信，配合政法机关做好经济案犯的思想转化工作。全省共有376名在押经济案犯坦白交代余罪，有11名管教干警投案自首，在押犯检举揭发各类经济案件线索2591条。检察机关根据这些线索，查获了一大批经济犯罪案件。扬中县检察院通过对在押犯检举线索的调查，迅速立案7件，逮捕犯罪分子5名，其中包括县建设银行行长和副行长。

虽然检察机关和各有关部门做了不少工作，但仍有不少经济犯罪分子执迷不悟，拒不投案自首，甚至顶风作案。针对这种情况，全省检察机关在《通告》期限结束后，立即采取行动，对拒不投案的犯罪分子采取强制措施。11月份全省共逮捕、拘留经济案犯221人。省蚕种公司副经理虞可期利用职务之便多次受贿，在《通告》期间不但不自首，反而在同案犯被捕后到处串供，订立攻守同盟，11月1日被依法逮捕。有的犯罪分子在《通告》期间逃匿、毁证，我们发现后立即将其逮捕。无锡市外经委轻工公司业务员李仲涛利用职务之便大肆受贿。9月24日，李得知罪行有所败露，即将15000多元现金、43000多元存折以及金戒指、金项链、彩电等赃物转移他处。在路上被治安巡逻队截获。检察机关将李逮捕后，又在其家中搜出大量现金、外汇存折、金首饰等，连同截获的赃款赃物，总计10万余元。

贯彻《通告》的工作，不仅分化瓦解了经济犯罪分子，挽救了一大批迷途失足者，而且激发了广大人民群众同犯罪分子作斗争的积极性。在《通告》期限内，全省检察机关共受理举报线索19926件，比《通告》发布前的同期增加了两倍多。

三、打击严重刑事犯罪活动，稳定社会治安

一年来，全省检察机关继续贯彻依法从重从快的方针，与公安、法院、司法等部门密切配合，以打击抢劫、敲诈勒索、重大盗窃和“扫黄”、扫除“六害”为重点，组织专项斗争，严惩严重刑事犯罪活动，为稳定社会治安做了大量工作。全省共受理公安机关提请批捕的刑事案犯 30101 人，经审查批准逮捕 26696 人，比上年增加 38.3%，其中重大、特大案犯 8613 人，比上年增加 73.7%；受理公安机关移送起诉和免诉的案件 18141 件，经审查提起公诉 16411 件，决定免诉 668 件，分别比上年增加 34.5%和 36.6%。对重大现行案件，检察机关提前介入公安机关的侦查和预审活动，预先了解案情，进行主罪、主证复核，加快了办案节奏，及时有力地打击了犯罪分子。

去年春夏之交，北京发生政治动乱和反革命暴乱，我省不少地方受到波及和影响。其中南京、徐州等市也发生了政治动乱，为维护党的领导和社会主义制度，我省检察机关积极配合有关部门做好清查工作，并对公安机关拘留、收审的严重刑事犯罪分子进行认真审查，坚持以事实为根据，以法律为准绳，及时做好批捕和起诉工作。

在办案过程中，各检察院认真履行法律监督职能，注意发现和纠正侦查和审判活动中的各种违法行为，既依法打击犯罪分子，又不使无罪的人受到刑事追究，有效地维护了法律的正确统一实施。全省共追捕犯罪分子 337 人，追诉 6 人；对不够法定逮捕条件的 2429 人作了不批捕决定，对依法不应追究刑事责任的 18 人作了不起诉决定；对侦查和审判活动中的违法行为提出书面和口头纠正违法意见 162 件(次)；发现错误判决、裁定并依法提出抗诉 37 件，法院已改判 15 件。此外，我们还加强了对刑事判决、裁定执行的监督和监管改造场所的监督工作，及时纠正各种违法行为，严厉打击劳改犯、劳教人员在改造期间的犯罪活动，特别是动乱期间，很多检察院派出得力干警深入监管场所，配合主管部门打击狱内的反革命宣传煽动等犯罪活动，促进了文明管理，维护了监管场所的改造秩序。全省对监管活动中的违法行为提出纠正意见 654 件（次），办理劳改、劳教人员犯罪案件 217 件。

四、查处渎职和“侵权”案件，维护国家利益和公民的合法权益

依法查处侵犯公民民主权利、人身权利和渎职犯罪案件，是检察机关的一项重要工作，也是反腐败斗争的一个组成部分。一年来，全省检察机关在全面承担 16 种法纪案件的同时，突出重点，着重办好那些致人伤亡的“侵权”案件，办好那些因国家工作人员、厂矿企事业单位管理人员玩忽职守或违章作业、瞎指挥致使人民生命、国家财产蒙受重大损失的渎职和重大责任事故案件，维护了国家利益和公民的合法权益，促进了社会主义民主与法制建设。全省共立案查处各类法纪案件 428 件，其中大案要案 85 件，比上年增加 57.4%。在办案过程中，我们坚持“坚决、严肃、慎重”的原则，对严重犯罪的，不管是什么人，坚决绳之以法；同时，针对法纪案件有不少是过失犯罪的特点，注意区分犯罪与工作失误的界限，先查清事实，然后对照法律，准确定性，确保案件质量。

为保障公民的民主权利，我省检察机关加强了对公民控告、申诉案件的处理工作，共受理来信 66533 件，来访 9633 人次。在工作中，各检察院坚持文明接待，立足于解决问题，切实为群众排忧解难，努力减少重复信访。去年，来检察机关的重复信访量占信访总数的 10.5%，比上年下降了6.1%，是历年来最低的一年。根据最高人民检察院的要求，我们在控告、申诉检察工作中，重点查处了不服检察机关处理的申诉案件，实事求是地纠正了一些自己所办的错案，对维持原决定的案件，也耐心地向控告、申诉人员做好解释工作，大部分做到了一次性息诉。

五、加强队伍建设，提高干警的政治素质和业务素质

一年来，我省各检察院针对国际国内形势的发展变化，大力加强思想政治工作，深入进行坚持四项基本原则、反对资产阶级自由化的教育，进行中国国情和历史教育，使广大干警提高了政治觉悟，提高了辨别是非的能力，进一步坚定了社会主义和共产主义必胜的信念。此外，各地还引导广大干警充分认识十年改革所取得的成绩，正确看待当前经济生活中出现的困难、问题以及产生的原因和克服困难的有利条件，自觉树立艰苦奋斗、勤政务实的工作作风，全心全意为人民服务。由于狠抓了思想教育，去年，广大检察干警在艰苦的条件下，保持旺盛的斗志，恪守职责，秉公执法，辛勤劳动，连续作战，较好地完成了党和人民交给的任务。特别是在动乱和暴乱期间，广大检察干警立场坚定，旗帜鲜明，在思想上和行动上与党中央保持一致，为稳定大局作出了贡献。徐州市检察院刑检处和南京市检察院刑检一处被最高人民检察院授予全国检察系统制止动乱、平息反革命暴乱先进集体称号。

检察机关常年累月同腐败、阴暗的东西打交道，针对这一特点，我们积极贯彻"从严治检"的方针，经常进行反腐败教育，要求广大干警严格遵守职业道德和职业纪律，在办案中自觉抵制"人情风"、"关系网"。不少地方制定了廉政制度，省检察院也制定了《关于清除腐败加强廉政建设的规定》。对极少数干警的违法乱纪行为，我们坚持做到发现一件查处一件，决不姑息迁就。

去年，我省检察机关的教育培训工作有了较大发展。省检察院于去年3月成立了干部教育处，加强了对全省检察系统教育工作的领导和管理。在教育培训中，我们除继续举办一些短期专业培训班，继续鼓励干警在办案实践中开展业务竞赛、评选能手等活动外，着重抓了两项工作：一是与电大合作，开展《法律（检察）专业证书》教育，准备用两年时间学完全部课程。经过入学考试，全省2800余名干警参加了学习。一年来，及格率达98%。二是继续运用录相、录音等电化教学设备，有计划、有组织地辅导干警参加成人高等教育自学考试。全省共有1500余名干警参加了学习，及格率达71%。

1990年，检察机关的任务仍然十分繁重和艰巨。我们面临的社会治安形势是严峻的。当前，各种刑事案件，特别是重大案件的上升势头很猛。杀人、抢劫、重大盗窃案件上升幅度都很大。去年，全省共发生各类刑事案件63162件，比上年增加了55.88%，其中重大案件16696件，比上年增加了81.5%。反贪污贿赂工作虽然取得了一些成效，但声势还不够大，很多隐藏较深的犯罪分子还没有被揭露出来，有些问题较多的行业和系统以及党政机关至今还没有多少触动。从贯彻《通告》的情况看，虽然投案自首的人数不少，但大多是罪行有所败露甚至已经触动的，不在检察机关视线之内的较少；企事业单位投案自首的多，党政机关少；一般案件多，要案少。当前，顶风作案、以身试法的还大有人在，而且手段越来越狡猾，犯罪数额越来越大。

就我们的工作来说还有许多做得不够

的地方。由于案件大量增加，查办工作跟不上需要，积压案件很多。一部分检察干警的业务水平还比较低，不能完全胜任本职工作，有的因侦查措施不力致使一些经济案件无法侦破，有的案件在办理过程中超过了法定时限，有的适用法律不当，甚至出现错案，少数干警思想品质较差，不适合做检察工作，却又很难调出。此外，各检察院普遍存在着技术装备落后、办案经费不足等问题，在一定程度上影响了工作的开展。

今年1月，我们召开了各市检察长会议，传达贯彻了全国检察长工作会议精神，研究部署了今年的工作任务。我们要求全省各级检察机关把党的四中全会和五中全会精神落实到检察工作的实际中去，从稳定大局出发，重点抓好反贪污贿赂和打击严重刑事犯罪这两项工作，全面开展各项检察业务。要充分利用当前全党正在抓惩治腐败和廉政建设工作的有利条件，深入发动群众举报，狠抓侦查破案，集中力量查处大案要案，把反贪污贿赂的斗争进一步引向深入。要正确认识当前的社会治安形势，继续抓好清查和清理工作，继续从重从快打击严重刑事犯罪活动，稳定社会治安，增强人民群众的安全感。

浙江省人民检察院工作报告（摘要）

——1990年3月11日在浙江省第七届人民代表大会第三次会议上

浙江省人民检察院检察长　　胡灿时

（1990年3月14日浙江省第七届人民代表大会第三次会议通过）

（一）

省七届人大二次会议以来，全省检察机关在省委、各级党委、最高人民检察院的领导和各级人大及其常委会的监督下，以党的十三届四中、五中全会精神为指导，认真贯彻省七届人大二次会议关于省人民检察院工作报告的决议，坚持检察工作为稳定大局服务，为治理整顿和深化改革服务，为加强廉政建设服务的指导思想，突出反贪污、贿赂斗争这个重点，全面开展各项检察工作。特别是四中全会以来，全省检察机关以贯彻落实"两高"《通告》、查处大案要案为重点，进一步加强了同贪污、贿赂犯罪的斗争；坚决执行党中央关于制止动乱、平息反革命暴乱的决策和一系列方针、措施，坚决镇压打、砸、抢、烧、杀等严重刑事犯罪分子，依法从重从快严惩其他各类严重刑事犯罪，各项检察工作取得了较大的成绩。

一、反贪污、贿赂斗争取得显著成效，为维护经济秩序，促进廉政建设作出了贡献

——立案查处的贪污、受贿犯罪案件是历年来最多的。去年，全省检察机关共立案查处各类经济犯罪案件3222件，比1982年开展"经打"斗争以来查办案件最多的1986年增长84%。其中，贪污、受贿犯罪案件有2473件，占立案总数的76.75%，比查处贪污、受贿犯罪案件最多的1988年增加1.1倍；挽回经济损失达5128万余元，比上年增加1.4倍。

——查处的贪污、受贿大要案成数倍

增加。在去年立案查处的996件经济犯罪大要案中，贪污、受贿犯罪大要案有709件，占大要案总数的71.2%，比1988年增加2.9倍。其中，贪污五万元、受贿三万元以上至十万元的67件，贪污、受贿十万元以上的21件；县处级以上干部犯罪的要案37件（内有厅级2件），超过了1982年至1988年立案查处的这类案件的总和的147%。

——贯彻“两高”《通告》，震慑了一大批贪污、贿赂犯罪分子。“两高”《通告》限期内，全省共有1275名贪污、贿赂等违法犯罪分子向检察机关投案自首，交待犯罪数额974.47万元，退出赃款708万余元。其中，贪污、受贿的1022名，占总数的80.2%；万元以上重特大案犯286名，内一至二万元的152名，二至五万元的86名，五至十万元的31名，十万元以上的17名；党政机关工作人员194名，内科级以上干部37名。在押人犯和劳改、劳教人员坦白交待余罪的有126名，还有1512人（次）检举各类违法犯罪线索2218件。到今年1月，全省检察机关已依法对589名投案自首案犯立案侦查，其中免予起诉316人，向法院提起公诉60人。对尚不构成犯罪的300名已移送有关部门处理。其余的也将在第一季度内基本处理完毕。

——举报工作取得明显成效，成为发现贪污、受贿犯罪案件的重要渠道。去年，全省检察机关共受理群众举报的贪污、受贿犯罪案件线索16975件，立案查处贪污、受贿犯罪案件的70%是群众举报的。

——斗争发展健康，社会效果好。在反贪污、贿赂斗争中，由于突出了查处大要案这个重点；由于坚持行之有效的处理乡镇企业经济案件的政策原则和方法；由于对界限不易划清的案件持特别慎重的态度；由于对自侦案件加强内部制约，办案质量提高，斗争发展健康，社会效果好。

——侦查水平有了较大的提高。通过一年来斗争的实践和锻炼，广大检察干部的侦查意识有了增强，发现和突破案件的能力有了提高，运用法律手段比过去熟练。初步摸索了一些从发现案件到正确分析判断案情、组织突破、收集证据、讯问被告等各个侦查环节上的工作经验。侦查装备和设施也有了一定的改善，为发现和突破案件提供了一些物质上的保证。

二、坚决严厉打击严重刑事犯罪分子，维护国家安定和社会治安

——积极参加了制止动乱和平息北京反革命暴乱的斗争，严厉打击了一批打、砸、抢、烧、杀的严重刑事犯罪分子。全省检察机关把参加这场斗争作为一项严肃的政治任务，积极会同有关部门抓紧对这类案件的清查和处理工作，坚决及时批捕、起诉了一批触犯刑律的打、砸、抢、烧、杀等严重刑事犯罪分子。

——坚持依法从重从快的方针，严厉惩处了一大批严重刑事犯罪分子。去年，全省检察机关共受理公安机关提请批准逮捕人犯22924人，已批准逮捕19997人，其中重大现行案犯占32.4%；受理公安机关移送起诉的案件15107件，已依法起诉13280件，免予起诉726件。审查批捕、起诉的反革命分子和严重刑事犯罪分子，分别比1988年增加58.7%和61.3%，是1985年以来最多的。同时，还依法批捕、起诉“两劳”人员重新犯罪的247人。

——积极开展专项斗争和专项治理。全省检察机关密切配合有关部门，针对当地突出的刑事犯罪和治安问题，积极开展专项斗争和专项治理。较大范围的有去年春节前后的禁赌专项斗争，夏季的打流氓犯罪专项斗争，秋季的抓流窜专项斗争，以及去冬以来以“扫黄”为重点的除“六害”统一行动。特别是去冬的专项斗争，取得了明显成效，共批准逮捕 651 人，依法起诉 612 人。

——加强了对侦查活动、审判活动的法律监督，保障法律的正确实施。全省检察机关坚持“以事实为根据，以法律为准绳”的基本司法原则，提高对依法独立行使检察权的认识，认真履行对公安机关侦查活动和法院审判活动的法律监督职责，依法对 1974 名不构成犯罪或不需逮捕的作出了不批准逮捕的决定，对 106 名不构成犯罪的作了不予起诉决定，同时，对 577 名案犯及时予以增捕增诉；依法向法院提起抗诉 93 件，已收到法院判决予以改判的 29 件，维持原判 20 件。对公安侦查活动和法院审判活动中出现的违法现象，提出各种形式的纠正意见 366 件（次）。

三、积极查办国家工作人员严重职务犯罪案件，促进社会主义民主和法制建设

全省检察机关把查处侵犯公民民主权利和渎职犯罪案件作为检察机关反腐败斗争的一个组成部分，统筹安排，工作取得了新的进展。去年，共受理“侵权”、渎职等各类法纪案件 2279 件，立案侦查 399 件，分别比上年增长 8.8%和 1.5%。在立案案件中，“侵权”、渎职等“三类”重点犯罪案件有 303 件，占总数的 76%，内重特大犯罪案件 47 件，比前年增长 12%。加强了对监管改造场所执行政策法律情况的检察监督，提出纠正违法意见 376 件（次）。继续加强了对公民控告申诉案件和“两不一免”案件的受理和查处工作。去年，共受理不服检察机关不批准逮捕、不起诉和免予起诉的申诉 187 件，已查处 164 件，其中依法纠正 33 件；受理不服法院判决的再申诉案件 41 件，已查处 38 件，其中纠正 6 件。

四、检察队伍经受了斗争的锻炼和考验

广大检察人员经受了去年春夏之交的政治风波和繁重艰苦的检察工作的严峻考验，表现了人民检察官忠于党和社会主义事业的政治品格和自我牺牲精神。在我省发生的反党反社会主义的政治动乱期间，广大检察人员立场坚定，旗帜鲜明，严守纪律，坚守岗位，并且把各项工作抓得更紧。这一时期办理的经济、刑事犯罪案件分别比 1988 年同期增长 84%和 69%，以实际行动维护国家的稳定。面对任务重、困难多、条件差的实际，广大检察工作人员精神振奋，勇于进取，坚持原则，秉公执法，日以继夜，忘我工作。在贯彻“两高”《通告》的两个半月中，全省检察工作人员自觉加班加点更为普遍。去年以来，全省继续涌现了一大批先进集体和先进个人，共有 229 个先进集体，1135 名先进个人受到表彰。其中，评为全国先进工作者 1 人；受到记功表彰的先进集体 69 个，先进个人 128 名；受到最高人民检察院和省检察院表彰的先进集体 34 个，先进个人 104 名，受到省表彰的省级劳模 1 名。

去年我们的工作虽然取得了较大的成绩，但不能估计过高，还存在不少问题与不足，主要是：（1）工作发展不平衡。少数单位工作重点不够突出，查处的贪污、贿赂犯罪案件特别是大案要案少；有的地方贯彻“两高”《通告》的声势不够大，成效不明显。（2）侦查水平还不高，侦查装备落后，发现和揭露大要案的能力还不强。许多隐藏较深的犯罪分子未能予以及时揭露和查处。（3）由于力量不足，举报案件的初查工作跟不上，已初查的案件仅占检察机关管辖案件的 37.2%。（4）检察队伍总体上是廉洁奉公，尽职尽责的，但也有极少数违法违纪

（二）

1989年，全省检察工作之所以能取得较大的成绩，首先是由于以江泽民同志为核心的党中央坚持“一个中心，两个基本点”的基本路线，深入开展反对资产阶级自由化的斗争，认真抓了党的建设和廉政建设，形成了比较好的反腐败斗争的大气候；省委和各级党委加强了对检察工作特别是反贪污、贿赂斗争的领导；各级人大、政府大力予以支持和帮助，给检察工作的开展创造了十分有利的条件。从我们检察机关来说，主要是充分利用这个有利形势，振奋精神，加倍努力，积极抓了以下六个方面的工作：

一、精心组织领导。我们根据中央、省委、最高人民检察院的部署和省人大的决议，结合实际情况，适时提出工作要求。1月，提出了“围绕治理、整顿和深化改革这个中心，在抓紧‘两打’的总前提下，突出反贪污、贿赂斗争这个重点，全面开展其它检察工作”的全年工作的总体部署。3月，在调查研究后，提出了搞好反贪污、贿赂斗争的六条要求，明确工作的具体目标。4月，针对有些地方举报工作中存在的问题，召开了全省第二次举报工作会议，推动了举报工作的深入。4月下旬至6月初发生动乱和北京反革命暴乱期间，我们接连下发了6个《紧急通知》，并在5月召开了市、分院检察长会议，旗帜鲜明地要求广大检察干部坚定政治立场，严守纪律，坚守岗位，聚精会神地抓紧对贪污、贿赂犯罪案件的查处和严重刑事犯罪的打击，以实际行动为稳定大局、制止动乱和平息北京反革命暴乱作贡献。北京平息反革命暴乱后，又及时召开部分市、地刑事检察处长会议，要求各级检察机关坚决果断地依法打击打、砸、抢、烧、杀等严重刑事犯罪分子。7月，党的十三届四中全会把惩治腐败作为当前要特别注意抓好的四件大事之一的重要内容，我们即对下半年深入开展以查处大案为重点的反贪污、贿赂工作和惩处严重刑事犯罪分子的斗争，进行了具体部署。“两高”发布《通告》期间，先后三次召开了全省市、分院检察长会议和电话会议，针对贯彻《通告》工作的情况，分阶段作出相应的部署。《通告》期限届满后，又就从严惩处拒不投案自首的犯罪分子的工作提出了要求。全国开展除“六害”统一行动后，我们及时向各级检察机关发出通知，要求各地把它作为当前检察工作的重点，积极配合公安机关开展这一斗争，并由一位副检察长带队参加省委工作组赴温州进行检查和指导。

二、抓大要案的查处。按照从重从快打击严重刑事犯罪的要求，各级检察长对重特大和影响大的严重刑事犯罪案件，普遍提前介入公安机关的侦查活动。一年来，全省共参与公安机关现场勘查、旁听预审重特大和影响大的刑事犯罪案件3542件。

根据办理贪污、贿赂大要案分级负责的制度，去年，省检察院共直接或参与、督促查办贪污、贿赂大要案109件。对大要案特别是在当地有影响的案件，各级检察长都直接抓在手上，亲自办理。同时，各地还抓紧大要案的公开处理。去年7月和11月，省检察院先后排出70件大案要案，在有关部门的配合下，在国庆、春节期间公开集中处理，形成了打击处理贪污、受贿犯罪的两次高潮，声势大、效果好。

三、着眼于发动和依靠群众，充分发挥政策法律的威力。在贯彻“两高”《通告》中，各级检察机关紧密依靠党政领导，在新闻单位的支持下，广泛进行宣传发动。同时，认真接待投案自首，及时查证和兑现政策，并从严惩处拒不坦白交待的犯罪分子，使人民群众看到了党和政府惩治腐败的决心，提高了同严重经济犯罪和刑事犯罪作斗争的积极性。这一期间，全省检察机关立案查处的21件县处级以上干部犯罪案件中，有20件是群众检举揭发的。许多犯罪分子慑于法律和政策的威力，纷纷投案自首。《通告》期限届满后，各地又及时采取行动，从严惩处了一大批拒不投案自首或顶风作案的犯罪分子。11、12两个月，全省又有199名贪污、受贿等违法犯罪分子到检察机关投案自首。

各级检察机关认真对待群众举报，抓紧查证、处理和反馈。余姚市检察院在去年4月20上午接到该市斗门乡电话举报该乡农技站主办会计韩树炎有重大贪污嫌疑的线索后，检察长即带领干部半小时内赶到该乡调查，12小时内侦破了韩贪污5万余元一案。与此同时，各级检察机关加强对举报人合法权益的保护，认真查处打击报复举报人事件。去年，全省共对举报有功的30个单位和108名个人进行了奖励。

四、严格依法办事。这方面主要采取了以下措施：一是继续坚持“一要坚决，二要慎重，务必搞准”的执法原则。对明确构成犯罪的，坚决一查到底，决不手软；对一时看不准的，则持慎重态度，不急于定性处理。二是加强和完善内部制约。在对贪污、贿赂、玩忽职守等自行侦查案件实行侦查、起诉分权的基础上，去年又把侦查和决定逮捕分开，由两个业务部门负责，加强了内部制约机制。进一步建立和健全请示报告、大要案备案审查、免诉案件备案审查等制度，严格把好立案、逮捕、免诉、起诉关。同时，建立了判无罪案件逐案分析报告制度。三是加强政策法律指导。省检察院加强了对执行政策法律情况的调查研究，先后整理下发了受贿犯罪等案例12个，单独或与有关部门联合下发了《关于在“扫黄”斗争中适用法律条款如何掌握数额问题的意见》、《关于当前处理赌博案件具体应用法律的几点修改补充意见》等政策性文件4件，对各地正确执行政策法律起了较好的指导作用。

五、自觉接受人大及其常委会的监督。一是坚决执行《浙江省地方各级人民代表大会常务委员会监督司法工作的规定》。省检察院专门向全省各级检察机关发了通知，随后又于今年1月全省检察长会议上作了部署，要求各地认真贯彻落实。各级检察机关组织干部认真学习《规定》，回顾分析接受监督的情况，找出存在的问题和不足，研究提出进一步贯彻落实的措施，并向同级人大常委会报告。全省检察机关贯彻落实的情况，省检察院已于2月书面报告省人大常委会。二是及时向人大及其常委会报告工作。去年1月、9月，省检察院先后向省七届人大常委会第七次会议、第十一次会议汇报了《关于打击严重经济犯罪活动情况的报告》、《关于检察机关开展反贪污、贿赂斗争情况的报告》。三是认真听取和对待人民代表的意见，接受监督。四是积极贯彻省人大常委会的决议。

六、加强思想政治工作。一是加强形势教育，坚定正确的政治方向。在制止动乱和平息反革命暴乱期间，我们要求各级检察机关组织全体干部认真学习中央、国务院和中央领导同志的一系列重要指示、讲话，充分认识这场斗争的性质、根源和中央、国务院采取一系列措施的正确性、必要性，在政治上、思想上、行动上同党中央保持高度一致。在东欧局势发生急剧变化的情况下，我们教育干部要增强政治敏感性和警觉性，自觉坚持四项基本原则，坚持改革开放。二是加强廉政建设，从严治检。一方面要求各级检察机关艰苦奋斗，为检清廉，多做工作，以实际行动争取党委、政府的支持和帮助。另一方面，严格纪律，从严治检，坚决执行中央关于党政机关不得经商办企业的指示，强调不准搞“创收”，靠歪门邪道来改善工作、生活条件。对严重违法乱纪的，发现一件查处一件，决不姑息迁就。三是开展多层次的争先创优、立功创模、表彰先进的活动，千方百计调动干部的积极性。1月，在嘉兴市召开庆功表彰会，给嘉兴市检察院记集体三等功；3月，对全省1988年度先进集体和先进个人进行了表彰；5月，为查处贪污、贿赂大要案成绩显著的14个集体和个人记功；6月，对优秀侦查员进行了表彰；10月，对坚持站好最后一班岗的温岭县原检察长毛庆祥同志记功表彰；在今年1月全省检察长会议期间，又对在“两高”《通告》以来作出显著成绩的15个集体和21名个人予以记功表彰，从而激励了广大检察干部的斗志，保持了饱满的工作热情。

（三）

根据全国检察长工作会议精神和我省实际，1990年全省检察工作总的任务是：认真贯彻党的四中全会和五中全会精神，充分发挥法律监督职能，坚决惩治贪污、贿赂犯罪，严厉打击严重刑事犯罪活动，全面开展其他各项检察业务，加强思想政治工作和队伍建设，为稳定大局，保障进一步治理整顿和深化改革的顺利进行，促进国民经济持续、稳定、协调发展，做出新贡献。主要目标是：

——反贪污、贿赂斗争在继续保持去年好势头的基础上，突出查处大案要案特别是要案，办案的质量和社会效果更好；

——严厉打击严重刑事犯罪活动的斗争，信息更灵敏，工作更主动，反应更迅速，打击更加准确有力；

——查办“侵权”、渎职犯罪案件特别是重特大案件有新的突破；

——思想政治工作切实得到加强，形成检察长、党团组织、部门领导和政工部门齐抓共管的多层次、多方面的工作网络，保证坚定正确的政治方向，廉洁奉公、不畏艰难、无私奉献的精神有进一步发扬；

——业务建设进一步加强，干部业务素质得到提高；办案装备继续有所改善。

为实现上述工作目标，要重点抓好以下四个方面：

一、认真学习、深刻领会五中全会决议和江泽民、李鹏同志重要讲话，进一步明确指导思想。江泽民总书记在接见全国检察长工作会议代表时指出：“当前最关键、最重要的一个问题，就是要稳定我们国家的局势。这包括两个方面，一个是政治上的稳定，一个是经济上的发展”。为稳定政治和发展经济服务，是检察工作根本的指导思想。当前，我国的局势是稳定的，但潜伏着许多不稳定的因素。国际上，敌对势力推行“和平演变”的战略，企图改变共产党领导的社会主义的国家制度。颠覆与反颠覆、渗透与反渗透、“和平演变”与反“和平演变”的斗争将是长期的，有时甚至是很激烈的。在国内，制止动乱和平息反革命暴乱虽已取得决定性胜利，但顽固坚持资产阶级自由化的人不甘心自己的失败，一有机会就会兴风作浪。社会治安形势严峻，社会丑恶现象屡禁不止，贪污、贿赂犯罪仍很严重。同时，在治理、整顿、深化改革和经济发展遇到暂时困难的情况下，新的社会矛盾和不安定因素增多。在经济工作上，十年改革取得了很大成就，治理、整顿已经取得初步成效，但由于多年来积累下来的问题和前几年实际工作中的某些失误，造成了通货膨胀、总量失衡、结构失调、秩序混乱等严重问题和困难，出现了经济滑坡，市场疲软的现象。在这种情况下，我们检察机关更要密切关心大局，十分关注和高度重视政治、经济形势和社会动态，进一步坚定正确的政治方向，不断增强思想敏感性和工作主动性，把检察工作和党的中心工作紧密挂起钩来，进一步提高为稳定政治和发展经济服务的自觉性。

二、突出重点，全面开展各项检察工作。反贪污、贿赂斗争是检察机关第一位的任务，是整个检察工作的重点，也是检察机关各业务部门的共同任务，必须继续切实抓紧抓好。反贪污、贿赂的斗争是长期的，对此我们要有清醒的认识，要认真学习和坚决贯彻党中央、国务院关于惩治腐败、加强廉政建设的一系列重要指示，坚定反贪污、贿赂斗争的信心和决心。各级检察院领导特别是第一把手，要继续以主要精力抓反贪污、贿赂的斗争，并在工作部署、力量组织、业务建设等各个方面，更加自觉地突出这个重点。继续严厉打击严重刑事犯罪活动，是检察机关又一个工作重点，决不能有丝毫放松。要进一步增强对当前社会治安严峻形势的敏感性，加强信息工作。要坚决贯彻从重从快方针，继续坚持提前介入制度，依法快捕、快诉重特大刑事案犯。要配合有关部门严厉打击严重投机倒把犯罪活动。要继续配合公安机关开展除“六害”和“扫黄”等专项斗争和专项治理，维护社会治安。在突出上述重点的同时，要加强对国家工作人员“侵权”、渎职犯罪的检察。其他各项工作也要安排好。

在全面开展以反贪污、贿赂为重点的各项检察工作中，要十分注重办案的社会效果。前提是要切实把案件搞准，这是取得社会的同情与支持，保护干部群众和检察人员同违法犯罪作斗争的积极性，保证斗争深入开展的极端重要的条件。特别是在当前经济形势、治安形势严峻、还有许多困难的情况下尤为重要。要继续坚持处理乡镇企业经济案件的政策原则和方法；对带有行业特点和科技性强的案件，要注意征求有关方面的意见；对界限不易划清的案件要继续持特别慎重的态度，看不准的可先放一放，不要急于处理。在搞准的基础上，注意尽量发挥办案为社会稳定、经济发展服务的作用。对突发事件的处理，对严重刑事犯罪活动的打击，要抓住战机。对经济、法纪案件的处理，要注意维护企业生产、经营的正常秩序和连续性，要理直气壮地保护和支持那些廉洁奉公、为发展经济作出突出贡献的企业家。要积极帮助发案单位查漏整改，提高生产效率和经济效益。

三、紧紧依靠党委领导，主动争取人大的监督。要进一步增强党的领导的观念，坚决贯彻执行党的路线、方针和政策。对一个时期检察工作的部署，当地贪污、贿赂等经济犯罪和其它刑事犯罪的状况及重大案件的查处情况、执行政策法律情况、办案的社会效果以及工作中遇到的干扰、阻力和困难，都要主动及时向党委汇报。要坚决贯彻执行党委的指示，严格依法办事。

要进一步提高接受人大及其常委会监督的自觉性。认真贯彻落实《浙江省地方各级人民代表大会常务委员会监督司法工作的规定》，坚决贯彻人大常委会的决议。对人大及其常委会交办的案件和其它有关事项，要积极办理，及时报告结果。要继续采取邀请人大常委会成员视察、检查工作，参加工作会议，与人民代表建立联系制度等多种形式，主动征求他们的意见和反映，不断改进我们的工作。

要认真贯彻《中共中央关于坚持和完善中国共产党领导的多党合作和政治协商

制度的意见》。先着手抓好聘请一批符合条件和有专门知识的民主党派成员、无党派人士担任特约检察员的工作。

四、重视和加强思想政治工作，进一步调动干部的积极性。一是要加强教育。引导全体干部充分认识检察工作对于维护国家稳定，保障治理整顿和深化改革的顺利进行，促进国民经济持续、稳定、协调发展和维护以江泽民同志为核心的党中央集体领导权威的重要作用，进一步增强搞好检察工作的责任感和使命感。同时，要继续切实抓好自身廉政建设。要继续深入搞好坚持四项基本原则、反对资产阶级自由化的教育。要深入进行以秉公执法、不以权谋私为中心内容的廉政教育。要坚持从严治检，认真执行《检察人员纪律》，通过开展执法大检查、民主生活和民主评议会等形式，考查干部。对秉公执法，廉政勤政的，要进行宣传表彰；对违法违纪的，要严肃认真地予以查处。二是要正确分析工作形势，进一步振奋精神。要教育干部明确，我们面临的任务十分繁重，困难不少。但是，更要看到，当前开展斗争的有利条件很多，使广大检察干部既充分肯定成绩，又不要把成绩估计过高，防止麻痹松懈；既看到今后任务艰巨，又充分认识当前开展工作的有利条件很多，防止和克服消极畏难情绪，提倡谦虚谨慎，戒骄戒躁，振奋精神，努力工作。三是要继续开展多层次的争先创优和立功创模活动，大力表彰先进，激励斗志，把各方面的积极性都调动起来。

安徽省人民检察院工作报告（摘要）

——1990年4月21日在安徽省第七届人民代表大会第三次会议上

安徽省人民检察院检察长　冯建华

（1990年4月25日安徽省第七届人民代表大会第三次会议通过）

1989年，是不平凡的一年。春夏之交制止动乱、平息反革命暴乱的斗争，击退了资产阶级自由化的进攻，粉碎了国外敌对势力“和平演变”的阴谋。这一年，我省各级人民检察院在省委和最高人民检察院的领导下，在省人大常委会的监督下，认真贯彻了党的十三届四中全会、五中全会精神，以及全国检察长工作会议精神，自觉围绕党的中心任务，紧紧抓住反贪污、贿赂斗争和严厉打击严重刑事犯罪两个重点，全面开展检察工作。广大检察干警，在任务重、困难多、条件差的情况下，发扬无私奉献的精神，艰苦奋斗，勇于进取，认真履行法律监督职责，完成了各项检察工作任务。

一、反贪污、贿赂斗争有了突破性进展

1989年，我省检察机关按照最高人民检察院的部署和要求，把反贪污、贿赂斗争作为检察机关的工作重点，加强领导，集中力量，采取有效措施，不断把斗争引向深入，取得了突破性进展。全省检察机关共受理各类经济犯罪案件5212件，立案侦查2776件，其中大案要案606件；依法起诉713件870人，免予起诉1147件1409人；为国家挽回经济损失2795万余元。与

1988年相比，受案数增长145.3%，立案数增长201.1%，大要案数增长201.5%，挽回经济损失数增长107.5%。在立案查处的经济犯罪案件中，贪污、贿赂案件2015件，占72.6%，其中大案要案399件，占19.8%。特别是8、9、10三个月，通过贯彻“两高”《通告》，把反贪污、贿赂斗争推向新的高潮。这三个月，全省检察机关共立案侦查各类经济犯罪案件1377件，占全年立案总数的49.6%，其中贪污、贿赂案件971件。在开展打击贪污、贿赂犯罪的斗争中，我们主要做了以下六个方面的工作：

第一，提高认识，统一思想，明确工作重点。1989年，最高人民检察院提出把反贪污、贿赂斗争列为检察机关打击经济犯罪的第一位工作，作为检察工作的重点以后，我省各级检察院认真传达贯彻，并结合实际，分析我省反贪污、贿赂斗争的形势，制定落实措施。通过学习和讨论，使广大干警，首先是各级检察院的领导，提高了对反贪污、贿赂斗争重要意义的认识。党的十三届四中全会以后，各级检察机关把反贪污、贿赂斗争提高到惩治腐败，取信于民，加强廉政建设的高度来认识，进一步提高了反贪污、贿赂斗争的自觉性。

第二，加强领导，转变作风，排除干扰和阻力，集中力量查处大案要案。在反贪污、贿赂斗争中，各级检察长亲自办理和指导办理重大案件。据不完全统计，去年全省有318名正副检察长亲自参加办案，占全省检察长总数的85%以上。省检察院和各分、市院都抽调了大批干部深入基层，协助办案，推动了反贪污、贿赂斗争的不断发展。各级检察机关都在人力物力上保证反贪污、贿赂斗争的需要，集中力量查处了一批大案要案。大案要案的查处，激发了人民群众反腐败斗争的热情，促进了廉政建设。

第三，积极宣传贯彻“两高”《通告》，掀起了反贪污、贿赂斗争的高潮。去年8月，最高人民法院、最高人民检察院发布了《关于贪污、受贿、投机倒把等犯罪分子必须在限期内自首坦白的通告》，规定从8月15日到10月31日，凡有贪污、受贿、投机倒把等犯罪行为的人，如果在限期内自首坦白、积极退赃或有检举他人犯罪等立功表现的，将依法得到从轻、减轻处罚或免予刑事处罚；对拒不自首坦白的，将依法从严惩处。

《通告》发布后，各级党政领导机关和人大非常重视，认真进行了贯彻，并帮助检察机关解决了工作中的许多困难。全省检察机关及时组织干警学习、领会《通告》精神，研究贯彻落实措施，与法院、纪委、监察等部门密切配合，大张旗鼓地宣传贯彻《通告》。据不完全统计，全省各级检察机关共翻印张贴《通告》155000多份，召开新闻发布会116次，各级检察长发表广播电视讲话404次，出宣传栏1634期，为报刊、电（视）台写新闻报道1300余篇（次），到有关单位宣讲《通告》1700多次，召开宽严处理大会190多次。在贯彻《通告》期间，广大检察干警发扬不怕疲劳，连续作战的作风，夜以继日地工作，为惩治腐败，加强廉政建设，作出了贡献。由于广泛深入地宣传贯彻了《通告》，充分发动群众，震慑了犯罪分子，使一大批贪污、贿赂等经济犯罪分子主动投案自首，出现了不少妻劝夫、父送子到检察机关投案自首的情况。据统计，从8月15日到10月31日，全省共有1525名有贪污、贿赂等违法犯罪行为的人到检察机关投案自首，交代了违法犯罪金额1380多万元，退交赃款和赃物折款902万多元。在投案自首人员中，有地厅级干部3人，县处级干部27人，科以下干部759人，其他人员736人。投案自首人数在100人以上的有合肥、芜湖、安庆、阜阳、六安和肥西六个地、市、县。投案自首人员中，交代贪污、贿赂问题的1160人，占76.1%，其中万元以上大案317人，占27.3%。

各级检察机关对自首坦白的犯罪分子，依照法律和《通告》的规定，认真进行查证处理，兑现政策。对于已经侦查证实，确属自首、坦白的，依法作出从宽处理，或建议人民法院依法从轻、减轻处罚。到今年3月底，全省已对485名罪行较轻或虽罪行较重，但有立功表现的自首、坦白的犯罪分子，作了免予起诉的决定；对57名罪行严重的投案自首犯罪分子起诉后建议人民法院从宽处理；对153名拒不自首、坦白或避重就轻，企图蒙混过关的犯罪分子，检察机关坚决依法从严惩处。

这次贯彻"两高"《通告》，实际上是一次大张旗鼓的反贪污、贿赂斗争，是发动和依靠人民群众，运用法律和政策武器惩治贪污、贿赂犯罪的成功实践。实践证明，邓小平同志关于"搞一个临时的大政策"的指示和党中央建议以"两高"名义发布《通告》的决策是十分正确的。充分表明了党和国家严厉惩治贪污、贿赂等腐败现象的决心；体现了党的惩办与宽大相结合的政策；显示了检察机关在廉政建设中的重要作用；提高了广大干部、群众的法制观念和同贪污、贿赂犯罪作斗争的积极性。

第四，加强了群众举报工作，发动和依靠群众同贪污、贿赂犯罪作斗争。要使反贪污、贿赂斗争收到切实的效果，把贪污、贿赂犯罪减少到最低限度，必须充分发动和依靠群众，同贪污、贿赂犯罪作坚决的斗争，形成群众性的反贪污、贿赂斗争的声势。各级检察机关在反贪污、贿赂斗争中，积极发动群众开展举报工作，依靠群众同贪污、贿赂犯罪分子作斗争，取得了显著成绩。一年来，全省检察机关共受理公民举报案件线索31000多件，其中贪污、贿赂案件线索13000多件，占43.6%。特别是"两高"《通告》发布后三个月内，广大群众看到了党和政府惩治腐败的决心和行动，提高了同犯罪分子作斗争的勇气和积极性，检举揭发贪污、贿赂等犯罪线索成倍增加。8、9、10三个月，全省检察机关共受理举报案件线索13600多件，是前七个月总数的138.6%。群众举报，为检察机关提供了大量有价值的案件线索，现在查办的贪污、贿赂案件80%以上是公民举报的。检察机关在开展举报工作中，注意抓了初查、信息反馈和保护举报人等工作。对举报线索，认真调查处理，并通过各种渠道和新闻媒介，将查处结果向社会公布或向举报人反馈，保护群众的积极性。各级检察机关认真贯彻省人大常委会审议通过的《安徽省保护公民举报条例》，做好保护举报人的工作。开展举报工作以来，全省共发生打击报复举报人的案件60多起，检察机关配合有关部门进行了查处。其中有53起已作了处理，有46人受到了党纪政纪处分，有7人被依法追究了刑事责任。阜阳颍河闸管所原党支部书记赵传志，报复杀害检举人，被判处了死刑。同时，检察机关也警惕那些借举报之名诬告陷害好人的人。

第五，加强侦查工作，提高侦破案件的能力。为了适应反贪污、贿赂斗争的需要，各级检察院重视和加强了侦查工作。通过采取办短训班，以会代训，以老带新等多种形式，培训侦查人员，强化侦查意识，提高侦查水平。并通过总结交流办案经验，研究贪污、贿赂犯罪的特点，掌握侦查各类犯罪案件的规律；根据不同案情，制订侦查计划，提高侦破案件的效率。去年11月，我们召开了全省检察机关第一次反贪污、贿赂侦查工作会议，总结交流了各地侦查工作的做法和经验。各分、市院也先后召开会议进行了传达贯彻。由于加强了侦查工作，使许多案件能够迅速突破，并保证了办案质量。不少检察机关根据案件的发展变化，注意深挖余罪漏犯，从小案查出大案，办一案挖出一串，扩大了战果。

第六，注意克服就案办案的思想，自觉树立为经济建设服务的观念。在办案中坚持“两手抓”的思想，做到既打击经济犯罪，又促进企业的发展。

在查处贪污、贿赂犯罪的同时，各级检察机关还受理挪用公款、偷税抗税、假冒商标等犯罪案件1518件，立案侦查761件。

检察机关对乡镇企业的发展是扶持和保护的，对乡镇企业中发生的违法犯罪问题，处理是慎重的。省检察院召开了多次研讨会，还编发了一些案例，供各地办案参考。各级检察机关在办案中，注意严格区分违法与犯罪，罪与非罪的界限，重点打击少数肆意侵吞乡镇企业财产，破坏乡镇企业的贪污、贿赂犯罪分子。各级检察机关还结合办案，为乡镇企业排忧解难，扶持企业发展。有的帮助企业追回被骗的巨额资金；有的针对一些企业管理混乱等问题，提出“检察建议”，帮助堵漏建制，促进企业健康发展。

二、依法从重从快严厉打击严重刑事犯罪分子，维护社会稳定

去年春夏之交发生的政治动乱和反革命暴乱，是一场严重的阶级斗争。在制止动乱和平息北京地区反革命暴乱中，全省广大检察干警立场坚定，旗帜鲜明地积极投入这场关系到党和国家前途、命运的斗争，忠实履行国家法律监督机关的职责，维护国家宪法和法律的尊严，捍卫中国共产党的领导，捍卫社会主义制度，保卫人民共和国。制止动乱、平息暴乱以后，各级检察机关认真进行了清查、清理工作，对动乱、暴乱中的刑事犯罪分子及时批捕、起诉，坚决依法惩处。

去年以来，我省大部分地方社会治安秩序是基本稳定的，但潜在的不安定的因素甚多，治安形势仍相当严峻。杀人、抢劫、强奸、盗窃、拐卖人口等重大刑事案件都有较大幅度的上升。为了维护社会稳定，各级检察机关继续贯彻依法从重从快的方针，严厉打击各种严重刑事犯罪活动。1989年，全省检察机关共批准逮捕各类刑事案犯21920人，其中重、特大案犯4751人。起诉各类刑事案件11426件19218人。在打击刑事犯罪斗争中，检察机关与公安、法院等部门密切配合，针对社会治安中的突出问题，积极开展了专项斗争和专项治理。如参加打击流窜犯罪的统一行动，整顿交通秩序，“扫黄”和扫除“六害”等，都取得了明显成绩。

检察机关在严厉打击反革命分子和严重刑事犯罪分子的斗争中，坚持提前介入公安机关的侦查、预审活动，熟悉案情、审阅案件材料，加速了办案进度，提高了办案质量。

一年来，各级检察机关加强了监所检察工作。据统计，对监管改造场所干警违法行为提出纠正意见3100多次，查处监管改造场所干警犯罪案件6件，检察纠正超期羁押人犯1924名，查处劳改犯人重新犯罪和劳教人员犯罪案件237件250人。在贯彻“两高”《通告》期间，各级检察院派出干部，向在押人犯和“两劳”人员宣传《通告》，敦促他们交代余罪，检举揭发他人犯罪。据不完全统计，全省有165名在押人犯和“两劳”人员主动坦白交代自己的犯罪事实和余罪、漏罪；有849人主动检举揭发同伙和他人的犯罪线索1149件。检察机关还结合监所检察业务，积极开展社会治安综合治理工作，对预防和减少犯罪起到了积极作用。

三、依法查处侵犯公民民主权利、人身权利等犯罪案件，保护公民的合法权益

认真查处侵犯公民民主权利、人身权利和渎职犯罪案件，对于建设社会主义民主和法制，惩治腐败，促进廉政建设，有着重要的作用。1989年，全省检察机关在重点抓反贪污、贿赂斗争和打击严重刑事犯罪的同时，把依法查处"侵权"、渎职等法纪案件作为一项重要任务来抓。全年共受理各类法纪案件1560件，立案查处433件，其中重、特大案件61件，分别比1988年上升5%、1.2%和9%。已办结382件，起诉181件254人，免予起诉171件234人。在查处"侵权"、渎职案件方面，主要抓了如下几项工作：一是重点查处非法拘禁、报复陷害等侵犯公民民主权利、人身权利的案件。全省共立案侦查177件，其中大要案16件，比1988年上升54%。二是查处了166件国家工作人员徇私舞弊、玩忽职守和重大责任事故等给国家和集体造成重大经济损失的案件。三是办理了600多件不需要追究刑事责任的法纪案件，提出检察建议，移送有关部门处理。对可能引起矛盾激化的案件，认真做好当事人的思想工作，收到了较好的社会效果。

各级检察机关加强了控告、申诉检察工作。1989年共受理公民控告、申诉47027件（次），比1988年增加了63.2%。对一些问题比较明显，案情比较重大的控告、申诉案件，检察机关都作了调查处理。对于检举控告的犯罪案件，属于检察机关管辖的，及时立案侦查；不属于检察机关管辖的，分别转请有关部门处理。各级检察机关还及时处理在动乱期间的来信来访，消除不安定因素；妥善处理"告急上访"、"上访老户"和集体上访的问题，减少和缓解矛盾；深入基层，变上访为下访，解决群众告状难的问题。据不完全统计，共接待群众4900多人（次），使大量的问题在基层得到了及时解决。对于维护社会安定，稳定局势起了积极作用。

四、开展侦查、审判和执行活动监督，保障法律的正确实施

一年来，全省检察机关认真履行法律监督职责，积极开展了侦查活动监督、审判活动监督和执行活动监督工作。各级检察院按照法律规定，认真做好审查批捕、审查起诉工作，严格把好事实关，证据关，注意区分罪与非罪的界限。对于构成犯罪，需要追究刑事责任的，及时批捕、起诉；对于不具备批捕、起诉条件的，坚持不捕、不诉；对于虽构成犯罪，但依法不需要判处刑罚或者免除刑罚的，作了免予起诉处理。1989年，全省检察机关在实施法律监督工作中，对公安机关应报捕而未报捕，应起诉而未移送起诉的犯罪分子，决定追捕492人，追诉110人；对不该逮捕、不应起诉，而公安机关提请批捕和移送起诉的，决定不批捕1381人，不起诉138人；对法院确有错误的判决，依法提出抗诉71件。其中法院已审结20件，改判17件。通过监督活动，有效地防止了一些错漏案件，保证了刑法、刑事诉讼法的正确实施。一年来，各级检察机关把检察监管改造场所执行法律政策的情况放在首位，共纠正无证羁押的人犯25名，纠正判决生效后未及时交付执行的犯人108名，检察纠正违法减刑、假释或保外就医的50人，保证了刑事诉讼活动的顺利进行，以及国家法律和党的政策在监管改造场所的正确实施。同时，继续进行了民事行政诉讼法律监督的试点和调查研究工作。

有法必依，执法必严，是我国法制建设的一项重要原则。人民检察院是国家的法律监督机关，只有模范地执行法律，才能更好地发挥法律监督的职能。总的来看，我们是能够严格依法办事的。但是有些干部素质不高，责任心不强，作风不严谨，在办案中出现一些差错，甚至办了错案。为了严肃执法，增强干警的法制观念，提高执法水平，省检察院已部署全省检察机关在今年第一季度，对1989年的执法情况进行检查。对检查中发现的问题，认真进行纠正，维护法律的严肃性。

五、加强队伍建设，重视了思想政治工作

1989年，全省检察机关按照最高人民检察院提出的“从严治检”和建设一支“严格依法办案，秉公执法，掌握政策，实事求事，联系群众，精通业务”的检察队伍的要求，加强了队伍建设。

各级检察机关组织干警认真学习了党的十三届四中全会和五中全会精神，坚持“一个中心，两个基本点”，对干警进行形势教育和爱国主义、艰苦奋斗以及职业道德（热爱检察事业，忠于法律，忠于人民，秉公执法）、职业纪律（一要热爱人民，不准骄横霸道；二要服从指挥，不准各行其是；三是忠于职守，不准滥用职权；四要秉公执法，不准徇私舞弊；五要调查取证，不准刑讯逼供；六要廉洁奉公，不准贪赃枉法；七要提高警惕，不准泄露机密；八要接受监督，不准文过饰非）等方面的教育，统一广大干警特别是各级检察院的领导，对当前政治形势、经济形势和治理整顿、深化改革的认识，提高了广大干警的政治觉悟和职业责任感，增强了信心，振奋了精神。

在制止动乱、平息北京地区反革命暴乱的斗争中，全省检察机关坚决贯彻执行党中央、国务院的正确决策，广大干警立场坚定，旗帜鲜明地坚持四项基本原则，反对资产阶级自由化，反对动乱，坚定地与党中央保持一致。党的十三届四中全会以后，各级检察机关组织干警认真学习了四中全会、五中全会文件和江泽民同志在国庆40周年大会上的讲话。大家一致拥护以江泽民同志为核心的党中央新的领导集体，坚决执行党中央的各项决策，忠于职守，努力工作，为治理整顿、深化改革作出了应有的贡献。1989年，省检察院对在制止动乱、平息反革命暴乱和反贪污、贿赂斗争中，作出突出贡献的15个先进集体和92名先进工作者进行了表彰。

一年来，各级检察机关坚持了“从严治检”的方针，加强了党纪、政纪工作，严格了组织纪律，对个别人在动乱中丧失立场，犯了政治错误以及少数干警索贿、受贿、徇私枉法等违法乱纪的问题进行了严肃查处。

各级检察机关注意研究解决检察工作和队伍建设中出现的新情况、新问题，开展经常性的思想政治工作。许多检察院的领导干部以身作则，发扬党的优良传统，带头为政清廉，吃苦在前，享受在后，深入基层，深入第一线，带头办案，带头做深入细致的思想政治工作，以自己的模范行为，影响带动群众。

各级检察机关在重视提高干警政治素质的同时，还注意提高干警的业务素质，认真抓了干部教育培训工作。去年，省检察院共举办干部培训班五期，培训干部320多人。全省16个分、市院均设立了电大工作站，组织教学班58个，全省检查系统现有2460多人正在参加电大教育和检察专业证书学习。

一年来，全省检察机关在开展各项检

察工作中，做到了自觉地接受党委的领导和人大的监督，重大问题及时向党委、人大请示报告，并积极争取各级政府的支持和帮助。这些都是我们搞好检察工作的重要保证。去年省检察院向省七届人大常委会第十二次会议，作了《关于检察机关查处贪污、受贿等经济犯罪案件情况的报告》，省人大常委会审议后，作出了《关于严肃认真地查处贪污、受贿、投机倒把等犯罪案件的决议》。省人大和各级人大常委会还通过视察、调查等方式，听取检察机关的工作汇报，监督和支持检察机关履行法律监督职责，严格依法办事，对于推动检察工作的开展起了重要作用。

1989年，全省检察工作取得了很多成绩，有了新的进展。但是我们的工作也还存在不少缺点和问题。主要是：有的地方工作中没有正确处理好重点与一般的关系；反贪污、贿赂斗争开展还不平衡，有的地方局面没有打开，群众还没有充分发动起来，一些隐蔽较深的犯罪分子还没有被揭露出来；有些干部在办案遇到阻力时，有畏难情绪，不敢碰硬；“以捕代侦”的现象未能彻底纠正，有的办案质量不高，没有严格依法办事；办案经费短缺，侦查设施和技术装备落后，不能适应工作的需要，等等。这些问题都应当引起我们的高度重视，必须采取有力措施，认真加以解决。

今年是90年代的第一年，是治理整顿和深化改革的关键一年。竭尽全力维护社会稳定，是今年和今后一个时期政法工作的基本指导方针。我们检察机关的根本任务就是维护国家的政治稳定、经济稳定和社会稳定。在今年元月召开的全省检察长工作会议上，我们对全年的检察工作作了具体部署。总的指导思想是：认真贯彻执行党的四中全会、五中全会和六中全会精神，充分发挥法律监督职能，坚决惩治贪污、贿赂犯罪，严厉打击严重刑事犯罪活动，维护正常的经济秩序和社会秩序，保障进一步治理整顿和深化改革的顺利进行，促进国民经济持续、稳定、协调发展，为社会安定和国家安全做出新贡献。根据这个总的指导思想，我们要求各级检察院，必须紧紧抓住反贪污、贿赂和打击严重刑事犯罪这两个重点不放，用两个重点带动其他各项检察工作。

反贪污、贿赂是一个长期的、经常的斗争，必须树立长期作战的思想，把这一斗争继续深入持久地开展下去，为治理整顿、深化改革扫除障碍。当前，我们要着重抓好以下几点：一是要抓紧消化处理“两高”《通告》期间投案自首的案件。处理这类案件，一定要在查清事实以后，依照法律和《通告》的规定，严格依法办案，该宽则宽，该严则严，防止简单粗糙。对那些拒不投案自首的，在查证属实以后，依法从严惩处。二是要进一步抓好举报工作，认真查处举报案件。要特别注意抓好初查、信息反馈和保护举报人等环节。对举报线索，要认真调查，及时处理，不能轻易否定。要认真贯彻执行《人民检察院举报工作若干规定（试行）》和《安徽省保护公民举报条例》，做好保护举报人的工作。对蓄意报复举报人的，要认真调查，严肃处理。构成犯罪的要依法追究。三是要集中精力狠抓大案要案。今年，省检察院和各分、市院将继续选派一批干部到基层调查研究，帮助办案。并认真贯彻落实最高人民检察院提出的查处贪污、贿赂大案要案分级负责制度。地厅级干部犯罪案件，由省检察院为主查办；县处级干部犯罪案件，由分、市院为主查办。做到一级抓一级，一级支持一级。广大检察干警要提高斗争的勇气，敢于碰硬，排除阻力，刚正不阿，秉公执法。四是要切实加强侦查工作，不断增强侦查意识，提高侦破能力。要加强反贪污、贿赂侦查机构建设。省检察院已经省委批准成立了反贪污、贿赂工作局，各分、市、县（区）检察院也都将成立这样的机构，以适应反贪污、贿赂斗争的需要。五是要进一步加强反贪污、贿赂斗争的宣传工作。当前要针对少数人对反贪污、贿赂斗争的一些模糊认识，宣传党的惩治腐败的政策；宣传反贪污、贿赂斗争对稳定局势和治理整顿、深化改革的重要意义，以增强广大干部群众的法制观念，提高反腐败，反贪污、贿赂斗争的积极性。六是要继续坚持“一要坚决，二要慎重，务必搞准”的原则。在办案中，以事实为根据，以法律为准绳，坚持公民在法律面前一律平等，使所办的每一起案件，都做到事实清楚，证据充分，定性准确，程序合法，经得起历史检验。

严厉打击严重刑事犯罪活动，是我们检察工作的又一个重点，绝对不能放松。我们必须保持清醒的头脑，必须坚持阶级斗争观念和专政意识，增强反渗透、反颠覆、反和平演变的意识。密切注视和掌握社会动态，经常分析社会治安形势，继续坚持依法从重从快的方针，及时做好批捕、起诉工作。对影响大，危害大的案件，要坚持提前介入，及时了解案情，坚持“两个基本”，只要基本犯罪事实清楚，基本证据确凿，就要依法从快批捕，从快起诉，加快办案进度。要在各级党委的统一领导下，密切配合公安、法院等部门，积极参加集中打击严重刑事犯罪活动的统一行动和专项斗争、专项治理。要充分发挥检察机关法律监督职能，认真开展侦查、审判监督工作，保障法律的正确、统一实施。

要认真做好法纪检察和其他各项检察工作。要把法纪检察工作摆上重要日程，切实加强领导，重点查处当前发案率较高的非法拘禁和玩忽职守、重大责任事故等犯罪案件，集中力量突破大案要案，争取今年法纪检察工作有个突破性进展。办理法纪案件干扰阻力比较大，我们一定要勇于排除干扰和阻力，严格依法办案。

加强检察队伍建设，不断提高干警的政治素质和业务素质，是检察机关的一项战略任务。要组织全体检察干警认真学习马列主义、毛泽东思想的基本理论，学好马克思主义的哲学。掌握马克思主义的辩证唯物主义和历史唯物主义的基本观点和方法，提高理论水平和思想政治水平。要对干警继续进行党的基本路线、坚持四项基本原则、反对资产阶级自由化的教育；进行形势教育、爱国主义、集体主义教育，以及独立自主、艰苦奋斗和全心全意为人民服务宗旨的教育。广泛开展学习雷锋活动，努力培养“有理想、有道德、有文化、有纪律”的检察干警。要进一步加强检察机关的廉政建设，坚持群众路线，密切联系群众。要在干警中深入进行以秉公执法，不以权谋私为主要内容的廉政教育，认真贯彻执行最高人民检察院作出的检察人员“八要八不准”的纪律决定，坚持“从严治检”，发现问题，一定要认真调查，严肃处理，决不姑息迁就。同时，对秉公执法，廉洁奉公的先进典型，要大力进行宣传表彰，广泛开展争先创优活动，树立检察机关良好的形象。

福建省人民检察院工作报告（摘要）

——1990年4月25日在福建省第七届人民代表大会第三次会议上

福建省人民检察院检察长　陈明枢

（1990年4月27日福建省第七届人民代表大会第三次会议通过）

1989年是不平凡的一年，全省检察机关在省委、最高人民检察院的领导和省人大及其常委会的监督下，坚决贯彻党的十三届四中、五中全会和全国检察长会议精神，提出了“惩治犯罪，维护安定，服务整治，促进廉政，保护改革”的指导思想，认真履行宪法赋予的法律监督职责，始终突出反贪污贿赂斗争和依法严厉打击严重刑事犯罪这个重点；积极参加制止动乱和开展清查、“扫黄”、除“六害”等斗争，同时加强法纪检察，全面开展各项工作，取得了显著成效。

一、打击贪污、贿赂犯罪的情况

打击贪污、贿赂犯罪是法律赋予检察机关的主要职责，也是惩治腐败、推进廉政建设的重要措施。去年，全省检察机关把反贪污贿赂斗争列为打击经济犯罪的第一位工作，作为检察机关的工作重点，突出查处一批大案、要案。党的十三届四中全会之后，我们进一步加强了这项工作，实现了年初提出的“五个明显”成效：

一是立案侦查的贪污贿赂案件，特别是大要案明显增加。全省立案查处贪污贿赂案件1741件，比上一年增加1.96倍，其中：万元以上大案441件，占立案数的25.3％，增加4.6倍；县处级干部的要案38人，增加8.5倍。追缴赃款赃物计人民币1597.6万元，增加1.7倍。省检察院主办的一起驻外贸易单位的案件，包括副处级经理在内的3人贪污受贿达20多万美元。办案人员历经艰辛，到了七个国家和地区，行程7万多公里，在驻外单位和监察、外贸、审计等有关方面大力支持配合下，终于查清了这个案子，赃款已全部收缴，还协助公司追回被长期拖欠的货款300多万美元，现正在审查移送起诉。泰宁县检察院在市县党委、纪委和市检察院的有力领导和支持下，查获包括原县长王金锭和外贸公司经理施性田在内的32人贪污、受贿40多万元大案。最高人民检察院刘复之检察长赞扬：“泰宁县院真是好样的，敢向县长太岁头上动土。”鼓楼区检察院根据省电子器材公司的举报，挖出该公司业务员高雪官贪污56.5万元，挪用公款7.5万元的特大案件。

二是查处国家机关工作人员特别是执法人员的犯罪案件有明显进展。立案1518人，比上年增加3.5倍。公安厅继查获房一强盗卖出境卡，受贿13万余元的案件后，又挖出黄填明、孙发明等4人，利用职务之便，受贿近40万元的大案；浦城县庙弯检查站的经济问题，群众反映强烈，多年突不开，去年在全站25名职工中，竟查出17名犯罪，贪污受贿17万元，其中万元以上8名。

三是在系统领导的重视配合下，一些部门和单位的案件有明显突破。农行、粮食、建筑、外贸、供销等五个系统就立案

398件，占贪污贿赂立案总数的22.9%。东山县查出农行系统12人以贷谋私贪污受贿30万元、挪用公款10万元。

四是办案质量提高，办结的数量明显增加。已审结贪污贿赂案1239件，比上一年增加1.1倍，其中已提起公诉491件，增加44.4%。从年前全省性执法检查情况看，办案质量有所提高。

五是结合办案，积极提出检察建议，开展综合治理，在保护正常经济活动和服务生产方面，也取得明显效果。大田县检察院在去年4月办理乡镇企业上京煤矿的案件中，协助建章堵漏，综合治理，并在查证过程中，让3名投案自首贪污2.4万元的矿主干，戴罪立功，迅速扭转了生产滑坡的局面，各项工作都有发展，于10月底按《通告》精神作免诉处理。该矿去年产煤12万吨，创税利67.6万元，分别比上年增加78.1%和47.3%，而且治安好转，工伤事故下降40.3%，实现产量、税利、管理创历史最好水平。

当前，贪污贿赂犯罪的主要特点：一是权钱交易，内外勾结，多人同谋，共同犯罪的多，往往是突破一案，带出一串，挖出一窝。二是利用行业特权犯罪的突出，搞金融的以贷受贿索贿；掌管计划、物资的，利用紧俏物资倒卖营私；担负执法监督的，则仗势敲诈勒索；负责基建的，借审批、检验职权捞取私利。三是一人犯数罪的罪犯占相当比例，在441件万元以上的大案中占10.4%。四是帐外资金、"小金库"往往为贪污贿赂犯罪提供便利条件。五是新作案的多，1988、1989年作案的占立案总数的83.6%。

在反贪污贿赂斗争中，我们主要做了以下五个方面的工作：

1、认真贯彻执行《通告》。根据《中共中央、国务院关于近期做几件群众关心的事的决定》和邓小平同志的提议，最高人民法院、最高人民检察院发布《关于贪污、受贿、投机倒把等犯罪分子必须在限期内自首坦白的通告》(以下简称《通告》)后，各级检察机关立即在党委统一领导、部署和人大、政府的大力支持下，采取各种有效措施，大张旗鼓地进行宣传贯彻。省检察院派出工作组，由领导带队到各地检查督促指导，并及时总结经验，召开电话会议，通报情况，提出要求。各级检察院的工作也抓得很紧，同纪委、监察、公安、法院、司法，以及宣传文化部门、新闻单位等配合得比较好，从而迅速形成了反贪污贿赂的群众斗争声势，举报大量增加，有力地震慑了犯罪分子。在贯彻《通告》的两个半月中，全省检察机关收到举报各种犯罪线索7742件，比《通告》前七个半月还多260件。到检察机关投案自首的贪污贿赂违法犯罪人员608人，加上其他经济问题投案自首的共752人，其中党政机关工作人员286人，内含科级干部120人，县处级干部10人，地厅级干部1人。犯罪总金额783万元，退出赃款赃物计634万元。投案自首人员中，万元以上的126人，其中五万元以上的12人，十万元以上的5人。个人贪污数额最大的24.8万元，受贿最多的7.6万元。同时，被检察机关采取强制措施的人犯中，有393人坦白交代了罪行，犯罪金额450万元，退出赃款赃物计382万元。另外，还有283名在押人员检举揭发他人犯罪线索1073条。贯彻《通告》取得了较好的法制效果和社会效果。南安县物资局仓管员陈焕喻贪污2.3万余元，去年3月案发后潜逃，流窜六省十多个县，在《通告》的感召下，回南安向检察机关交代犯罪事实。出差在安徽的泉州市粮食局一名业务员，于《通告》时限最后一天打电话向泉州市检察院自首。泉州石狮常熟联合华侨食品厂经理，携带偷税款150万元，到检察机关投案。不少犯罪分子的亲属深明大义，规劝犯罪分子走坦白从宽之路。在《通告》限期的最后一天，全省有112人到检察机关投案自首。

各级检察院依照法律和《通告》的规定，对投案自首积极退赃的案件，经过认真查证核实，依法从轻、减轻或免予处罚；在规定期限内拒不坦白自首的，依法从严惩处，基本上做到了既贯彻从宽精神，又注意掌握依法宽严适度。截至今年2月底，对投案自首的已立案侦查379人，占应立案477人的79.5%。侦结282人，占立案人数的74.4%，其中免予起诉246人，提起公诉34人，不起诉2人。不够立案转有关部门处理的有275人。

2、加强领导，集中力量查处大要案。省检察院不仅要求各级检察院要投入主要力量进行反贪污贿赂斗争，而且一环扣一环，始终加强领导。去年3月初，召开全省电话会议，派出工作组，抓薄弱、促平衡；5月初，针对社会出现动乱情况，召开全省经检工作座谈会，分析研究对策促使立案数持续上升；7月底，召开分市院检察长座谈会，强调进一步集中力量抓大要案，采取各级检察长带头办案，实行领导挂帅，分级负责，“四定一包”（定案件、定人员、定时间、定领导，包质量），一抓到底的责任制。对地厅（局）级干部及其亲属的案件和对全省有重大影响的案件由省检察院主办或参办；县处级干部的案件一般由分市院主办，省检察院参办或督办。第三季度全省排出优先查处的41件重特大案件，到10月底基本办结后，又安排第四季度优先查处的42件大要案，到年底也已基本办结。去年，省检察院主办一起特大涉外案件，参办9起大要案，督办95起影响大的案件。

各级党委、人大和政府进一步加强了对检察机关的领导、监督和支持，做了大量的统一思想、协调工作，帮助解决了许多实际困难，要人抽人，要车派车，有力地推进了我们的工作。许多大要案都是在各级领导的亲自过问和支持下被揭露出来，并得到顺利查处。

3、发动和依靠群众，广辟案源。主要抓了以下五个环节：一是发挥举报机构主渠道作用。实践证明，发动群众举报是检察机关走群众路线的好形式。去年受理举报材料2万多件，其中贪污贿赂线索7679件，经过筛选先对其中比较有价值的进行了初查，从中立案侦查867件，占贪污贿赂立案总数的49.8%。对明显属于党政纪处理的线索材料，已及时转有关部门查处。还有相当一批举报线索，正在组织力量查处。二是发挥派出检察室作用。我省成立派驻检察室时间不长，但从它发挥的作用看，潜力很大，特别是重点乡镇检察室的作用尤为显著，它密切检察机关与群众的关系，增加了信息渠道和案源；加强检察机关的办案力量，加速了办案进度；打击犯罪，保护了国家、集体和群众的利益；推进综合治理，有助于预防和减少犯罪。全省269个检察室，据不完全统计，1985年至去年9月，受理举报、控申材料1932件，直接办理经济案件923件，协助办案826件，挽回经济损失4857万元。去年税务检察室通过办案追回税款1769万元。三是抓系统、系统抓。通过查处案件，主动同发案单位的领导机关联系，争取他们的配合支持，发挥系统的打击和预防犯罪的积极性。有的检察机关还与有关系统联合采取措施，加强对经济犯罪的综合治理。四是配合税务、财务、物价、信贷大检查和整顿公司，从中发现案件线索。五是进一步加强与纪委、监察、审计、工商、税务等部门的联系，互相配合，协调行动，优势互补，更有助于我们发现和查处犯罪。

4、认真执行政策，严格依法办案，坚持“一要坚决，二要慎重，务必搞准”的原则。在办案中，主动征求和听取各方面的意见，注意正确处理打击与保护、监督与服务的关系，自觉为治理整顿、深化改革，发展生产服务。对法律界限不明确、政策界限不清楚和有争议的案件，慎重研究，并及时向党委和上级检察院请示报告，不匆忙定案，更不轻易捕人。坚决纠正“以捕代侦”的错误作法，把好决定逮捕和起诉关。

5、开展法制宣传教育工作，积极提出检察建议，注意综合治理，从多方面预防和减少犯罪。各级检察院利用各种新闻媒介和宣传工具，结合典型案例，宣传党和国家惩治腐败的政策，宣传反贪污贿赂斗争对稳定局势和进一步治理整顿、深化改革的重要意义，增强干部群众的法制观念，提高反贪污贿赂斗争的积极性。据不完全统计，去年被报刊采用的宣传报道稿 1611 篇，广播电台采用 1559 篇（次），省级以上内部信息、简报等刊物采用 217 篇，印发“两高”《通告》10 万余份。同时，各级检察院还重视结合办案，向发案单位提出检察建议，协助建章堵漏，改善经营管理，促进综合治理。有的检察机关采取定点挂钩的形式，协助一些单位开展综合治理，减少和预防犯罪。

在反贪污贿赂斗争的同时，各级检察机关还立案查处偷税抗税等其他经济犯罪案件 491 件，比上一年增加 78.5%，追缴赃款 970 万余元。去年共立案查处各类经济犯罪案件 2232 件，比上年增加 1.6 倍，共追缴赃款赃物计 2590.4 万元，增加 64.4%。

去年，全省检察机关在反贪污、贿赂斗争方面虽然做了不少工作，取得较好成绩，但不可估计过高，贪污贿赂犯罪活动尚未得到有效遏制，更艰巨更复杂的工作还在后头。同时，我们工作中也存在一些缺点和不容忽视的问题。主要是：一些隐藏较深的犯罪分子尚未被揭发，群众反映大、问题多的一些系统、单位的案件还有不少尚未突开；工作发展不平衡；案多人少，查处工作跟不上，举报线索多，消化不良；一些检察人员业务素质不高，侦查工作经验不足，适应不了形势的需要；侦查设施缺乏、办案经费不足等也影响了工作。

从近年来查处的案件情况看，总体上说，应当肯定我们干部队伍是好的，是廉洁的。各级党政机关的廉政建设也正在不断加强。但丝毫不能因此而降低对贪污贿赂犯罪严重性、危害性的估计。许多事实说明，在新形势下，受资产阶级思想严重腐蚀的一些人，往往利用我们法制不完善、规章制度不健全，工作有不少漏洞，钻改革开放的空子，进行犯罪活动。因此，我们同贪污贿赂等经济犯罪作斗争是长期、艰巨、复杂的，是特殊形式的阶级斗争。我们检察机关要牢固树立长期作战的思想，防止自满松劲和畏难厌战情绪，坚持不懈地开展反贪污、贿赂斗争。

二、打击严重刑事犯罪的情况

依法从重从快严厉打击严重刑事犯罪活动是检察机关的一项长期的重要任务。一年来，全省检察机关与公安、法院、司法行政等部门密切配合，抓紧查处制造动乱的严重犯罪分子和严厉打击严重刑事犯罪分子。去年全省共受理公安机关提请批准逮捕人犯 13929 人，比上年增加 31.4%，经审查批准逮捕 11455 人，比上年增加 35.5%；受理公安机关移送起诉 7893 件 13436 人，经审查，已提起公诉

6113 件 9719 人，分别增加 21%和 26.9%。

同时，配合有关部门开展打击毁林犯罪活动，保护森林资源。全年共批准逮捕这类人犯 498 名，审查决定起诉 296 件 422 人。

去年，我们在严厉打击严重刑事犯罪活动中，着重做了以下几个方面的工作：

1、坚决查处制造动乱的严重犯罪案件。由于受到全国性动乱和北京地区反革命暴乱的影响，我省一些地方去年 5、6 月间，也发生了程度不同的动乱。全省检察机关注意掌握社会动态，及时向党政领导和上级机关提供有关信息，许多检察院还多次派员直接参加制止动乱工作。平暴后，我们积极参与清查工作，充分运用批捕、起诉、出庭支持公诉等法律手段，及时打击了极个别制造动乱的严重犯罪分子和反革命分子。

2、积极参加各种专项打击和专项治理。去年各级检察机关在当地党委、政府的统一领导部署下，同公安、法院等部门密切配合，积极开展了反劫车、反盗窃、反赌博、打流窜、"扫黄"、除"六害"等统一行动和地域性专项打击，仅第二季度就抽调 800 多人（次），参与打击流窜犯罪的专项斗争，依法批捕流窜犯 1033 人。第三季度，抽出更多的力量投入"扫黄"、除"六害"的统一行动和专项治理，批捕这类人犯 506 人，审查决定起诉 354 人，为取得这场斗争的初步胜利，发挥了检察机关的职能作用。

3、提前介入重特大刑事案件的侦查活动。我们注意加强同公安机关的联系，及时掌握社会治安动态和发破案信息，及时安排力量提前介入侦查、预审活动，熟悉案情，审阅案件的侦查材料，把工作做在报捕、移送起诉之前，提高了办案效率和质量，更好地贯彻了从重从快的方针。去年全省检察机关提前介入重特大案件约占其总数的三分之二，有力地支持公安机关第一线斗争，及时准确地打击犯罪。

4、加强侦查监督、审判监督和执行监督工作。过去的一年，各级检察院继续认真履行法律监督职能，防止错、漏案件的发生。在审查公安机关提请逮捕的人犯中，对不够法定逮捕条件的 901 人，作出不批准逮捕决定；追捕各类犯罪分子 266 人。对公安机关移送起诉，经审查不构成犯罪的 35 人作了不起诉的决定；追诉各类犯罪分子 75 人。纠正公安机关侦查活动中的违法情况 499 件（次）；纠正人民法院审判活动中的违法情况 94 件（次）。对人民法院确有错误的判决、裁定提出抗诉的案件 51 件。到去年底，已收到人民法院判决、裁定 22 件，其中改判 12 件。

监所检察工作加强了对监管改造场所的监督。去年共检察纠正监管改造场所中违法 1213 次；起诉劳改、劳教人员犯罪案件 100 件；查处监管干警违法犯罪 97 人，已提起公诉 7 人。同时，认真办理劳改和劳教人员申诉案件，对确有错误或不当的判决和裁定，建议有关部门复议，对那些无理申诉的也及时予以驳回，并加强认罪服法教育。

我省社会治安是基本稳定的，但形势仍然相当严峻复杂。这是因为各种社会矛盾和不安定因素还很多。严重刑事案件发案数较长时间居高不下，且有继续上升的势头；国外境外的敌对势力，对我渗透和颠覆破坏活动日益加剧，特别是我省处于反渗透、反颠覆、反破坏的前沿，斗争更为艰巨；在治理整顿过程中，经济上出现一些暂时的困难和问题，处理不当有的可能转化为政治上的不安定。此外，因山林、地界、水利、滩涂纠纷和"倒会"等问题引起的群众性械斗、打砸事件，也给一些地方的社会治安带来严重威胁。因此，我们要保持清醒的头脑，竭尽全力消除不安定因素，维护社会稳定。

三、查处侵犯公民民主权利案件的情况

依法查处侵犯公民民主权利和渎职犯罪案件，是检察机关的一项重要任务，是促进社会主义民主和法制建设的一项重要工作。去年共受理各类法纪案件1056件，比上一年增加5.6%，立案侦查264件，增加16.3%，已侦结215件，其中起诉106件135人，免诉105件134人。对不构成犯罪的法纪案件，及时转有关部门处理。在查处的案件中，玩忽职守、妨害邮电通讯、徇私舞弊和泄露国家机密等渎职犯罪案件30件，比上年增加30.4%；非法拘禁和重大责任事故等重大法纪案件28件，比上年增加1倍。

去年各级检察机关更加自觉地把受理公民的来信来访、控告申诉作为维护公民民主权利和人身权利，同腐败现象作斗争的一条重要渠道。共受理公民来信来访39457件（次），内含控告检举28700件（次），申诉2089件（次），其中，属于侵犯公民民主权利和渎职的占控告检举信件总数的30%。对应由检察机关查处的基本上进行了查处，其余的已转有关部门处理。我们坚决依法保护公民的合法权益，同时对于那些肆意践踏法律，破坏社会治安，侵犯他人合法权益、触犯刑律的分子，也坚决依法予以制裁。

四、加强队伍建设情况

加强思想政治工作，从严治检，提高队伍素质，是检察机关坚持正确的政治方向和完成各项任务的保证。在这方面，我们着重抓了这几件事：

一是坚持正确的政治方向教育。我们反复强调，检察机关是人民民主专政工具的重要组成部分，在任何时候、任何情况下，都要坚信党的领导，服从党的领导，反对资产阶级自由化，坚持四项基本原则，自觉地在思想上、政治上同党中央保持高度一致。在去年春夏之交的动乱期间，省检察院多次转发最高人民检察院或针对我省情况发出有关制止动乱的通知，及时组织学习中央领导的有关指示、讲话和《人民日报》社论等，使全省检察机关和广大干警及时了解情况，明确这场斗争的性质，在制止动乱中立场坚定、旗帜鲜明，积极参加斗争，经受了考验。寿宁县检察院和厦门市杏林区检察院还受到最高人民检察院的表彰。省委肯定我省检察系统“为保障安定团结的政治局面作出了贡献”、“对稳定福建局势起了重要作用”。

二是加强党性教育和自身廉政建设。我省检察队伍是好的，是有战斗力的。我们始终强调，检察机关要加强党的建设，廉洁奉公，勤政为民。许多检察院建立了党建室，积极开展党性教育。去年省检察院修订了廉政建设的“十条规定”，下发各地，要求结合实际贯彻执行。同时，加强了对广大干警马列主义的教育和思想政治工作，调动了广大检察人员的政治热情和工作积极性，从而在各项工作量成倍增加，且工作条件差、生活比较清苦的情况下，能恪尽职守，较好地完成了任务，涌现了许多先进集体和先进个人。厦门鼓浪屿区检察院只有19个人，去年仅经济案件就办了20件（其中大案11件），超过了前十年的总和，追缴赃款40万元。被评为厦门市检察系统反贪污贿赂斗争先进集体。三明市共13个检察院，就有12个被评为市县（区）的先进单位。有一半干警被市、县（区）和各部门以及业务系统评为各种先进个人。将乐县检察院刑检科长魏爱国，身患癌症，一再谢绝领导和同志的劝阻，仍坚持工作，去年主办了27起案件。他领导的刑检科，连续五年被评为市县检察系统先进集体。但近来干警中违法犯罪和违纪的有上升趋势，已引起我们各级检察院领导的严重注意，发现一起查处一起，绝不护短。

三是注意增强系统的整体战斗力。上级机关为基层办实事，增进上下之间互相理解、互相尊重、互相支持，整个系统就会形成合力，这样上级检察院作出的决定，下级检察院就能欣然接受，自觉贯彻。我们主要从这几方面做工作：(1) 政治上爱护。凡是中央、省委和最高人民检察院的有关的重大方针政策和重要部署，都及时传达贯彻，组织学习，不断增强党的领导和服务中心的自觉性。(2) 待遇上关心。为了解决上级文件规定的干警职级问题，我们多次找有关部门联系、反映，帮助落实。(3) 工作、学习上支持。特别是查处大要案中遇到阻力和困难时，上级检察院领导亲自过问，给予指导和支持；挤出人力、物力坚持办好电大普通班和法律专业证书班；采取"以会代训"形式，先后举办了刑检、经检、法纪、林检等六期业务培训班；选送人员参加中央高级检察官培训中心学习。(4) 千方百计为干警改善工作、生活条件。(5) 一级带一级，一级抓一级，互相监督，互相促进。

四是自觉接受人大及其常委会的监督。我们基本做到了全面工作定期报告，主要工作专题报告，人事任免事先报告，重大案件及时报告，交办案件优先查办，并邀请或接受人大代表视察工作，听取批评和建议，让人大及其常委会更多了解检察工作，更有力地监督和支持检察机关依法办案。

五是抓执法检查。去年第四季度，各级检察机关根据最高人民检察院和省人大常委会的部署，对自身执法情况进行检查。总的看，我省检察机关履行法律监督职责情况是好的，是严肃认真的，基本上做到严格依法办事，秉公执法，特别是自侦案件实行了侦诉分开，加强了内部制约，执法水平和办案质量有所提高。但也存在一些问题：有些地方法律监督职责还没得到充分、有效地发挥，有的没有认真履行自己的职责；超过办案期限在一些单位仍然存在；少数案件办案质量不高，个别案件明显处理不当。对发现的问题，我们已采取措施加以纠正，通过总结经验教训，改进工作。

五、1990 年检察工作的主要任务

根据全国检察长工作会议的要求和我省实际，今年我省检察工作，要以党的十三届四中、五中、六中全会精神为指针，牢固树立"稳定压倒一切"的思想，充分发挥法律监督职能，继续坚持"惩治犯罪，维护安定，服务整治，促进廉政，保护改革"的指导思想和"坚持两打，突出两反，加强法纪，带动全面"的工作部署。在深入开展反贪污贿赂斗争方面，要坚持检察机关的侦查工作，同群众斗争相结合的原则，深入发动群众举报，增强侦查意识，充实技术装备，加强反贪污贿赂工作机构，力争今年工作要取得"四个新的进展"，即：查处大要案，特别是党政机关、执法部门影响大的案件，要有新的进展；查处群众反映大、问题多的一些系统、部门的案件，要有新的进展；完善举报中心和发展重点乡镇检察室，在打击和预防犯罪、加强综合治理工作上，要有新的进展；加强侦查工作，完善分级办案责任制，在提高办案质量和效率上，要有新的进展。在刑事检察工作方面，要毫不放松地继续严厉打击严重刑事犯罪分子，特别是那些蓄意制造闹事和动乱、破坏社会稳定触犯刑律的分子，倾注全力维护社会稳定。为此，在工作中要狠抓“三个完善”，即：完善内部制约机制，完善提前介入制度，完善侦查和审判监督。在加强法纪检察方面，要突出查处重、特大案件。同时逐步开展对民事、行政诉讼实行法律监督，全面开展各项工作。严肃“八要八不准”检察人员纪律，切实加强队伍建设，努力提高执法水平。

江西省人民检察院工作报告（摘要）

——1990年4月23日在江西省第七届人民代表大会第三次会议上

江西省人民检察院检察长　王树衡

（1990年4月27日江西省第七届人民代表大会第三次会议通过）

1989年，在中共江西省委领导下，经过全省人民的共同努力，实现了我省社会的稳定，国民经济持续稳定增长。全省检察机关从稳定大局出发，积极为治理整顿、深化改革服务，把打击贪污贿赂犯罪和严重刑事犯罪作为工作重点，全面开展各项检察业务，充分发挥法律监督职能作用，工作有了新的进展。

一、打击贪污贿赂犯罪情况

全省检察机关遵照党中央、省委关于加强廉政建设的指示和最高人民检察院的部署，按照省七届人大二次会议批准的省检察院工作报告的要求，坚定地把打击贪污贿赂犯罪作为检察工作的重点。年初，省检察院提出了多办案、办大案、办好案和在办案数量、质量及社会效果上好于往年的奋斗目标。7月，根据党中央、国务院《关于近期做几件群众关心的事的决定》，强调集中力量侦破一批贪污贿赂大案要案。8月15日，最高人民法院、最高人民检察院《关于贪污、受贿、投机倒把等犯罪分子必须在限期内自首坦白的通告》发布后，全省检察干警全力以赴，狠抓宣传贯彻，掀起了反贪污贿赂斗争的高潮。年底，又及时依法惩处了一批拒不自首坦白的犯罪分子。经过一年的紧张工作，打击贪污贿赂犯罪有很大进展。全年共受理贪污贿赂案件3624件，立案1725件，分别比上年增加1.8倍和1.9倍。逮捕贪污贿赂人犯769人，向人民法院提起公诉833人（含上年结转数）。通过办案，追缴赃款赃物折合人民币1879万元。各级检察机关还积极参与了财务、税收、物价大检查和清理整顿公司工作，查处偷税抗税、挪用公款、假冒商标等经济犯罪案件435件，为国家和集体挽回经济损失285万元。去年办理的经济犯罪案件的立案数和挽回经济损失数，是我省1982年开展打击严重经济犯罪活动以来最多的一年。

打击贪污贿赂犯罪主要抓了五项工作：

1、贯彻“两高”《通告》取得明显的法制效果和社会效果。“两高”《通告》期间，各级检察机关在党委的统一领导和有关部门配合下，大张旗鼓地宣传《通告》精神，发动群众举报，及时兑现宽严政策，迅速形成了反贪污贿赂斗争的强大声势。全省共有1412名经济违法犯罪人员向检察机关投案自首，其中贪污受贿万元以上的83人，县（处）级干部27人；共交代违法犯罪金额865万元，已退出赃款赃物折合人民币678万元。有829名在押人犯和“两劳”人员坦白交代余罪、检举他人犯罪线索1300余条，退出和追缴赃款106万元。这期间，收到群众举报线索5376件，是《通告》前两个半月的3倍。

贯彻“两高”《通告》之所以取得显著成效，除了《通告》本身的法律、政策威力以外，主要是省委和各级党委强有力的领导，人大、政府的高度重视和支持。省委、省政府两次召开电话会议进行部署，省人大两次听取省检察院汇报。各地党委、政府把贯彻《通告》列入重要议事日程，主要领导亲自抓。各级检察院集中主要力量投入这项工作，先后派出400多个工作组、1400余名干警，深入重点单位进行宣传贯彻。张贴《通告》和印发宣传材料20多万份，广播、电视和报刊进行了广泛宣传。在强大的舆论攻势和政策感召下，迫使一批贪污、受贿、投机倒把等违法犯罪人员，走悔罪自新之路。与此同时，各地依据《通告》规定和法定程序，抓紧了对投案自首案件的查处工作，配合有关部门召开宽严大会126次，及时兑现政策，进一步分化瓦解了犯罪分子。

《通告》限期截止后，各地根据省检察院的部署，对在限期内攻守同盟、毁灭罪证、拒不投案的143名贪污受贿犯罪分子及时逮捕。继续宣传“惩办与宽大相结合”的政策，说明虽然《通告》规定的限期结束了，但是坦白从宽的大门仍然是敞开的。到今年2月底，又有56名犯罪分子向检察机关投案自首。去冬今春，抓紧了对《通告》期间投案自首案件的消化处理工作，现已基本处理完。

2、查处大要案有突破性进展。去年共立案侦查经济犯罪大案要案446件，其中万元以上贪污受贿案件273件，比上年增加1.6倍，五万元以上不满十万元的21件，十万元以上的8件。查处县（处）级干部贪污贿赂案犯52人，比上年增加5.5倍。这些案件发生在党政机关和行政执法部门的有105件，占大要案数的23%。对大要案的查处，敢于冲破“关系网”，顶住“人情风”，排除干扰，一查到底。为有利于办案，省和地、市检察院实行了分级负责制，涉及县（处）级干部犯罪案件，以分、市院为主查办；厅（局）级干部犯罪案件，以省检察院为主查办。

3、举报工作有新的发展。各地在深入发动群众举报的同时，对受理、查处、反馈、奖励、保密等都作了具体规定，把认真查处和信息反馈作为中心环节来抓，做到取信于民。湖口县、瑞昌县检察院对匿名举报采取出公告或到有关单位开会的方法，反馈查处结果。省检察院和多数检察院还坚持了“检察长接待日”制度。全年共收到群众举报21504件，其中检举贪污受贿案件线索10385件。尤其是《通告》期间，举报线索大幅度增加。举报已成为贪污贿赂案件来源的主要渠道，有一半以上的案件线索来源于群众举报。各地认真查处打击报复举报人的案件，对保护举报人的合法权益都很重视。

4、加强了侦查业务建设。去年首次召开了全省检察机关反贪污贿赂侦查工作会议，把侦查业务和技术建设作为反贪污贿赂的一件大事来抓。在办案中不断强化侦查意识，运用法律规定的各种手段，做好公开和秘密的调查取证工作。为实现对贪污犯罪案件的受理、初查和侦查的一体化，加强了专门侦查机构的建设，省检察院已成立反贪污贿赂工作局，各分、市院也正在筹备成立。

5、认真贯彻一要坚决、二要慎重、务必搞准的原则。办案中坚持以事实为根据，以法律为准绳，严格区分罪与非罪的界限，使办理的案件事实清楚、证据确凿、程序合法。坚持公民在法律面前一律平等的原则，不管什么人，只要触犯刑律的，都坚决依法查处。各级检察院实行了侦查和决定逮捕、起诉分开的内部制约以及大要案上报备查制度。针对出现的新情况、新动向、新特点，加强了适用法律政策的调查研究工作，提高了办案质量。

从我省去年查处的案件情况看，贪污贿赂犯罪确实是严重的。大要案发生在两个“补充规定”公布后的达80%以上，且犯罪金额越来越大；利用掌握人、财、物的管理权和审批权进行犯罪的突出；一案带多案和共同犯罪的明显增多。在改革开放的新形势下，由于历史的、社会的原因，加上外部资本主义的影响，一切向钱看的思想泛滥，贪污贿赂犯罪分子钻我们法制上不够完善，规章制度不够健全的空子，进行犯罪活动，有的相当猖獗，作案手段隐蔽狡猾，这是阶级斗争的一种表现。当前，查处贪污贿赂案件大幅度上升，主要是党委加强了领导，群众反腐败斗争的积极性高涨，因而揭露的问题多了。决不能认为贪污贿赂犯罪越打越多，腐败现象越来越严重。应当肯定，我省党政机关廉政建设是有成效的，绝大多数工作人员是廉洁自律的。那些顽固坚持资产阶级自由化的人，对党和政府恶意诽谤攻击，是毫无根据的。当然，我们也丝毫不可低估贪污贿赂犯罪的严重性和危害性，要充分认识反贪污贿赂斗争是一项长期的、复杂的、艰巨的任务。打击贪污贿赂犯罪是惩治腐败、保障改革开放和经济建设的重要措施，党和政府清除腐败的决心是坚定不移的。各级检察机关将继续发动和依靠群众，狠抓大要案的查处，把打击贪污贿赂犯罪毫不松懈地抓下去。

二、打击严重刑事犯罪情况

去年我省的社会治安情况总的来说是基本稳定的。特别是在春夏之交发生局部性动乱的严峻形势下，保持了社会的稳定，这是很不容易的。但是，社会治安还存在不少问题，人民群众反映强烈。全年刑事案件比上年增加94.9%，大案和特大案件大幅度上升。一些地方杀人、抢劫、诈骗、盗窃等犯罪猖獗，少数城镇和公路沿线“车匪路霸”、流氓团伙犯罪活动突出，卖淫嫖娼、传播贩卖淫秽物品、拐卖妇女儿童等社会丑恶现象又沉渣泛起。面对这种严峻形势，各级检察机关把坚持依法从重从快打击严重刑事犯罪活动，作为另一个工作重点。全年共受理公安机关提请逮捕人犯19325人，比上年增加38.6%。经审查，批准逮捕18036人，比上年增加39.8%；其中，批准逮捕各类重特大案犯2039人，比上年增加48.5%。共受理公安机关移送起诉案件10263件19755人，经审查，提起公诉9066件16774人，分别比上年增加26.7%和39.1%。决定免予起诉1269人；出庭支持公诉8067次。

1、坚决打击动乱和暴乱中的严重刑事犯罪分子。各级检察机关忠实地履行法律监督职责，以宪法和法律为武器，运用批捕、起诉、出庭支持公诉等法律手段，打击打、砸、抢犯罪分子的破坏活动。在清查工作中，派出检察人员，提前介入公安机关的侦查、预审活动，认真做好批捕、起诉工作。在办理这类案件时，严格依法办事，严格执行政策，严格区分两类不同性质的矛盾，准确掌握罪与非罪的界限。既态度坚决，毫不手软，又实事求是，稳、准、狠地打击极少数犯罪分子，争取教育和团结大多数，以维护社会的稳定。

2、积极参与专项斗争。配合公安机关开展了打击盗窃、抢劫、流窜犯罪，打击“车匪路霸”和哄抢林木、破坏通讯设备以及“扫黄”、除“六害”等专项斗争，依法严惩了一批危害大、情节恶劣的刑事犯罪分子。

3、坚持对公安机关侦查的重特大刑事案件的提前介入。参与重特大案件现场勘验1145次，预审活动1536次，提前阅卷1038件，使这项工作逐步做到了制度化。通过提前介入，熟悉了案情，核实了证据，加快了批捕、起诉速度。

4、加强侦查监督和审判监督。对公安机关提请逮捕的人犯，经审查不够法定逮捕条件，决定不批捕610人；对公安机关移送起诉的案犯，经审查不构成犯罪，决定不起诉55人。通过审查批捕、起诉工作，发现了漏罪漏犯，依法追捕360人，追诉122人；对法院判决适用法律不当、量刑畸轻畸重的案件，依法提出抗诉44件，法院审理后已改判28件。向公安机关、法院提出口头和书面纠正违法通知1563次，保证了法律的正确实施。

5、做好对刑事案件判决、裁定的执行和监管改造场所执法活动的监督。配合监管改造机关及时打击了劳改犯又犯罪和劳教人员的犯罪活动。决定批捕案犯37人，起诉212件230人。对管教干警违法犯罪案件，认真进行了查处，立案12件13人。提出纠正违法通知912件。受理“两劳”人员申诉案件1147件，自办183件。现有95%的看守所实行了驻所检察。在动乱期间，加强了监管改造场所的安全防范检查，严密注视监内动向，及时采取措施，保证了安全。

6、开展执法大检查。重点检查了不捕、不诉、免诉和有争议的案件共1245件，依法纠正6件8人。对《通告》期间投案自首和动乱中犯罪案件的处理情况，全面进行了复查。通过执法检查，改善了执法活动，提高了执法水平。

社会治安的好坏，直接影响到社会的稳定，影响到治理整顿、深化改革的顺利进行，影响到千家万户的安危，是人民群众和社会各界十分关注的问题。对我省存在的不安定因素和社会治安的严峻形势，必须有足够的估计。要清醒地看到，潜在的社会不安定因素大大多于往年，刑事案件还在继续增多，反革命案件明显上升，形势相当复杂和严峻，阶级斗争在一定范围内将长期存在，在某种条件下，还相当激烈。对此，切不可掉以轻心。各级检察机关对维护社会稳定负有重要职责，竭尽全力维护社会稳定是今后一个时期检察工作的基本指导方针。我们要继续依法从重从快打击严重刑事犯罪活动，配合公安机关和武警部队处理好可能出现的突发事件，努力为治理整顿、深化改革和经济建设创造一个良好的社会环境。

三、查处侵犯公民民主权利、人身权利和渎职犯罪案件情况

查处侵犯公民民主权利、人身权利和渎职犯罪案件，是反腐败斗争的组成部分，是法律赋予检察机关的重要职责。各级检察院把保障公民民主权利、人身权利和查处渎职犯罪作为重要任务。去年共受理这类案件1418件，比上年增加23.2%；立案414件，增加20%。其中，侵犯公民民主权利、人身权利的非法拘禁、报复陷害等案件153件；玩忽职守、徇私舞弊、私放罪犯、妨碍邮电通讯等渎职案件57件；重大责任事故案件154件。依法决定逮捕167人，提起公诉260人。

1、查处大要案上升。全年立重、特大案件85件，比上年增加58%。省检察院直接参与了对抚州地区驻夏门抚新发展公司副经理洪水潮玩忽职守，造成化肥货款992万元被骗（已提起公诉）等9件重、特大案件的查处。

2、严肃查处伪证、报复陷害等案件。在打击贪污贿赂犯罪活动中，尤其是在贯彻“两高”《通告》工作中，注意收集和掌握这类案件线索，一经发现，就及时立案查处。共立案12件，比上年增加1.4倍。

3、认真做好控告申诉检察工作。各级检察院在建立检察举报制度的同时，进一步完善了接待来访、处理来信的工作程序。全年共受理各类控告申诉来信来访29410件（次），比上年增加36%。复查了不服逮捕、不服免予起诉决定和不服法院判决的申诉案件262件，已纠正12件，建议法院改判3件。

我们党和政府历来十分重视保障公民民主权利、人身权利以及其他合法权益，我国宪法和刑法对保护公民民主权利、人身权利都有明确规定，我省检察机关为之进行了不懈的努力。但是，这类案件仍很突出，情况复杂，查处难度大。检察机关必须有强烈的社会主义民主意识和依靠群众、服务群众的观点，在工作中充分依靠群众，自觉坚持党的群众路线，严肃查处侵犯公民合法权益的犯罪活动。最近，最高人民检察院公布了“侵权”、渎职犯罪案件的立案标准，我们要广泛宣传，以推动法纪检察工作的深入开展。要保障公民依法行使控告、申诉、检举权，并逐步开展对民事、行政诉讼实行法律监督的试点工作。

四、参与综合治理情况

各级检察院一手抓打击，一手抓预防，紧密结合检察业务，采取多种形式，大力开展法制宣传，提供法律服务，积极参与综合治理。在出庭支持公诉中，发表公诉词6320篇，揭露犯罪，张扬法制。还运用发生在人们身边的典型案件，有针对性地进行生动的法制教育。各级检察院都建立了社会治安综合治理联系点。加强了对监外罪犯执行情况的检察和“两劳”回籍人员、免诉人员的回访考察工作。注意结合办案，针对发案单位存在的问题，提出检察建议，帮助堵塞漏洞，完善管理制度，预防和减少犯罪，促进生产的发展。解决社会治安问题，必须动员全社会力量，广泛发动和组织群众，实行谁主管谁负责的办法，进行有效的综合治理。我们要认真总结参与综合治理和提供法律服务的新经验，扎扎实实地做好工作，认真落实各项措施，把综合治理工作推向前进。

五、检察队伍建设情况

按照最高人民检察院提出的“严格依法办案，秉公执法，掌握政策，实事求是，联系群众，精通业务”的要求，去年狠抓队伍建设，取得了明显的进步。

大力加强思想政治工作。各级检察院根据党委的部署，在干警中进行了坚持四项基本原则、反对资产阶级自由化的教育和全心全意为人民服务的教育，认真贯彻党的十三届四中、五中全会精神，学习马列主义、毛泽东思想和邓小平同志的著作，使广大干警的思想政治觉悟有很大提高，在大是大非问题上不转向。在去年春夏之交的动乱中，我省检察干警，立场坚定，旗帜鲜明，经受了严峻的考验和锻炼。坚决拥护党中央的决策，严守纪律，坚守岗位，服从命令，听从指挥，在政治上、思想上、行动上和党中央保持了高度一致。赣州市检察院和景德镇市浮南地区检察院，在制止动乱中表现突出，分别被最高人民检察院通令嘉奖和授予先进集体。事实证明，我们这支队伍是可以信赖的，是忠于党、忠于人民的。

开展争先创优活动。广大干警在任务

繁重，工作和生活条件较差的情况下，超负荷工作，涌现出一大批先进集体、先进个人和模范人物。去年受到省检察院表彰的先进集体和立功单位124个、先进工作者和立功人员131人。崇义县检察院检察长彭良三光荣地出席了全国劳动模范和先进工作者表彰大会。

坚持为检清廉。检察机关是法律监督机关，加强廉政建设，忠于职守，反对腐败，尤为重要。各级检察院深入进行一切为群众着想，做人民公仆的职业道德、职业纪律、职业责任教育，建立了监督制度，增强了干警的抗腐蚀能力。拒说情、拒吃请、拒贿赂已成风气。武宁等6个县检察院和12名干警，被评为全省政法系统廉政建设先进单位和个人。樟树市检察院检察长刘泉根，秉公执法，廉洁办案，受到群众的称赞。

自觉接受监督。各级检察院坚持了向人大报告工作的制度，对重大工作部署、重要情况，及时向人大常委会汇报和向政协通报。邀请人大代表和政协委员视察工作，听取意见和批评。通过召开新闻发布会等形式，增强检察工作的透明度，广泛接受社会舆论和人民群众的监督。

抓紧业务培训。有近2000名干警参加法律专业学习，还开办了各种专业培训班，干警政治、业务素质有了提高。

建立一支政治上永远合格的检察队伍，这是新形势、新任务对检察机关提出的要求。我们面临着坚持四项基本原则、反对资产阶级自由化、反渗透、反颠覆、反和平演变和反腐蚀斗争的考验，务必进一步强化检察机关的思想政治工作。要组织干警继续认真学习马克思主义哲学，深入持久地进行党的基本路线教育，认真贯彻落实六中全会通过的《关于加强党和人民群众联系的决定》和全国七届人大三次会议精神，大力开展学雷锋、树新风活动，开展遵纪守法，文明办案，勤奋学习，无私奉献，多为群众办好事的争先创优活动。坚定共产主义信念，增强公仆意识，密切联系群众，做“四有”新人。进一步加强政工机构和队伍建设、省检察院已成立政治部，分、市院成立政治处，县（市）、区检察院将配备政治协理员和设立协理员办公室。

去年的检察工作虽然取得了一定成绩，但同党和人民的要求还有差距，工作中有不少问题和困难。一是打击贪污贿赂犯罪，无论在广度和深度上都很不够，现在查处的案件，多数是浮在面上的，对那些隐藏深、犯罪手段狡猾的犯罪分子还没有挖出来；二是对面临的严峻治安形势，结合办案分析研究不够，参与社会治安综合治理，有些工作要进一步落实；三是法纪案件的查处仍是个薄弱环节，“侵权”、渎职案件呈上升趋势，尤其对执法人员犯罪案件查处不够有力；四是对侦查、审判活动监督和执行监督不够有力，缺少监督手段和措施；五是有的检察院思想作风建设抓得不够紧，违法乱纪时有发生，去年受到各种处分的有18人；六是检察机关的技术装备落后，自侦工作和提前介入缺少必要的交通、通讯和勘验设备，不能适应办案的需要。这些都有待在今后改进和加强。

山东省人民检察院工作报告（摘要）

——1990年3月1日在山东省第七届人民代表大会第三次会议上

山东省人民检察院检察长　臧　坤

（1990年3月4日山东省第七届人民代表大会第三次会议通过）

一

省第七届人民代表大会第二次会议以来，全省各级检察机关在最高人民检察院和省委的领导下，在各级人大常委会的监督下，紧跟党中央的战略部署，坚持正确的政治方向，旗帜鲜明地参加了制止动乱和平息暴乱的斗争，严厉打击了各种刑事犯罪分子；把反贪污、贿赂作为各级检察机关的突出工作重点，深入开展了反贪污、贿赂斗争；同时紧紧围绕治理整顿和深化改革，认真履行法律监督职责，积极开展了各项检察业务，为维护社会安定，促进廉政建设，保证国家法律的正确统一实施，保障治理整顿和深化改革的顺利进行，做出了应有的贡献。

（一）围绕惩治腐败和廉政建设，深入开展了反贪污、贿赂斗争。

一年来，全省检察机关坚决贯彻执行了党中央、全国人大常委会有关惩治腐败、加强廉政建设的指示、决定，遵照最高人民检察院和省委的部署，把反贪污、贿赂斗争作为打击经济犯罪第一位的工作和检察机关的工作重点。特别是党的十三届四中全会之后，根据中央关于“坚决惩治腐败，切实做好人民群众普遍关心的事情”的指示精神，把反贪污、贿赂斗争作为惩治腐败总任务中的一项重要任务，进一步加强了领导，强化了措施，立案侦查的贪污、贿赂案件大幅度上升，特别是侦破大案要案有突破性进展。去年，全省共立案查处经济犯罪案件6355件，比上年增加74.3%；其中贪污、贿赂犯罪案件4443件，比上年增加1.35倍。查处经济犯罪大案要案1247件，比上年增加1.6倍；其中犯罪数额在万元以上五万元以下的贪污、贿赂大案591件，比上年增加3.8倍，犯罪数额在五万元以上十万元以下的25件，十万元以上二十万元以下的18件，二十万元以上的7件。立案查处的党员经济犯罪案件1531件，比上年增加1.36倍；立案查处科级干部犯罪案件584件，比上年增加111.6%，县级以上干部贪污、贿赂案件77件，比上年增加4.5倍（其中厅局级干部2名）。通过办案共追缴赃款、赃物折合人民币6209万元，比上年增加59%。深入开展反贪污、贿赂斗争，体现了党和国家惩治腐败、加强廉政建设的决心和行动，反映了广大人民群众的愿望和要求，增强了广大干部、群众同腐败现象做斗争的积极性。

在深入开展反贪污、贿赂斗争的同时，各级检察机关还密切配合税收、财务、物价大检查，查办了偷税、抗税罪案790件、假冒商标罪案39件，挪用公款罪案550

件，通过查处这些案件，强化了法制观念，维护了经济秩序。

在开展反贪污、贿赂斗争中，我们主要抓了以下工作：

1. 不断深化认识，增强反贪污、贿赂斗争的自觉性。

坚决惩治腐败，加强廉政建设，同贪污、贿赂等经济领域内的严重犯罪作斗争，是党的建设的一项重要任务，是人民群众普遍关心的事情，也是检察机关的工作重点。全省检察机关坚持用党的十三届四中、五中全会精神和邓小平、江泽民等中央领导同志的有关论述，不断统一检察人员的思想。并联系东欧一些国家发生的变化和去年春夏之交国内发生的动乱、暴乱的沉痛教训，教育检察人员充分认识同贪污、贿赂等经济犯罪和腐败现象作斗争，实质上是经济领域内一场特殊形式的阶级斗争，是一场关系到党和国家生死存亡的政治斗争。这是一场长期的、艰巨的、复杂的斗争，必须充分发挥法律监督机关的职能作用，把反贪污、贿赂斗争作为检察机关的一项长期的重要任务抓紧抓好。从而使广大检察人员进一步增强了反贪污、贿赂斗争的责任感和自觉性，激发了斗争热情。在斗争复杂、任务繁重、条件艰苦的情况下，广大检察人员始终以饱满的政治热情和顽强的拼搏精神进行工作。在去年动乱最严重的第二季度，全省检察机关和检察人员排除干扰，坚守岗位，积极开展反贪污、贿赂斗争，共立查贪污、贿赂等经济犯罪案件 1454 件，是第一季度立案数的 2.8 倍；下半年立查的贪污、贿赂等经济犯罪案件，超过上年全年立案数的 20%。

2. 突出重点，狠抓了大案要案的查处。

各级检察机关坚持把查处大案要案作为反贪污、贿赂斗争的主攻方向，对贪污、贿赂大案要案，集中力量进行突破。为了加强对查处大案要案的领导，我们实行了分级负责制度和检察长办案制度。厅局级干部以及在全省有重大影响的案件，由省检察院为主查办；县处级干部以及在地、市范围内有重大影响的案件，由地、市检察院为主查办。特别是对干扰多、阻力大、案情复杂的大案要案，各级检察长都以身作则，亲自参加办理，先后突破了一批职务较高、隐藏较深、犯罪数额较大的案件。这些案件的查处，在社会上引起了强烈反响。

3. 依靠广大群众，大力开展举报工作。

各级检察机关把举报工作作为依靠和发动群众同贪污、贿赂犯罪作斗争的有效途径，重点抓了法制宣传、案件查处、制度落实三项工作，进一步调动了广大群众同贪污、贿赂等犯罪活动作斗争的积极性。1989 年，全省检察机关共受理群众举报的贪污、贿赂违法犯罪线索 22773 件。从中已立查贪污、贿赂犯罪案件 2564 件，占立查全部贪污、贿赂犯罪案件数的 57.7%。

4. 认真贯彻“两高”《通告》，敦促犯罪分子自首坦白。

最高人民法院、最高人民检察院《关于贪污、贿赂、投机倒把等犯罪分子必须在限期内自首坦白的通告》发布后，全省检察机关把贯彻执行《通告》作为一项突出的重要任务来抓，在任务繁重、人员紧张的情况下，切实加强领导，周密安排部署，与有关部门密切配合，通过多种渠道，采取多种形式，做了大量的宣传工作，取得了较好的法制效果和社会效果，有力地推动了反贪污、贿赂斗争的深入发展。自 1989 年 8 月 15 日至 10 月 31 日，全省共有 2159 名违法犯罪人员到检察机关投案自首。自首交待犯罪金额在万元以上的 418 件，其中五万元至十万元的 36 件，十万元至三十万元的19件，三十万元以上的6件。共交待违法犯罪金额1881万元，已退回赃款赃物计人民币1265万元。在投案自首人员中，厅局级干部1人，县处级干部29人，科级干部204人。

各级检察机关通过查证、核实工作，已对740起自首坦白案件依法进行了处理，对已调查核实的521名自首坦白的犯罪分子依法做出了免予起诉的决定，对提起公诉的也都依法向法院提出了从轻或减轻处罚的建议。

5. 严格依法办案，保证办案质量。

在办理贪污、贿赂等经济犯罪案件中，各级检察机关认真贯彻执行了“一要坚决，二要慎重，务必搞准”的原则，严格掌握立案标准，坚持实事求是，注重调查研究，以事实为根据，以法律为准绳，准确地认定案件的性质，严格区分贪污、贿赂犯罪与不正之风的界限、改革中的失误与犯罪的界限。同时认真贯彻执行了侦查与逮捕、侦查与起诉分开的制度和免诉案件报经上一级检察机关备案审查制度，不断完善了内部制约机制，从而较好地保证了办案质量。

6. 积极争取党委领导和人大、政府的监督、支持。

检察机关的反贪污、贿赂斗争，是党和国家惩治腐败、建设廉洁政治的重要组成部分，单靠检察院自身的力量是不够的，必须在党委领导下，动员广大群众和社会各界力量来进行。因此，各级检察机关在开展反贪污、贿赂斗争中，经常主动地向党委、人大汇报工作，对干扰多、阻力大、案情复杂的大案要案，及时向党委、人大汇报，请求给予支持。去年以来，各级党委普遍加强了对检察机关反贪污、贿赂工作的领导，把这项工作列入了重要议事日程，从指导思想、工作部署、组织发动、力量配备等方面予以关心、支持。各级人大常委会也非常重视对检察机关反贪污、贿赂工作的监督。省七届人大常委会第十三次会议听取了省人民检察院《关于全省检察机关反贪污、贿赂斗争情况的报告》，肯定了成绩，提出了希望和要求。各级人大常委会的监督，保证了检察机关正确履行法律监督职能。同时，各级检察机关在反贪污、贿赂斗争中，及时向政府和有关部门通报情况，积极主动地争取各级政府的支持。许多地方政府及时帮助检察机关解决了在办案经费、侦查技术装备等方面的一些实际困难，保证和促进了反贪污、贿赂斗争的深入开展。

（二）围绕国家安全和社会安定，坚决严厉打击了严重刑事犯罪活动。

全省检察机关认真贯彻依法“从重从快”严厉打击严重刑事犯罪活动的方针，较好地完成了各项刑事检察任务。

去年4月以来，全省检察机关把严厉打击动乱、暴乱中的打、砸、抢、烧等严重刑事犯罪分子当作一项首要的政治任务，积极投入了制止动乱、平息暴乱、稳定局势的斗争，集中查处了一批在动乱、暴乱中进行打、砸、抢、烧等犯罪活动的案犯。

根据党委、政府的统一部署和社会治安的突出问题，各级检察机关积极配合公安、法院等有关部门，开展了“反扒窃”、“打流窜、挖团伙”、“打击拐卖人口犯罪”和“扫黄”、“除六害”等专项斗争与专项治理，坚决贯彻依法“从重从快”的方针，继续严厉打击了严重刑事犯罪分子。1989年，全省检察机关共受理公安机关提请逮捕的各类刑事案犯27326名，批准逮捕24125名，分别比上年增加42%和45.5%；受理公安机关移送起诉的各类刑事案犯27895名，决定起诉22503名，分别比上年增加了49.9%和50.5%。在办案中，各级检察机关执行了提前介入公安机关对重大刑事案件的侦查、预审活动制度，缩短了办案时间，提高了办案质量，加强了法律监督，使批捕、起诉严重刑事犯罪分子的工作，更加及时和准确。

（三）在保证工作重点的同时，积极开展了各项检察业务，全面履行了法律监督职责。

在开展法纪检察工作中，全省检察机关把依法查处侵犯公民民主权利、人身权利和渎职犯罪案件，作为反腐败斗争的重要组成部分，列入重要议事日程，切实加强领导，强化办案措施，严肃查处了一批案件。全年共受理法纪案件2418件，立案查处1052件，其中查处大案要案125件，比上年增加35.9%。在查处的侵犯公民民主权利、人身权利案件中，重大案件16件；国家机关工作人员和企事业单位的管理人员因严重渎职或违章作业、违章指挥，致使人民生命、国家财产蒙受重大损失的渎职和重大责任事故案件387件。通过查处“侵权”和渎职等犯罪案件，对惩治腐败、促进廉政建设，保护公民的合法权益，维护国家的正常工作秩序，起了重要作用。

监所检察工作，在加强对刑事判决、裁定执行监督的同时，严厉打击了被监管人员的重新犯罪活动，进一步保证了党的“两劳”方针的贯彻落实。在贯彻“两高”《通告》期间，配合监管改造场所敦促在押人犯交待余罪、检举他人犯罪，收到了明显的效果。全省有310名在押人犯主动坦白交待了余罪，检举揭发他人违法犯罪线索3444条。

控申检察工作，在重点抓好举报工作的同时，认真接待和处理了群众的来信来访，积极查办各类控告申诉案件，妥善处理了一批“告急”信访和上访“老户”的问题，全年共受理来信来访85615件（含群众举报42363件），比上年增长90.9%，查办各类控申案件164件，较好地发挥了检察机关联系人民群众的纽带、桥梁作用和法律监督作用。

为了更全面地履行法律监督职责，严格监督执法活动，一年来，全省各级检察机关依照法律规定，坚持与公安、法院等执法部门互相配合、互相制约、各司其职、各负其责，认真地贯彻了有法必依、执法必严、违法必究的法制原则，从而进一步保证了法律的正确实施，维护了法律的尊严。

（四）坚决贯彻“从严治检”方针，加强了队伍建设。

一年来，各级检察机关进一步加强了思想政治工作，认真开展了执法大检查活动，深入进行了党的基本路线教育、共产主义理想教育、爱国主义和自力更生、艰苦奋斗教育、廉政教育和职业道德、职业责任、职业纪律教育，不断提高了广大检察人员的政治觉悟和执法水平。在制止动乱、平息暴乱斗争中，全省检察人员立场坚定，旗帜鲜明，坚守岗位，坚定不移地拥护党中央的正确决策，较好地完成了省委和各级党委交办的任务，在斗争中经受了严峻考验，涌现出一批先进人物和先进集体。同时，各级检察机关进一步加强了干部教育培训工作，到目前为止，已基本完成了普及中专教育的任务，第一期电大、专业证书班已有2560名检察人员通过考试取得合格成绩，有力地促进了业务水平的提高。

回顾一年来的工作，虽然取得了一定成绩，但也存在不少缺点和应当重视的问题。一是工作发展不平衡，在部分地区的个别单位，反贪污、贿赂工作还没有打开局面；二是有的检察人员对当前个别地方出现的有关惩治腐败的一些片面认识和非议缺乏正确对待；三是少数检察人员执法不严甚至违法乱纪、徇私枉法的现象时有发生。去年，全省共有9名检察人员为此受到处分；四是专门的侦查工作还比较薄弱，办案力量与办案任务之间的矛盾比较突出，办案经费、交通工具和技术装备方面还存在一些实际困难。

二

1990年是90年代的第一年，又是贯彻治理整顿、深化改革方针的关键一年。全国和全省检察长工作会议确定，1990年检察工作的指导思想是，认真贯彻党的四中全会和五中全会决定，充分发挥法律监督职能，坚决惩治贪污、贿赂犯罪，严厉打击严重刑事犯罪活动，维护正常的经济秩序和社会秩序，保障进一步治理整顿和深化改革的顺利进行，促进国民经济持续、稳定、协调发展，为社会安定和国家安全做出新贡献。根据最高人民检察院、省委的部署、要求和本次省人民代表大会精神，在新的一年里，我们将重点抓好以下几个方面的工作：

(一)用党的五中全会精神和党中央有关稳定社会局势的指示，指导和总揽检察工作的全局。

当前最重要的，压倒一切的是稳定国内的局势。检察工作必须服从和服务于这个大局，紧紧围绕稳定局势这一中心来开展各项检察业务工作。我们要认真组织全体检察人员深入学习党的五中全会精神，牢固树立为治理整顿、深化改革、稳定局势服务的观点，用党的五中全会精神统一全体检察人员的思想和行动，指导和总揽检察工作全局。要明确检察工作在治理整顿、深化改革中的地位和作用，增强使命感和责任感。特别是在当前国际风云变幻、东欧局势急剧动荡的形势下，一定要保证全体检察人员做到，在渗透反渗透、和平演变与反和平演变的斗争中，保持清醒的头脑，站稳无产阶级立场，坚定社会主义信念，胸怀全局，立足本职，认真履行检察机关作为人民民主专政工具的职能作用，为维护国家政治、经济的稳定与发展贡献力量。

(二)坚定不移地把反贪污、贿赂斗争深入持久地开展下去。

前一时期反贪污、贿赂斗争的实践证明，我们党和政府从整体上是廉洁的，绝大多数党员和国家干部是秉公办事、为政廉洁的，是经得起执政和改革开放考验的。但是也必须看到，党政机关工作人员中确实存在着某些腐败现象。这些腐败现象虽然只是发生在少数人身上，却严重损害了党和国家在人民群众中的形象，严重玷污了改革开放的声誉，直接侵害着国家和群众的利益，干扰着改革与建设的顺利进行。前一段反贪污、贿赂斗争所取得的成绩仅是初步的，不能估计过高。从当前的实际情况看，贪污、贿赂等经济犯罪活动仍很严重，许多隐蔽较深的犯罪分子还没有被揭露出来，边打边犯顶风作案的现象比较突出。由于资产阶级自由化思想的影响，剥削阶级腐朽思想的侵蚀，国内外敌对势力的渗透，诱发经济犯罪因素还将会增多，贪污、贿赂犯罪作为一种社会现象，将会长期存在，我们面临的任务还相当艰巨。因此，我们一定要教育全省检察人员不断提高对惩治腐败和反贪污、贿赂斗争重要性、紧迫性、长期性、复杂性的认识，防止和克服松懈、自满、厌战情绪，始终抓住侦破大案要案这个中心环节，努力提高办案质量，把反贪污、贿赂斗争深入持久地开展下去，坚持和运用一些成功的经验，并不断改进和强化斗争措施，创造和摸索新的经验，以不断推动斗争向纵深发展。

（三）继续贯彻依法“从重从快”方针，严厉打击严重刑事犯罪活动。

由于受国际大气候和国内阶级斗争及经济、社会生活中诸多复杂情况的影响，社会治安形势仍很严峻。我们一定认真履行刑事检察职能，继续做好彻底清查暴乱分子的工作；继续与公安、法院等有关部门密切配合，开展“除六害”和“扫黄”等专项斗争与专项治理；继续密切注视国内外阶级斗争的新动向，做好应付突发事件的必要准备工作，发现闹事苗头，及时采取有效措施坚决予以制止。

（四）正确处理重点与一般的关系，努力做好各项检察工作。

在突出反贪污、贿赂斗争和打击严重刑事犯罪活动这两个工作重点的同时，对其他各项检察业务工作统筹兼顾，科学安排。围绕检察机关的中心任务和工作重点，进一步加强法纪、监所、控申检察工作，使各项检察业务工作同步协调，相互促进，全面发展，以充分发挥检察工作的总体效能。

（五）大力加强思想政治工作，进一步搞好队伍建设。

要组织检察人员认真学习马列主义、毛泽东思想的基本理论，不断提高政治敏锐性和工作的科学性、预见性。结合检察人员的思想实际，联系当前国际国内政治形势，深入进行党的基本路线和坚持四项基本原则、反对资产阶级自由化的教育，牢固树立为巩固人民民主专政、维护安定团结而做好检察工作的思想；结合检察业务重点和各项具体任务，抓好经常性的思想政治工作，把思想政治工作渗透到检察工作的各个环节，充分调动检察人员的工作积极性；加强廉政教育，严肃查处检察人员的违纪违法事件，保持检察队伍的纯洁性；贯彻“巩固、提高”的方针，继续做好干部教育培训工作，不断提高检察人员的执法水平和业务能力，切实保证各项检察工作任务的完成。

河南省人民检察院工作报告（摘要）

——1990年4月23日在河南省第七届人民代表大会第三次会议上

河南省人民检察院检察长　席宝山

（1990年4月25日河南省第七届人民代表大会第三次会议通过）

1989年是很不寻常的一年。党中央、国务院领导全国人民在制止动乱、平息北京地区反革命暴乱之后，克服了重重困难，巩固和发展了我国社会主义阵地，取得了历史性的伟大胜利。在这场惊心动魄的政治斗争中，全省检察干警始终同党中央保持高度一致，坚决执行党中央的一系列重大决策，认真贯彻党的十三届四中、五中全会精神，切实履行法律监督职能，严厉打击贪污、贿赂犯罪分子和其他严重刑事犯罪分子，为捍卫国家安全，维护社会安定，促进廉政建设，保障国民经济持续、稳定、协调发展，做出了应有的贡献。

一、积极开展了反贪污、贿赂斗争，促

进廉政建设

开展反贪污、贿赂斗争，是治理整顿、深化改革和推动廉政建设，稳定国家局势的需要。去年全省检察机关把反贪污、贿赂斗争列为打击经济犯罪的第一位工作，作为检察机关的工作重点，集中主要力量，查处大案要案，取得了明显成效。据统计，1989年，全省检察机关共受理各类经济案件8822件，立案侦查4341件，其中贪污案件2338件，贿赂案件834件，分别是1988年的1.75倍和3.58倍。通过办案，为国家和集体挽回经济损失6883万余元。这些都超过了检察机关重建以来的任何一年。

在反贪污、贿赂斗争中，我们主要抓了以下几点：

1、采取有力措施，查办大案要案。查处大案（即贪污、贿赂万元以上）要案（即县以上干部的犯罪案件），影响大，震动大，能够有力地震慑犯罪分子，鼓舞群众，具有重大的政治、经济和社会意义。1989年，各级检察机关共查处大案要案1074起，占立案总数的24.7%，是1988年的1.44倍，其中要案90起，是1988年的10倍。在查处大案要案方面，各级检察机关普遍采取了以下措施：

一是分类排队，分工负责，分级管理，分批突破。一般重大案件，由县、区检察院负责查办；县处级干部犯罪案件，以地、市检察院为主查办；厅局级干部犯罪案件，以省检察院为主查办。同时，对特大案件和县处级以上干部的要案，省检察院统一排队，组织力量，分批突破。去年，省检察院先后两次抽调85名干部，组成23个办案组，分赴各地参与办理大要案46件。各地、市检察机关也先后抽调250名干部，组成81个办案组，查处大要案187件。

二是各级检察长带头办案。鉴于大案要案具有情况复杂，阻力和困难较大等特点，各级检察长坚持站在斗争的第一线。据统计，全省各级正副检察长679人，参加查办大要案的达442人，查办大要案1072件，已办结935件。其中省检察院的正副检察长参与办理了5起地厅级干部的犯罪案件。

三是加强与有关部门的紧密配合。去年6月，由省检察院建议省委成立了由省委负责同志牵头，省政府、纪委、检察、监察等部门领导同志参加的查办大要案领导小组，地、县两级也成立了相应的组织，协调各方面的力量，对大要案进行重点突破，取得了较好的效果。郑州市自去年9月成立查办大要案领导小组以来，共立案查处大要案282件，其中县处级干部44人，地厅级干部2人，除了作党纪、政纪处理的134人外，其他的由检察机关查处。实践证明，这种做法既有效地发挥了各个监督职能部门的作用，也防止了“以纪代刑”、“以罚代刑”的错误作法，是什么问题定什么问题，该怎样处理就怎样处理，保证了国家法律的统一正确实施。

四是集中有限的人力、物力、财力，保证查办大要案的需要。各级检察机关在人员不足、经费紧张、交通工具短缺的情况下，牢牢把握查处大要案这一工作重点，优先安排力量，保证必须的经费和车辆，使查办大要案的工作得以顺利开展。同时，各级党委、人大和政府对查办大要案，也给予了很大的关切和支持，解决了办案中的不少困难。特别是对查办有影响的案件，主要领导同志都亲自过问，主动排除干扰阻力，使不少难案得到了顺利突破。

2、继续抓好举报工作，发动和依靠群众同腐败现象作斗争。在开展反贪污、贿赂斗争中，各级检察机关高度重视举报工作，并运用多种形式搞好宣传，发动群众进行举报。一年来，共受理群众举报线索31819件，属于检察机关管辖的10098件，经审查，对构成犯罪的已立案查处1629件，其中查处了不少大案要案。在举报工作中，我们对举报有功的给予奖励；对打击报复举报人的，坚决依法惩处。据不完全统计，去年全省共发现打击报复举报人的案件45起，已查处42起。同时，对借举报之名诬告陷害他人的，我们也依法进行了严肃处理，保证了举报工作的健康发展。

3、认真贯彻“两高”《通告》，敦促犯罪分子投案自首。去年8月15日，最高人民法院、最高人民检察院发布了《关于贪污、受贿、投机倒把等犯罪分子必须在限期内自首坦白的通告》，我们抓住这一有利时机，与省法院及时提出了贯彻落实“两高”《通告》的意见，经省委批转后，又在各地成立了贯彻《通告》联席会议办公室，采取多种措施，积极进行部署。在各级党委、政府、人大和新闻等部门的大力协助下，全省很快掀起了宣传贯彻《通告》的高潮，广大群众纷纷检举揭发犯罪。据统计，在贯彻“两高”《通告》期间，全省检察机关收到的举报信件相当于去年前八个月的总和，从而形成了强大的政治攻势，敦促了一大批贪污、贿赂等经济犯罪分子投案自首。在《通告》期间，全省检察机关共接待自首坦白人员2423人，其中投案自首1495人；在押犯中坦白交待余罪的928人，共交待犯罪金额2667万余元，已退出赃款及赃物折合人民币1548万余元。在投案自首的人员中，属于贪污、贿赂的1037人，其中万元以上的162人，县处级以上干部39人。为了及时兑现政策，发挥《通告》的威力，各级检察机关对自首坦白案件进行了认真查证。对构成犯罪的已立案查处704件，对不构成犯罪的434件都及时移交有关部门处理。对立案查处的案件核清事实后，按照《通告》精神，依法从宽处理了533人。同时，对态度恶劣、避重就轻、企图蒙混过关的134人，依法从严进行了处理。《通告》期满后，我们对那些无视《通告》规定，拒不交待罪行的犯罪分子，坚决绳之以法。

4、针对贪污、贿赂犯罪活动的新特点，努力搞好侦查工作。贪污、贿赂犯罪案件多是国家工作人员利用职务之便进行犯罪，作案隐蔽，潜伏期长，有一定的欺骗性；犯罪分子往往是相互勾结，相互利用，共同犯罪，具有一定的团伙性；这些案件，从检察机关办案的情况看，发生在金融、建筑、粮食、供销、商业等系统的较多，具有一定的行业性；犯罪分子中顶风作案、连续作案的多，而且犯罪数额越来越大，具有一定的冒险性；犯罪分子大多数都掌握一定的权力，关系网密，查处困难，表现出一定的复杂性。各级检察机关针对贪污、贿赂犯罪活动的新特点，不断提高侦查水平，勇闯侦查难关，在侦查实践中创造出了不少由小案带出大案、由大案带出要案、由一案带出多案的成功经验。由于办案人员讲究侦查艺术，使一大批犯罪分子先后落入了法网。

5、坚持办案与发展生产相结合，努力扩大办案的社会效果。检察机关在反贪污、贿赂斗争中，把办案与法制宣传、帮助企业建章堵漏、促进经济发展结合起来。如通过查办郑州铁路局少数领导干部的犯罪案件，使广大干部职工深受鼓舞，振奋了精神，提前20天完成了全年的运输任务。

1989年，我们在抓好反贪污、贿赂斗争的同时，还积极查处偷税抗税、假冒商标、挪用公款等经济犯罪案件1164件，其中立案查处偷税抗税案件691件，追缴税款2200万元。通过查办这几类案件，对维护经济秩序，增加财政收入，起到了较好的作用。

二、严厉打击严重刑事犯罪分子，保障了大局的稳定，维护了社会秩序

一年来，全省各级检察机关共受理公安机关提请批捕的人犯55443人，经审查，批准逮捕45499人，比1988年增加39.6%；受理公安机关移送起诉的案犯43429人，经审查，向法院提起公诉35910人，比1988年增加33.2%。在严厉打击严重刑事犯罪分子的斗争中，我们主要抓了以下几个方面的工作：

1、严厉打击动乱、暴乱中的严重刑事犯罪分子。全省各级检察机关，在去年制止动乱和平息反革命暴乱中，积极投入这场关系到党和国家前途与命运的斗争。通过批捕、起诉和出庭支持公诉，揭露和惩处极少数在动乱和暴乱中触犯刑律的犯罪分子。

2、针对社会治安存在的突出问题，积极开展集中打击和专项斗争。一年来，我们同公安、法院协同作战，先后在全省范围内开展了以打击抢劫、盗窃、流氓滋扰、流窜犯罪为重点的三次集中打击和扫除"六害"的统一行动，严厉惩处了一大批严重危害社会治安的刑事犯罪分子。仅去年春季进行的第一次集中打击，全省检察机关就批准逮捕人犯15305人；接着杀了一次"回马枪"，又使2701名流窜犯罪分子落入了法网。各级检察机关还从当地社会治安形势出发，什么犯罪突出就重点打击什么犯罪，哪个地方治安混乱就在哪个地方进行治理。通过开展专项斗争和区域性治理，对稳定当地社会治安秩序起到了良好的作用。为了从重从快打击严重危害社会治安的犯罪分子，各级检察机关对重特大案件坚持提前介入公安机关的侦查、预审活动，既加强了与公安机关的协作和配合，又保证了办案质量，加快了办案速度。

各级铁路运输检察院，针对部分路段治安秩序混乱的情况，积极配合铁路公安、法院等部门，严厉打击了危害铁路运输安全和旅客生命财产安全的各种刑事犯罪活动，维护了铁路运输的安全。

3、积极开展侦查监督、审判监督和执行监督，维护国家法律的统一正确实施。在侦查监督中，各级检察机关对公安侦查中发生的各种问题，共提出纠正意见1277次；通过审查公安机关提请批捕、移送起诉的案件，对不够法定逮捕条件的6088人作出了不批准逮捕的决定；对不构成犯罪的185人作出了不起诉决定，使无罪的人不受法律追究；对公安机关遗漏的犯罪分子，共追捕追诉1955人，使犯罪分子受到了应有的惩罚。在审判监督中，对人民法院审判活动中出现的问题，共提出纠正意见497次；对法院认定的犯罪性质不准、量刑畸轻畸重、检察机关认为确有错误的案件，提出抗诉78案。在执行监督中，全年共向监管改造单位提出书面和口头建议4382次，纠正无证关押、违法监管、错拘错捕、应解教而未解教、应投入劳改劳教而未投入共731人，查处劳改劳教人员重新犯罪164人。另外，对管教干警的犯罪案件，我们也依法进行了查处。通过对监管改造场所的监督检察，保证了刑事判决、裁定和劳动教养决定的正确执行。

4、不断完善办案制度，努力提高案件质量。为了保证检察机关自行侦查的经济、法纪案件的质量，去年，全省有15个地、市检察院和135个县、区检察院对自行侦查的经济、法纪案件，实行了侦查预审与批捕、起诉分开办理的制度，分别由两个部门办理和两位副检察长主管，改变了过去由一个部门一竿子插到底的办案方法。同时，我们还通过控告申诉检察，对不服检察机关不批准逮捕、不予起诉和免予起诉的 773 件申诉案件，进行了认真复查，纠正了 291 件，维护原处理决定 482 件。由于加强了内部制约机制，进一步保证了案件质量。去年，我们还分别在全省检察系统进行了执法情况大检查和案件质量大检查。从检查和抽查的情况看，绝大部分案件做到了事实清楚，证据确凿，定性准确，程序合法。

三、认真查处“侵权”和渎职犯罪案件，依法保护公民的合法权益，促进民主政治建设

1989 年，全省各级检察机关在重点抓好反贪污、贿赂斗争和严厉打击严重刑事犯罪活动的同时，把依法查处侵犯公民民主权利、人身权利和渎职犯罪案件，作为维护党政机关廉洁、推进民主政治建设的一项重要任务来抓，取得了新的进展。全省检察机关共受理各类法纪案件 4386 件，比 1988 年增加 34.6%；立案查处 1632 件，其中重特大案件 217 件，分别比 1988 年增加 57.7%和 95.5%。在法纪检察工作中，我们主要查处了以下几个方面的案件：

1、认真查处了基层执法人员和基层干部侵犯公民民主权利、人身权利的犯罪案件。对于侵犯公民人身权利的案件，去年，全省检察机关共查处 732 件。通过查处这些案件，纯洁了队伍，惩办了犯罪，严明了法纪，教育了干部，保护了公民的合法利益，收到了良好的社会效果。

2、严肃查处了一批国家工作人员严重官僚主义和弄权渎职的玩忽职守、重大责任事故案件。去年，全省检察机关共查处这类案件 422 件，其中重特大案件 128 件。

3、坚决查处了一批司法工作人员贪赃枉法、徇私舞弊、私放罪犯等案件。这类案件严重地损害了党和政府的形象，破坏了党和群众的关系，亵渎了法律的尊严，为人们所深恶痛绝。因此，检察机关对这类案件都毫不手软地进行了坚决查处。检察机关依法清除了执法队伍中的“害群之马”，纯洁了组织，维护了政法机关的声誉，密切了执法人员同群众的关系。

4、积极查处了控告、申诉案件。1989 年，全省检察机关共查处控告申诉案件 2402 件和上级要结果的案件 273 件，复查了一批不服法院判决、裁定的申诉案件和控告无门、久诉不息的案件。

1989 年，部分检察院还在同级法院的配合下，进行了民事、行政诉讼监督试点工作。通过试点，初步摸索了经验，取得了良好的效果。

各级检察机关把保护公民的合法权益，作为自己的神圣职责，并为此进行了不懈的努力，取得了明显成效，受到了广大群众的称赞，以实际行动粉碎了那些顽固坚持资产阶级自由化立场的人和国际上别有用心的人，在“人权”问题上对我国进行的恶毒攻击。

四、认真贯彻“从严治检”方针，加强检察队伍建设

随着形势的发展，检察机关担负的任务日益繁重。要完成党和国家赋予的法律监督职能，必须有一支政治坚定、业务精通、秉公执法、作风过硬的检察队伍。因此，我们在完成各项检察任务中，始终坚持“从严治检”方针，狠抓了检察队伍建设。

在思想建设方面，我们结合形势、任务和干警的思想实际，狠抓了马克思主义基本理论教育和党的路线、方针、政策教育，使广大干警始终保持坚定正确的政治方向。在动乱、暴乱中，全省近 12000 名检察干警，没有一人卷入动乱或参与支持声援活动。凡动乱涉及到的大中城市，检察机关都直接参加了制止动乱的斗争。郑州市检察院还被最高人民检察院评为全国检察系统制止动乱、平息反革命暴乱的先进集体。去年4至6月，全省各项检察业务的工作量，都较前年同期和当年第一季度有了较大幅度上升。广大干警兢兢业业、加班加点的工作，表现了对党对人民高度负责的精神。党的十三届四中全会以后，各级检察机关坚决拥护以江泽民同志为核心的党中央领导，立场坚定，忠于职守，在关系到党和国家前途命运的紧要关头，以实际行动捍卫了中央一系列决策的贯彻实施，为大局的稳定作出了自己的贡献。

在业务建设方面，我们先后组织了3450名干警参加了电大法律专业和《检察专业证书》学习。经过一年的努力，业务知识普遍得到了提高。我们还本着小型、短期、单项、实用的原则，先后举办了多期专业短训班，为各项业务培训了一批骨干。另外，为适应检察工作不断发展的需要，我们还向中央党校和中国高级检察官培训中心输送了一批学员，为我省检察干部教育向高层次发展创造了一个良好的开端。

在廉政建设方面，我们一方面狠抓了为检清廉教育和职业道德教育，使广大干警树立全心全意为人民服务的思想；一方面狠抓了廉政制度建设，使之有章可循。去年6月，我们制定并印发了《全省检察系统廉政建设暂行规定》。同时，我们还在全省检察系统开展了“学雷锋，争当人民的好卫士”的活动，从而在广大干警中形成了廉洁自律的良好风气，涌现出了一大批请吃不到，送礼不要，说情无效的好人好事。一年来，全省检察系统涌现出587个先进集体和3073名先进个人。

在领导班子建设方面，我们注意加强检察系统各级领导班子的思想、组织和作风建设。对各级领导班子和领导干部在动乱、暴乱期间的表现进行了认真考核。从考核的情况看，各级领导班子和领导干部在大是大非面前立场坚定，旗帜鲜明，起到了核心领导作用和模范带头作用。同时，我们按照干部的“四化”标准，和组织部门一道，对去年换届选举的9个省辖市检察长人选进行了严格把关；对今年换届选举的158个县、区检察长的人选，积极协助党委、人大审核把关，使各级检察机关的领导权真正掌握在忠于马克思主义的人手里。

我们的工作虽然取得了一些成绩，但还存在不少缺点和问题。主要是：(1) 反贪污、贿赂的斗争发展还不平衡，有些地方还没有打开局面；在查处大案要案特别是要案方面有些地方还没有取得明显成效；对隐藏较深的贪污、贿赂分子还缺乏更有效的对策。(2) 个别检察机关和少数检察干警执法不严、违法乱纪。这些问题虽然所占的比重不大，但危害很大，影响极坏。(3) 有些案件质量还存在定性不准、适用法律不当的问题。据统计，去年全省检察机关批捕不当的占0.3%，起诉和免诉不当的分别占0.2%。另外，还有一些单位存在着单纯办案的现象，没有把办案与促进经济发展很好地结合起来，在扩大办案的社会效果方面下功夫不够。产生这些问题的原因从我们自身来讲，主要是一些检察机关对反贪污、贿赂斗争宣传不够，缺乏气势，群众发动不广泛，举报大要案特别是要案的线索不多；一些干警的政治、业务素质不高，对于干扰多、阻力大的案件，缺乏敢于碰硬的勇气，对于越来越隐蔽狡猾的贪污、贿赂犯罪，缺乏较强的侦查意识和有效的侦查手段；有的干警经不起改革开放的考验，被“糖衣炮弹”击中。所有这些，都说明我们检察系统的思想政治工作急需要进一步加强，“从严治检”的措施还需要进一步完善和落实。另外，随着改革开放和治理整顿的不断深入，在处理案件时，还经常遇到某些法律政策界限不明的问题，再加上检察机关普遍存在人员不足和装备简陋等因素，更显得我们的工作与斗争形势需要的差距。对以上问题，我们将高度重视，采取有力措施，认真加以解决。

当前，我省和全国一样，政治经济形势是稳定的，社会治安形势也是基本稳定的。但是，也必须看到，还有不少潜在的不安定因素。国外敌对势力加紧向我国推行“和平演变”战略；国外境外的各种敌对势力正在通过各种渠道，加紧向我渗透，国内敌对分子与之相呼应、相勾结，企图制造新的动乱；反对资产阶级自由化的任务还相当艰巨；一些地方刑事案件特别是重大案件呈上升趋势，带有黑社会性质的犯罪集团的犯罪活动有所发展，各种社会丑恶现象，尚未扫除干净，一些地方交通线路的治安秩序也很混乱；在治理整顿和深化改革的过程中，还不可避免地会产生一些新的社会矛盾和社会问题。

从打击以贪污、贿赂为重点的经济犯罪的情况看，应当肯定，我们党政机关工作人员的绝大多数是廉洁的，是全心全意为人民服务的，贪污贿赂犯罪分子毕竟只是极少数。但是，这并不意味着可以低估贪污、贿赂等经济犯罪的严重性和危害性。要看到那些隐蔽较深的犯罪分子还没有完全揭露出来；由于资产阶级自由化思想的影响，剥削阶级思想的侵蚀，国内外敌对势力的腐蚀和拉拢，贪污贿赂作为一种社会现象，将会长期存在，还会出现新的贪污贿赂犯罪分子，他们的作案手段也会越来越狡猾。因此，反贪污、贿赂将是一场长期的、艰巨的、复杂的斗争。

鉴于当前社会治安形势的严峻性和经济领域犯罪的严重性，我们检察人员一定要保持清醒的头脑和高度的警惕性。在新的一年里，我们要认真贯彻党的十三届四中、五中、六中全会和全国七届人大三次会议精神，坚持阶级斗争观念，增强专政意识和反渗透、反颠覆、反“和平演变”的意识，牢固树立一切服从于稳定，一切服务于稳定的指导思想，充分发挥法律监督职能，坚决惩治贪污贿赂犯罪，严厉打击反革命分子和严重刑事犯罪分子，全面开展各项检察业务，为保障治理整顿和深化改革的顺利进行，实现国家政治、经济和社会的进一步稳定作出新的贡献。

今年，我们要紧密配合全党抓廉政建设的有利时机，进一步大张旗鼓地开展举报工作，宣传贯彻惩办与宽大相结合的政策，狠抓大案要案的查处。各级检察长要亲自查办大要案，要敢于排除一切阻力和干扰，只要确有犯罪事实，不管是什么人，都要一查到底，坚决依法处理。要继续坚持依法从重从快的方针，紧密配合公安、法院等部门，搞好集中打击和专项治理，坚决惩治严重危害社会治安的刑事犯罪分子。对于黑社会组织和带黑社会性质的犯罪团伙，要发现一个铲除一个，决不能让其立足和发展。要坚持不懈地把“除六害”斗争进行下去，下决心遏止社会丑恶现象。要进一步做好各项检察工作，全面履行法律监督职能，保证法律的统一正确实施。同时，要抓好我们检察队伍的思想、业务、作风建设，保证各项任务的完成。

湖北省人民检察院工作报告（摘要）

——1990年4月29日在湖北省第七届人民代表大会第三次会议上

湖北省人民检察院检察长　钟澍钦

（1990年5月4日湖北省第七届人民代表大会第三次会议通过）

1989年，我省检察机关在省委的直接领导、省人大及其常委会的监督下，认真贯彻党的基本路线，贯彻执行党的十三届四中全会、五中全会的各项决定，深入开展反贪污、贿赂斗争，严厉打击严重刑事犯罪活动，全面开展各项检察业务，为稳定局势，维护治安，发展经济，保卫国家安全，发挥职能作用，做了大量的工作。

一、坚持不懈地开展反贪污、贿赂斗争，大力推进廉政建设

根据最高人民检察院的部署和省委的指示，全省检察机关把打击贪污、贿赂犯罪作为打击经济犯罪的第一位任务，作为检察工作的重点来抓，加强工作措施，增强侦查意识，集中力量办理了一批贪污、贿赂犯罪案件。特别是我们党和国家取得制止动乱、平息暴乱的决定性胜利后，全省检察机关认真学习贯彻党的十三届四中全会精神，贯彻执行《中共中央、国务院关于近期做几件群众关心的事的决定》，推动反贪污、贿赂斗争深入发展。据统计，1989年全省检察机关共受理各类经济犯罪案件7968件，比上年上升137%；经审查，已立案侦查3949件，比上年上升184%，其中贪污案件2259件，比上年上升150%，贿赂案件1006件，比上年上升619%，偷税、抗税、假冒商标、挪用公款等犯罪案件684件，比上年上升97.7%。依法批准逮捕各类经济犯罪分子1927名，侦查终结后，经审查已向人民法院提起公诉1731名，不构成犯罪的169件案件已撤销案件，移交有关部门处理。通过办案，追缴赃款及赃物折款4756万余元。

在反贪污、贿赂斗争中，主要进行了以下方面的工作：

1、认真贯彻最高人民法院、最高人民检察院《关于贪污、受贿、投机倒把等犯罪分子必须在限期内自首坦白的通告》，敦促贪污、贿赂、投机倒把等犯罪分子自首坦白。《通告》规定从8月15日至10月31日，凡有贪污、受贿、投机倒把等犯罪行为的人，如果在限期内自首坦白，积极退赃或有检举他人犯罪等立功表现的，将依法从轻、减轻或免除刑事处罚，对于拒不自首的，将依法从严惩处。“两高”《通告》的发布，在社会上引起了强烈反响，受到了人民群众的广泛支持。全省各级检察机关把贯彻执行《通告》，当作落实党的十三届四中全会精神的具体措施来抓，当作紧急任务来抓。从8月15日至10月31日两个半月中，全省检察干警夜以继日地紧张工作，采取多种方式宣传和执行“两高”《通告》，形成强大攻势，敦促一批经济犯罪分子走上自首坦白的道路。据统计，在《通告》限期内全省检察机关共接待贪污、贿赂、投机倒把等违法犯罪人员自首坦白的有3185名，交代违法犯罪金额2383.97万余元，在自首时退出赃款及赃物折款1756.16万余元。从经济犯罪人员自首坦白的情况看：一是大案要案多。自首坦白的人员中，有县处级以上干部61人，犯罪金额在一万元以上的520人，其中一万元以上不满五万元的437人，五万元以上不满十万元的51人，十万元以上不满五十万元的31人，五十万元以上的1人。二是贪污、贿赂案件占相当大的比例。贪污的1323人，占41.5%，受贿的1239人，占38.9%。三是一人自首，带动一串。宜昌市点军区检察院从查两封匿名举报信入手，到一个工厂宣传《通告》，触动该厂50名经济违法犯罪人员自首坦白，其中县处级干部2人。枣阳市检察院办理一起经济犯罪案件触动42名贪污、受贿的违法犯罪人员自首坦白，交代罪行。有一些犯罪分子在开始时观望、犹豫，我们对于先自首坦白的及时按《通告》规定精神依法从宽处理，政策兑现，在《通告》期限最后一天，有的地方检察院出现了犯罪人员排队等候接待自首的场面。

《通告》期满后，依照法律和《通告》的规定，执行党的"坦白从宽、抗拒从严"的政策，对自首案件严肃认真地抓紧了查证处理工作，既注意贯彻《通告》的从宽精神，又注意宽严有度。截止今年3月底，自首坦白的3185人，经查证核实已作出处理决定的2957人，其中罪行严重依法向人民法院提起公诉的155人，已经构成犯罪，依照法律和《通告》的规定可以不判处刑罚，检察机关免予起诉的1133人。贪污、受贿数额不大，情节显著轻微，不构成犯罪属一般违法违纪行为，转有关部门作党纪、政纪或其他处理的1669人。对于那些顽固抵赖拒不自首坦白的犯罪分子，检察机关坚决依法从严惩处。据统计，自《通告》限期之后去年11月至今年3月，全省检察机关又立案侦查贪污、贿赂等经济犯罪案件1882件，依法逮捕犯罪分子592名。在《通告》期限结束后，我们曾一再宣告，《通告》规定的时间虽然是有限的，但"坦白从宽、抗拒从严"的政策是不变的，自首坦白的大门始终是敞开的，一切有贪污、贿赂等违法犯罪行为的人，只有悔罪自新才是唯一出路。去年11月以来，又接待191名贪污、贿赂等经济犯罪人员自首坦白。依照刑法规定，这些人仍将得到依法从宽处理。我们继续敦促那些有贪污、贿赂等违法犯罪行为的人幡然悔悟，走自首坦白争取从宽处理的道路。

2、狠抓大案要案的查处工作，推动反贪污、贿赂斗争深入开展。我们提出多办案，办大案，抓住大案要案重点突破，并建立和完善了主办、协办、督办制度。地厅级干部犯罪案件，由省检察院为主查处，犯罪金额在十万元以上的大案由省检察院协办或督办；县处级干部犯罪案件，由地、市、州检察院为主查处，犯罪金额在万元以上的大案由地、市、州检察院协办或督办。同时，要求各级检察长、副检察长都亲自主办大案要案。这些措施，有力地推进了查处贪污、贿赂等大要案件工作。去年共立案查处万元以上大案951件，比上年上升191%。其中十万元以上的特大案件84起，比上年上升135%；查处县处级以上干部贪污、受贿案件36件，其中副厅级干部1件（葛洲坝船闸管理处主任向长清）。今年一季度正在立案侦查的副厅级干部贪污、贿赂犯罪案件2件。

3、大力开展群众举报工作，发动和依靠群众进行反贪污、贿赂斗争。要有效地打击贪污、贿赂犯罪活动，必须坚持专门机关与依靠人民群众相结合。举报工作是依靠群众发现和揭露贪污、贿赂犯罪活动的有效形式，也是检察机关走群众路线的有效途径。去年我们进一步加强了举报工作，在建立健全举报工作制度，把查处案件作为中心环节来抓的同时，还加强了三个方面的工作：一是适时通过新闻媒介向社会反馈查处结果；二是对举报有功人员进行奖励，进一步调动群众举报的积极性；三是严肃查处打击举报人或诬告陷害他人的行为，保护公民的合法权益不受侵犯。去年6月，省检察院会同省纪委、省监察厅联合下发了《关于认真查处打击报复举报人案件的通知》，从党纪、政纪、法纪三个方面作出具体规定，使打击举报人的行为受到处罚。此外，不少基层检察院，为了方便群众举报，经常深入到边远乡镇和基层单位挂牌设点，巡回接受举报，进一步激发了群众的举报热情。据统计，去年共受理群众举报33152件，其中揭发贪污、贿赂等经济犯罪案件线索15780件。不少地方举报工作有了很大进展，已由匿名举报到署名举报，到检察机关催办举报。群众的举报已成为我们检察机关查处案件线索的重要来源，有力地推动了反贪污、贿赂斗争的开展。

4、增强侦查意识，加强侦查工作，提高侦破贪污、贿赂案件的能力。随着反贪污、贿赂斗争的深入开展，贪污、贿赂犯罪分子作案手段也越来越狡猾，并且利用各种关系给办案设置障碍。为适应斗争需要，我们狠抓了反贪污、贿赂侦查业务建设。一是建立侦查队伍，全省检察机关初步建成了一支从事贪污、贿赂案件侦查的队伍，配备侦查人员1500余人。二是建立反贪污、贿赂的专门机构，省检察院和40个地、市、县、区检察院已建立反贪污、贿赂工作局，加强了反贪污、贿赂的专门工作。三是召开了全省检察机关第一次侦查工作会议，以会代训，增强反贪污、贿赂的侦查意识，提高侦查人员熟练运用法律规定的各种侦查手段的能力。四是总结推广了侦破一批典型案件的经验。这些措施有效地推进了反贪污、贿赂的侦查业务建设。

5、坚持“一要坚决，二要慎重，务必搞准”的原则，严格依法办案。在检察机关内部进一步健全和完善把侦查工作与批准逮捕、审查起诉工作分开，由两个业务部门办理，形成内部制约机制，加强对侦查工作的监督。同时，加强与各执法监督部门的联系制度，主动争取有关部门的支持、配合和监督。对办案中的重大问题向省委、省人大和最高人民检察院请示报告，并注意发现工作中的问题，及时予以纠正，防止发生错案漏案，保证办案质量。

6、结合办案开展综合治理，既惩治贪污、贿赂犯罪，又促进治理整顿和企业生产发展。适时运用办理的贪污、贿赂典型案件，宣传党的惩治腐败的政策；宣传反贪污、贿赂斗争对稳定局势和治理整顿、深化改革的重要意义；宣传查处贪污、贿赂案件对维护企业合法权益，促进生产发展的积极作用。并且运用“检察建议”等形式敦促某些疏于管理，贪污、贿赂犯罪问题突出的单位进行整改，吸取教训，建制堵漏。

从全省检察机关开展反贪污、贿赂斗争的情况看出：(一)一些地方、少数单位贪污、贿赂、投机倒把等犯罪活动确实严重，国家工作人员中确实存在着腐败现象。一些贪污、贿赂犯罪分子，侵吞人民财富，挥霍无度，严重败坏社会风气，损害党和政府的形象，对他们只有依法严厉打击，才能正风气、平民怨。(二)我们党和政府对反贪污、贿赂，清除腐败是很重视、很坚决的。贪污、贿赂等犯罪分子与国家工作人员总数相比毕竟只是极少数，从总体上看我们党是廉洁的，我们的政府是廉洁的，绝大多数党员和国家工作人员是奉公守法、廉洁自律、兢兢业业为人民服务的。（三）贪污、贿赂是几千年剥削社会遗留下来的沉渣，是一种历史顽症，不是搞几次打击行动就能解决问题的，要充分认识这场斗争的长期性、艰巨性，坚持不懈地把反贪污、贿赂斗争进行下去。（四）要减少和防止贪污、贿赂犯罪行为发生，必须加强廉政制度建设。近年来，贪污、贿赂犯罪现象发展蔓延，原因是多方面的，有历史的社会的原因，有资本主义腐朽生活方式的影响，同时，与放松思想政治工作，管理制度松弛，经济领域秩序混乱有关，致使经济犯罪容易得逞。为此，在改革开放条件下，我们必须坚决反对资产阶级自由化，坚持四项基本原则，坚持“两手抓”，在严厉惩治贪污、贿赂犯罪等腐败现象的同时，切实加强廉政制度建设。建立健全各项规章制度，加强监督和制约。

二、严厉打击严重刑事犯罪活动，为治理整顿、深化改革创造良好的社会环境

1989年，我们面对的社会治安形势相当严峻。一些地方杀人、抢劫、车匪路霸、流氓滋扰、盗窃等犯罪突出，严重影响社会安定，威胁群众安全感。针对社会治安的突出问题，全省检察机关坚决贯彻执行依法从重从快惩处的方针，始终把严厉打击严重刑事犯罪活动作为检察机关的重要任务，发挥批捕、起诉、出庭支持公诉等职能，及时严厉打击各类严重刑事犯罪活动。据统计，1989年全省检察机关共受理公安机关提请批准逮捕各类刑事犯罪分子37060人，比上年上升20.5%；经审查，批准逮捕30929人，比上年上升20.9%。受理公安机关移送审查起诉的案犯36167人，比上年上升31%，经审查已提起公诉29739人，比上年上升31.5%，免予起诉1865人。集中打击了那些危害最烈、影响最大，群众最为愤恨的犯罪活动。特别是对群众深恶痛绝的车匪路霸、流氓团伙、抢劫团伙、盗窃团伙，坚持露头就打。对杀人、抢劫、强奸、拐卖妇女儿童、贩毒、重大盗窃、行凶报复、聚众赌博以及强迫、引诱、容留妇女卖淫等严重犯罪分子，坚决依法批捕、起诉。批准逮捕的人犯中有杀人犯574人，比上年上升7.7%；抢劫犯4605人，比上年上升83.2%；盗窃犯16596人，比上年上升16%；拐卖妇女儿童、引诱、容留妇女卖淫等案犯451人，比上年上升28.9%。还积极配合各有关部门开展了打击流窜犯罪、车匪路霸、“扫黄”和扫除“六害”等专项斗争和专项治理，重点解决一个时期、一个地方社会治安中的突出问题。据统计，全省检察机关先后投入2000多人次配合开展了区域性范围内多次专项集中打击，都收到了一定的效果。

去年4月中旬至6月上旬，武汉地区及一些地、市发生了政治动乱。在这场关系党和国家前途命运的斗争中，全省检察机关坚决执行党中央、国务院的决策和省委的指示，忠实履行检察机关的职责，立场坚定、旗帜鲜明地与动乱作斗争，坚决捍卫党的领导，捍卫社会主义制度，保卫国家安全，维护国家宪法和法律的尊严，运用批捕、起诉、出庭支持公诉等法律手段，揭露和依法惩处了在动乱中进行破坏活动的犯罪分子。发生在动乱期间的犯罪案件情况复杂。检察机关在办理这些案件时，坚持以事实为根据，以法律为准绳，对具体案件进行具体分析，十分注意严格区分两类不同性质的矛盾，区分罪与非罪的界限。依照《刑法》的有关规定，构成什么罪，就定什么罪。对由于不明真象，信谣，传谣，呼喊错误口号，发表错误言论，受蒙蔽参与设置路障，堵塞交通等有过激言行而未触犯刑律的人，没有追究法律责任。

继续坚持和完善提前介入制度，主动参与公安机关对有影响的重大、持大案件现场的勘查和预审活动，了解和熟悉案情、帮助搜集和核准证据，及时准确地打击犯罪。去年分别参与1600余次现场勘查和其他侦查活动，参与1800多次预审和案情分析，提前审阅案卷1600多件，提出建议1700余条。检察机关的提前介入，既支持和监督了公安机关的侦查活动，也加快了案件在检察环节上的办理。

进一步加强侦查监督和审判监督，维护国家法律的正确实施。一年来，对公安机关提请批准逮捕的案犯，经过审查对不符合法定逮捕条件的2250人作出了不批准逮捕的决定；对罪该逮捕而公安机关未提请批准逮捕的654人作出了追捕决定；对公安机关移送审查起诉而不构成犯罪的157人作出了不起诉决定；对罪该起诉而公安机关未移送起诉的416人依法作出了追诉决定。对事实不清、证据不足的1451起案件，退回公安机关补充侦查。先后向公安机关提出纠正违法意见130件，向人民法院提出纠正违法意见62件，对认为人民法院的判决、裁定确有错误，依法提出抗诉56件。检察机关依法对公安机关的侦查活动和人民法院的审判活动实施监督，防止和减少枉纵错漏现象，保证案件质量。

认真开展监所检察工作，通过对监管改造场所活动的监督，保证刑事判决、裁定和劳动教养决定的执行。各级监所检察部门与监管改造场所紧密配合，坚决打击了劳改罪犯的又犯罪活动，维护监管改造秩序。对监管改造场所执行法律情况进行检察，对罪犯的减刑、假释、保外就医以及对人犯的羁押是否合法进行监督，纠正和追究监管改造场所干警和管理人员徇私舞弊、私放罪犯、索贿受贿等违法犯罪行为。1989年全省检察机关查处劳改、劳教人员又犯罪案件421件576人，办理劳改、劳教人员申诉案件200件；考察了2676名被依法判处管制、剥夺政治权利、缓刑、假释和监外执行的罪犯，提出检察建议351条，建议收监罪犯29名；向监管改造场所提出纠正违法意见1030件，查处管教干警违法犯罪案件10件10人。

当前我们面临的治安形势仍然相当复杂、相当严峻，一些暴力恶性犯罪案件严重危害社会安全，群众反映强烈。对此，各级党政领导已引起高度重视，正在动员全社会力量，广泛发动和依靠群众对社会治安进行有效的综合治理。我们政法检察机关继续把严厉打击严重刑事犯罪作为重要任务。在今年内将组织几次全省或几个地、市范围的严厉打击严重刑事犯罪活动的集中统一行动，该捕的要捕起来，该重判的要从重判处，该杀的要坚决杀掉。不这样做不足以惩治犯罪，震慑犯罪，就不能有效地保护人民生命财产安全，不能维护社会治安秩序的稳定。

三、严肃查处渎职犯罪和侵犯公民权利案件，保护国家利益和公民的合法权益不受侵犯

依法严肃查处渎职犯罪和侵犯公民民主权利、人身权利案件，对保护公民合法权益，保障国家机关正常活动，清除各种腐败现象，密切党和政府与人民群众的联系，具有重要意义。全省检察机关进一步重视和加强了法纪检察工作，严肃查处了一批国家工作人员玩忽职守、重大责任事故犯罪案件，司法人员徇私舞弊以及基层干部、群众中非法拘禁、非法搜查、非法侵入他人住宅和诬告陷害、打击报复等侵犯公民民主权利、人身权利的犯罪案件。

1989年全省检察机关共受理上述案件1951件，比上年上升17%；立案侦查413件，比上年上升4%。立案查处侵犯公民民主权利和人身权利、玩忽职守等大要案件76件，比上年上升72.7%。通过办理上述案件，增强国家工作人员和人民群众的法制观念，维护国家和人民的利益，促进治理整顿、深化改革的顺利进行。值得注意的是少数干部欺压群众、侵犯公民民主权利、人身权利案件，一些单位的领导人或主管责任人弄权渎职玩忽职守，给国家和人民的生命财产造成重大损失的案件还时有发生，检察机关要加强对这类案件的查处，充分发挥职能作用，保护国家利益和公民合法权益不受侵犯，促进社会主义民主和法制建设。

重视办理公民的控告申诉案件。教育检察人员以对人民高度负责的精神做好接待处理群众来信来访，注意改进控告申诉检察工作，完善来信来访接待处理程序，坚持检察长亲自接待和阅批重要来信来访制度，力求做到事事有着落，件件有回音。全年共受理群众来信来访58944件次，其中首次信访48766件次，重复信访10178件次。对属于检察机关管辖的控告申诉案件已自行查办11347件；对不服检察机关决定逮捕或免予起诉的636件申诉案件，受理后也认真进行了查处，经复查，改变原决定，予以纠正的16件。对不属于检察机关管辖的来信来访，转给有关部门处理，并函告来信来访群众，有的还负责催办，结果答复信访群众。

四、贯彻"从严治检"的要求，努力提高检察队伍的政治素质和业务素质

面对繁重而艰巨的任务和复杂的斗争形势，全省检察机关坚持一手抓思想政治工作，一手抓检察业务，坚决贯彻"从严治检"的要求，加强检察队伍建设，使广大检察人员经受住严峻的政治考验，保证各项检察工作任务的完成。在队伍建设方面我们主要抓了以下工作：

——坚持不懈地开展坚持四项基本原则，反对资产阶级自由化的教育，认真组织检察人员学习马列主义、毛泽东思想基本原理，学习邓小平同志的著作。教育检察人员运用阶级分析的方法充分看到在社会主义初级阶段，在发展社会主义有计划的商品经济过程中，剥削阶级腐朽思想和生活方式的腐蚀，资产阶级自由化思想的侵袭，是长期存在的，腐蚀与反腐蚀，渗透与反渗透，和平演变与反和平演变的斗争是长期的。使广大检察人员牢固树立坚持走社会主义道路的信念，坚持人民民主专政的信念，坚持共产党领导的信念，坚持马列主义、毛泽东思想的信念，提高政治敏锐性，做到不论在什么政治风浪中，都能有高度的政治觉悟和坚定的政治立场，明确的政治方向。在制止动乱、平息暴乱中，全省检察人员认真学习、坚决贯彻党中央、国务院的决定和省委的指示，积极参加斗争，努力工作，涌现出了一批先进集体和个人。最高人民检察院通令嘉奖制止动乱、平息暴乱的12个先进集体中，我省检察系统有2个；授予"先进集体"称号的39个单位中，我省也有2个。

——严肃认真抓好检察机关自身廉政建设。检察人员在办案中经常同形形色色的丑恶现象接触，加强自身的廉洁自律，增强自身的反腐蚀能力尤为重要。各地检察机关根据实际，加强廉政建设，建立和完善本单位保持廉洁的规定，坚决抵制各种腐朽思想的侵蚀，树立为检清廉的风气，使检察人员争做清正廉明的检察官。去年6月，省检察院下发填报《拒绝说情、送礼、行贿情况登记表》的通知，收到了好的效果。据不完全统计，全省检察机关去年拒贿拒礼有5252人次，拒贿拒礼现金和物资折款共计94600余元。

——加强管理教育，严格检察队伍组织纪律。全省检察机关认真执行最高人民检察院颁布的检察人员“八要八不准”的纪律，教育检察人员忠于法律、忠于人民、遵守职业道德，全心全意为人民服务。对在检察工作中做出突出贡献的单位和个人，大张旗鼓地进行表彰。去年，省检察院共表彰先进集体84个，先进个人190名，给予258个集体和个人记了功。同时，充实和加强检察机关内部的纪律检查和监察机构建设，进一步健全和完善对检察人员的监督制度，从严执纪。对违法违纪的行为严肃查处，不姑息、不迁就、不护短。去年，有22名违法违纪的检察人员受到党纪、政纪处分。实践证明，只有执行铁的纪律，我们这支队伍才能保持纯洁，才能有战斗力。

——加强对检察人员的培训，提高检察人员的法律水平和业务工作能力。我们因陋就简，继续抓了检察中专、电大分校、检察专业证书的教学工作。去年有529人在法律大专、中专学习毕业，有2656人进入电大、函大学习法律专业知识和参加高等教育自学考试。并委托中南政法学院培训了87名检察业务人员，选派一批骨干到中央党校和中国高级检察官培训中心接受培训。同时举办各种形式的短期业务培训班，加强岗位职业培训。经过努力，全省检察队伍的业务素质和文化结构有了改善。

一年来，全省检察机关做了不少工作，取得了一定成绩，但离党和人民的要求还有很大差距，我们的工作还有不少缺点，存在不少问题和困难。去年四季度，根据最高人民检察院的部署和省人大的决定，全省检察机关进行了一年一度的执法大检查。检查情况、发现和解决的问题，已经向省人大常委会议作了专题报告。从检查出的问题看，主要是有的案件执行法定程序不严，有的案件定性不准，适用法律不当，批捕、起诉的案件中有个别错漏现象，有极少数干警在办案中耍权势，执法不够文明，检察机关执法条件存在不少困难等。这些问题虽一发现，就努力纠正，但仍然值得我们认真总结经验教训，在今后的工作中，切实注意克服。

湖南省人民检察院工作报告（摘要）

——1990年4月26日在湖南省第七届人民代表大会第三次会议上

湖南省人民检察院检察长　　齐振瑛

（1990年4月29日湖南省第七届人民代表大会第三次会议通过）

1989年，全省检察机关在省委和最高人民检察院的领导下，在全省各级人大及其常委会的监督下，认真贯彻党的十三届四中全会、五中全会精神，按照省七届人大二次会议要求，认真地履行法律监督职能，积极参加制止动乱，严厉打击制造动乱的犯罪分子和其他严重刑事犯罪分子，集中精力抓惩治贪污、贿赂犯罪，并积极推动其他检察业务工作不断向前发展。

一、关于惩治贪污、贿赂犯罪的情况

去年，全省各级检察机关把反贪污、贿赂斗争列为打击经济犯罪的第一位工作，作为检察机关的工作重点，取得了明显效果。全年各级检察机关共受理贪污、贿赂案件线索9460件，处理6725件，其中立案侦查5126件，比检察机关恢复重建以来受理同类案件线索、立案侦查最多的1986年分别增加1.2倍和84.8%。其中，立贪污案2490件，立贿赂案2636件。全年共逮捕贪污、贿赂人犯1332名。已向人民法院提起公诉1139名。通过审查，对不构成犯罪的1599件，已移交有关部门处理。在办案过程中，追缴赃款、赃物折款和挽回其他经济损失共计3056万余元。同时，全省检察机关还积极查处了偷税抗税、挪用公款、假冒商标等类经济犯罪案件1512件，挽回经济损失1766万余元。

在反贪污、贿赂斗争中，各级检察机关着重做了三个方面的工作：

（一）认真抓"两高"《通告》的贯彻执行。去年8月15日，最高人民法院、最高人民检察院发布了《关于贪污、受贿、投机倒把等犯罪分子必须在限期内自首坦白的通告》。《通告》公布后，全省检察机关在各级党委领导下，在人大常委会的监督以及政府的支持下，与法院、公安、监察和党的纪委等部门密切配合，协同作战，迅速开展了反贪污、贿赂斗争。在《通告》规定的两个半月内，各级检察机关共受理投案自首的经济违法犯罪人员3841名，其中属贪污、贿赂的3123名。在投案自首的贪污、贿赂人员中，有厅级干部6名，县处级干部94名，科级干部550名。贪污、贿赂等犯罪金额在万元以上的525名，其中五万元以上的18名。投案自首人员交代犯罪金额2243.6万元，退缴赃款、赃物折款及非法所得1494.3万元。同时，有2573名在押人犯和正在接受审查的经济犯罪人员向检察机关坦白交代罪行，退缴赃款及赃物折款合计2369.8万元，并检举揭发了他人的违法犯罪问题。衡阳市检察机关受理投案自首人员297人，其中县处级干部17人，科局级干部46人，交代犯罪金额329万多元，收缴赃款、赃物折款共计181万余元。全省14个地、市（州）投案自首人数最多的是郴州地区，达475人，其中县处级干部19人，科局级干部98人。该地区的湖南氮肥厂，在《通告》规定的期限内共有50人投案自首，其中处级干部4名，科级干部10名，当场退缴赃款8万多元。长沙等地还出现排队投案自首和要求坦白交代罪行的情况。长沙市公安局第一看守所，在离《通告》规定的期限届满仅一小时内，有19名在押犯要求坦白交代问题，共交代犯罪金额80多万元。

对于投案自首人员，各级检察机关依照法律和《通告》的规定，在认真查证核实的基础上，依法作出了从宽处理。同时，对拒不自首坦白的犯罪分子依法给予从严惩处，以全面贯彻《通告》精神，做到有宽有严，宽严有度，从宽从严都不超过法律和《通告》规定的界限。截止今年3月底，全省各级检察机关已审查投案自首人员3431人，占投案自首人员总数的89.3%。已立案2256人，经侦查终结作出免予起诉处理1723人，向人民法院提起公诉328人，经审查不构成犯罪的1175人，已分别转有关部门处理。

为了把反贪污、贿赂斗争推向深入，在《通告》规定的期限届满后，省人民检察院和各地人民检察院反复宣告，今后凡投案自首的，将根据刑法第六十三条的规定，分别给予从轻、减轻或免予处罚，号召有贪污、贿赂犯罪行为的人走投案自首的道路。去年11月到今年3月底，全省检察机关又接待投案自首人员144名。其中交代贪污、贿赂金额在万元以上的17人，退缴赃款和赃物折款共计81万余元。对这些投案自首的人，经过查证核实后，亦将分别不同情况依法给予从宽处理。

（二）突出重点，狠抓大案要案。去年，全省各级检察院坚持领导亲自动手，集中力量狠抓查处大案要案。全省共有300多名正副检察长亲自办理或参与办理大案要案1000多件。为了加强大案要案的侦破工作，除各地采用多种形式提高干警侦破大案要案的能力外，我们还坚持分级负责制度，即：涉及厅局级干部的案件由省人民检察院为主查办；涉及县处级干部的案件由地、市、州人民检察院为主查办。1989年，全省检察机关共查处万元以上贪污、贿赂大案1421件，比上年增加2.8倍；查处县处级以上干部犯罪的案件189件189人，比上年增加13倍，内有厅级干部3人，处级干部186人。其中属省、地、县直机关的要案46人，计正副县（市）长、正副县（市）委书记13人，副县级干部11人；地市直属机关正副局长7人；省直厅局正副处长15人。去年由省检察院为主或参与查办的大案要案41件。地、市、州检察院为主或参与查办大案要案450件。去年，检察机关已办结的贪污贿赂案件中，犯罪金额最多的是衡阳市石油公司业务员钟平贪污案。钟平自1988年元月至1989年11月，利用掌理汽油、柴油指标的便利，先后10次采取盗开国家计划油指标，以议价卖给购油单位的手段，从中贪污差价款19万余元（其中未遂32054元）。犯罪事实败露后，钟畏罪潜逃，后被抓获。提起公诉后，一审法院判处钟平死刑。

（三）大力开展举报工作，发动、依靠群众反贪污、贿赂斗争。去年，各级检察机关通过新闻媒介和召开各种会议，反复向人民群众宣传反贪污、贿赂斗争的意义和检察机关的工作情况，动员人民群众检举、揭发贪污、贿赂犯罪，同贪污、贿赂犯罪分子作坚决的斗争。与此同时，进一步健全了举报机构和举报制度，紧紧抓住举报线索的查处和反馈两个关键环节，着力开展举报工作。1989年，全省检察机关举报中心（站）共受理举报材料33312件，其中反映贪污、贿赂等经济犯罪线索23781件。全年立案侦查的贪污、贿赂案件中，来自举报方面的线索占57.2%。实践表明，开展举报活动，是在新形势下动员和依靠群众进行反贪污、贿赂斗争的有效形式。举报工作在反贪污、贿赂斗争中起到了越来越显著的作用。

在反贪污、贿赂斗争中，各地检察机关十分注意发挥派出机构的作用。全省检察机关驻业务单位的356个检察室（组）共发现贪污、贿赂等经济犯罪案件线索1560件，经检察机关审查立案812件，占全年立案侦查经济犯罪案件总数的12%。

在反贪污、贿赂斗争中，各地检察机关始终注意坚持“一要坚决、二要慎重，务必搞准”的原则，进一步健全了办理经济犯罪案件的内部制约机制和备案审查制度，加强了对重大疑难案件的请示报告，及时发现纠正存在的问题，确保了办案质量。

在反贪污、贿赂斗争中，各地检察机关还针对发案单位存在的各种漏洞，提出“检察建议”，帮助堵塞漏洞，并积极提供法律咨询，有力地促进了这些单位的廉政建设。据零陵等7个地市州检察机关统计，通过办案清出“蛀虫”，帮助找到漏洞，采取措施救活濒临倒闭的企业105个。

二、关于严厉打击政治动乱中的犯罪分子的情况

去年春夏之交，我省部分地区发生了政治动乱。发生动乱地区的检察机关坚决执行党中央、省委和最高人民检察院关于制止动乱、平息反革命暴乱的一系列指示和部署，把制止动乱、严厉打击动乱中的犯罪分子作为检察机关突出的政治任务，旗帜鲜明地站在斗争前列，运用批捕、起诉、出庭支持公诉等法律手段，揭露和依法惩处反革命分子的打、砸、抢、烧犯罪分子。在这段时间内，省检察院先后下发了三个紧急通知和文件，并召开了三次专门会议研究和部署这项工作。为了依法从重从快惩处动乱中的犯罪分子，各地检察院"提前介入"了公安机关的侦查、预审活动。

三、关于依法从重从快打击严重刑事犯罪的情况

依法从重从快打击严重刑事犯罪活动，是检察机关的一项长期的重要任务，是检察工作的又一个重点。1989年，全省检察机关共受理公安机关报捕案犯36679名，比上年增加34.1%，批准逮捕30178名，比上年增加37.8%。受理公安机关移送审查起诉案犯39871名，比上年增加41.7%，决定起诉和免予起诉31048名(其中免予起诉1984名)，比上年增加42.9%。在同刑事犯罪作斗争中，各级检察机关始终把打击的锋芒对准反革命罪犯和杀人、放火、爆炸、抢劫、强奸、流氓、重大盗窃等严重危害社会治安的犯罪分子。在批准逮捕的案犯中，杀人、放火、爆炸、强奸等七类严重犯罪分子13799名，占批捕人犯总数的45.7%；提起公诉10992名，占提起公诉案犯总数的37.8%。通过严厉打击，狠煞了严重刑事犯罪分子的嚣张气焰，对维护社会安定发挥了积极作用。

在严厉打击刑事犯罪活动中，检察机关主要做了如下工作：

(一)根据各地治安方面存在的问题，与公安、法院等部门密切配合，积极开展了专项打击和专项治理。1989年，各地开展了反盗窃、禁赌博、打击流窜犯罪和抢劫犯罪以及"扫黄"、除"六害"等专项斗争。在专项斗争中，全省检察机关共批准逮捕案犯7940名，占全年批捕案犯总数的26.3%。从去冬开展除"六害"专项斗争以来，到今年3月底止，受理公安部门报捕的"六害"案犯460名，已批准逮捕347名。

(二)对影响大、危害大的严重刑事犯罪案件实行"提前介入"。为了做到依法从重从快打击严重刑事犯罪分子，从去年5月开始，省检察院将"提前介入"公安机关侦查、预审活动作为一项工作制度，要求各地认真执行。据不完全统计，全省刑检部门去年共"提前介入"刑事犯罪的特大案件和有影响的重大案件的侦查、预审活动7300余人次，涉及案件4000余件。通过提前参与现场勘验、预审、讨论案件、阅卷等活动，熟悉了案情，同时对侦查部门在侦查、预审活动中存在的某些问题提出了纠正意见，既及时有力地打击了犯罪，又防止和减少了一些错漏案件。

(三)加强侦查监督和审判监督工作。为了防止错、漏案件的发生，纠正侦查活动和审判活动中的违法行为，各地检察机关认真履行了法律监督职责。1989年审查公安机关提请逮捕的人犯中，对不够逮捕条件的3091人作了不批准逮捕的决定；对依法应予逮捕的而未报捕的429名犯罪分子决定予以追捕；对公安机关移送起诉，经审查不构成犯罪的95人，作了不起诉决定；对已构成犯罪应起诉到法院追究刑事责任而公安机关没有移送起诉的394名犯罪分子给予了追诉。通知公安机关纠正侦查活动中的违法情况534件(次)。对人民法院判决、裁定认为确有错误的137件案件依法提出了抗诉，已收到人民法院判决裁定64件，其中改判47件，占已审结抗诉案件的73.4%。并对人民法院审判活动中的违法情况提出纠正295件（次）。

（四）加强了监所检察工作。1989年，全省各级检察机关检察发现刑事案件判决、裁定执行中出现的违法情况和问题，以及监管改造中发生的违法活动共3712起，都以口头或书面形式向有关单位提出了纠正意见。检察纠正了看守所存在的违法问题3247起。共起诉劳改犯人重新犯罪和劳教人员犯罪案件354起。立案查处私放罪犯等案件20件。去年还受理“两劳”人员及其亲属提出的申诉917件，自行查处330件。通过复查，提请法院改判46件，其中改判轻刑30人。无罪释放1人。通过加强监所检察工作，保障了刑事判决、裁定和劳教决定的正确执行，保障了国家法律和党的改造政策在监管改造单位正确实施，促进了劳改罪犯和劳教人员的改造。

四、关于查处侵犯公民民主权利、人身权利和渎职犯罪的情况

依法查处侵犯公民民主权利、人身权利和渎职犯罪案件，是反腐败斗争的一个重要组成部分。1989年，全省检察机关共受理这类法纪案件3470件，比上年增加13.1%，立案侦查966件。在法纪检察工作中，各地突出重点，狠抓了大案要案的查处。

在同侵犯公民民主权利、人身权利和渎职犯罪行为的斗争中，我们从以下几方面加强了工作：

（一）严肃查处了国家工作人员和司法工作人员徇私舞弊、泄露国家机密等犯罪案件，有效地维护了国家机关的声誉和法律的尊严。去年共立案侦查上述案件14件，依法逮捕被告人6名。湘阴县原法院院长（后任县人大常委会副主任）刘绍明，自1987年以来，利用职权徇私枉法，将两名已判刑的犯罪分子改为不予追究刑事责任，将已判二十年徒刑的罪犯改判为七年。该案已侦查终结。

（二）查处了一批国家工作人员严重官僚主义，弄权渎职的玩忽职守犯罪案件。去年，全省检察机关立案查处这类案件208件。湖南省进出口总公司商贸公司经理杨建成，在经营铝锭活动中严重不负责任，损失270多万元。此案现已侦查终结。汨罗市市委副书记、市长唐镇球在整顿该市生产销售假劣农药的过程中，违反农药生产管理规定，擅自批准无证生产，使该市生产假劣农药泛滥成灾，给国家、集体和农民利益造成严重危害。岳阳市检察院已对唐镇球立案侦查。

（三）为确保安全生产，及时查办了一批重大责任事故犯罪案件。近年来，我省重大责任事故频繁，尤以个体和乡村集体开办的煤矿事故突出。事故的大量发生，造成死亡惨重，损失巨大。去年共立案侦查重大责任事故案件244件，直接经济损失430多万元。这类案件发生后，检察机关在有关部门的配合下均及时派员勘验现场，调查取证，依法追究行为人的刑事责任。同时结合办案，积极提出检察建议，帮助整章建制，促进了安全生产。

（四）为保护公民的民主权利、人身权利，查处了一批非法拘禁、非法搜查、非法侵入他人住宅以及诬告陷害、报复陷害等犯罪案件。这些案件，严重损害了党群关系和警民关系。去年共立案查处上述案件388件。

（五）认真开展了控告申诉检察工作。去年全省检察机关共受理公民控告申诉74720件，已处理74690件。其中由检察机关直接查办的17971件。对于不服检察机关免予起诉、不起诉、不批准逮捕和刑满释放人员不服人民法院判决的再申诉案件，各地检察机关认真进行了查处。去年共立这类申诉案件241件，已决定撤销免予起诉决定34件，追捕追诉31件，建议法院改判18件，驳回申诉143件，作其他处理15件。办理各级人大常委会和党政领导交办以及“告状无门”控告案件567件。维护了公民的合法权益和法律的尊严。与此同时，还妥善处理矛盾可能激化的“告急”案件257件，解决了群众性集体上访124件，替288户上访老户解决了实际问题，使之息诉。有效地促进了社会的安定，促进了社会主义民主和法制建设。

去年，省检察院和娄底、益阳、常德等地、市检察院依照民事诉讼法（试行）第12条的规定，继续在部分县市开展对民事、行政诉讼实行法律监督的试点工作，并已摸索了一些有益的经验，取得了一定的社会效果。

为了加强同犯罪分子的斗争，去年，省检察院和地、市、州检察院以及少数县、区检察院开展了刑事技术工作，通过技术检验鉴定，为检察机关准确办案提供了科学依据。

五、关于队伍建设的情况

1989年，我们按照最高人民检察院提出的“从严治检”的方针，狠抓了队伍建设，使干警的政治素质和业务素质得到了提高，保证了各项检察工作任务的完成。

一是开展坚持四项基本原则，反对资产阶级自由化的教育。去年4月下旬发生政治动乱之后，全省检察机关进一步加强了这方面的教育，使检察干警坚定无产阶级政治立场，在严峻的政治斗争中经受了考验。在整个动乱期间，全省广大检察干警自觉服从党的领导，在思想上行动上与党中央保持一致，没有发生一起违反政治纪律的事件；并站在制止动乱斗争的前列，同公安干警、武警战士一道参加值勤，保卫党政首脑机关和要害部门的安全，积极投入了从重从快打击动乱中的犯罪分子的斗争。省委和最高人民检察院以及各地党委充分肯定了我省检察机关在制止动乱斗争中的工作。最高人民检察院曾通令嘉奖湘潭市检察院，并授予长沙、岳阳市检察院先进集体称号。邵阳市检察院和衡阳市检察院刑检一科受到省检察院的表彰。据对长沙等12个地、市统计，检察干警在制止动乱斗争中受到表彰的有273人，其中立功的18人。

二是开展廉政教育，提高干警防微杜渐、拒腐防变的自觉性。各级检察院把党和国家及上级检察机关关于廉政建设的要求落到实处，通过制定纪律，健全监督机制，表彰先进，查处不廉洁的人和事，开展一系列有益于清正廉洁的活动，收到了较好的效果。据不完全统计，去年，全省检察干警拒吃请7731人次，拒收礼物和贿赂7106人次，计人民币524530元。顶住说情9838人次。

三是开展勤政教育，激励广大检察干警继续保持艰苦奋斗的优良传统和为检察事业乐于奉献的精神。主要是教育广大干警正确认识和对待当前检察机关面临的工作条件差、生活待遇低等各种困难，体谅国家的难处，为国分忧；要求广大干警始终保持和发扬艰苦奋斗的优良传统，比理想、比作风、比纪律、比奉献。去年，在力量没有增加，工作条件没有多少改善而任务成倍增多的情况下，广大检察干警依靠拼搏精神，夜以继日，加班加点，完成了十分繁重的工作任务，涌现了一大批一身正气、两袖清风、秉公办案、刚正不阿的先进模范人物。比如，湘潭市检察院检察员游炳炎同志，在办理一件重大刑事犯罪案件中，不顾个人安危，同跳楼逃跑的犯罪分子搏斗，壮烈牺牲。

去年，各地检察院继续抓了干部教育

培训工作，重点抓了电大法律专业、检察专业学员的学习和岗位职务培训，还选送了一批检察干警到中国高级检察官培训中心学习，这对提高检察干警的专业知识有重大作用。

在过去的一年里，我们的工作还存在许多薄弱环节：一是工作发展不够平衡。有的县、市反贪污、贿赂斗争进展不大，少数检察干警存在畏难、厌战情绪。二是少数案件质量不高。还发现极少数错捕、漏捕现象。省检察院去年共收到各地上报免予起诉 1027 人的备案材料，经审查，发现免诉不当的 45 人。三是侦查活动监督、审判活动监督不够得力。一些地方不敢大胆行使监督权，应当提出纠正违法意见的没有提出；有的应当依法抗诉的案件没有提出抗诉。四是存在不严格依照程序法有关规定办案的现象。如有的案件未立案就采用强制措施或对被告人进行搜查；一人讯问被告人和一人调查取证的现象不少；有的地方办案超羁押期情况突出。五是少数检察干警思想作风不纯，有的染上特权思想，有的群众观念、法律意识淡薄，缺乏责任心，处事草率；有的受社会上“一切向钱看”思潮的影响，以权谋私，有的甚至蜕化变质，走上犯罪的道路。去年全省检察干警中，共发现有各类违法违纪行为的 69 人，占全省检察干警总数的 0.9%。

产生上述问题的原因是多方面的，主要是省检察院和各级检察院的领导及时深入调查研究不够，对工作指导不很得力；思想政治工作薄弱，没有针对存在的问题，采取有效措施及时予以解决。从客观上来说，与检察干警力量严重不足、干警素质与工作不相适应、办案经费相当困难、侦查技术装备匮乏以及法律监督的程序和手段尚不完善有关。对于存在的上述问题，凡是我们自己能够解决的，在新的一年里，我们将按照问题的性质分类排队，采取切实有效的措施分别予以解决；属于应请示解决的，我们拟报请有关方面给予解决。

进入 1990 年，我们面临的形势十分严峻。国际敌对势力亡我之心不死，东欧一些国家政局急剧变化，对我国将产生一定的消极影响；国内阶级斗争还将长期存在；目前刑事犯罪案件居高不下，其中重大特大案件仍很突出；贪污、贿赂等经济犯罪仍然十分严重；一些隐藏较深的犯罪分子还未受到惩处。为了抓好今年的工作，我们已在去年 12 月下旬召开的全省检察长工作会议上作了安排。今年总的指导思想是：在省委和各级党委的领导下，自觉接受人大及其常委会的监督，主动取得政府的支持，认真贯彻落实党的四中全会、五中全会和六中全会精神，牢固树立“稳定压倒一切”的思想，充分履行法律职责，坚决惩治贪污、贿赂犯罪，严厉打击刑事犯罪活动，全面开展各项检察业务；同时切实改进作风，加强与人民群众的联系，加强思想政治工作，动员广大检察干警艰苦奋斗、恪尽职守，为治理整顿、深化改革，维护政治、经济、社会稳定，作出积极贡献。

广东省人民检察院工作报告（摘要）

——1990年5月13日在广东省第七届人民代表大会第三次会议上

广东省人民检察院检察长　肖　扬

（1990年5月17日广东省第七届人民代表大会第三次会议通过）

1989年是不平凡的一年，也是检察机关和检察工作经受严峻考验的一年。这一年，全省检察机关在各级党委的领导、人大的监督和政府的支持下，依照宪法和法律，认真履行法律监督职责，与有关部门一起，严厉打击反革命和各种刑事犯罪分子，惩治贪污贿赂等经济犯罪，检察纠正违法行为，做了大量工作，取得较好成绩。今年头几个月，工作又有新的进展。

一、旗帜鲜明地参加制止政治动乱的斗争，坚持依法从重从快严厉打击严重刑事犯罪活动，维护国家安全和社会安定

去年以来，由于国际国内各种因素的影响，我省社会治安面临的形势相当复杂和严峻。去年春夏之交，在北京动乱和反革命暴乱的影响下，我省也发生了动乱。一些人成立非法组织，进行游行、静坐、绝食、冲击党政机关、中断交通、罢课空校，制造动乱；一些不法分子趁机搞打、砸、抢和流氓犯罪活动，扰乱社会秩序；国际上的反动势力从中插手，搜集、窃取情报，策划、接运被我公安机关通缉的反革命分子潜逃出境，危害国家安全。刑事犯罪案件明显增加，特别是持枪作案、谋财害命、结伙抢劫等严重暴力性犯罪猖獗，严重危害人民群众的生命财产安全。一些地方的黑社会组织和带黑社会性质的犯罪团伙滋长很快，为非作歹，严重威胁着社会秩序的稳定。有些地方的走私、诈骗、制造贩卖伪劣商品等犯罪案件持续上升。贩毒、吸毒、卖淫嫖娼、传播淫秽物品、聚众赌博等社会丑恶现象严重存在。面对严峻的社会治安形势，全省各级检察机关密切注意社会动态，常备不懈，旗帜鲜明地参加制止动乱的斗争，依法严厉惩处严重危害社会治安的犯罪分子，为稳定广东大局发挥了积极的作用。

全省各级检察机关坚决拥护党中央、国务院、中央军委制止动乱和镇压反革命暴乱的正确决策和果断措施，运用法律武器，狠狠打击在政治动乱中触犯刑律的犯罪分子。

严厉打击严重刑事犯罪活动，历来是全省检察机关的工作重点。一年多来，全省检察机关继续贯彻依法从重从快方针，严厉打击严重刑事犯罪分子。1989年，全省检察机关共受理公安机关提请批捕各种刑事案犯26928名，比上一年增加34.9%，经审查，批准逮捕25308名，比上一年增加36.7%；受理公安机关移送起诉案犯26953名，比上一年增加34.4%，已提起公诉22761名，比上一年增加30.6%，决定免予起诉1081名。今年1至3月，全省已批准逮捕刑事案犯5114名，提起公诉 4916 名，分别比去年同期增加 9.8%和 18.7%。在批准逮捕、提起公诉的工作中，检察机关牢牢把握打击重点，对杀人、抢劫、放火、爆炸、强奸、重大盗窃、重大诈骗、流氓集团等严重犯罪分子，只要基本事实清楚，基本证据确凿，就依法作出批捕、起诉决定。一年多来，共批准逮捕这几类案犯 14296 名，占批捕总数的 46.9%；已向法院起诉 11864 名，占起诉总数的 42.9%。一批罪行特别严重的犯罪分子，经检察机关及时提起公诉，受到法律的严厉惩处，有力地打击了犯罪分子的嚣张气焰，鼓舞了人民群众同犯罪分子作斗争的勇气。

各级检察机关与有关部门一起积极投入专项打击和专项治理活动，打击走私、嫖娼卖淫、赌博、制作贩卖淫秽物品、制造销售伪劣商品的犯罪分子。省检察院多次派出工作组分赴各地检查指导，推动工作，解决办案中遇到的法律政策界限问题，纠正了一些“以罚代刑”的现象，依法批捕、起诉。去年 1 月至今年 3 月，全省批捕走私案犯 436 名，制作贩卖淫秽物品案犯 216 名，强迫引诱容留妇女卖淫案犯 232 名，赌博案犯 109 名，在一定程度上遏制了犯罪活动的蔓延。各市、县检察机关还根据当地社会治安情况，解决突出问题。广州、湛江市检察机关配合公安部门打击贩卖枪支弹药、毒品犯罪活动，深圳、珠海市检察机关配合公安部门取缔和打击带有黑社会性质的犯罪团伙，肇庆、汕头、汕尾市检察机关配合公安、工商、卫生等部门查处假酒、毒酒中毒事件，打击制造销售伪劣商品的犯罪分子，都取得了较大成绩。

广州铁路运输各级检察院积极参与整顿铁路治安秩序的工作，依法打击危害铁路运输安全和旅客生命财产安全的各种刑事犯罪活动。1989 年，共受理广州铁路公安机关提请批捕案犯 1355 名，经审查，批准逮捕 1318 名，比上一年增加 44.4%；已向法院提起公诉 1308 名，比上一年增加 44.5%。一批盗窃铁路运输物资、在火车上行凶抢劫的车匪路霸和流氓滋事的严重刑事犯罪分子，受到了法律的制裁，有效地维护了铁路运输秩序。

各级检察机关在办案活动中，坚持以事实为根据，以法律为准绳的原则，重证据，重调查研究，严格依法办案。一年多来，通过审查批捕、审查起诉和出庭支持公诉，积极开展对公安机关的侦查监督和对人民法院的审判监督，追加逮捕案犯 382 人，追加起诉案犯 123 人，不批准逮捕 837 人，决定不予起诉 71 人，对量刑畸轻畸重的案件提出抗诉 84 件，依法惩罚犯罪，保证无罪的人不受刑事追究。

全省检察机关通过审查批捕、审查起诉工作，发现几个值得注意的突出问题：一是恶性、暴力性重大刑事犯罪十分严重；二是青少年犯罪所占的比例越来越大；三是走私、赌博和社会丑恶现象严重存在。

当前，我省社会治安形势总的来说是比较稳定的，但是，斗争仍然十分尖锐复杂，还存在着很多影响社会稳定的因素。我们反复告诫全省检察机关和全体检察人员，必须牢固树立稳定政治，稳定经济，稳定社会是压倒一切的观念，继续履行法律赋予的职责，坚决打击危害国家安全和社会主义制度的反革命分子，坚持依法从重从快打击严重危害社会治安的犯罪分子，特别是要狠狠打击重大抢劫、持枪作案、流窜犯罪、流氓团伙和重大盗窃等犯罪活动。要继续配合有关部门深入开展打击、查禁贩毒、吸毒、卖淫嫖娼、传播淫秽物品、聚众赌博、黑社会组织活动和封建迷信活动。要加强调查研究，全面地正确地执行政策和法律，及时、准确地打击犯罪分子。要结合办案，积极参加社会治安的综合治理，做好预防和抑制犯罪的工作，缓解人民内部矛盾，维护社会安定。

二、加强同贪污贿赂犯罪作斗争，促进廉政建设，保障治理整顿和深化改革的顺利进行

去年以来，全省各级检察机关认真贯彻落实党中央、国务院和我省采取的一系列惩治腐败，加强廉政建设的措施，按照最高人民检察院的部署，把反贪污贿赂斗争列为打击经济犯罪的第一位工作，作为检察工作的重点，大力加强办案工作，依法惩治贪污贿赂犯罪分子，获得了可喜的成效。1989 年，全省检察机关共受理贪污贿赂等经济犯罪案件 5762 件，已立案侦查贪污贿赂案件 2499 件 3044 人，已办结并提起公诉 847 人；追缴赃款赃物折值人民币 8700 多万元。受理、立案、批捕的件数和人数以及追缴的赃款都比上一年成倍增加，超过历史上任何一年。

一年多来，在开展惩治贪污贿赂犯罪斗争中，检察机关重点抓了如下几项工作：

第一，坚持专门机关与群众路线相结合，充分动员群众同贪污贿赂犯罪作斗争。检察机关建立举报中心，大力加强举报工作，为人民群众对国家工作人员行使监督权、控告权提供了方便条件，是依靠人民群众在法制范围内同少数贪污贿赂犯罪分子作斗争的好形式，是在新的条件下实行专门机关与群众路线相结合的有效途径。去年，我们进一步总结了开展举报工作的经验，加强了举报机构的组织建设，修订了受理贪污贿赂犯罪案件的实施细则，提请省七届人大常委会第八次会议通过了《广东省保护公民举报条例》，使举报工作逐步纳入了法制的轨道。各级检察机关受理群众举报基本上能够做到按工作程序办事，逐件登记、记录，认真做好举报线索的查处、转递、催办和答复工作，严格为举报人保密，严肃处理打击报复举报人的犯罪行为，依法惩办诬告陷害他人的犯罪活动，大大提高了人民群众同贪污贿赂犯罪作斗争的积极性。1989 年，全省检察机关共受理举报材料 28152 件，比 1988 年的 7060 件增加了 299%。去年群众举报不仅数量激增，而且在举报质量上也发生了很大变化：一是受理举报的重大案件线索明显增加；二是涉及县、处级以上领导干部的贪污贿赂犯罪线索明显增加；三是一些地方署名举报增加；四是举报材料的真实性、可靠性程度提高。群众大量而有价值的举报，不仅为检察机关提供了充足的案源，有力地加强了反贪污贿赂斗争的群众基础，而且表明了广大人民群众对我们党和政府的无限信赖，对检察机关的坚决支持，对惩治贪污贿赂犯罪和反贪倡廉的坚定信心。

第二，建立机构，强化检察机关的反贪污贿赂职能，提高侦查和预防能力。去年，我们注意总结了反贪污贿赂斗争的历史经验，根据《中华人民共和国宪法》、《刑事诉讼法》、《人民检察院组织法》的有关规定精神，经报请中共广东省委、省人大常委会和最高人民检察院批准，在省人民政府的支持下，省检察院于去年 8 月 18 日建立了反贪污贿赂工作局。随后，在各级党委、人大、政府的大力支持下，16 个市和 30 多个县、区检察院相继建立了反贪污贿赂工作局，其他县、区检察院经济检察机构改名为贪污贿赂检察科。这一机构的建立，立即得到了最高人民检察院的肯定和推广，得到了党中央、全国人大常委会和国务院的支持。

在检察机关内设立反贪污贿赂专门机构，集举报、侦查、预防于一体，配套成龙，强化了检察机关的反贪污贿赂职能。省检察院反贪污贿赂工作局统一指挥全省检察机关举报、侦查和预防犯罪的工作，协调跨地区的办案工作，侦查工作有了显著进展，查获了一批大案要案，严惩了一批正在猖狂作案的犯罪分子。去年1至8月，全省立案侦查贪污贿赂等犯罪案件1165件，逮捕人犯1404人。省检察院反贪污贿赂工作局成立后的9至12月，在最高人民法院、最高人民检察院《关于贪污、受贿、投机倒把等犯罪分子必须在限期内自首坦白的通告》(以下简称《通告》)的推动下，全省立案侦查贪污贿赂等犯罪案件1702件，逮捕人犯2072人，与前8个月相比，分别增加46.1%和47.6%。去年9至12月的4个月，共查处贪污贿赂万元以上大案695件，占全年查处大要案总数的65.1%，其中十万元以上不满五十万元的56件，五十万元以上不满一百万元的5件，一百万元以上的3件。今年以来，我省反贪污贿赂斗争又有新的发展。1至3月，全省立案侦查案件659件782人，分别比去年同期增加67.7%和70.4%，查处万元以上大案310件，比去年同期增加1.38倍，查处县处级以上干部犯罪案件17件（去年同期没有查处县处级干部犯罪案件)。我们还采取有力措施追捕在逃案犯，将潜逃在外的87名案犯缉获归案或敦促他们回来自首。这些案犯中，大多数是贪污受贿数额巨大的犯罪分子，有的潜逃5、6年之久，有的甚至逃到境外或国外。

在惩治贪污贿赂犯罪的同时，加强了预防犯罪的工作。针对一些单位存在的漏洞，提出检察建议，帮助这些单位改章建制，开展共建廉政单位等活动。目前已制订了《广东省检察机关反贪污贿赂专门机构的工作规则（试行)》，并准备草拟《广东省检察机关反贪污贿赂工作局工作条例》(草案)，拟在适当时候提请省人大常委会审议，使惩罚和预防贪污贿赂犯罪逐步制度化、法律化。

第三，坚持各级检察长带头办案，保证办案质量。我们要求全省各级检察长，既当指挥员，又当侦查员，亲自参与重大案件的侦查和出庭支持公诉。据统计，去年全省有270多名正副检察长亲自办理大案要案，占检察长总数的62%。省检察院先后向各地派出30多个办案组，参加办案的正副检察长和检察委员会委员、检察员、助理检察员达100多人(次)。各市院抽调了500名多检察人员帮助基层检察院办理案件。检察长带头办案，对改进工作作风和领导方法，克服官僚主义，对办案工作实施更有效的领导，对推动反贪污贿赂斗争的开展，对提高办案质量，都起了很好的作用。

第四，坚持惩办与宽大相结合，分化瓦解犯罪分子，挽救一批违法犯罪人员。我们特别强调各级检察机关要坚决贯彻执行惩办与宽大相结合的政策，根据犯罪分子的犯罪事实和悔罪表现，区别对待，宽严相济，对那些证据确凿，又拒不自首坦白罪行的犯罪分子，坚决依法从严从重惩处；对主动投案自首，彻底坦白交代罪行，积极退赃并有立功表现的犯罪分子，依法给予宽大处理。在加强侦查工作的同时，依靠群众对犯罪分子开展规劝工作，尽可能敦促更多的犯罪分子自首坦白，尽可能挽救愿意悔罪自新的违法犯罪人员。去年以来，特别是贯彻《通告》期间，各级检察机关在规劝、敦促犯罪分子自首坦白，兑现宽严政策方面，摸索和创造了一些有效的方法。例如，对正在侦查的案犯，通过预审或驻所检察，反复宣传法律政策；对涉嫌犯罪比较明显的对象，进行当面敦促、书面敦促或者电话敦促；对担任一定领导职务的涉嫌对象，请主管部门的领导出面做工作；对涉嫌对象较多的单位，在主管部门的配合下，召开动员大会，宣传法律政策，发动群众举报；动员被告人或涉嫌对象的家属、亲友进行规劝；选择典型案例，公开宣布从宽从严处理，及时兑现政策，等等。所有这些做法，都取得了明显的法制效果，出现了贪污贿赂犯罪团伙集体投案，父劝子，妻劝夫，姐妹劝兄弟自首坦白的场面。据统计，去年8月15日至10月31日《通告》规定的限期内，全省有3485名贪污贿赂违法犯罪人员到检察机关自首坦白，共交代犯罪金额5000多万元，退出赃款赃物计人民币4000多万元。在自首人员中，贪污贿赂万元以上的有近千人，坦白交代最多的达130多万元，有科级干部439人，县处级干部49人。去年11月，《通告》期限结束后，我们曾郑重宣布：坦白从宽的大门始终不会关闭，继续贯彻执行党的惩办与宽大相结合的政策，继续欢迎有贪污贿赂犯罪行为的人走自首坦白的道路。党的政策和国家法律的威力是巨大的。从去年11月至今年3月，全省又有690名违法犯罪人员到检察机关投案自首。

各级检察机关依照法律和《通告》的规定，对自首坦白人员认真地做查证处理工作，做到既体现从宽精神，又注意宽严适度。至今年3月底止，检察机关对161名严重贪污贿赂犯罪分子，已向人民法院提起公诉，对1245名犯罪分子作了免予起诉的决定，移送有关部门作党政纪处理的1402人。对那些拒不自首坦白或避重就轻、企图蒙混过关的犯罪分子，坚决立案侦查，依法严惩，绝不宽贷。实践证明，党中央决定实行"临时大政策"，由最高人民法院、最高人民检察院发布《通告》，规劝、敦促犯有贪污贿赂行为的人员走自首坦白之路，是非常正确的。不仅有力地震慑了犯罪分子，挽救了一大批违法犯罪人员，而且大大地增强了干部、群众的法制观念，推动了反贪污贿赂斗争的深入发展。

在反贪污贿赂斗争中，我省各级检察机关坚持贯彻执行"一要坚决，二要慎重，务必搞准"的原则，严格依法办案，保证办案质量。去年，我们进一步完善了内部制约制度。省检察院制定了《关于自侦案件审查逮捕、审查起诉工作的规定》，明确规定了贪污贿赂等检察机关自行侦查的案件实行内部制约，并规定了具体的实施程序，对大要案实行分级办理的负责制，规定了地、局级干部的案件由省检察院反贪污贿赂工作局为主办理，县处级干部的案件由市检察院反贪污贿赂工作局为主办理。在办案工作中，严格依法侦查取证，注意把好证据关、适用法律关，慎重处理属于法律政策界限不明确或各方面意见分歧较大的案件。对一些不依法办案、不符合法律程序的错误做法，个别处理不当的案件，一经发现，即坚决纠正。我们还强调要把打击犯罪同促进经济发展，为治理整顿和深化改革服务结合起来，为企业和公民提供法律保障。

我省各级检察机关在开展反贪污贿赂斗争的同时，还密切配合税务、财务、物价大检查，配合整顿清理公司，配合查处以权谋房等项工作，查处属于检察机关管辖的其他经济犯罪案件。去年1月至今年3月，全省检察机关立案侦查偷税抗税、假冒商标等经济罪案427件，通过办案不仅挽回经济损失1674万元，而且对维护正常的经济秩序起了积极作用。

我省广大党政机关工作人员是清正廉洁的，贪污贿赂犯罪分子只是极少数。但是，切不可以低估贪污贿赂犯罪的严重性和危害性。贪污贿赂犯罪分子大量侵吞国家和人民的财产，不仅阻碍社会主义经济建设的发展，而且动摇着人们对改革开放的信心，挫伤了人民群众建设社会主义的积极性，损害了党和人民政府的威信，甚至会被坏人用作制造事端的借口，严重危害社会安定。当前，尤为值得注意的是，国际反动势力加紧对我国进行渗透，妄图通过“和平演变”的战略，推翻中国共产党领导，颠覆社会主义制度。他们为实现这一阴谋，不仅采用政治的、思想文化的和科技活动等各种途径，在我们党内和国家机关内寻找他们的代理人，而且还利用我们对外开放的条件，以金钱腐蚀我们队伍中的意志薄弱者，在我们党内和国家机关内培植贪污贿赂等腐败分子，以实现其从内部攻破堡垒的战略。事实上也是这样，贪污贿赂犯罪分子经济上暴富之后，思想上和政治上则容易逐步走向背离党和国家的道路，甚至逃往国外、境外、充当反动势力的同盟军。在这个意义上说，我们同贪污贿赂犯罪作斗争，不仅是经济领域的斗争，而且还带有政治斗争的性质。

今年，我省各级检察机关要坚持不懈地开展反贪污贿赂斗争，继续根据各地治理整顿和廉政建设的总体部署，配合有关部门查处以权谋房、清查小钱拒、开展财税、物价大检查、整顿公司、企业中揭露出来的贪污贿赂犯罪案件，特别要集中力量查处以权谋房中的构成贪污贿赂犯罪的案件，突破一批大案要案，依法严惩严重贪污贿赂犯罪分子。继续运用贯彻《通告》的经验，大力宣传惩办与宽大相结合的政策，敦促和规劝犯罪分子投案自首，化消极因素为积极因素。要进一步加强预防犯罪工作，依靠群众，发动群众对国家工作人员进行公开监督，从根本上改变社会风气，减少、抑制发案源头，开展共建廉政单位活动，继续同一些行业系统建立和健全办案联系制度，协助企业单位制订防范措施，推动行业系统的廉政建设。要进一步改善执法活动，坚持打击、保护、服务一起抓，讲求办案的法制效果和社会效果，注意保护公民和企业的合法收入，保护企业的声誉和合法权益，促进生产和经济的发展。

三、认真查处侵犯公民民主权利、人身权利和渎职犯罪案件，促进社会主义民主和法制建设

我省各级检察机关，围绕推进社会主义民主和法制的建设，加强法纪检察工作，依法查处侵犯公民民主权利、人身权利和渎职犯罪案件。1989 年 1 月至今年 3 月，受理法纪案件 1608 件，立案侦查 508 件，决定起诉 304 人，依法惩罚了一批藐视法律，弄权渎职的犯罪分子，保护了公民权利，维护了国家机关的正常活动、社会安定以及宪法和法律的尊严。

在开展法纪检察中，着重查处了徇私枉法，包庇、放纵犯罪分子的案件；报复陷害或诬告陷害执法人员、检举人、揭发人的案件；玩忽职守，致使犯罪分子逃跑，或造成国家和集体财产严重损失的案件。同时，对非法拘禁、非法搜查、私拆隐匿毁弃邮件等侵犯公民权利的违法犯罪案件，一经发现都认真查明事实，依法严肃处理。与此同时，对于尚未构成犯罪的违法案件，在查清事实后，提出检察建议，协同有关部门调解纷争，纠正违法行为 700 多起，对干部群众进行法纪宣传教育 300 多场次，受教育的人数 42 万多人次，收到了良好的效果。

当前，侵犯公民权利和国家工作人员玩忽职守犯罪还比较严重，少数干部滥用职权，随意非法捆绑、拘禁他人，非法查抄财物，侵犯公民合法权利的事情时有发生，引起了群众强烈的不满。尤其值得注意的是，一些人在处理土地、山林、水利、房屋、婚姻、债务等纠纷中，目无法纪，动辄纠合亲友扣押人质，私设公堂，打砸财物，不仅侵犯公民的合法权益，而且危害社会的稳定。少数国家工作人员对工作严重不负责任，给国家和人民生命财产造成的损失，令人触目惊心。据去年侦查终结的174件玩忽职守、重大责任事故案件统计，造成直接经济损失2184万多元。这类犯罪严重地破坏了党群、干群关系，危害着社会安定。因此，同这些违法犯罪行为作斗争，也是惩治腐败的一个重要组成部分。

随着社会主义民主和法制建设的深入发展，加强法纪检察工作显得十分重要。今年，我们要继续严肃查处侵犯公民权利的案件，依法惩罚犯罪，纠正违法，切实保障公民的民主权利、人身权利和其他合法权益。坚决查处徇私枉法、玩忽职守、重大责任事故等渎职犯罪案件，维护国家机关的正常工作秩序。要结合办案，广泛开展法制宣传教育，帮助国家工作人员提高依法办事的能力，增强公民的法制观念，既要学会运用法律规范来约束自己的行为，又要学会运用法律规范来保护自己的人身权利和民主权利，运用法律武器同违法犯罪行为作斗争，促进社会主义民主沿着法制的轨道发展。

四、积极开展监所检察和控告申诉检察，维护国家法律的统一正确实施

我省各级检察机关坚持向看守所、监狱、劳改、劳教场所派出检察机构，实行驻场驻所检察，或派出检察人员，进行巡回检察，认真对刑事判决、裁定的执行和监管场所的活动实行监督，支持监管改造部门依法文明管教，做了大量工作。一是坚决打击牢头狱霸等犯罪活动，保证刑事诉讼和改造工作的顺利进行。一年多来，批准逮捕犯罪的劳教人员36名，起诉又犯罪的劳改人员267名，狠狠打击了犯罪分子的嚣张气焰，稳定了监管场所的改造秩序。二是支持监管改造部门进行严格管教，提高改造质量。驻场驻所检察人员密切配合监管改造部门，对在押人员进行法制教育，促使他们认罪服法，坦白交代罪行，检举揭发犯罪，服从管教。贯彻《通告》期间，检察机关深入监管场所宣传《通告》，敦促了557名在押犯主动坦白交代罪行，检举揭发的犯罪线索1100多条。对管制犯、缓刑犯、监外执行犯、假释犯与刑满释放后剥夺政治权利犯进行检察，与有关部门研究落实监督改造措施。三是检察纠正监管改造工作中的违法行为，促进文明执法。一年多来，检察纠正不按期投入劳改、不按规定保外就医、不按期释放和解除劳教的共493人；纠正无证羁押、超期羁押、体罚虐待被监管人等违法行为5590件(次)；对14名构成贪污、受贿、徇私枉法等犯罪的管教人员，依法追究刑事责任，维护了法律的严肃性。

各级检察机关认真开展控告申诉检察，及时办理公民控告申诉的案件，打击犯罪分子，实事求是地纠正错案，为无辜受处理的人员平反。1989年1月至今年3月，全省检察机关受理群众来信来访69325件(次)，自行查办了20682件，复查不服不批准逮捕、不起诉、免予起诉和判刑的申诉案件144件，改变原决定或建议复议的27件。对控告不实、申诉无理的人做了大量的法制宣传教育工作，减少了重复信访和越级上访。各地普遍坚持了检察长接访、批阅重要信访材料和巡回接访、定点接访制度，切实解决群众告状难的问题。同时，通过接待群众来信来访，提供法律咨询服务，了解和掌握社会治安动态，对于可能引起矛盾激化的群众纠纷，及时进行查处或调解，防止恶性事件的发生，对促进社会秩序的稳定起了良好作用。

五、加强检察队伍自身建设，提高政治素质和业务素质

全省各级检察机关按照最高人民检察院提出的“从严治检”的要求，努力建设一支“严格依法办案，秉公执法，掌握政策，实事求是，联系群众，精通业务”的队伍，加强对检察人员的培养教育，队伍建设有了较大进步。全省检察人员自觉地和党中央保持政治上行动上的高度一致，旗帜鲜明地参加制止动乱，表现了坚定的政治立场，向党和人民交了一份合格的答卷。广大检察人员在条件比较艰苦的情况下，同各种违法犯罪分子进行了英勇顽强的斗争，秉公执法，一身正气，自觉拒腐蚀，抵制送礼、说情等不正之风。据不完全统计，全省检察人员拒收贿赂、谢绝送礼的有1400多人次，拒收财物价值近30万元。许多检察人员自觉加班加点，夜以继日地工作，家庭有困难尽量克服，甚至带病工作，出色地完成了各项任务。学习法律、钻研业务知识的风气越来越浓，全省有3200多名检察人员就读各类电大、函大、业大和法律中专，已有1100多人通过了检察专业证书全国统一考试，检察人员文化水平和专业化程度逐步提高，还有一批检察人员参加了省、市检察院举办的短期培训班，掌握了岗位基本业务知识，提高了依法办案能力。事实证明，我省检察队伍是一支好的队伍，有着坚强的战斗力。

广大检察人员忠于职守，保持旺盛的斗志，靠的是经常性的思想教育，靠的是对检察事业的忠诚。首先是坚持正面教育。反复进行坚持四项基本原则教育、纪律教育和反腐蚀教育，不断提高检察人员的政治觉悟和职业责任感，保持崇高的革命理想和道德情操，正确行使权力。其次是严明纪律。执行岗位责任制，目标管理责任制，严格管理。开展“争先创优”活动，按照检察人员的工作实绩决定奖励晋升。对在工作中涌现出来的先进集体和先进个人，及时给予表彰，树立良好的风气，激发检察人员奋发向上。去年，全省有1824名检察人员受到各种表彰奖励。省检察院表彰了在制止动乱和反贪污贿赂斗争中作出显著成绩的先进集体和先进个人，41个单位和168名检察人员分别被记一等功、二等功和授予先进集体、先进个人称号。我们坚持每年一次执法大检查，发扬成绩，纠正违法乱纪行为。今年第一季度，全省各级检察机关普遍检查了1989年执法情况和自身廉政建设，发现有少数检察人员存在执法不严，执法不公，以罚代刑，以捕代侦等问题，个别还有徇私舞弊行为，现已对18名违法乱纪人员给予纪律处分。还有一些问题，我们将逐件调查核实，严肃处理。再次是坚持解决思想问题与解决实际问题相结合。领导以身作则，与干警同甘共苦，在政府有关部门的支持下，在力所能及的条件下，千方百计地改善干警的工作条件，关心干警进修深造、住房、子女就业、夫妻分居等实际问题，解除干警的后顾之忧，同心协力做好工作。为了促进检察队伍建设，我们通过邀请人大代表、政协委员到检察机关视察评议工作；深入基层、企业、科研部门，广泛征求对检察机关的批评和建议；开展法律咨询服务；建立新闻发布制度；加强检察信息的反馈和传播等途径，接受人大和兄弟部门、新闻舆论、社会各界人士的广泛监督，避免和减少工作中的失误，及时纠正工作中存在的问题。

去年底，江泽民、李鹏同志接见全国检察长工作会议代表时，要求检察机关正人先正自己，搞好队伍建设。我们要进一步加强思想政治工作，深入组织全体检察人员认真学习党的十三届六中全会文件，把思想统一到六中全会精神上来，要加强同人民群众的血肉联系，自觉围绕搞好治理整顿和深化改革，维护国家政治稳定、经济稳定、社会稳定，保证经济持续稳定协调发展，搞好各项检察工作。要组织检察人员学习马列主义、毛泽东思想的基本理论，掌握国家法律与党的政策相统一的观点、历史唯物主义和辩证唯物主义的观点、群众路线的观点、全心全意为人民服务的观点和正确行使权力的观点，提高检察工作的科学性和预见性。要对检察人员进行以党的基本路线教育为中心内容的系列教育，包括进行中国国情和历史教育、爱国主义、集体主义和共产主义理想教育，突出抓好反腐蚀教育和职业道德教育，树立“廉洁、公正、团结、高效”的院风。继续办好检察电大班，鼓励业余学习，举办侦查工作短期培训，加强岗位基本功训练，努力提高检察人员的业务素质。今年，县、区检察长要换届选举，要协同县、区党委挑选候选人，让那些秉公执法，有专业知识，有业务能力，思想作风好，身体好的同志担任检察长。

我省检察机关在各级党委的领导、人大的监督和政府的支持下，做了不少工作，取得一定成绩，但是，我们的工作仍然存在一些不可忽视的问题。主要表现在：履行法律监督职责不够得力，对一些违法行为，发现不够及时，纠正不够坚决；有些检察人员未能正确对待办案工作中存在的困难，畏难情绪突出，思想不够稳定，对搞好检察工作缺乏足够的信心；少数检察人员业务素质差，侦查水平低，执法不够严格，作风不够深入，工作粗糙，造成个别案件审查不严，办得不准，滥用强制措施和超期羁押的现象时有发生，个别检察人员违反办案纪律，甚至执法犯法；由于检察机关人力缺乏，侦查装备、侦查技术落后，办案周期长，群众举报的涉嫌线索有相当一部分无法调查或没有查清，一些隐蔽较深的狡猾的犯罪分子未能得到及时的揭露，甚至逃脱法律的惩罚；预防犯罪的工作效果也不够显著。我们希望人民代表加强对检察机关和检察人员的检查、批评、监督，支持检察机关严格依法办案。我们决心发扬成绩，克服缺点，总结经验，吸取教训，把我省的检察工作搞得更好！

广西壮族自治区人民检察院工作报告（摘要）

——1990年4月25日在广西壮族自治区第七届人民代表大会第三次会议上

广西壮族自治区人民检察院检察长　丘栋霖

（1990年4月28日广西壮族自治区第七届人民代表大会第三次会议通过）

一年来，我区检察机关在自治区党委和最高人民检察院的领导下，在自治区人大常委会的监督和人民政府的支持下，坚决贯彻执行党的十一届三中全会以来的基本路线和党的十三届四中全会、五中全会精神，进一步加强人民民主专政和法律监督职能，在斗争复杂、条件艰苦的情况下，立场坚定地参加了制止动乱和清理清查工作，继续深入开展了反贪污、贿赂和打击严重刑事犯罪的斗争，各项工作都有新的进展，为稳定社会秩序、推进廉政建设、保障治理整顿深化改革和社会主义现代化建设作出了应有的贡献。

一、大张旗鼓地开展反贪污、贿赂斗争

1989年，我区各级检察机关坚决贯彻党中央关于惩治腐败、加强廉政建设的有关指示，坚持把打击经济犯罪作为一项基本任务，把反贪污、贿赂斗争列为打击经济犯罪的第一位工作，集中力量查处大案要案，自觉地为国家的稳定服务，为进一步治理整顿和深化改革服务，取得了明显的成效。全年全区受理贪污、贿赂等经济犯罪案件4364件，比上年增加122.4%；立案侦查2082件，比上年增加181.4%，其中贪污、贿赂案件1810件，占86.9%，比上年增加257%；决定逮捕人犯935人，向人民法院提起公诉608人；通过办案，为国家和集体挽回经济损失2326万余元。

在开展反贪污、贿赂斗争中，主要抓了几件事：

1、认真贯彻“两高”《通告》，促使贪污、贿赂等犯罪分子自首坦白。“两高”发布《关于贪污、受贿、投机倒把等犯罪分子必须在限期内自首坦白的通告》，是落实党中央、国务院决定要做的七件实事的一项重要措施。全区检察机关在党委的统一领导和有关部门的支持配合下，采取多种形式广泛深入宣传《通告》精神，造成强大的政治攻势，并在此基础上对已经自首坦白的案件抓紧查证处理，及时兑现党和国家的政策，促使了一大批贪污、贿赂犯罪分子自首坦白。据对8月15日至10月31日的统计，全区共接待投案自首的贪污、贿赂等违法犯罪分子1517人。其中，县处级干部57人，高级工程师2人；贪污犯罪分子554人，贿赂犯罪分子689人；万元以上232人；共交代作案金额983万元，已退出赃款及赃物折款668万元。与此同时，看守所在押案犯和“两劳”人员有307人坦白交代自己的余罪，并收到这类人员揭发检举经济犯罪线索417件。贯彻“两高”《通告》期间，全区13个地、市和柳铁检察机关，接待投案人数超过100人的有7个地、市。最多的是南宁地区，投案自首的有335人，其中县处级干部10人（内含副县长3人、县人大常委会副主任2人），共交代犯罪金额189.5万余元，已退出赃款128.6万余元。其次是梧州市，投案自首的有196人，其中县处级干部9人，共交代犯罪金额97万余元，已退出赃款66万余元。由于各级检察机关认真贯彻《通告》精神，注意兑现党的政策，在《通告》限期的最后一天，全区有200多人争相到检察机关投案，其中桂林市69人，梧州市46人，德保县、马山县各16人，有的检察院门前还出现排队投案的场面。梧州市外贸食品进出口公司的何旭林，《通告》发布后一直徘徊观望，在限期将到的最后五分钟，他受到政策的感召，跑步赶到检察院投案，交代了自己的犯罪事实。

《通告》的贯彻落实，进一步调动了广大群众同经济犯罪作斗争的积极性，群众举报的案件线索大幅度增加，反贪污、贿赂斗争迅速出现高潮。据统计，在贯彻《通告》的两个半月内，全区检察机关共受理群众举报贪污、贿赂等犯罪案件线索3527件，比上年同期增加六倍多。

各级检察院依照“以事实为根据，以法律为准绳”的办案原则和“坦白从宽，抗拒从严”的政策，抓紧审查处理各类自首和举报材料，该立案的立案，该转交的转交，落实了党的政策。截至今年3月底，投案自首的1517人，已处理了1382人，占91.1%。其中，贪污贿赂金额在二千元以上的761人，已立案侦查654人，占85.9%，已审结465人，占71.1%，内不诉12人，免诉405人，起诉48人；贪污贿赂金额在二千元以下的756人，已转有关部门处理634人。

《通告》规定期限结束后，各级检察机关根据江泽民同志关于“期限满了以后，只要犯罪分子来坦白交代，我们还是欢迎的”指示，通过各种渠道明确表示，《通告》限期虽然已过，坦白从宽的大门仍然是敞开的。因此，自去年11月以来，仍不断有贪污、贿赂违法犯罪分子投案自首。到今年1月底止，全区继续投案自首的有73人，其中县处级干部3人，共退出赃款29万多元。这些投案自首的人，依照刑法的有关规定都将得到从宽处理。为了全面贯彻党的政策，有的地区在《通告》期限结束后，对那些查有实据而拒不自首坦白的贪污、贿赂分子依法从严作了处理，鼓舞了广大群众，震慑了违法犯罪分子。实践证明，号召和敦促犯罪分子自首坦白，对自首坦白人员实行从宽处理的政策，是十分正确、非常有效的，是运用法律和政策的威力把反贪污、贿赂斗争推向深入的好办法。

2、坚持检察长亲自办案和案件分级负责办理制度，集中力量查处大要案。一年来，我区各级检察机关坚持检察长亲自参与大要案的侦查工作，随时掌握办案进度，发现问题及时实施具体指导，因而查处大要案工作有了很大进展。据统计，全年全区共立案侦查重大特大案件493件，比上年增加317.8%。其中，重大特大贪污、贿赂案件406件，占整个重大特大经济犯罪案件的82.4%，比上年增加341.3%；涉及的县处级干部34人。与此同时，坚持实行案件分级负责办理制度，即：涉及厅局级干部的案件由自治区检察院为主查办，涉及县处级干部的案件由分、市检察院为主查办。因而有效地促进了反贪污、贿赂斗争深入开展。

3、积极开展举报工作，依靠群众揭露贪污、贿赂等犯罪活动。为了发动和依靠广大群众揭露、打击贪污、贿赂犯罪，把反贪污、贿赂斗争引向深入，自治区检察院先后召开了两次全区性举报工作会议，贯彻最高人民检察院关于加强举报工作的指示。各级检察机关在开展举报工作中，坚持把查处举报线索和信息反馈作为中心环节来抓，做到热情接待举报人，认真查处举报案件线索，注意替举报人保密，适时反馈查处结果和兑现奖励政策，因而举报材料不断增多，举报工作有了较大的发展。1989年，全区检察机关共受理群众举报的案件线索20029件，其中贪污、贿赂等经济违法犯罪案件线索10813件。这些举报案件线索，大大丰富了反贪污、贿赂斗争的案源。据统计，全区检察机关根据群众举报的线索，先后立案侦查贪污、贿赂等犯罪案件1172件，其中万元以上大案179件，涉及县处级干部12人。实践证明，开展举报工作，是检察工作实行专门机关与群众路线结合的好形式。

4、大力加强侦查工作，提高办案质量。全区各级检察机关在开展反贪污、贿赂斗争中，普遍注意加强侦查工作，特别是5月召开全区侦查工作经验交流会，强调进一步学会运用法律规定的各种侦查手段，搞好公开和秘密的调查取证工作，侦查人员的侦查意识逐步增强，侦破能力不断提高，侦查工作普遍有了发展。一年来，全区检察机关办理经济犯罪案件的立案、结案数不仅逐季增加，而且差不多逐月增加。其中第二季度立案数比第一季度增加54%，内大案要案增加57%；第三季度立案数又比第二季度增加44%，内大要案增加45%；第四季度立案数又比第三季度增加77.1%，内大要案增加28.4%。各级检察机关在侦查实践中，注意摸索深挖贪污、贿赂犯罪的经验，办一案带一串，查一个挖一窝，促进了反贪污、贿赂斗争深入开展。

在加强侦查工作的同时，各级检察机关坚持一要坚决、二要慎重、务必搞准的方针和"以事实为根据，以法律为准绳"的原则，加强监督、检查，健全检察机关内部制约机制，注意防止和纠正"以拘留代替侦查"、"以捕人代替侦查"等错误做法，从而使办案质量得到了保证。

一年来的斗争实践使我们深刻体会到，我区反贪污、贿赂斗争之所以能取得这样好的成果，一是自治区党委和人大常委会加强领导和监督，支持检察机关查处了一批有影响的大案要案。在自治区党委和人大常委会的带动和影响下，各地、市、县党委和人大常委会对检察机关办理贪污、贿赂案也加强了领导和监督。二是人民政府的大力支持和有关部门的密切配合。许多县、市政府根据检察机关办案的需要，增拨了办案经费。三是采用宣传《通告》、号召坦白自首的办法，发挥了政策的感召力和法律的威慑力。四是完善和加强举报工作，进一步激发了广大群众同贪污、贿赂犯罪作斗争的积极性。五是加强侦查工作，提高了办案效率。

二、严厉打击刑事犯罪分子的破坏活动

1989年，我区检察机关坚持把同刑事犯罪作斗争作为另一项基本任务，列为又一个工作重点，继续贯彻依法从重从快惩处的方针，严厉打击了严重刑事犯罪分子的破坏活动。特别是全国出现动乱和北京地区发生反革命暴乱以后，在党委的统一领导下，积极配合清查清理工作，依法从重从快打击了各种严重刑事犯罪活动。全年全区检察机关共批准逮捕公安机关提请批捕的各种刑事案犯23752人，比上年增加43.2%。起诉公安机关移送起诉的案犯21091人，比上年增加30.9%。在严厉打击严重刑事犯罪活动中，各级检察机关注意抓了以下几项工作。

1、在党委统一领导下，积极参加各项专项打击和专项治理工作。去年各地检察机关密切配合公安机关和人民法院，在全区先后开展了三次集中打击行动。一是5、6月间，根据当时的社会治安情况，在全区范围内开展了集中打击严重刑事犯罪和流窜犯罪的行动；二是8、9月间围绕建国40周年的保卫工作，开展了一次集中打击严重刑事犯罪的行动；三是年底，又开展了一次严厉打击严重刑事犯罪和深入进行扫除"六害"斗争的集中行动。各地还结合本地的实际，开展了各种专项斗争。通过这几次集中行动，及时有力地打击了反革命分子和刑事犯罪分子的嚣张气焰，维护了社会治安秩序和人民群众的安全。

2、对特大案件和有影响的重大案件，坚持提前介入公安机关的侦查、预审活动。各地把了解案情、了解证据的工作做在公安机关移送批捕、起诉之前，大大缩短了审查批捕、审查起诉的时间，提高了办案效率。同时，各级检察机关通过提前介入，对事实不清、证据不足的案件，及时向公安机关提出建议，保证在批捕、起诉时案件事实清楚，证据确凿。据重点调查，在审查批捕阶段提前介入公安机关侦查活动的约占批捕案件总数的14%，在起诉阶段提前介入公安机关侦查活动的约占起诉案件总数的17%。这种提前介入的做法，对及时、准确地打击犯罪，防止错漏起了很好的作用。

3、加强侦查监督和审判监督工作。我区各级检察机关对公安机关提请批捕和移送起诉的案件，坚持认真审查，做到根据事实和国家法律，该批捕的批捕，该起诉的起诉，不该捕、不该诉的坚决不捕、不诉。全年全区作出不批准逮捕决定的有1585人，作出不起诉决定的有91人，追捕了应逮捕未报捕的犯罪分子242人，追诉了应起诉未移送起诉的犯罪分子68人。与此同时，针对公安机关侦查活动中的违法情况提出纠正意见42件（次），针对人民法院审判活动中的违法情况提出纠正意见11件（次）。此外，对人民法院判决、裁定确有错误的案件提出抗诉45件，到年底已收到人民法院重新作出判决、裁定的案件17件，其中改判11件，占已审结抗诉案的64.7%。

4、加强对刑事判决、裁定的执行和监管改造工作的监督。全年全区检察机关对刑事判决、裁定执行中和监管改造场所活动中的违法行为提出纠正意见2109次，查处监管改造场所干警犯罪案件28件，起诉劳改、劳教人员犯罪案件314件。全区有82个分、市、县检察院对1841名监外执行犯的监管改造情况进行了考察，并就考察发现的问题提出了纠正意见。这些，对保证刑事判决、裁定的正确执行，促进监管改造场所实行文明管理，提高改造的质量，都起到了积极的作用。此外，动乱期间，各地检察机关的驻场驻所检察干部配合监管改造部门，及时打击发生在狱内的反革命宣传煽动等犯罪活动，抓紧进行安全防范检查，有效地保证了监管改造秩序的稳定。

三、 认真查处侵犯公民民主权利案件和渎职案件，积极开展控告申诉检察活动

1、严肃处理侵权、渎职等法纪犯罪案件，促进社会主义民主与法制建设。全年全区检察机关共受理侵权、渎职等法纪犯罪案1065件，比上年增加9%；立案侦查236件，比上年增加32.6%，其中重大特大案件41件，比上年增加141.2%；结案228件，比上年增加23.2%。在开展法纪检察工作中，各级检察机关围绕廉政建设和治理整顿这一中心任务，重点查处了国家工作人员和司法工作人员贪赃枉法、徇私舞弊等恃权枉法的犯罪案件，国家工作人员严重官僚主义、弄权渎职的玩忽职守和重大责任事故案件，基层干部和公安司法人员非法拘禁、非法搜查以及诬告陷害、报复陷害等侵犯公民民主权利、人身权利的犯罪案件。这些案件严重损害党和政府的形象，亵渎法律的尊严，破坏党和人民群众的关系。严肃处理这类案件，得到了广大群众的支持。去年，全区批准逮捕公安司法机关的违法犯罪人员共69人。各级检察机关除依法惩处各种侵权、渎职犯罪活动外，还注意对不构成犯罪的案件及时移送党的纪检部门或政府的监察部门处理，对矛盾可能激化的案件及时做好当事人的思想工作，维护了社会的安定。

2、认真做好控告申诉检察工作，保护公民的合法权益。去年全区检察机关共受理各类控告、申诉46176件（次），比上年增加21.6%；已处理38735件（次），比上年增加33.3%。在已处理的案件中，追查属于公安机关侦查范围的漏案134件，查后由检察机关立案侦查或交公安机关立案侦查的50件；复查对检察机关处理决定不服的申诉案件105件，复查后改变原决定追捕追诉10件，撤销案件9件；复查不服法院判决的申诉案件125件，复查后依照审判监督程序建议法院改判34件。此外，还查办了可能引起矛盾激化和“告状无门”等其他控告案件370件，为保障法律的正确实施和促进社会的安定团结发挥了法律监督职能作用。

四、加强检察队伍建设，提高干警的素质

我区检察机关根据中央和最高人民检察院提出的“从严治检”，建立一支“政治立场坚定，严格依法办案，秉公执法，掌握政策，实事求是，联系群众，精通业务”的检察队伍的要求，把干警的思想政治教育和业务培训作为一项重要工作来抓，加强了队伍的建设。

在去年春夏之交发生政治动乱和反革命暴乱期间，自治区院根据党中央的正确决策和区党委、最高人民检察院的指示，连续七次发出通知、通报，要求各级检察机关坚持四项基本原则，加强思想政治工作，教育广大干警明辨是非，站稳立场，认清动乱、暴乱的实质，不受错误舆论导向影响。各分、市、县（区）检察院根据上述要求，普遍加强了思想政治工作。因而，广大检察人员在这段时间能立场坚定，旗帜鲜明，自觉地和党中央保持一致，坚决执行党中央、国务院和中央军委的正确决定和部署，严守纪律，坚守岗位，无一人上街参加游行和支持动乱，在关系党和国家前途和命运的关键时刻，表现了对党对人民对共和国的忠诚。最高人民检察院在表彰全国检察系统制止动乱、平息反革命暴乱先进集体时，通令嘉奖了桂林市人民检察院，授予南宁市人民检察院先进集体称号。

各级检察机关还结合检察业务和干警的思想，普遍进行了以下几个方面的教育。一是针对社会上的资产阶级自由化思潮，对干警进行坚持四项基本原则教育和国情教育；二是针对社会分配不公、检察机关工作艰苦的情况，对干警进行艰苦奋斗、过“紧日子”和吃苦在前、享受在后的教育；三是针对检察机关职业责任的要求，对干警进行秉公执法、刚直不阿的职业道德和职业纪律的教育；四是针对检察工作接触社会阴暗面多的情况，对干警进行反腐蚀和廉政教育。要求全体干警严格遵守“八要八不准”的纪律，即：要热爱人民，不准骄横霸道；要服从指挥，不准各行其是；要忠于职守，不准监用职权；要秉公执法，不准徇私舞弊；要调查取证，不准刑讯逼供；要廉洁奉公，不准贪赃枉法；要提高警惕，不准泄露机密；要接受监督，不准文过饰非。同时，各级检察机关广泛开展了“争先创优”等活动，全区涌现出一大批先进集体和先进工作者，其中有立功的单位14个，立功的个人250人，获嘉奖晋级的7人。各地还加强了干警的管理，严肃处理了违纪违法行为。全年全区共查处了23起检察干警违纪违法案件。通过这一系列的工作，进一步提高了干警的政治素质，激发了广大检察干警的政治热情和工作积极性。

在抓好思想政治工作的同时，还加强了干警的业务培训。一年来，各级检察机关通过各种渠道，采取长期和短期结合的办法，组织了3300多名干警脱产和业余参加各类院校及法律（检察）专业证书班（大专层次）学习，这些干警学习结业后，加上原有的大专毕业生，具有大专文化程度的干警将占全体干警的80%强。此外，各地还开展了多种形式的岗位练兵活动，帮助广大检察干警提高业务水平，增强办案能力。这些，对改善检察干警的业务素质，保证各项检察任务的完成，发挥了良好的作用。

一年来，我区检察工作虽然取得了明显成绩，但也存在一些问题，主要是：

(1) 反贪污、贿赂斗争发展不平衡，一些地方对贪污、贿赂犯罪的严重性和同犯罪作斗争的必要性和紧迫性认识不足，态度不够坚决，措施不够有力，因而斗争成效不大。(2) 有的地方还存在“以言代法”、“以权压法”的现象，加之少数检察干警秉公执法的勇气不足，给办案带来了干扰和困难。(3) 自侦案件的侦查和出庭公诉工作虽有所加强，但跟不上形势发展的要求，仍是工作中的薄弱环节。(4) 办案人力不足，经费短缺，技术装备落后，有的基层检察院甚至分院办案经费还没有得到保证。这些问题，都有待进一步解决。

当前，我区和全国一样，局势稳定，政策稳定，人心稳定，形势很好。就检察工作来说，形势也很好。但是，我们面临的问题仍相当多。一是贪污、贿赂犯罪严重。目前全区检察机关手里尚有待查的案件线索、待办和正在办理的案件9000多件。这些只是一部分已经揭露出来的案件，许多群众反映强烈的问题还未触动，新的犯罪还在产生，有的正在边打边犯顶风作案。二是社会治安形势严峻。去年以来反革命破坏活动明显加剧，刑事案件大幅度上升，特别是重大恶性案件不断发生。同时，国内潜在的不安定因素大量存在，处理不好将会严重危害大局的稳定。因此，我们必须保持清醒的头脑，增强阶级斗争观念，工作丝毫不能松懈。

关于1990年我区检察工作的任务，根据中央和最高人民检察院的部署，我们在去年底召开的全区检察长工作会议上已作了安排。按照最高人民检察院的要求，1990年检察工作总的指导思想是：认真贯彻党的十三届四中全会、五中全会和六中全会决定，充分发挥法律监督职能，坚决惩治贪污、贿赂犯罪，严厉打击严重刑事犯罪活动，维护正常的经济秩序和社会秩序，保障进一步治理整顿和深化改革的顺利进行，促进国民经济持续、稳定、协调发展，为社会安定、国家安全和稳定做出新贡献。根据这一指导思想，我们今年打算着重抓好以下工作：第一，继续深入发动群众举报贪污、贿赂犯罪活动，进一步提高侦破大要案的能力，努力做到多办案、办大案、办好案，促使反贪污、贿赂斗争向纵深发展。第二，继续依法从重从快严厉打击抢劫、强奸、重大盗窃、杀人越货、盗匪流氓集团等严重刑事犯罪活动，推动社会治安向好的方向发展。第三，在做好以上工作的同时，继续开展法纪、监所、控申等其他检察活动。第四，加强思想政治工作，开展学习雷锋活动，搞好检察队伍建设。

海南省人民检察院工作报告（摘要）

——1990 年 4 月 26 日在海南省人民代表会议第四次会议上

海南省人民检察院检察长　李天相

（1990 年 4 月 27 日海南省人民代表会议第四次会议通过）

1989 年是海南省建立省级检察机关以后全面开展工作的第一年。在这一年里，全省检察机关在省委、最高人民检察院的领导和省人代会、人代常委会的监督下，坚决贯彻执行了党的十一届三中全会以来的方针、政策和党在社会主义初级阶段的基本路线，坚持四项基本原则，旗帜鲜明地反对资产阶级自由化，积极参加了去年春夏之交制止动乱和平息反革命暴乱的斗争，并紧紧围绕发展海南特区生产力这个中心任务，积极配合进一步治理整顿和深化改革，把工作重点转移到推动廉政建设，保障经济发展，促进社会稳定上来。集中力量开展了反贪污贿赂斗争，取得了比较明显的成效；根据海南社会治安的实际情况，与公安、法院密切配合，开展了一系列专项斗争，大力整顿社会治安，扫除“六害”，依法从重从快地打击了极少数反革命分子和一大批严重刑事犯罪分子；在突出抓好“两打”重点工作的同时，还全面开展了各项检察业务，进一步发挥了法律监督的职能作用。全省检察干警在工作条件艰苦、斗争形势复杂、人员严重不足、技术装备落后的情况下，艰苦努力，忘我工作，为全省政治、经济和社会稳定作出了贡献。

一、广泛深入地开展了反贪污、贿赂犯罪的斗争，有力地惩治腐败，促进了廉政建设

一年来，党中央和省委为惩治腐败，促进廉政建设，采取了一系列卓有成效的措施，为检察机关开展反贪污贿赂斗争提供了良好的政治环境。全省检察机关坚决把反贪污贿赂斗争列为打击经济犯罪的第一位工作，作为检察工作的重点，在有关部门的支持和配合下，集中力量查处了一大批贪污贿赂案件，取得了明显成效。主要表现为：一是我省检察机关受理、立案侦查的贪污贿赂案件的增长幅度居于全国前列。据统计，1989 年全省检察机关共受理各类经济犯罪案件 466 件，其中贪污贿赂和非法挪用公款犯罪案件 364 件，占受理案件总数的 78.1%，比 1988 年增加 3.9 倍；经审查，已立案侦查 317 件，比 1988 年的 55 件增加了 4.76 倍。其中 241 件为贪污、贿赂案件，占立案总数的 76%。在检察机关办理的经济犯罪案件中，国家工作人员利用职权收受贿赂的案件增长尤为突出。1989 年，全省检察机关共立案侦查受贿案件 98 件，是 1988 年立案侦查受贿案件总数的 14 倍。共决定逮捕经济犯罪案犯 164 名，已向人民法院提起公诉 78 名，其中人民法院已经作出有罪判决 17 名。同时，检察机关在查处案件过程中对发现的尚未构成犯罪的违法、违纪案件，及时移送有关部门处理。二是全省检察机关对贪污贿赂大要案件的查处工作取得了突破性的进展。全省检察机关1989年共查处万元以上和县处级以上干部贪污、贿赂大案要案153件232人（其中县科局级干部46人，县处级干部15人，厅级干部1人），占全年贪污贿赂犯罪案件立案人犯总数的49%，比1988年增加了5.8倍。三是通过查处贪污贿赂犯罪案件，为国家挽回一大笔经济损失，全省检察机关已通过办案，追缴赃款赃物折合人民币1800余万元。其中已经结案上缴国库657.79万元，比1988年追缴的66.17万元增加了8.94倍。

1989年，全省检察机关在开展反贪污贿赂的斗争中，重点做了以下五个方面的工作：

1、认真贯彻“两高”《通告》，把反贪污、贿赂的斗争推向高潮。

根据《中共中央、国务院关于近期做几件群众关心的事的决定》和邓小平同志的指示，最高人民法院、最高人民检察院1989年8月15日发布了《关于贪污、受贿、投机倒把等犯罪分子必须在限期内自首坦白的通告》。《通告》发布以后，全省检察机关在省委及各级党委的领导下，通过各种渠道，采取多种方式，大张旗鼓地宣传、贯彻《通告》精神，我们先后三次召开新闻发布会，公布了几批有影响的案例，并适时召开了政策兑现大会，依法分别从宽、从严处理了一批经济犯罪分子，发挥了《通告》的威慑力和感召力，震慑和分化瓦解了经济犯罪分子，促使犯罪分子纷纷投案自首，并积极检举揭发其他罪犯，教育和动员了群众，迅速形成了反贪污、贿赂斗争的强大声势。在“两高”《通告》发布前后，省检察院先后抽调干部组成十几个工作组深入基层检查指导办案，还适时在陵水县召开了反贪污贿赂经验交流会，总结经验，调整力量，逐步把斗争引向深入。据不完全统计，全省检察机关投入查处贪污贿赂案件的干部，超出现有经济检察干部总数的1倍多。在贯彻《通告》期间，全省共有121名贪污、贿赂等经济犯罪分子先后向检察机关投案自首，其中县处级以上干部8人，科级干部14人，一般干部99人；在投案自首的121人中，贪污的51人，收受贿赂的46人，两项合计占投案自首总人数的82.2%，共交待犯罪金额232.1万元，退出赃款赃物折合人民币136.6万元。

2、广泛深入发动群众，紧紧依靠群众开展反贪污贿赂斗争。

继1988年我省检察机关全面开展受理群众举报犯罪工作之后，各级检察院都把举报工作作为贯彻群众路线的好形式，全省各级检察院按照最高人民检察院制定和公布的《人民检察院举报工作若干规定》的要求，全部建立了专门的举报机构，配置了专门人员，并不断使举报工作的受理、查处、反馈等方面的工作规范化、制度化，进一步密切了同人民群众之间的联系。随着反贪污贿赂斗争不断深入，人民群众与贪污贿赂犯罪作斗争的积极性也不断高涨，特别是在贯彻《通告》期间，群众举报线索成倍增加。一些外籍、境外人员也积极向检察机关举报贪污贿赂犯罪分子，不但举报数量越来越多，而且举报质量也越来越好，大要案件举报比例越来越高。1989年全省检察机关共受理群众举报3369件，属于检察机关管辖的2178件，其中贪污犯罪案件线索1043件，受贿犯罪线索646件，两项合计占检察机关管辖的案件线索总数的77.5%。在这些举报中，有不少是很重要的案件线索。其中，万元以上重大、特大犯罪线索995件，涉及县处级以上的干部321人，科级干部721人；仅贯彻《通告》的两个半月内，全省检察机关就收到举报线索 1858 条，是上半年举报线索总数的 3 倍。各级检察机关及时认真查处举报线索，破获了一批重大贪污贿赂犯罪案件，并严肃处理了借举报之名诬告陷害他人的现象，保护了广大群众同经济犯罪作斗争的积极性。

3、在金融、粮食、建筑、外贸、供销等具有经济管理、审批权力的系统和执法部门等贪污贿赂犯罪多发部位和行业坚持系统抓，抓系统方法，取得了显著的效果。

一年来，全省检察机关共立案查处金融系统贪污贿赂罪案 49 件，其中万元以上的大案 30 件（五万元以上的特大案件 5 件）。在查处建筑、供销、外贸等系统和执法部门贪污贿赂案件方面，也取得了一定成绩。如检察机关破获了临高县公安局博厚边防派出所干部符进收等人非法办理户口迁移证和粮食供应关系转移证受贿 5 万余元案；原海口市粮油储运公司总经理史贻峰等人走私、贪污 80 余万元案；原海口海关办公室副主任李国强受贿 5 万余元等一批重特大案件。仅在省经济合作厅就查处了 4 起受贿案，其中 3 名处级干部。通过上述一系列案件的查处，在这些行业和系统引起很大震动。

4、坚持各级检察长亲自动手办理大案要案。

在开展反贪污贿赂斗争中，我们加强了对办理大案要案的统一指挥领导，其中有效的办法之一，就是各级检察长带头转变工作作风，亲自参与侦破大要案件工作。省检察院、分院和各市县检察院的检察长都亲自办理了一批大案要案。如省检察院、琼北分院联合办理的不法港商冯国锦投机倒把、走私、行贿的特大案件，经六个多月的侦查，已查实冯犯先后利用各种手段，大肆贿赂各级党政干部，进行违法经营活动。此案牵连的党政干部有 85 人之多，已被另案立案查处的党政干部受贿案件 14 件 18 人，其中大要案 13 件 17 人。共追缴赃款人民币 50 余万元，港币 17 余万元，进口汽车数十部等大批赃物。又如由省检察院、琼北、琼南分院联合办理的莺歌海盐场以党委书记陈泰涯为首的集体特大贪污案，犯罪金额达 11 万余元，涉及干部 18 人（其中副厅级干部 1 人、处级干部 8 人、科级干部 4 人、一般干部 4 人），目前该案主犯已被人民法院作出有罪判决，赃款全部追回。由于各级检察长亲自参与办案，大大激发了检察干警的工作热情，提高了办理大要案的效率，使全省检察机关查处大要案件的增长幅度居于全国前列。

5、强化侦查意识，严格依法办案，使办案质量和办案效率明显提高。

一年来，全省检察机关认真贯彻执行“一要坚决，二要慎重，务必搞准”的方针，根据海南经济特区贪污贿赂犯罪的特点，加强侦查业务建设。各级检察院注意深入发动群众举报犯罪，把走群众路线同专门机关充分依法运用侦查手段相结合；把公开侦查和严格依法进行秘密调查相结合；把推广运用行之有效的侦查经验同纠正违法办案现象相结合；把健全办案制度，加强内部制约机制同改革机构设置，协调同其他执法机关关系相结合，努力多办案、办大案、办好案。办案效率和办案质量明显提高。所办贪污贿赂案件基本上做到了办案程序合法，证据确凿，定性准确，法律文书齐全。为了进一步加强检察机关反贪污贿赂的力量。我们还和有关部门一起论证并提出了在省检察院成立贪污贿赂检察局的方案，目前，该局的筹备工作正在抓紧进行，可望近期成立。

我省检察机关在开展反贪污、贿赂斗争中，得到了省委和各级党委及最高人民检察院的坚强领导，得到了省人代会及常委会，各级人大及常委会的有力监督，得到省政府和各级政府的大力支持，得到有关部门的密切配合。省委曾几次专门开会听取省检察院关于开展反贪污贿赂斗争和贯彻《通告》情况的汇报，讨论全省反贪污贿赂斗争形势，统一思想认识。两次召开全省会议部署贯彻落实《通告》精神。省人代常委会也专门听取了检察机关反贪污贿赂斗争的工作报告，支持检察机关依法独立行使检察权。各级政府在财政状况比较困难的情况下，给予了检察机关以力所能及的支持，缓解了检察机关在办案经费、交通工具、侦查设施等方面遇到的困难。公安、法院、工商、海关等有关部门也同检察机关密切配合，保证了反贪污贿赂斗争的顺利开展。

去年，全省检察机关在深入开展反贪污贿赂斗争的同时，还立案侦查偷税抗税、假冒商标等犯罪案件27件。

目前，我国正处在社会主义初级阶段，海南经济特区在深化改革，扩大开放，发展商品经济的新形势下，我们同剥削阶级和国外敌对势力的腐蚀与反腐蚀，渗透与反渗透，和平演变与反和平演变的斗争将会长期存在。保证党和国家机关的廉洁，事关党和国家的生死存亡，全省检察机关将把反腐败作为贯穿改革开放全过程的检察工作任务来抓，树立长期作战的思想，深入、持久地开展反贪污贿赂斗争，以保障和促进海南经济特区的经济腾飞。

二、严厉打击严重刑事犯罪分子，维护国家法律的尊严和海南经济特区社会秩序的基本稳定

去年，全省各级检察机关在重点抓好反贪污贿赂斗争的同时，坚持不放松对严重刑事犯罪分子的打击。通过运用审查批准逮捕、审查起诉和出庭支持公诉等检察职能，及时惩处严重危害社会秩序的各类犯罪分子。在制止动乱和平息反革命暴乱期间，省检察院根据党中央、国务院、省委、最高人民检察院多次发出的指示精神，要求全省各级检察机关和广大检察干部要坚决执行党中央、国务院的方针、政策和指示，在政治上同党中央保持高度一致，加强领导，坚守岗位，立场坚定，旗帜鲜明地捍卫社会主义制度，保卫国家的安定。各级检察机关和广大检察人员忠实地履行国家法律监督机关的职责，积极投入到这场关系到党和国家命运的斗争中，运用法律手段，依法惩处各种刑事犯罪分子，发挥了人民民主专政的职能作用。

去年，全省各级检察机关把依法从重从快打击严重刑事犯罪活动列为检察工作的重点之一，同公安、法院密切配合，严惩严重刑事犯罪，维护海南经济特区社会治安秩序的稳定。1989年由于受到全国性动乱和北京地区反革命暴乱的影响。各地不安定因素急剧增多，各种政治、经济、思想等方面的矛盾综合反映在社会治安问题上。我省的社会治安问题比较突出，刑事案件特别是重特大刑事案件上升幅度较大。据统计，去年共发生各类刑事案件8980件，比1988年的4888件上升了83.7%，其中各类重特大刑事案件5084件，占发案总数的56.6%，比1988年的2427件上升109.4%，是历年来最高的。根据我省社会治安的严峻形势，全省检察机关继续坚决贯彻依法从重从快的方针，对严重刑事犯罪分子坚持从快批捕起诉。据统计，1989年全省检察机关共受理公安机关提请批捕的刑事案犯3954人，比1988年的3126人上升了26.5%；批准逮捕3459人，比1988年的2695人上升了28.3%；受理公安机关移送起诉的案犯3634人，经审查，已向人民法院提起公诉2702人，分别比上一年增加48.5%和

38.4%。

去年，全省检察机关在严厉打击刑事犯罪方面重点抓了以下工作：

1、和公安、法院密切配合，针对全省社会治安方面存在的突出问题，积极开展了各种专项打击和专项治理工作，先后进行了打击流窜犯罪，打击私造、贩运枪支弹药犯罪，打击破坏通讯设备犯罪，打击重大盗窃和暴力犯罪及扫除“六害”等专项斗争，依法严惩了一批严重刑事犯罪分子，取得了一定的成效。

2、完善各项制度，保证批捕、起诉质量。一年来，全省各级检察院认真按照有关规定和法定的办案程序，审查、处理案件，坚持案件的备案、复查制度；落实办案分工负责制；进一步总结、推广和完善了对重大刑事犯罪案件的“提前介入”制度。在刑事案件大量增多的情况下，基本上保证了案件质量。

3、加强侦查监督和审判监督。全省检察机关积极履行法律监督职能，完善内部制约机制，通过办案和进行执法大检查，依法纠正侦查活动、审判活动和自身执法活动中出现的一些违法行为；通过审查公安机关提请逮捕的人犯，依法对181人作出了不批准逮捕的决定；对公安机关移送起诉的人犯，经审查对不构成犯罪的18人作出了不起诉决定；共追捕追诉漏网犯罪分子109人；纠正公安侦查活动和法院审判活动中的违法现象68件（次）；对人民法院确有错误的判决依法抗诉16件。

4、加强了对判决裁定执行活动和监管改造场所的监督。特别是在动乱期间和贯彻“两高”《通告》期间，各级检察院密切配合监管改造部门，坚决打击狱内的反革命煽动活动和各种反改造活动；大力开展政治攻势，敦促经济犯罪分子交待揭发犯罪，纠正和追究体罚人犯、徇私舞弊、私放罪犯、索贿受贿等违法犯罪行为。据统计，全省检察机关共办理“两劳”人员重新犯罪案件62件105人，比去年分别增加了76%和98%，共向监管改造场所提出纠正违法建议1921件（次），查处管教干警犯罪案件2件，对稳定监管改造秩序，保证司法人员严格执法，发挥刑罚的惩戒作用，进一步提高改造质量起到积极的推动作用。

5、加强了综合治理工作。各级检察院注意深入实际，结合批捕起诉工作，对社会治安状况和重大犯罪问题进行调查研究，掌握犯罪的趋势和动态，主动向党委、人大常委会报告。同时，协助胶场等有关单位作好治安防范工作。

当前我省社会治安状况有了一定的改善，但各种社会矛盾和不安定因素还很多，治安形势仍然十分严峻，整顿社会治安的任务还相当艰巨，全省检察机关将按照省委的统一部署，把依法从重从快严厉打击刑事犯罪的工作坚持不懈地抓下去。

三、依法查处侵犯公民民主权利犯罪和渎职犯罪，促进海南的民主与法制建设

加强法纪检察工作，对促进经济特区民主政治和社会主义法制建设具有重要意义。全省检察机关在反贪污贿赂斗争和打击严重刑事犯罪斗争任务十分繁重的情况下，统筹安排，把法纪检察工作作为惩治腐败，促进廉政建设的一项重要内容来抓。一年来，全省检察机关依法查处了一批侵犯公民民主权利、人身权利和渎职犯罪案件，清除了一批弄权渎职的腐败分子，工作取得较大的进展。据统计，1989年全省检察机关共受理各类法纪案件159件218人，比上一年增加98.2%。立案侦查33件，比上一年增加32%，已办结24件41人，结案率为60%。全省检察机关在查处法纪案件中主要抓了这几项工作：一是突出重点，把主要精力放在查处大要案件上。去年共立案查处“侵权”、玩忽职守、重大责任事故三类重点大要案件12件，其中特大案件4件，大要案占立案总数的36.4%，共为国家挽回经济损失36万元。如琼中县检察院侦查、起诉的“12.14”特大翻船责任事故案。原牛路岭水电站车间主任庞业杰等两名被告对国家、集体利益和人民生命财产极端不负责任，滥用职权，使渡船严重超载颠覆，造成63名教师、儿童被淹死的严重后果，现均已被人民法院判处有期徒刑。二是严肃查处了一批国家工作人员尤其是司法工作人员贪赃枉法、徇私舞弊、泄露国家机密、私放罪犯等恃权枉法的犯罪案件。如东方县公安局八所镇派出所副所长符高贵、县公安局预审员花中民、民警符海波等三名干警，伙同他人持枪开车入厂进行抢劫的特大抢动案，由该县检察院侦查、起诉后，三名被告分别被人民法院依法判处死刑缓期执行和无期徒刑。三是各级法纪检察部门结合新形势下法纪犯罪与经济犯罪相交织的特点，通过法纪检察，挖出了一批经济犯罪案件，为开展反贪污贿赂斗争提供了一批犯罪案件线索。如昌江县检察院在查处县工商银行行长吴仕民重大玩忽职守一案中，发现该行信贷股长有受贿嫌疑，经过进一步侦查，破获了一起以利用贷款收受贿赂2.3万余元的重大经济犯罪案件。

保障公民的合法权益是党和国家全心全意为人民服务这一根本宗旨在法律上的体现，是我国宪法和法律赋予检察机关的神圣职责，全省检察机关将为此继续努力，通过加强法纪检察工作为人民群众提供有效的法律保障，维护党和政府与人民群众的血肉联系。

四、强化思想政治工作，加强检察队伍的建设

去年，我们按照最高人民检察院关于检察队伍建设的要求，在贯彻“从严治检”方针，建设一支“秉公执法，掌握政策，实事求是，联系群众，精通业务”的检察队伍方面有了起色。

全省各级检察机关加强了党组织的建设，使党内的生活逐步经常化、制度化，发挥了各级党组织在思想政治工作中的依托作用。去年各级检察机关先后在干警中广泛开展了党史、党的基本知识和党的基本路线的教育，进行了共产主义理想教育，反对资产阶级自由化的教育，进行了职业道德、职业责任和职业纪律的教育，同时加强了政治工作机构，加强了检察机关的纪检、监察工作，保证了检察队伍坚定正确的政治方向。在去年发生动乱和平息反革命暴乱期间，各级检察院及时组织广大干警认真学习中央领导同志的重要讲话和《中共中央告全体共产党员和全国人民书》，要求全体共产党员和检察干警立场坚定，旗帜鲜明，在政治上同党中央保持一致，在这场生死攸关的政治斗争中，全省检察队伍从稳定大局出发，从维护党和人民的根本利益出发，以坚守岗位，恪尽职守的实际行动，表现出对党和国家的忠诚。一年来，全省检察系统评出优秀党员和先进工作者72人，先进集体22个。各级检察机关还严肃党纪、政纪和法纪，坚决整饬队伍。一年来，共查处各类违法违纪案件13件，其中被依法逮捕2人，受党内严重警告处分1人，作其他处理3人。

全省检察队伍的业务素质也有了进一步提高。去年我省检察机关向中国高级检察官培训中心输送了第一批学员，一批经过电大、函大、夜大学习毕业的检察干部陆续充实到工作岗位上。同时，省检察院还开办了法纪检察、监所检察、控告申诉检察、检察统计工作等五期培训班，受训干部占全省检察干警的10%。还积极筹备并成立了我省检察学会，以推动全省检察理论的研究工作，促进队伍的业务建设。

1989年，全省检察机关的工作，取得了较大成绩，但还存在一些值得注意的问题，主要是：

1、反贪污贿赂斗争还不够深入。去年查处的案件多是浮在面上的，有些隐蔽较深的犯罪分子还没有揭露出来，有的大案特别是要案还没有被触动，"顶风作案"、以身试法的还不少，犯罪分子并没有因为打击而完全收敛。在贯彻"两高"《通告》期间受理的大量案件有待尽快消化处理；全省经济犯罪案件普遍存在免诉率较高、案犯脱逃、潜逃较多等现象，需要认真分析原因，加以解决；一些检察院在办理经济案件中还遇到种种阻力；遇到一些政策法律界限问题，需要进一步明确，等等。

2、有些县市检察院在批捕起诉方面还存在把关不严，影响办案质量的问题；少数地方积案较多，办案超期限的情况比较突出；侦查活动、审判活动监督工作尚未很好开展起来。

3、全省检察机关的侦查设施和技术装备普遍比较落后，一些县检察院的办案经费比较困难。

4、全省检察队伍的政治素质和业务素质还不能适应形势发展和任务的需要，有待进一步提高。

针对上述问题，省检察院于今年初认真分析了全省检察工作的形势，在肯定成绩的同时，实事求是地剖析了工作中存在的问题及其原因，研究了解决措施和办法，并于1月份召开了全省检察长工作会议，讨论部署了1990年全省的检察工作。根据近期省检察院工作组调查了解的情况看，各级检察机关都在贯彻落实全省检察长会议精神，工作中存在的问题已经或正在得到解决。

今年3月，党的十三届六中全会通过了《中共中央关于加强党同人民群众联系的决定》，《决定》把坚持在深化政治体制改革中，加强社会主义民主建设、法制建设和继续坚定不移地加强廉政建设、党风建设，大力发扬艰苦奋斗精神，克服党内存在的消极腐败现象，以及切实加强对各级领导机关和领导干部的监督，作为加强党同人民群众的联系，实现我国政治经济和社会的进一步稳定发展，实现党在新时期的总目标、总任务的重要措施。为此，我们已经制定了《1990年海南省检察工作计划要点》。今年全省检察工作总的指导思想是：认真贯彻落实党的十三届四中、五中和六中全会精神，以"稳定压倒一切"，运用法律手段保障海南安定团结的政治局面，保障社会秩序的稳定，保障特区经济持续、稳定、协调地发展。充分发挥检察机关法律监督职能，把反贪污、贿赂斗争继续深入、持久地开展下去；坚决惩治腐败，以平民怨，为治理整顿和深化改革扫清障碍，同时继续依法严厉打击国内外各种敌对势力的破坏活动和其他各种严重刑事犯罪活动，积极开展以净化社会环境，维护社会秩序，稳定海南大局为主要内容的专项斗争和专项治理工作，促使社会治安向好的方向发展。在抓好"两打"重点工作的同时全面开展各项检察业务工作。

四川省人民检察院工作报告（摘要）

——1990年2月14日在四川省第七届人民代表大会第三次会议上

四川省人民检察院检察长　龚读纶

（1990年2月17日四川省第七届人民代表大会第三次会议通过）

1989年，我省各级检察机关在各级党委和人大的领导、监督下，认真贯彻四川省第七届人民代表大会第二次会议决议，充分运用法律监督的职能，深入开展反贪污贿赂斗争，严厉打击严重刑事犯罪活动，及时有力地打击动乱和暴乱中的打、砸、抢、烧、杀的犯罪分子，严肃查处国家工作人员侵犯公民民主权利、人身权利和玩忽职守犯罪案件，为维护安定团结的政治局面和社会秩序的稳定，促进党风建设和廉政建设，加强民主和法制建设做出了新的贡献。

一、打击贪污、贿赂犯罪

去年以来，省人民检察院和全省各级人民检察院，把反贪污、贿赂犯罪的斗争列为检察机关打击经济犯罪的第一位工作，并把它作为检察工作的一个重点，集中精力抓这件事，取得了显著成绩。1989年，全省检察机关共受理贪污案件5425件，已立案侦查2300件（立案标准为二千元以上），比1988年上升80.82%。受理贿赂案件2828件，立案侦查1326件（立案标准同上），比1988年上升4.1倍。全年共查处万元以上贪污、贿赂大案655件。其中，一万元以上不满五万元的585件，五万元以上不满十万元的46件，十万元以上的24件。全年查处县级以上干部贪污、贿赂要案55件，比1988年上升4.5倍。决定逮捕贪污、贿赂人犯1477名，向人民法院提起公诉的人犯1411名（含1988年积存数）。到1989年底，已收到人民法院对1004名人犯的判决，判处有期徒刑以上刑罚的946名，其中判处无期徒刑以上刑罚的12名。去年第三季度以后，根据党的十三届四中全会精神，我们进一步强调了把反贪污、贿赂犯罪斗争作为惩治腐败的一项重要任务，充实了打击贪污、贿赂犯罪活动的力量，全省检察机关受理和立案的贪污、贿赂罪案大幅度增加，大案、要案尤为明显。8月以后立案侦查的贪污、贿赂罪案占全年的64.37%，万元以上的大案占74.66%，县（处）级以上干部犯罪的要案占80%。

在打击贪污、贿赂犯罪活动中，检察机关主要抓了六项工作：

第一，抓举报工作，发动和依靠群众检举揭发贪污、贿赂犯罪活动。全省各级检察院1989年共受理人民群众、机关团体、企事业单位的举报材料46861件，其中举报贪污、贿赂等经济罪案线索23882件，在举报工作中我们强调了抓紧初查和信息反馈两个环节，取信于民。到去年底，检察机关已初查9800件，立案侦查3088件。通过查处举报案件，为国家挽回经济损失 3854 万余元。为了推动举报工作的深入开展，进一步发动群众同贪污、贿赂犯罪作斗争，去年 8 月，我们在检察机关建立举报制度一周年的时候，向全省人民以及党政机关、团体、企事业单位发了《公开信》，通报了一年来全省检察机关受理、查处举报案件的主要情况，进一步动员群众同贪污、贿赂犯罪作斗争。《公开信》发出后，正值“两高”《通告》发布，举报材料大幅度上升。8、9、10 三个月，全省检察机关受理举报材料 18429 件，比 5、6、7 三个月增加了两倍。举报国家机关工作人员贪污、贿赂的材料比过去明显增多，被举报干部的职务也越来越高，署名据实举报的也比以往多。为使举报工作有牢固的群众基础，全省有 63 个县级检察院和 5 个铁路运输检察院在区、乡、镇，县属部门，铁路有关单位及企业事业单位，建立了检察联络员制度，聘请了 1500 多名检察联络员（通讯员、信息员）。这批检察联络员活动在基层，了解情况，信息灵，反映的问题可靠性大。平昌县检察院一年受理的贪污、贿赂等经济犯罪案件中，检察联络员举报的占 60%以上，其中 11 件大案全是检察联络员提供的。举报工作作为一项工作制度，在反贪污、贿赂斗争中，已经并将继续发挥重要作用。

第二，认真贯彻最高人民法院、最高人民检察院《关于贪污、受贿、投机倒把等犯罪分子必须在限期内自首坦白的通告》。“两高”《通告》发布后，全省检察机关采取各种形式进行宣传，努力使《通告》精神家喻户晓，人人明白。省检察院召开了三次电话会议贯彻《通告》，派出八名干部到省级机关宣讲《通告》。许多市、地、县检察长发表宣讲《通告》的电视讲话。全省检察机关共翻印《通告》52 万多份，张贴到机关、学校、企业、街道、村镇。通过广泛深入宣传，一大批犯有贪污、受贿犯罪行为的人纷纷向检察机关投案自首。在 8 月 15 日到 10 月 31 日的两个半月限期内，全省检察机关接待投案自首的违法犯罪人员 2752 人，其中贪污 967 人，受贿 1075 人，共占 74%。投案自首人员交代违法犯罪金额 1749 万元，退出赃款赃物计人民币 1360 万元。这批投案自首人员中有县（处）级以上干部 27 人，科级以下干部 465 人，企业厂长、经理 275 人，财会、供销等人员 463 人。川北教育学院院长（副厅级）彭承志在《通告》感召下，于 1989 年 9 月 16 日到遂宁市检察院投案自首，交代了他在负责该院学生宿舍楼、食堂等工程项目中，收受贿赂 8200 元的犯罪事实。投案自首人员交代犯罪金额在万元以上的有 360 人，其中一万元以上不满五万元的有 331 人，五万元以上不满十万元的有 18 人，十万元以上不满五十万元的 11 人。

为了及时落实《通告》精神，促使更多的犯罪分子走从宽道路，警告那些拒不悔罪、妄图逃避法律制裁的犯罪分子“悬崖勒马”，检察机关在《通告》期限内普遍开了宽严大会，按照《通告》精神，依法从宽免予起诉 615 名犯有贪污、受贿罪行的投案自首人员，同时决定逮捕、起诉了一批犯罪情节严重、执迷不悟、拒不悔罪的贪污、受贿犯罪分子。目前，对投案自首案件的查证工作仍在抓紧进行，各级检察机关都安排了相应力量调查核实，力争今年第一季度处理完毕。今后，我们仍然希望那些犯有贪污、受贿等罪行的人到检察机关投案自首，他们仍将依法受到宽大处理。

第三，举办贪污、贿赂罪案展览，增强人民群众对廉政建设的信心。在省委、省政府的关心支持下，我们从近年来查处的一大批经济犯罪案件中，精选了 106 件贪污、贿赂等罪案向社会公开展出，在成都、重庆、绵阳、广元、涪陵等地展览65天，观众达43万人。成都市、自贡市、内江市、遂宁市、彭水县等检察机关也将当地典型的贪污、贿赂罪案公开展览，干部群众踊跃参观。广大群众看了展出后，增强了对党的信任，对社会主义制度的信念，他们热情留言表达自己的观感，对惩治腐败、廉政建设寄于深切希望。一位老干部参观后写下了"廉政有望，国家有望"的留言；一位大学生参观后写下了"看了展览，增强了我们对党的信念，对社会主义的信念"，"党还是我们的党"的留言；一中学教师看展后写下了希望"继续坚持下去，国家兴旺，民族兴旺"的留言。为了配合展览，加强法制宣传，我们编发了《反贪污、贿赂特刊》42500份、《贪婪、蜕变、堕落》一书5000册。展览使成千上万的干部群众受到了一次生动具体的廉政教育，同时也调动了他们同贪污、贿赂等经济犯罪分子作斗争的积极性。据统计，展出期间展览现场办公室受理举报就有46件，涉及金额60万元，有8名违法犯罪人员参观后，慑于法律的威力，主动到展览办公室自首坦白贪污、贿赂犯罪行为，交出赃款19万余元。展览结束后，我们将图片制成7000套挂图，发行全川，供各地作廉政教材。

第四，集中力量查办大案、要案。去年一开始我们就强调要集中力量查办大案要案，以推动反贪污、贿赂斗争的深入开展。全年共立案侦查贪污、贿赂犯罪重、特大案771件，比前年上升2.19倍。凡是大案、要案都安排得力骨干，集中优势兵力优先查处。在抓大、要案件中，各级检察长以身作则，带头办案，亲自抓侦查工作，推动了反贪污、贿赂犯罪斗争的开展。重庆市两级检察院70名正副检察长中有50人带头主办和参加办大、要案300多件。

第五，讲求办案社会效果，尽量为国家和集体挽回损失，促进生产发展。1989年，全省检察机关通过办理贪污、贿赂等经济犯罪案件，给国家和集体挽回经济损失4619万元。各地在办案中十分重视追缴赃款赃物，努力减少损失或者帮助发案单位发展生产。宜宾市农业银行南岸营业所下渡口分所原记帐员杨兵，勾结宜宾市江南服装厂厂长吕辉、宜宾天原化工厂工人梁国宾，贪污46.7万余元，外逃被抓获时，身上只有4.6万元，绝大部分赃款被罪犯隐藏，用于抵债、行贿、挥霍。经过办案人员的艰苦努力，追回赃款22万余元，减少了国家损失，受到宜宾地区农业银行热情赞扬，并书面呈请省检察院为办案人员请功。

第六，坚持"一要坚决，二要慎重，务必搞准"的方针。去年以来，我们反复强调，要完整理解这个方针，不可偏废。既要敢于斗争，又要敢于实事求是，对各种经济犯罪案件线索，特别是贪污、贿赂大要案件，首先要采取坚决的态度，秉公执法，敢于查处，不管是什么人，不管是来自何方的阻力，只要是罪案线索就要坚决查，不能手软，但定性定罪要持慎重态度，坚持以事实为根据，以法律为准绳，严格区分罪与非罪的界限，保证斗争健康地发展。为了提高办案质量，去年以来，全省检察机关遵照最高人民检察院的指示，将贪污、贿赂等犯罪案件的侦查、预审与决定逮捕、起诉分别由经济检察和刑事检察两个部门办理，两个部门有争议的案件由检察委员会讨论决定，改变了过去立案侦查、决定逮捕、起诉由一个部门一竿子插到底的办法，办案质量有明显提高。对法律界限不明确，政策界线不清楚和有分歧意见的案件，我们都持慎重的态度，加强请示报告，不轻易定性处理。

过去的一年，全省检察机关还密切配合税收、财务大检查，发现和立案查处偷税、抗税罪案342件，假冒商标罪案31件，挪用公款罪案502件，通过查处这些案件，维护了国家税收和工商管理秩序。

二、依法严惩动乱、暴乱中打、砸、抢、烧、杀的犯罪分子

在去年春夏之交的政治动乱和北京地区反革命暴乱以及成都市区的严重骚乱中，全省检察机关和广大检察人员坚决拥护党中央的决策，贯彻执行党中央关于制止动乱、平息反革命暴乱的方针、指示，坚决打击了打、砸、抢、烧、杀等严重刑事犯罪分子。各地检察机关在这一工作中，表现了高度的政治责任感和坚定的无产阶级立场，雷厉风行地投入了斗争。

三、依法从重从快打击严重刑事犯罪活动

打击刑事犯罪活动，历来是检察机关的工作重点。一年来，全省检察机关与公安机关、人民法院密切配合，坚决贯彻依法从重从快的方针，继续严厉地打击严重刑事犯罪分子。全年受理公安机关提请批捕的人犯56095名，经过审查已批准逮捕45404名，比1988年增加38.7%。受理公安机关移送起诉的人犯54546名，经过审查已提起公诉44536名，比1988年增加38.4%。批准逮捕的犯罪分子中，杀人犯1156名，比1988年增加22.1%；抢劫犯7223名，增加91.5%；强奸犯1703名，增加25.3%；重大盗窃犯5398名，增加69.6%。1989年，全省检察机关在打击刑事犯罪方面，主要做了三项工作。

1，针对各地刑事犯罪的特点和社会治安中的突出问题，与有关部门一道适时地开展专项斗争和专项治理。去年全省检察机关配合公安部门开展了不同规模的打击抢劫、重大盗窃犯罪活动，查禁赌博、卖淫，清查流窜犯等专项斗争和专项治理，一些地方还开展了打击拐卖妇女、儿童、贩毒等犯罪活动的专项斗争。去年11月以来，各级检察院还配合公安机关开展了打击“六害”中的犯罪活动。

2，与公安机关密切配合，普遍实行提前介入重、特大刑事案件的侦查、预审活动的制度。据不完全统计，去年1至10月，全省各级检察机关先后派出8648人次提前介入重、特大案件7207件，占总数的50.8%，在提前介入中，提出检察建议2654条，纠正违法500次。通过提前介入，提高了工作效率和办案质量，打破了刑事检察工作的封闭状态，取得了侦查监督的主动权。

3，加强侦查监督和审判监督。我们要求全省检察机关和办案人员在办案中要严格审查证据，准确执行法律，严格区分罪与非罪的界限，做到不枉不纵。去年，全省各级检察院对公安机关提请批捕的案犯，经过审查，不够法定逮捕条件的4674人作了不批准逮捕决定；对公安机关移送起诉的案犯，经审查不构成犯罪的212人作了不起诉决定。同时追捕追诉犯罪分子1178名。纠正公安机关侦查活动中的违法行为117次。批准逮捕的人犯准确率达99.58%，起诉案件准确率达99.96%。认为人民法院确有错误的判决、裁定提出抗诉70件，到1989年底，人民法院改判28件，维持原判的判决和裁定12件。

一年来，我们加强了对刑事案件判决、裁定执行的监督和监管改造场所的监督工作。全年各级检察机关对刑事判决、裁定执行中和监管改造场所活动中的违法行为提出纠正意见226件(次)；查处监管改造场所干警犯罪案件12件，对保证刑事判决、裁定的正确执行，发挥刑罚的教育和惩戒作用，促进依法管理，提高改造质量，起了积极的作用。同时，严厉打击了在押人员的又犯罪活动，维护了监管改造秩序。全年受理公安机关、劳改机关移送起诉1013件，经审查决定起诉873件。

四、查处侵犯公民民主权利、人身权利和渎职犯罪案件

查处国家机关工作人员、司法工作人员和基层干部利用职权侵犯公民民主权利、人身权利和渎职犯罪的案件，是促进社会主义民主政治建设和完备社会主义法制的一项重要工作，又是反腐败斗争的一个组成部分。全年共立案侦查各种法纪犯罪案件518件，比1988年增加11.16%。过去的一年，查处的“侵权”和渎职犯罪案件，与以往比较有三个明显特点。一是立案侦查了9件县级以上干部玩忽职守案，其中正厅级1人，正县（处）级4人，副县（处）级4人。二是坚决查处了一批执法人员的犯罪案件。三是从玩忽职守、徇私舞弊案件中查出了一批贪污、受贿犯罪案件。

一年来，全省检察机关认真处理人民群众的来信来访，全年共受理信访135772件次，已处理135115件，属于检察机关直接管辖的信访查处了604件，其中不服判刑、逮捕、免予起诉等共171件，改变原处理决定42件，驳回申诉129件。同时，处理了一批告急和告状无门的案件。

五、队伍建设

去年初，省检察院在全省检察机关政治思想工作会议上就强调各级检察长要一手抓业务，一手抓政治思想工作。各级检察机关在党委领导下，按照中央指示，加强了政治思想工作。特别是动乱和暴乱以来，组织检察人员认真学习四中全会精神和邓小平、江泽民、李鹏等中央领导同志的重要讲话，进行了党的基本路线、坚持四项基本原则的教育。广大检察人员在这场惊心动魄的政治斗争中，立场坚定、旗帜鲜明，自觉与党中央保持一致，表现了高度的政治觉悟。经受了这场政治风波的考验，我们的队伍在政治上更加坚强了。在贯彻“两院”《通告》开展反贪污、贿赂斗争中，广大检察人员，特别是基层的同志表现也是很好的。许多同志日夜奋战，忘我工作，发扬了拚搏精神，涌现了许多舍已为人、勇擒逃犯、挺身而出保护人民生命财产的先进人物。在办案中，广大检察人员自觉抵制各种腐蚀，秉公执法，拒吃请，拒贿赂，做到了执法清廉。一年来，全省检察系统受到最高人民检察院表彰的县级检察院和先进集体4个，先进个人7人，受到四川省人民检察院表彰的县级检察院32个，市、分、州院6个，先进个人2人。被评为省劳动模范2人，有许多检察院被当地评为精神文明单位和先进集体。

1989年，我们继续抓了干部的培训教育工作。目前，全省12231名检察人员中，有6018人参加了电大、函大等大学、专科的在职、离职学习。去年，四川省检察干部学校举办了经济检察、法纪检察和县级检察长培训班4期。许多检察院还开展了评选优秀公诉人、办案能手、文明接待员、群众喜爱的政工干部等活动，这些都不同程度地提高了检察人员的执法水平和业务能力。

我们继续贯彻了“从严治检”的精神，加强了纪律检查工作，严肃查处了检察人员中的违纪、违法和犯罪行为。去年，全省检察机关发生违纪、违法犯罪案件71件71人，已处理58件58人，其中给予党纪处分的24人，给予行政处分的30人，给予刑事处分的4人。

1989年，我省各级检察机关在各级党委的领导和人大的监督下，各项工作都取得了新的成绩，但是也存在一些不容忽视的问题。主要是：反贪污、贿赂斗争发展不平衡，地区与地区、县与县之间差距较大。一些重要部门的问题还触动得不够。执法不够严格，错捕、错诉，漏捕、漏诉的案件时有发生。超期羁押人犯、超办案时限的情况仍然比较普遍。省检察院对基层工作指导不力，工作不够深入，总结经验不够。人力不足，办案经费少，技术装备差，办公住房紧缺，仍是检察机关带共性的困难。这些问题，我们将在今后工作中，逐步加以解决。

当前，我省政治、经济形势很好，大局稳定。但是，稳定中有不稳定的因素。经济犯罪严重，一些隐藏深、作案诡秘的犯罪分子还没有被揭露出来，新的案件仍在不断发生，犯罪金额越来越大，手段更加狡猾。社会治安形势严峻，刑事案件的发案率一直居高不下，杀人、抢劫、强奸、拐卖妇女儿童、重大盗窃等犯罪严重危害社会治安。面临这种形势，1990 年，全省检察机关要遵循党的十三届四中全会、五中全会和省委五届六次全会的精神，把“稳定压倒一切”作为我们工作的指导思想，切实履行法律监督职责，坚决惩治贪污、贿赂犯罪，严厉打击严重刑事犯罪活动，维护正常的经济秩序和社会秩序，为稳定大局服务，为廉政建设、党风建设服务，为治理整顿和深化改革服务。

我们要继续把反贪污、贿赂斗争作为工作重点，坚持不懈地抓下去。要加强侦查工作，抓紧查处大案、要案。要继续抓好举报工作，不断发现新的案件。要正确执行法律和政策，确保案件质量。要加强反贪污、贿赂工作机构的建设。打击严重刑事犯罪活动，是我们工作的又一个重点，我们要同公安机关、人民法院密切配合，继续贯彻执行依法从重从快的方针，开展专项斗争和专项治理，坚持提前介入重、特大案件的侦查、预审活动，及时、准确打击各种严重刑事犯罪分子。在抓好上述两个重点的同时，统筹兼顾，搞好法纪检察、监所检察、控告申诉检察和民事行政检察试点工作。

要加强检察队伍建设，加强思想政治工作。要以党的十三届四中全会、五中全会精神武装广大检察人员，组织全体检察人员学习马列主义、毛泽东思想的基本理论，学习邓小平同志的著作，特别是学好哲学。要把学习理论同继续深入开展坚持四项基本原则、反对资产阶级自由化的教育紧密结合起来，明辨大是大非，坚定正确的政治方向。继续抓好廉政建设，加强对全体检察人员进行纪律和职业道德教育，从严治检，严肃处理极少数违纪违法人员。同时，加强政治工作机构的建设，加强各级检察院领导班子的建设和检察机关党组织的建设，努力建设一支政治、业务双合格的检察队伍。

我们在工作中，要更加自觉地接受党的领导和人大的监督。检察机关是国家的法律监督机关，要自觉地接受党在方针、政策和思想政治上的领导，在党的领导下，依法独立行使检察权。自觉接受人大及其常务委员会的监督，是我们正确执行法律，履行法律监督职责的重要保证。全省各级检察院要定期向人大常委会报告工作，使我们的工作及时得到监督和支持。我们欢迎人民代表到检察院视察工作，对人民代表提出的意见和建议，我们将认真处理，及时作出答复。

贵州省人民检察院工作报告（摘要）

——1990年2月23日在贵州省第七届人民代表大会第三次会议上

贵州省人民检察院检察长　李　玲

（1990年2月25日贵州省第七届人民代表大会第三次会议通过）

自第七届全省人民代表大会第二次会议以来，我省检察机关在省委、最高人民检察院的领导下，在省人大的监督下，以党的“一个中心，两个基本点”的基本路线为指针，紧紧围绕党的十三届四中全会和五中全会提出的治理整顿、深化改革、稳定政局、发展经济这个中心任务，认真履行宪法赋予的法律监督职能，在依法严厉打击贪污、贿赂犯罪活动和严重刑事犯罪活动，积极开展各项检察业务，加强检察队伍建设各个方面，做了大量的工作。为维护全省安定团结的政治局面，推动廉政建设，促进改革开放和社会主义现代化建设作出应有贡献。

一、关于开展反贪污、贿赂斗争

1989年，全省检察机关根据最高人民检察院和省委的指示，继续把反贪污、贿赂斗争作为检察机关工作的重点，列为检察机关打击经济犯罪活动的第一位工作，运用法律赋予检察机关的侦查权、审查批捕和审查起诉权，积极查处了一大批贪污、贿赂等经济犯罪案件。特别是通过贯彻执行最高人民法院、最高人民检察院《关于贪污、受贿、投机倒把等犯罪分子必须在限期内自首坦白的通告》（以下简称“两高”《通告》），使我省反贪污、贿赂斗争有了突破性进展，取得了明显的成效。

（一）立案查处了一大批贪污、贿赂案件

一年来，全省检察机关共受理贪污、贿赂案件2462件，占受理经济案件总数的68%，比1988年增加了1倍多；已立案侦查的贪污、贿赂案件1699件，占经济案件立案侦查总数的64%，比1988年增加了1.5倍。在已立案侦查的1699件贪污、贿赂案件中，决定逮捕的538人。侦查终结后，提起公诉的521件，决定免予起诉的789件（贯彻执行“两高”《通告》后从宽处理的增多），对不构成犯罪作撤案处理的58件。通过查办贪污、贿赂等经济罪案为国家和集体挽回经济损失1751万多元，是1988年2倍多。

在反贪污、贿赂斗争中，全省检察机关狠抓了重、特大案件的查处。全年查处重、特大案件374件，占贪污、贿赂案件立案侦查总数的15%，比1988年增加21倍。在查处的贪污、贿赂案件中，科局级干部70人，县处级干部20人，厅局级干部1人。

（二）贯彻执行“两高”《通告》，敦促了一批贪污、贿赂等经济违法犯罪分子向检察机关投案自首去年8月15日，“两高”《通告》发布后，省委和各级党委对这项工作非常重视，加强了领导，进行了部署，提出了要求。省人大和各级人大对检察机关贯彻执行“两高”《通告》的工作进行了监督。省政府和各级政府在解决检察机关办案经费等方面给予了支持。在这样一个齐抓共管的大好形势下，全省检察机关把贯彻执行“两高”《通告》作为中心任务，采取有力措施，积极开展工作，取得了反贪污、贿赂斗争的新胜利。在8月15日至10月31日贯彻“两高”《通告》的两个半月期限里，全省有1328名经济违法犯罪分子向检察机关投案自首，共交待违法犯罪金额1160万多元，退出赃款（含赃物折款）635万多元。在投案自首人员中，属贪污、贿赂、挪用公款的有1120人，占投案总人数的84%；犯罪金额在万元以上的大案有229人，其中一万元以上不足5万元的208人，五万元以上不足十万元的13人，十万元以上不足五十万元的8人；县处级干部16人，科局级干部97人；党员201人。在“两高”《通告》精神的感召下，有351名在押人犯坦白交待罪行，交待犯罪金额217万多元，已退交赃款170多万元；还有645名在押犯检举他人犯罪线索710件。“两高”《通告》规定的期限满后，全省检察机关加紧了对自首、坦白案件的查证、核实工作，积极进行消化处理，目前这项工作已基本结束。

（三）积极查处了一批偷税抗税、假冒商标和挪用公款等经济犯罪案件

去年，全省检察机关在积极开展反贪污、贿赂斗争的同时，认真贯彻执行党中央、国务院关于治理整顿、深化改革的方针，把查处偷税抗税案件作为保障国家财政收入，促进国民经济稳定发展的重要工作来抓。全省检察机关的96个派驻税务检察室共受理偷税抗税案件339件，立案侦查248件。通过办案，为国家追回应征税款1968万多元。同时，还立案查处假冒商标、挪用公款等其他经济案件696件。

在开展反贪污、贿赂斗争中，全省检察机关的主要作法有以下四点：

一是加强检查督促，实行领导带头办案。鉴于反贪污、贿赂斗争情况复杂、任务繁重，在开展反贪污、贿赂斗争中，省人民检察院对全省检察机关反贪污、贿赂斗争的开展情况，采取多种形式，检查督促，促进反贪污、贿赂斗争的深入发展。通过适时召开州、市、分院检察长会议，分析研究各地反贪污、贿赂斗争的工作开展情况，并针对不同地区的不同情况，提出具体要求，实行分类指导；通过抓先进，推广总结先进地区的先进经验，促后进地区的工作，推动反贪污、贿赂斗争的全面发展；通过各级检察长亲自办案，实行面对面的指导，加强对反贪污、贿赂斗争的领导。去年共有243名正副检察长亲自参与和指导办理了一批大要案件。

二是强化检察机关侦查职能。为加强检察机关侦查职能，提高办案质量，全省检察机关根据最高人民检察院的规定，在去年对检察机关内部办案程序进行了改革，改变了过去自侦案件由一个职能部门办到底的作法，实行了侦查、批捕、起诉分开的办法。即：立案、侦查、预审由自侦部门负责；审查批捕由批捕部门负责；审查起诉、出庭公诉由起诉部门负责。这一改革，加强了检察机关的内部制约，保证了办案质量。为提高侦查破案能力，强化侦查人员的侦查意识，不断提高侦破水平，全省检察机关先后召开了13次侦查、预审经验交流会，交流了侦破工作的经验，专题研究了加强侦查工作的措施。各地还采取以老带新、实战练兵的方法，提高侦查

人员的素质，在侦破工作中，注意运用文检、司法会计等科学技术手段为办案服务，侦破了一批疑难案件。

三是广泛进行宣传发动，促进反贪污、贿赂斗争的深入发展。去年，全省检察机关十分注意舆论宣传工作，采取多种形式进行宣传发动，号召群众揭发经济犯罪分子、敦促经济犯罪分子投案自首。特别是在“两高”《通告》发布后，更加强了这一工作，印发了“两高”《通告》几十万份，发至城乡，广为张贴，出动238辆（次）宣传车和1754名（次）干警，到厂矿、城镇、农村进行宣传，发表广播、电视讲话109次。此外，有些检察机关还派员到监管改造场所宣讲“两高”《通告》300次，与在押犯谈话590多次。通过宣传发动，取得了明显的成效。在贯彻“两高”《通告》短短两个半月的时间里，除敦促一部分犯罪分子投案自首，坦白交待外，全省检察机关受理群众举报线索2463件，比发布《通告》前8个月受理的举报线索还多62件。在贯彻“两高”《通告》中，全省检察机关还选择有利时机，及时兑现政策，召开了145次宽严大会，对在“两高”《通告》限期内投案自首、积极退赃、有检举立功表现的172名贪污、贿赂等经济犯罪分子依法作出了免予起诉的决定。其中犯罪金额在万元以下的145人，万元以上不足五万元的27人。贵阳畜产品厂统计员张书晨投案自首后，交待了贪污4.5万元的罪行，并全部退清赃款。贵阳市检察院按照“两高”《通告》的规定，依法从宽对其作出了免予起诉的决定。对拒不投案自首、拒不交赃、态度顽抗的157名贪污、贿赂等犯罪分子给予了从严惩处。

四是自觉接受党委领导、人大监督。全省检察机关在开展反贪污、贿赂斗争中，都能自觉接受党委的领导，主动地向人大常委会汇报打击贪污、贿赂犯罪的工作。对涉及运用法律的疑难问题和有影响的重大案件，专门向人大常委会报告，从而保证了反贪污、贿赂斗争的顺利进行。实践证明，全省检察机关反贪污、贿赂工作能够取得突破性进展，是省委、省人大和各级党委、人大加强领导，认真监督的结果。

二、关于严厉打击严重刑事犯罪活动的斗争

打击严重刑事犯罪活动历来是检察机关的一个工作重点，全省检察机关自1983年开展严厉打击严重刑事犯罪活动的斗争以来，坚决贯彻依法从重从快的方针，一直把严厉打击严重刑事犯罪活动摆在突出位置来抓。1989年，我省社会治安形势仍然严峻，突出的表现是刑事发案继续上升，特别是重、特大案件上升幅度大，杀人、伤害、抢劫、强奸、流氓、盗窃等犯罪十分猖獗，直接威胁到人民群众的人身、财产安全。针对这种情况，全省检察机关坚决执行党中央关于制止动乱、平息反革命暴乱的指示，以及最高人民检察院关于把严厉打击严重刑事犯罪活动作为检察机关的一个工作重点的部署，继续贯彻依法从重从快的方针，与公安、法院等部门紧密配合，协同作战，狠狠打击动乱中的打、砸、抢分子和那些破坏社会治安稳定的各类严重刑事犯罪分子。去年全省检察机关共受理公安机关提请逮捕人犯30135人，经审查，批准逮捕24645人，比1988年上升27.5%；不批准逮捕2071人；退回公安机关补充侦查和公安机关撤回3164人。受理公安机关移送起诉和免予起诉的案犯28924人，经审查，向法院提起公诉的21538人，比1988年上升24.6%；免予起诉1765人；不起诉123人；退回公安机关补充侦查和公安机关撤回2522人。在审查批捕和审查起诉工作中，全省检察机关认真开展侦查监督和审判监督工作。经过审查，对468名该捕而公安机关未提请逮捕、166名该起诉而公安机关未移送起诉的案犯，依法予以批准逮捕和提起公诉。全省检察机关还对法院判决畸轻畸重的99起案件依法提出了抗诉，法院已审结88件，改判的45件，维持原判的33件。

在打击严重刑事犯罪活动斗争中，全省检察机关着重抓了以下三项工作：

第一，严厉惩处动乱中的打砸抢分子。在制止动乱的斗争中，全省广大检察干警坚定不移地在政治上同党中央保持一致，认真贯彻执行党中央、省委和最高人民检察院的指示精神，把坚决打击动乱中的打砸抢分子作为检察机关的重要政治任务。6月下旬，省人民检察院召开了州、市、分院检察长会议，研究落实最高人民检察院《关于坚决打击反革命暴乱分子和打砸抢烧杀犯罪分子的紧急通知》和《关于抓紧批捕、起诉参加反革命暴乱和制造社会动乱的严重犯罪分子的紧急通知》，要求全省检察机关在这场斗争中要思想重视，态度坚决，行动迅速。在工作中，省人民检察院对贵阳、遵义、凯里、安顺等重点地区的检察院加强了业务指导，指派专人深入到贵阳市协助办案。贵阳市人民检察院集中骨干力量，积极开展提前介入工作，及时与市公安局取得联系，了解、掌握公安机关对动乱中的犯罪分子的收审、报捕情况，为审查批捕、审查起诉提前作好准备。由于熟悉了案情，对公安机关报捕的案犯及时作出了批准逮捕的决定，对移送起诉的人犯及时起诉到法院。

第二，重点打击了危害社会治安的严重刑事犯罪分子。全省检察机关在严厉打击严重刑事犯罪活动的斗争中，始终把矛头对准那些危害社会治安的严重刑事犯罪分子，依法从重从快打击了反革命分子和重大刑事犯罪分子。去年共批准逮捕反革命案犯、杀人、抢劫、强奸、流氓、重大盗窃、伤害、爆炸等严重刑事犯罪案犯7636人，提起公诉6889人，分别比1988年上升19.2%、13.6%。

第三，积极参加了打击严重刑事犯罪活动的各项专项斗争。按照中央政法领导小组和国务院的统一部署，全省检察机关先后积极投入了打击流窜犯罪活动的专项斗争和打击盗窃、破坏邮电通信、输电线路犯罪活动的专项斗争以及扫除卖淫、嫖娼、制作贩卖传播淫秽物品、拐卖妇女儿童、私种吸食贩运毒品、聚众赌博和利用封建迷信骗财害人等社会丑恶现象的“六害”专项斗争。在打击流窜犯罪的专项斗争中，为了将各种流窜犯罪分子缉拿归案，保证斗争取得成效，省检察院要求全省检察机关对1978年检察机关重建至1988年底的批捕在逃犯和退回公安机关补充侦查无结果的案件进行一次全面的清理，共清理出批捕的在逃犯2306人，退查无结果的案犯1974人。公安机关按检察机关提供的清理名单抓获在逃犯871人。在打击盗窃、破坏邮电通信、输电线路和水利设施犯罪的专项斗争中，批准逮捕这类犯罪分子231人。在除“六害”的专项斗争中，批准逮捕“六害”犯罪分子893人。

三、关于其它各项检察业务工作

一年来，全省检察机关在突出开展反贪污、贿赂斗争和严厉打击严重刑事犯罪斗争的同时，全面发挥法律赋予的监督职能，积极开展了其他各项检察业务工作。

——法纪检察工作。全省检察机关去年认真贯彻执行了最高人民检察院提出的关于“法纪检察工作是维护为政清廉与建设民主政治的一项重要任务，要摆到重要位置切实抓好”的指示，抓住重点，集中力量，优先办理直接侵犯公民民主权利、人身权利的侵权案件和给国家造成重大损失的玩忽职守案件、重大责任事故案件，并积极处理了一般违法案件，为防止矛盾激化，收到了较好的社会效果。去年共受理各类法纪案件2393件，经初查，对不构成犯罪转有关部门处理的1575件；立案侦查818件，其中重特大案件128件，分别比1988年上升8.9%和6.7%。在已查处的818件法纪案件中，决定逮捕案犯338人。经侦查终结，提起公诉的380件，决定免予起诉的293件，作其他处理的43件。全省检察机关在查处法纪案件中，加强了法制宣传，针对我省历年厂矿重大责任事故发案率高的情况，与有关部门配合，深入厂矿进行了防止重大责任事故发生、确保安全生产的宣传教育352次，受教育的职工25.5万多人，还针对发案单位存在的突出问题，提出检察建议420次。由于采取了防患于未然的措施，重、特大责任事故案件的发案数有了下降。

——监所检察工作。去年，我省监管改造工作面临的形势十分严峻。在押人员多，管教任务重。为了确保国家法律和劳改、劳教方针在我省各监管改造场所的正确实施，全省检察机关进一步加强了驻劳改劳教场所和驻看守所的检察工作，密切配合监管改造部门，及时掌握在押人员的情况，做好危险分子的控制和转化工作，认真清除各种隐患，加强安全防范检察和监控措施，促进了监管改造场所的安全和稳定。全省检察机关在工作中严肃执法，向有关部门提出纠正违法建议2243次；查处管教人员违法乱纪构成犯罪的案件14件；提请办案单位加快办理超期羁押案件2249人次；受理监管改造场所发生的刑事案件和重新犯罪案件75件75人，审理后批准逮捕的63人；办理复查申诉案件132件；对1932名监外执行案犯进行了帮教考察工作。通过以上检察、监督活动，保证了国家法律和有关政策在我省监管改造场所的正确实施。

——举报控申检察工作。全省检察机关去年高度重视举报制度在反贪污、贿赂斗争中的重要作用，全省有70个检察院建立了举报机构，积极处理群众举报的违法犯罪线索。全年共受理各类举报线索6384件，其中属检察机关管辖的4565件，均按“归口办理，分级负责”的原则分别作了处理，并及时回复举报人，以取信于民，调动广大群众同各种犯罪活动作斗争的积极性。在贯彻执行“两高”《通告》期间，各级举报机构的干警坚持昼夜值班，接受投案自首，较好地完成了任务。全省控申检察部门共受理来信来访56002件次，处理申诉案件298件，及时处理了“告急”信访，使矛盾得到了缓解。

四、关于检察队伍的建设

建设一支政治立场坚定、忠于职守、清正廉洁、秉公执法、精通业务的检察队伍，是正确履行法律监督职责的组织保证。去年，全省检察机关紧紧依靠各级党委的领导，加强了检察队伍的自身建设，进一步提高了检察干警的政治素质和业务素质。

（一）深入进行形势教育，党的基本路线教育，坚定检察干警忠于党、忠于祖国、忠于人民的政治立场，激发检察干警为人民服务的工作热情。在去年治理整顿、深化改革和制止动乱、平息反革命暴乱的复杂的政治斗争中，全省检察机关有针对性地开展了党的基本路线教育，围绕治理整顿、深化改革这个中心，采取多种形式，宣传十年改革的巨大成就，使广大检察干警充分认识党的十一届三中全会以来的路线、方针、政策的正确性，增强为“一个中心、两个基本点”服务的信心和决心。在去年春夏之交发生的政治动乱和北京反革命暴乱这场严峻复杂的政治斗争中，全省检察机关坚决地执行了中央、省委和最高人民检察院关于制止动乱、平息反革命暴乱的指示，认真学习了邓小平同志和中央领导同志的重要讲话，坚定不移地同党中央在政治上、思想上和行动上保持高度的一致，旗帜鲜明地反对动乱和反革命暴乱。在动乱期间，全省在工作岗位上的检察干警都能够忠于职守、严守纪律、积极工作。党的十三届四中全会和五中全会召开后，全省检察干警一致拥护以江泽民同志为核心的党中央集体领导，拥护党中央一系列重大决策和部署，坚信在党中央的领导下，我们的党和国家的建设事业一定能够继续前进，取得更大的成就。

（二）加强检察机关廉政建设、从严治检，树立人民检察官为人民的好形象。去年全省检察机关主要抓了四个方面的工作：一是进行廉政教育，增强检察干警的反腐蚀能力。各地结合检察工作的特点和检察干警执法守法的实际情况，开展了职业道德和职业纪律教育，提高了广大检察干警抵御各种腐败思想和行为的自觉性。二是强化内部约束机制，健全完善各项管理制度，制订廉政建设的若干规定，推动了检察机关的廉政建设。三是开展“争先创优”活动，表彰在检察工作中涌现出来的先进集体和先进个人，进一步激发广大干警的工作热情，更好地促进各项检察业务工作的顺利完成。为了表彰先进，省检察院于去年12月召开了全省“双先”代表表彰大会，表彰先进集体25个，先进个人102名。在表彰的“双先”代表中有恪尽职守、执法如山、刚正不阿的检察干警；有战斗在反贪污、贿赂斗争第一线的侦查勇士；有勇于开拓、身先士卒、严于律已的领导干部；有不徇私情、大义灭亲的老检察官；有清正廉洁、拒腐蚀的青年同志；还有团结战斗、秉公执法，在检察工作中做出显著成效的先进集体。四是认真贯彻“从严治检”的方针，整顿思想，整顿作风，整顿纪律，对整顿中暴露出来的违法乱纪的人和事，不护短、不掩丑，给予了严肃的处理。

（三）加强干部培训工作，实行干部交流制度，提高检察干警的执法水平。1988年底至1989年底，参加电大、函授和专业证书等各类学习的检察干警共1170人。为适应培训检察干警的需要，省检察院建立了电大分校，九个州、市、分院设立了电大工作站。目前，一个多渠道、多层次的检察干警培训体系已在我省检察机关基本形成，全省检察干警的文化知识结构有了较大的改变。在抓好专业知识教育的同时，我们还实行了上下干部交流制度，即上级检察院的干部下到基层检察院参加第一线办案实践，基层检察院的干部到上级检察院学习工作，使干部在不同层次的工作岗位上得到锻炼提高。

（四）积极协助党委、人大做好1990年县级检察院检察长换届选举的人选、推荐、准备工作。省检察院于去年8月向各地及时传达了最高人民检察院关于1990年县级检察院检察长换届选举的通知精神，并结合我省实际进行了具体部署，要求各州、市、分院按照候选人的政治立场、道德品质、思想作风、组织领导能力和专业知识水平，以及在动乱和反革命暴乱中的现实表现，努力做好所属检察院检察长候选人员的考核、推荐工作。

回顾过去的一年，全省检察机关虽然取得了上述成绩，但还存在着一些应引起重视的问题。主要是：反贪污、贿赂斗争发展不够平衡，有的对反贪污、贿赂斗争的长期性、艰巨性估计不足，工作不够深入，发动群众举报不够，一些隐藏较深的犯罪分子还未挖出来；检察机关实行侦查、批捕、起诉分开后，专业性更强了，要求更高了，一些干部还不能完全适应这种需要；有的对政策、法律界限把握不准，个别案件在定性处理上有误；有的对开展其他各项检察业务统筹兼顾不够，有顾此失彼的情况。在工作中，全省检察机关普遍存在着工作任务重与检察干警少；案件数量多与办案经费严重不足；侦查破案难度大与侦查技术设备奇缺三个方面的不相适应。此外，省检察院领导深入基层调查研究不够，在指导工作上有时不够及时有力。这些问题都需要在今后的工作中认真加以解决。

1990年是贯彻治理整顿、深化改革方针关键的一年，继续保持稳定是做好各项工作的基础。从这样一个总的精神出发，为了抓好1990年全省检察工作，根据最高人民检察院于去年年底召开的全国检察长工作会议和省委六届三次全委扩大会议提出的任务和奋斗目标，1990年全省检察工作的指导思想是：以党的十三届四中、五中全会精神为指针，在省委的领导下，省人大的监督下，充分发挥检察机关的法律监督职能，继续深入开展反贪污、贿赂斗争，继续依法从重从快严厉打击严重刑事犯罪活动，全面开展各项检察业务，为治理整顿、深化改革，稳定局势，实现国民经济持续稳定协调发展，提供有效的法律保障和法律服务。在今年的工作中，全省检察机关将认真抓好以下工作：

一、认真组织广大检察干警，学习十三届五中全会文件，学习江泽民总书记、李鹏总理在接见全国检察长工作会议代表时的重要讲话，学习省委六届三次全委扩大会议文件，理论联系实际，在全体检察干警中牢固树立坚持党的领导的观念，坚持走社会主义道路的观念，强化人民民主专政的观念，坚持为治理整顿、深化改革服务的观念，坚持四项基本原则，反对资产阶级自由化，自觉做好各项检察工作。

二、深入持久地开展反贪污、贿赂斗争，集中精力查处那些隐藏较深的贪污、贿赂犯罪分子。特别是要狠抓大要案件的查处，对县处级以上的要案，继续实行分级办理制度，县处级干部的犯罪案件，以州、市、分检察院为主办理；地、厅级干部的犯罪案件，以省检察院为主办理。为适应反贪污、贿赂工作的需要，已将全省检察机关的经济检察处（科）更名为贪污、贿赂检察处（科），同时将举报中心（站）纳入贪污、贿赂检察部门，实现举报、受理、初查、立案、侦查一体化。继续加强与纪检、监察、工商、税务等部门的协调配合，疏通办案渠道、理顺办案关系，以利案件的及时查处。在斗争中，坚决贯彻积极、慎重的方针，严格区分罪与非罪的界限，注意分化瓦解犯罪分子，努力做到打得稳，打得准，打得狠。继续加强调查研究工作，经常深入基层总结、推广反贪污、贿赂斗争的经验，搞好业务指导。

三、坚持不懈地开展严厉打击严重刑事犯罪活动，对动乱中的打砸抢犯罪分子认真查处；对其他反革命分子和杀人、抢劫、强奸、爆炸、重大盗窃、拐卖人口等严重刑事犯罪分子，继续坚持依法从重从快的方针，给予坚决打击。在工作中，进一步加强侦查监督和审判监督，保证法律的正确实施。

四、在突出反贪污、贿赂斗争和严厉打击严重刑事犯罪斗争同时，注意统筹兼顾，抓好法纪、监所、控告申诉检察工作，抓好民事、行政检察工作的试点，为今年10月1日行政诉讼法的正式实施作好准备。

五、在检察队伍建设中，继续坚持邓

小平同志提出的“要一手抓建设、一手抓思想政治工作”的思想，认真组织全体干警学习马列主义、毛泽东思想的基本理论和邓小平同志著作，坚持共产党领导的多党合作和政治协商制度，坚持四项基本原则和反对资产阶级自由化的教育，深入开展爱国主义、集体主义、社会主义和自力更生、艰苦奋斗的教育。坚持“从严治检”，不断完善全省检察机关的廉政制度。继续开展“争先创优”活动，进一步调动广大检察干警的工作积极性。切实加强领导班子的建设，协助当地党委、人大作好今年县级检察院检察长的换届选举工作。

云南省人民检察院工作报告（摘要）

——1990年3月2日在云南省第七届人民代表大会第三次会议上

云南省人民检察院检察长　李林阁

（1990年3月7日云南省第七届人民代表大会第三次会议通过）

1989年，我省检察机关在省委和最高人民检察院的领导下，在各级人大及其常务委员会的监督和政府的支持下，以党的十三届三中全会、四中全会精神为指导，按照中央关于加强廉政建设，坚决惩治腐败的指示要求，把检察工作的重点转移到反贪污、贿赂斗争上来，有力地惩治了一批贪污、贿赂及其他经济犯罪分子；严厉打击了制造动乱和暴乱以及严重危害社会治安的刑事犯罪分子。在加强反贪污、贿赂和打击严重刑事犯罪工作的同时，各项检察工作都取得了新的进展，进一步发挥了检察机关法律监督的职能作用。总的看来，1989年是检察工作不平凡的一年，我省广大检察干警在斗争任务繁重、工作条件较差的情况下，兢兢业业，恪尽职守，不辞辛劳，克服困难，顽强工作，以自己的实际行动，为坚决惩治腐败，推动廉政建设，为维护政治安定和社会稳定，保障治理整顿、深化改革的顺利进行，作出了积极的贡献。

（一）开展反贪污、贿赂斗争，促进廉政建设

1989年，我省各级检察机关根据1988年底全国、全省检察长工作会议的要求，调整工作部署，把反贪污、贿赂斗争列为打击经济犯罪第一位的工作，作为检察工作的重点来抓。平息暴乱后召开的党的四中全会，把“大力加强民主和法制建设，坚决惩治腐败”作为要抓的四件大事之一的决策，进一步提高了检察干警对开展反贪污、贿赂斗争重要性的认识，增强了努力搞好这项工作的紧迫感和责任感，对案件的查处工作和斗争的深入开展起了很大的推动作用。特别是最高人民法院、最高人民检察院《关于贪污、受贿、投机倒把等犯罪分子必须在限期内自首坦白的通告》发布后，很快在全省范围内掀起了一个反贪污、贿赂的高潮，群众有了深入发动，工作取得明显成效，主要表现在：

一、贪污、贿赂等经济犯罪案件的受理、立案、结案数成倍上升。去年全省检察机关共受理各种经济案件4084件，立案3055件，结案2307件，分别比1988年上升1.18倍、1.64倍和1.12倍，是历史上受理、立案、结案数最高的一年。在立案的3055件经济案件中，有贪污案1171件，贿赂案1174件，两项共2345件，占立案总数的76.76%，比1988年增加197.97%。打击偷税抗税的工作有了新的进展，在全省各级税务机关建立了税务检察室126个，去年共立案查处偷税抗税案件324件，比1988年增加172.26%。此外还查处了一些挪用公款、假冒商标等经济犯罪案件。通过办案，追缴赃款和赃物折款2490.43万元，比1988年增加154.06%，结合办案帮助560多个单位追回流失资金1618.5万余元。协助税务机关追回税款1000余万元。

二、贯彻“两高”《通告》取得明显成效。《通告》发布后，我省各级检察机关通过广泛印发、张贴《通告》，检察长发表广播电视讲话，到重点单位宣讲《通告》等各种形式和召开新闻发布会，通过新闻媒介，大力宣传《通告》，很快形成了一个较大的舆论声势和群众声势。在8月15日至10月31日的限期内，全省有858名贪污、贿赂等经济违法犯罪分子，在党的政策的感召和国家法律的威慑下，在兑现宽严政策的促动和群众积极举报的压力下，到检察机关投案自首，其中有县处级干部18人，科级干部131人。自首人员共交代犯罪金额500余万元，退交赃款和赃物折款295万余元。贪污、受贿等犯罪金额在万元以上的96人，其中一万元以上不满五万元的82人，五万元以上不满十万元的11人，十万元以上的3人。同时，在全省在押人犯中，宣传《通告》后，有556人交代余罪，揭发出经济犯罪线索780起。实践表明“两高”根据党中央建议发布的《通告》，是完全正确的，对于显示政策法律威力，震慑犯罪分子，挽救走上邪路的人，鼓舞和支持人民群众同腐败现象作斗争的积极性，推动反贪污、贿赂斗争的深入开展，起了十分重要的作用。

三、查处大案、要案工作有了较大的进展。全省检察机关在反贪污、贿赂斗争中，紧紧抓住查处大案、要案这个中心环节，把排除阻力，攻克难关，突破大案作为主攻方向。去年全省检察机关共立案查处万元以上大案478件，查处县处级以上干部的要案74件，比1988年分别上升2.25倍和8.25倍。其中突出的是贪污、贿赂大要案，共有352件，占立大要案总数的73.64%，比1988年上升2.91倍。事实表明，经济犯罪的大案要案危害大，影响大，而抓紧侦破，依法惩处，效果也大，既能震慑犯罪分子，挽回一定的经济损失和政治影响，又能鼓舞群众斗志，推动斗争向纵深发展。

四、严肃认真执行政策法律，提高办案质量。各级检察机关在办案工作中，坚持“一要坚决，二要慎重，务必搞准”的原则，在查清事实，搜集证据上狠下功夫，严格区分罪与非罪的界限，并认真贯彻惩办与宽大相结合的政策，该宽则宽，该严则严，宽严相济，充分发挥政策法律的威力和作用。为了确保办案质量，在检察机关内部，改变了过去“一竿子插到底”的作法，实行侦查、逮捕、起诉分别由不同业务部门办理的内部制约制度。同时，开始实行案件分级负责的制度（即省、部级以上干部的犯罪案件，由最高人民检察院为主查办；厅、局级干部的犯罪案件，由省检察院为主查办；县、处级干部的犯罪案件，由分、州、市检察院为主查办）。实行这些制度，对于及时排除干扰阻力，推动查处工作，保证办案质量，均起了积极作用。

1989年反贪污、贿赂斗争之所以能取得较大进展和明显的成绩，其主要原因：

一是中央、省委和各级党委加强了领导。党中央制定的治理整顿、深化改革的方针和关于加强廉政建设，坚决惩治腐败的一系列指示，为反贪污、贿赂斗争指出了明确的方向。省委和各级党委都重视和加强了对反贪污、贿赂斗争的领导，采取了许多措施，并吸收检察长参加各级廉政领导小组的工作，经常听取反贪污、贿赂斗争的工作汇报，对一些重大问题作出指示，支持检察机关排除干扰阻力，大胆依法办案。许多大案要案都是在党委的支持下迅速突破的。同时，检察机关也加强了向党委的请示报告，自觉地把反贪污、贿赂的工作纳入廉政建设的总体之中，以廉政建设带动反贪污、贿赂斗争，以反贪污、贿赂斗争促进廉政建设。

二是各级人大的监督和政府的支持。1989年，省和州、市、县人大及其常务委员会都很重视反贪污、贿赂工作，并把它列为重要议事日程和代表视察的重要内容。省检察院去年8月向省人大常委会专题汇报了反贪污、贿赂的工作，并将常委审议中对检察工作提出的意见和建议，及时整理印发全省检察机关，用以指导和改进工作。各州、市、县检察机关也都普遍向同级人大常委作了反贪污、贿赂的专题工作汇报。实践表明，人大及其常委会的监督，对于推动检察机关认真履行职责，严格依法办事具有重要作用。同时，检察机关在开展反贪污、贿赂斗争中，特别是在办案经费、交通工具、技术装备等工作条件上，得到了各级政府的支持，各级政府和有关部门在财政困难的情况下为检察机关解决了不少实际困难，帮助和推动了反贪污、贿赂斗争的开展。

三是各族人民群众的积极支持。专门工作与群众路线相结合是我们多年来工作的一条成功经验和优良传统，在反贪污、贿赂斗争中，表现得十分明显，尤其是举报工作得到了广大群众的积极响应和支持。去年检察机关共受理各种举报11467件，属于检察机关管辖的7886件，经初查立案770件，包括大要案187件。特别是“两高”《通告》发布后，举报线索猛增，8月至10月共受理群众举报贪污、贿赂犯罪线索达2921件，比1988年同期增加3.6倍。这几个月立办的贪污、贿赂案件，70%是群众举报的。现在，群众举报已成为检察机关发现经济犯罪等案件线索来源的主渠道。一年多的工作实践表明，举报制度是人民群众对国家机关和国家工作人员行使监督权利，使人民群众的民主监督同检察机关的法律监督结合起来的重要形式，是揭露制服经济犯罪的“克星”和强大的威慑力量，是检察工作依靠群众、走群众路线的新形式和新发展。

四是各有关部门的密切配合和协作。检察机关在工作实践中深深感到要搞好反贪污、贿赂斗争，单靠检察机关孤军作战不行，只靠政法部门和党的纪检部门也不够，还必须得到政府的监察、审计、工商、税务、海关等经济监督和行政执法部门的配合与支持，使党纪、政纪、法纪部门密切配合，分工负责、协同作战。在这个思想指导下，逐步建立和完善了同各有关部门间的联系制度、互相移送案件制度和案件分工协查制度，经常互通情况，协调工作，发挥整体作战能力。

五是全省检察机关和广大干警共同努力。1989年，反贪污、贿赂斗争成了全省检察系统思想精力和工作活动的聚焦点，主管业务部门全力以赴，其他业务部门积极配合，大力支持，广大干警精神饱满，连续奋战，克服困难，努力工作。各级检察长，不仅集中精力加强对反贪污、贿赂斗争的组织领导，而且身先士卒，亲自挂帅办理大案要案。去年从省到县各级正副检察长亲自参加办案的达548人（次），办了502起贪污、受贿等经济犯罪案件，对于加强办案工作，推动反贪污、贿赂斗争起了重要作用。去年在对下指导工作上也有明显加强，省检察院除了去年六月召开分、州、市院检察长会议，检查反贪污、贿赂工作的进展情况，解决工作发展不平衡等问题以外，还派出7个工作组到全省17个分、州、市院和一些县检察院检查指导工作，派出20名干部直接或参与办了15件大要案件。为提高侦查工作水平和办案效率，省检察院还召开了一次经济案件侦查工作经验交流会。各分、州、市检察院也加强了对县、区检察院的工作指导。上半年全省有21个县检察院未立办贪污、贿赂案件，针对这一情况，省检察院和分、州、市院专门派出工作组，经过检查帮助，使这一情况很快得到扭转。下半年不仅消灭了空白点，而且有的县检察院后来居上，一下立办了多起贪污、贿赂案件。有的地区也由被动很快转为主动。实践表明，深入实际，加强调查研究，加强工作指导，对于克服领导工作一般化、“一刀切”的毛病，解决工作发展不平衡的问题，调动各级检察机关和全体干警的积极因素，增强工作活力，发挥整体效应，有着重要作用。

一年来，反贪污、贿赂斗争取得了明显成绩，这是应当充分肯定的。但是，对已取得的成绩不能估计过高，要清醒地看到，当前贪污、贿赂犯罪确实是严重的，我们虽然查处了一大批贪污、贿赂犯罪案件，但从各方面情况分析看，那些隐蔽较深的犯罪分子还未被揭发出来。“两院”《通告》期间投案自首的，也大多是浮在面上的，是我们视线之内的，一些隐蔽、狡猾的犯罪分子，还没有受到应有的惩处，需要经过大量艰苦工作将他们挖出来。还应看到，由于资产阶级自由化思想的影响，剥削阶级腐朽思想的侵独，“一切向钱看”错误思想的严重存在，以及国内外敌对势力对国家工作人员的拉扰腐蚀，贪污、贿赂作为一种社会现象，将会长期存在，而且今后的斗争将会更加艰苦，难度更大。因此，我们必须深刻认识同贪污、贿赂犯罪作斗争的长期性、复杂性和艰巨性，坚持不懈地把这场斗争深入持久地进行下去。

（二）严厉打击严重刑事犯罪活动

去年春夏之交，北京发生的动乱和反革命暴乱也波及到云南一些地方。在此期间，我省广大检察干警立场坚定，坚守岗位，与党中央保持一致，旗帜鲜明地坚决贯彻中央关于制止动乱和平息反革命暴乱的方针，组织专门办案力量，提前介入侦查、预审活动，了解案情，审查证据，注意严格区分两类不同性质的矛盾，把好事实、证据、定性关。既保证了办案质量，又加快了办案速度。

1989年，我省治安形势比较严峻，刑事案件特别是重大案件上升幅度较大，某些地方和某些犯罪还比较突出。鉴于这种情况，全省各级检察机关对打击严重刑事犯罪活动一直抓得很紧。一方面，认真做好审查批捕、审查起诉工作，依法从重从快打击严重危害社会治安秩序，危害人民生命财产安全和国家利益的杀人、抢劫、放火、投毒、爆炸、强奸、流氓、贩毒等严重刑事犯罪分子。据统计，去年共受理公安机关提请批捕人犯25285名，经审查批准逮捕21984名，比1988年增加28.73%；受理公安机关移送起诉案犯

23928名，经审查决定起诉20433名，比1988年增加27.34%。另一方面，与公安等有关部门密切配合，积极参加全省性的打击流窜犯的专项斗争和“扫黄”、除“六害”斗争以及各地、州、市组织的一些有针对性的专项打击和专项治理，有力地打击了刑事犯罪分子的嚣张气焰。边境地区还着重打击了贩卖毒品的犯罪活动。

在打击刑事犯罪的斗争中，为了更好地贯彻依法从重从快的方针，把案子办得又准、又快、又好，各级检察机关认真坚持“以事实为根据，以法律为准绳”的原则，并进一步加强了对重大案件提前介入公安机关侦查、预审活动的制度，提前介入的案件已占重大特大刑事案件总数的60%左右；加强了对刑事案件特别是危害大、影响大的案件的出席法庭，揭露犯罪，支持公诉的工作以及出席二审法庭的工作；对公安机关侦查活动和人民法院审判活动的监督也有加强。去年，全省检察机关在审查批捕、审查起诉工作中，共追捕犯罪分子403人，追诉犯罪分子236人；对公安机关在侦查活动中的违法行为提出纠正意见195次，对人民法院审判活动中的违法行为提出纠正意见114次。对法院判决认为确有错误提出抗诉的99件，对于维护国家法律的正确实施起了积极作用。

过去的一年，在省委的正确领导下，夺取了制止动乱的胜利，维护了我省的政治安定和边疆的稳定；打击严重刑事犯罪的斗争也取得了较好成绩，继续保持了全省社会治安的基本稳定。但是，当前治安形势仍然是严峻的，少数反革命分子和顽固坚持资产阶级自由化立场的人，决不会甘心他们的失败，可能为敌人利用引起突发事件的“热点”问题还不少。境外敌对势力还在对我进行渗透破坏，刑事案件的发案率仍呈上升趋势，重大恶性案件还时有发生，严重威胁着人民群众生命财产的安全。总之，我们同敌视社会主义的反革命分子，同严重刑事犯罪活动的斗争将是长期的、复杂的、艰巨的。对此，我们必须保持高度警觉，决不可麻痹大意，决不可掉以轻心，要加倍努力，做好工作，保证我省政治局势的稳定和社会治安的稳定，为治理整顿、深化改革创造一个良好的社会环境。

（三）突出重点、兼顾全面，做好各项检察业务工作

1989年，我省各级检察机关围绕反贪污、贿赂和打击严重刑事犯罪这两个工作重点，进一步开展了法纪检察、监所检察和控告申诉检察等项业务工作。

在法纪检察方面，各级检察机关在提高认识的基础上，认真贯彻“坚决、严肃、慎重”的方针，着重依法查处玩忽职守、侵犯公民民主权利、重大责任事故等三类案件。去年全省共受理法纪案件1578件，立案465件，其中属上述三类案件的有354件，占76.12%。已经办结442件，决定起诉的270件、450人，免予起诉的129件、211人。去年法纪检察工作的一个明显特点是突出抓了大案要案的查处。全省共立案查处重、特大法纪案件77件，比1988年增加83.33%。针对法纪案件难度大、困难多的特点，各级检察长亲自参加办理了90件案件。许多大要案件都是分、州、市检察院协助或直接办的。省检察院先后派出30多人次协助下级检察院查处了14起大要案。通过这些案件的依法查处，对于维护国家法律的尊严，保障公民的民主权利和人身权利，促进廉政建设和经济建设起了积极作用。

在监所检察工作方面，主要抓了三项工作：一是严厉打击劳改、劳教人员的犯罪活动，维护监管场所的秩序与安全。去年办理“两劳”人员犯罪案件，批准逮捕的21人，决定起诉的287人，并着重打击了“牢头狱霸”活动。在社会出现动乱期间，特别加强了对安全防范的检察和对“两劳”人员进行形势、政策、守法教育，发现问题，及时建议解决，由于各有关部门共同努力，使监管场所在动乱的严峻形势下没有发生重大事故和恶性案件。二是加强对监管改造部门执行政策、法律的检察。去年对检察发现监管工作中出现的违法行为，提出纠正意见436次；立案查处监管干警的犯罪案件27件，已办结25件。此外，还发现和纠正干警的一般违法行为274件、278人。同时，认真查处了“两劳”人员及其亲属提出的控告、申诉案件375件。三是配合监管部门认真贯彻“改造第一，生产第二”的方针，根据各个时期，不同人员的具体情况和特点，采取作形势报告、上法制课、个别谈话、家属规劝等各种形式，对“两劳”人员进行形势、政策、法律和前途教育，促使他们遵守监规纪律，认真接受改造，争取重新做人。由于加强了改造工作，犯人违规及生产事故明显下降，逃跑、行凶报复、打架斗殴等也有减少。

在控告申诉检察工作方面，也取得了较好成绩。在配合反贪污、贿赂斗争，大力抓举报工作的同时，受理了公民控告、申诉37878件（次）。已处理37768件（次），占99.71%，其中检察机关直接查处的5600件。与1988年相比，出现一个明显变化：检举控告增加的多，上升了17.78%；不服判决、逮捕、劳教等各种处理的申诉下降幅度较大，减少了28.9%。去年在控告申诉检察工作中，查处不服逮捕和免予起诉的申诉74件，经查，申诉有理已作纠正的33件；查处不服法院判决、裁定，经查认为确有错误已提出纠正意见的4件。同时，还及时处理了矛盾可能激化的案件61件，经过认真细致地教育疏导，缓解矛盾，避免了一些械斗闹事和流血事件的发生。在工作中，许多单位继续坚持了检察长亲自接待来访，到集镇、厂矿挂牌办公，就地接受群众控告申诉，开展法律咨询，进行法制宣传等方便群众、服务群众的工作方法，从而进一步沟通了检察机关与人民群众的关系，密切了党和人民群众的联系。

此外，刑事技术工作也有一定加强，去年共出具法医、文检、痕检等各项技术鉴定2678件，有力地配合了侦查工作的开展，解决了一些办案中的难题，提高了办案的科学性和准确性。

（四）认真贯彻“从严治检”方针，加强检察队伍自身建设

1989年，我省各级检察机关组织干警认真学习和贯彻党的十三届三中全会、四中全会精神和邓小平、江泽民等中央领导同志的多次重要讲话和中央关于加强廉政建设的一系列重要指示，对检察干警进行坚持四项基本原则，反对资产阶级自由化的教育，共产主义理想和自力更生、艰苦奋斗的教育，职业道德和职业纪律的教育，并结合干警的思想实际，加强思想政治工作，不断提高干警的政治觉悟和做好检察工作的自觉性和责任感。在北京发生动乱、暴乱和云南一些地方也出现动乱期间，在全省检察干警中没有出现上街游行、支持动乱的情况，全体干警坚守岗位、坚持工作，以多办案、办好案的实际行动与党中央保持政治上的一致，受到了党委和群众的好评。

检察机关是法律监督机关，又是同贪污腐败现象作斗争的职能部门，接触腐败阴暗的东西较多，只有不断增强自身抵制腐蚀的能力，才能做到为检清廉、秉公执法。基于这一认识，各级检察机关都十分重视和抓了检察机关自身的廉政建设，教育干警严格自我要求，自觉地用党纪、政纪和法律约束自己的行为，努力做一个“一身正气，两袖清风”，清正廉洁的检察干部。同时，注意通过各种渠道认真听取社会各界和人民群众对检察干警的意见和反映，自觉接受党委、政府、人民群众和有关部门的监督。一些单位还建立了“廉政信箱”、“检察干警几要几不准”，对领导干部廉政情况进行民主评议等制度。对去年检察队伍中发生的35起违法乱纪事件及时进行了严肃认真查处，现已查清处理了22件，其中受刑事处分的3人，受党纪、政纪处分的19人，从而严肃了政纪、法纪，维护了检察队伍的纯洁性。

1989年，针对国家法制逐步健全，检察机关任务日益繁重，工作要求越来越高，而检察干部的文化、业务素质都较低的实际情况，继续采取长短期结合，上下级结合的办法，抓紧干部培训工作。一是在第一届电大法律视听班已毕业859人的基础上，又开办了两届，参加学习的有761人。同时，组织在职干部835人参加新举办的法律专业证书学习，还有11名检察干部被选送到中国高级检察官培训中心学习。二是在云南政法专科学校先后开办了法纪检察、侦查监督、审判监督三期专业培训班。一些分、州、市检察院也采取办短训班或以会代训等办法，加强干部的业务培训。

一年来的工作实践和斗争考验表明，我省检察队伍总的情况是好的，是一支党和人民可以信赖的有战斗力的队伍。在反贪污、贿赂的斗争中，在制止动乱和平息暴乱以及同严重刑事犯罪作斗争等各项检察工作中，涌现出许多立场坚定，拒收贿赂，敢于斗争，刚直不阿，秉公执法的先进人物。去年受到表彰的先进单位有176个，先进个人1427人。在反贪污、贿赂斗争中取得明显成绩的昆明、曲靖、玉溪、昭通四个分、市院，去年底在全省检察长工作会议上受到表彰。昆明市检察院和曲靖检察分院，被评为全国检察系统制止动乱和平息反革命暴乱的先进集体，受到最高人民检察院的表彰。

以上情况表明，1989年我省检察工作取得了较大进展和较好成绩。但是，也还存在不少问题，主要是：一是工作发展不平衡，少数单位对反贪污、贿赂斗争，领导重视不够，措施不够得力，办的案件不多，有的存有畏难情绪，也有的有自满情绪。在审查批捕、审查起诉工作中，少数案件办得不够细致，还有个别错漏案件发生。在执行政策法律，采取强制措施上还有不够慎重、不够妥当的地方。对侦查活动和审判活动的监督还做得不够。特别是审判监督工作，难度大，比较薄弱。这些都与省检察院指导工作不够有力、作风不够深入有关。二是干部力量严重不足，积压案件较多，不能及时有力的打击犯罪。近年来由于受理贪污、贿赂等经济犯罪案件成倍上升，审查批捕、审查起诉案件的数量也大幅度上升，工作量猛增，而人员编制没有增加，因而干警的工作担子越来越重，压力越来越大。虽然紧紧张张工作了一年，所办案件比1988年大幅度增加，而年末还有积案5736件，其中群众举报案件线索待查的3651件，经济、法纪案件已经立案待查的1173件，已侦查终结待起诉的912件。这个问题急待采取有效措施加以解决。现在一些检察干警特别是在一线工作的办案骨干，由于长期加班加点工作，健康状况已有所下降。三是一些单位政治思想工作比较薄弱，政治工作机构不健全，有些单位没有专职政工干部。一些干警思想不够稳定。在“一切向钱看”思想的影响和金钱、物质的诱惑下，个别干警经不起考验，甚至腐化堕落走上违法犯罪的道路。检察干部的文化、业务素质仍还比较低，不适应形势的发展和任务的要求。检察机关的工作条件虽有一定改善，但不少单位在办公、宿舍住房、交通工具、技术装备上困难还比较大，特别是不少地方办案经费缺乏，在一定程度上制约了工作的开展。以上这些问题，都有待在今后认真加以解决。

当前，我省和全国一样，政治稳定，经济稳定，社会稳定，总的形势是好的。但是，也必须看到，我们同贪污、贿赂等经济犯罪、同反革命分子、严重刑事犯罪的斗争任务仍然十分艰巨繁重。1990年，我们要以党的十三届四中全会、五中全会精神为指导，认真贯彻全国、全省检察长工作会议提出的任务要求，充分发挥法律监督职能，紧紧抓住坚决惩治贪污、贿赂犯罪和严厉打击严重刑事犯罪这两个重点，进一步加强法纪检察工作，加强检察机关的思想政治工作，带动各项检察业务工作的全面开展，以维护正常的经济秩序和社会秩序，促进经济持续、稳定、协调的发展，保卫治理整顿和深化改革的顺利进行。

要继续把反贪污、贿赂斗争作为打击经济犯罪的第一位工作和检察机关的工作重点，认真抓紧抓好。为了适应工作任务的需要，加强对反贪污、贿赂工作的领导，提高工作效率，省检察院将于近期成立“反贪污贿赂工作局”（二级局）。各分、州、市检察院也将建立反贪污、贿赂的工作机构。此外，省检察院从2月中旬开始在昆明举办“云南省打击贪污、贿赂犯罪展览”，然后再到一些地、州巡回展出，主要是展示近年来我省反贪污、贿赂斗争的成果，宣传党中央肃贪倡廉的方针政策和国家法律，鼓舞发动群众，把斗争继续推向深入。

要坚持依法从重从快打击反革命破坏活动和其他刑事犯罪活动。坚决打击特务、间谍、组织反革命集团等反革命分子。坚决打击危害社会治安的严重刑事犯罪分子。要注意敌情动态，保持“严打”声威，维护城乡社会治安的持续稳定。

要从惩治腐败，加强廉政建设和社会主义民主、法制建设的高度，切实加强法纪检察工作，认真查处侵权、渎职犯罪案件，保护公民的民主权利和人身权利不受侵犯。切实抓紧抓好监所检察、控告申诉检察工作，以适应形势的发展。

要认真贯彻最高人民检察院《关于加强检察机关思想政治工作的决定》，加强检察机关的思想政治工作。省检察院将成立政治部，各分、州、市院也将加强政工机构建设，把思想政治工作切实加强起来。要组织干警认真学习马列主义、毛泽东思想的基本理论，学习党的十三届四中全会、五中全会精神，继续深入进行坚持四项基本原则，反对资产阶级自由化的教育，抓好检察机关的廉政建设，抓好干部的教育培训工作，不断提高干警的政治素质和业务素质，努力建设一支有理想、有道德、有文化、有纪律，一身正气，两袖清风，全心全意为人民服务的检察队伍。

西藏自治区人民检察院工作报告（摘要）

——1990年5月26日在西藏自治区第五届人民代表大会第三次会议上

西藏自治区人民检察院检察长　杨有才

（1990年5月31日西藏自治区第五届人民代表大会第三次会议通过）

一、依法严惩少数分裂主义分子和各种严重刑事犯罪分子，为维护祖国统一，稳定西藏局势服务

五届人大二次会议以来，我区各级检察机关把反分裂斗争稳定局势的工作，作为压倒一切的首要任务。去年，拉萨（3·5）骚乱事件发生后，自治区检察院抽调专门力量，配合公安、安全部门参予对骚乱案件的专案预审工作，提前介入重特大刑事案件的侦查预审，运用法律武器，从重从快批捕起诉反革命分子和各种刑事犯罪分子，及时有力地打击了他们的反动气焰，为稳定局势作贡献。一年来，依法批准逮捕各类刑事犯罪分子488名；起诉323件355人；批捕人犯比1988年同期增长26.1%，其中盗窃、抢劫、杀人等重特大刑事案件137件，比1988年同期增长31.2%，是1983年"严打"以来重特大刑事案件最多的一年。

在办案中，我们坚持从重从快的方针，严格区分罪与非罪、此罪与彼罪的界限，重证据，重调查研究，不轻信口供。切实做到，犯罪事实清楚，证据确凿，定性准确，程序合法。同时加强对侦查和审判活动的法律监督，防止错、漏案件。共退回公安补充侦查34件；不批捕43人；向法院依法提起抗诉5件，法院改判4件；向有关单位发出纠正违法通知书17件。

我们还积极参加社会治安综合治理，注意收集掌握社会治安信息动态，及时向党委和上级业务部门反映情况。对在办案中发现的漏洞向有关单位提出检察建议，健全制度，预防犯罪。

当前，我区政治形势基本上是稳定的，但是危害稳定的因素仍然存在。分裂与反分裂的斗争尖锐复杂，重特大刑事案件持续上升，社会治安形势依然严峻。我们要坚决贯彻党中央关于"稳定压倒一切"和区党委提出的"两手抓"的方针，继续把反分裂斗争，稳定局势工作作为首要政治任务。检察机关是人民民主专政的重要工具，我们要进一步增强敌我意识，专政意识和阶级斗争意识，发挥专政职能，运用法律武器，从重从快严惩一切叛国的、分裂祖国的少数分裂主义分子和各种刑事犯罪分子，为维护祖国统一，增强民族团结，稳定西藏局势作出新的成绩。

二、积极开展反贪污贿赂斗争，为治理整顿和深化改革服务

去年，特别是党的十三届四中全会后，党中央、国务院作出"关于近期做几件群众关心的事的决定"，"两高"发布了《通告》，全党全国积极行动，狠抓廉政建设。我区各级检察机关以忠于党、忠于社会主义制度、忠于“宪法”和法律的政治责任感和使命感，积极开展这项工作，把反贪污、贿赂斗争作为检察工作的重点，采取有力措施，推动斗争深入开展。

一是依靠党委领导、人大监督、政府、兄弟部门的支持和帮助开展工作。我们始终把独立行使检察权与自觉接受党委的领导和人大的监督统一起来，主动向党委、人大汇报工作，请示问题。特别是在贯彻《通告》期间，各级党委、人大主要领导和分管负责同志，专门听取检察机关贯彻《通告》情况汇报，给予具体指导。区党委又专门召开县以上干部大会，就贯彻《通告》进行动员和部署。自治区五届人大常委会第七次会议，把贯彻《通告》作为专门议题，听取区检察院汇报。各级政府还帮助检察机关解决办案经费、交通工具等实际困难和问题。我们还加强了与纪检、监察、工商、税务、海关及公、法、司等兄弟部门的联系，建立了案件协作、配合、移送等程序和制度。实践证明，党委的领导，人大的监督，政府兄弟部门及广大人民群众的支持帮助是我们工作取得成效的根本保证。

二是加强政策法律宣传，开展政治攻势。区各级人民检察院分别用藏汉两种语言、文字录制、印刷了《通告》和区检察院《公告》，在全区范围内张贴、广播宣传；组织宣讲员深入到机关、厂矿、企事业单位宣传政策、法律和“两高”《通告》；全区检察机关先后召开了八次反贪污、贿赂新闻发布会，通报贯彻《通告》情况；运用典型案例和罪证举办展览，让犯罪分子现身说法等形式开展法制宣传。形成强大的政治攻势，震慑了犯罪分子，敦促了一批罪犯投案自首，坦白悔罪，增强了检察工作透明度，在群众中引起了强烈反响，进一步鼓舞了人民群众的斗志和信心。日喀则检察分院还于去年12月9日对五名无视“两高”《通告》，拒不投案自首的犯罪分子依法公开处理，体现了法律、政策和《通告》的严肃性。

三是充实加强办案力量，集中精力狠抓案件的查处。我们从内部调整力量，抽调了一批干警充实加强到经济检察部门，集中力量办理贪污、贿赂等经济案件。广大干警发扬不怕苦、不怕累、连续作战，雷厉风行的精神，集中精力狠抓案件的查处。许多干警，在去年8、9、10三个月，很少过星期天和节假日，夜以继日地拼命工作，发扬了奉献精神。

四是领导机关、各级检察长带头办案。从自治区检察院做起，领导机关和检察长直接参加案件侦破工作。据统计，一年来，分（市）院以上检察机关直接参与办案的正副检察长16名，办理各类经济案件21件。自治区检察院办理经济案件41件，占全区各级检察机关办理经济案件总数的33%，从而推动了反贪污贿赂斗争。

五是发动和依靠群众开展反贪污、贿赂斗争。我们克服“坐堂办案”，等案上门的作风，派出工作组深入各单位摸线索、了解情况，大力开展举报工作，把专门机关的职能作用与群众路线结合起来，充分依靠广大干部群众，号召人民群众积极检举、揭发贪污、贿赂等犯罪分子。另一方面，我们以多办案，办大要案，办好案作为对群众举报的反馈，使广大人民群众看到检察机关的态度和决心，取信于民。在党中央和“两高”《通告》的鼓舞下，激发人民群众的斗争热情，群众举报贪污、贿赂等经济犯罪线索大量增加，其中有一批很有价值的线索，成为我们查处案件的重要来源之一。

六是坚持“一要坚决，二要慎重，务必搞准”的原则。只要有线索，我们就实事求是地查，不管涉及到什么单位什么人，坚持公民在法律面前一律平等的原则。在办理具体案件中，坚持以事实为根据，以法律为准绳，贯彻坦白从宽，抗拒从严，立功受奖的一贯政策，做到宽严适度，严格依法办案。

通过以上工作，反贪污、贿赂斗争在我区取得明显成效。

1、受理、立案的贪污、贿赂等经济案件和为国家挽回经济损失的数量大幅度增加。共受理案件线索321件，比1988年同期增加3.8倍；立案侦查125件139人，比1988年同期增加54.6%；起诉38件44人，比1988年同期增加52.3%；为国家挽回经济损失640余万元，比1982年以来打击经济犯罪为国家挽回经济损失的总和还多100多万元。

2、查处大要案有新的进展。在立案侦查的案件中，一万元至五万元大要案37件；五万元至十万元8件；七十万元2件；一百万元以上1件。涉及县以上干部要案8件。大要案比1988年同期增长4.2倍。例如，自治区检察院办理的中国银行拉萨分行原监察室副主任谢继思、拉萨市劳动服务公司干部杨旭东、自治区农委原财务处副处长崔建忠三人受贿11万元、崔建忠挪用公款25万元的重大挪用、贿赂案和自治区财政厅农财处主任科员张树良挪用963万元、贪污16万余元的特大贪污、挪用案；那曲分院办理的中国银行嘉黎县银行原行长黎军等三人诈骗地区中心支行55万余元的重大诈骗案；拉萨市检察院办理的自治区电机厂副厂长薄顺奎贪污8000元要案、拉萨市石材厂厂长徐石贪污21832元案和厂党委书记兼会计翁金华贪污38871元案；昌都分院办理的昌都服务公司经理李亚涛、采购员罗玉安共同贪污5万元案；日喀则分院办理的地区交通局汽车一队会计贺学忠贪污15000元案；林芝分院办理的地区邮电局局长杨立昌受贿5500元要案等。总之，过去的一年，是我们历年来办理大要案最多的一年。

3、"两高"《通告》期间，反贪污、贿赂斗争在我区形成了声势。在此期间，到检察机关投案自首共13人，退回赃款赃物价值人民币18万余元。《通告》规定的最后一天，还有三名被告，携带赃款来检察机关投案自首。在此期间各级检察机关共受理人民群众举报各种经济犯罪线索123件，立案侦查贪污、贿赂等经济案件55件63人，其中万元以上大案31件35人，五万元以上1件1人，十万元以上5件5人，一百万元以上1件1人，涉及县级以上干部要案5件5人，总案值达2000多万元。起诉26件29人，免诉10件13人，为国家挽回经济损失300余万元。

4、通过办案总结出了一些犯罪特点和规律：一是权钱交易，国家机关工作人员利用职务之便作案突出；二是掌握人、财、物实权的单位和部门发案多；三是一些有基建任务的机关、企事业单位贪污、贿赂严重；四是犯罪分子伪装隐蔽，手段狡猾；五是案中案较突出，突破一案往往带出一串案件；六是内外勾结，共同作案多；七是犯罪分子钱迷心窍，胆大妄为，显示出无比的贪婪性，有的个人贪污达十几万元，挪用达数百万元。这些规律和特点的总结，对打击和预防犯罪是有益的。我们将通过办案不断进行总结，为深入开展反贪污、贿赂的斗争创造条件。

反贪污贿赂的斗争在我区虽然取得了一定成绩，但是还应该估计到，那些隐蔽更深、手段更狡猾的犯罪分子尚未挖出来，对已经取得的成绩不能估计过高，对贪污、贿赂等经济犯罪的危害性、严重性不能估计过低。这既反映了我们的工作有待深入，也反映了斗争的长期性和艰巨性。

对此，我们必须克服松劲、厌烦和骄傲情绪，树立长期作战思想，继续地更加坚定不移地把反贪污、贿赂的斗争作为检察工作的重点，深入持久地开展下去，重点打击少数党政、国家机关工作人员利用职务之便的贪污、贿赂等经济犯罪，特别要坚决查处那些涉及领导干部的大要案，下大决心，花大力气，采取强有力的措施提高破案能力，力争多办案，办大要案，办好案，挖出隐蔽、狡猾的犯罪分子，把斗争引向深入，为治理整顿和深化改革作出我们应有的贡献。

三、全面开展检察业务，保障公民权利，促进法制建设

我区各级人民检察院在把反对分裂、稳定局势作为首要任务，把反贪污贿赂斗争作为工作重点的同时，认真开展其他检察业务，全面履行法律监督职能。

1、加强法纪检察工作

依法查处侵犯公民民主权利、人身权利和渎职犯罪，是检察机关履行法律监督职责的重要任务。各检察机关大力加强法纪检察工作。一是狠抓渎职、“侵权”和重大责任事故犯罪案件的查处。全年共受理和查处了29起法纪案件。特别是查处了自治区教科委招生办公室工作人员王海英泄露1989年度全区中专考试试题的重大泄密案，并对该案涉及到的另一个嫌疑对象决定立案侦查。二是大力加强了对法纪检察工作的宣传。今年初，最高人民检察院发布了《人民检察院直接受理的侵犯公民民主权利、人身权利和渎职案件立案标准的规定》，检察机关组织干警深入学习广泛宣传“规定”的精神。“规定”在《西藏日报》、《拉萨晚报》等报刊上公布后，广大群众欢迎，社会反映很好，这对法纪检察工作起到了较好的推动作用。三是主动出击，开辟案源渠道，掌握案件线索。法纪检察部门积极与有关单位联系，深入机关、厂矿、企事业单位调查研究，现已掌握了一批案件线索。

当前查处法纪案件困难较多，也有阻力，有些单位和部门的领导同志并没有认识到法纪犯罪的严重性、危害性，往往认为法纪犯罪是好心人办坏事，情有可原，有的甚至干预办案和追查。我们决心克服困难，冲破阻力，大力加强法纪检察工作，使查处法纪案件有一个新的突破性进展。以维护法律的尊严，维护公民的权利。

2、努力开展控告申诉检察

去年，各级检察机关共受理和接待控告申诉433件（次）。除自办控申案件8件外，其它都及时移交公安、法院、司法、纪检、监察等有关部门处理。热情接待人民群众来信来访，认真复查不服判决、不服裁定、不服检察机关处理决定的申诉案件，保障了公民控告申诉的权利。控告申诉工作是检察机关联系群众的桥梁和纽带，我们将继续抓紧抓好。

3、积极开展监所检察工作

在机构不健全人员缺乏的情况下，我们发挥主观能动性，积极开展了监所检察工作。重点打击了劳改劳教人员再犯罪活动和监管干部的违法犯罪活动。对超羁押期限和违法保外就医等问题提出了纠正意见。我们还对劳改劳教场所定期不定期进行安全大检查，并协助建立完善制度，堵塞漏洞，提高改造质量。监所检察工作量大，任务繁重，是完善法制，加强社会治安综合治理的重要环节，也是检察机关的重要业务，应该得到加强。

四、加强队伍建设，提高干警的政治业务素质

一年来，我们继续贯彻“从严治检”的方针，严格要求、严格制度、严格纪律、严格管理。在制止动乱、平息北京反革命暴乱和拉萨骚乱斗争中，我们及时组织检察干警学习党中央和区党委的各项指示，统一思想，提高认识。自治区检察院党组和各分（市）院对党的十三届四中全会、五中全会、六中全会以及区党委三届八次全委扩大会议等精神的传达贯彻都作出了相应的安排和采取了落实的措施，进一步加强了思想政治工作。根据六中全会决定精神，今年3月区检察院组织第一批工作组由区检察院领导带队亲赴林芝、山南、日喀则等地、县，深入基层调查研究，解决实际问题。我们还认真贯彻了最高人民检察院《关于加强检察机关思想政治工作的决定》和《关于制定和颁发检察人民纪律（试行）的决定》，形成了加强我区检察机关思想政治工作的具体意见，对检察人员进行"八要八不准"的纪律教育，恢复了自治区检察院的政治工作机构，制订了检察人员廉政十条规定，并对去年遵纪执法情况进行大检查，进一步完善了对检察人员的监督制度，对执法活动中的缺点、错误进行了纠正。我们开展了学雷锋活动，学习雷锋忠于党、忠于社会主义，全心全意为人民服务的精神，把学习雷锋活动同搞好本职工作紧密结合，形成良好的风气。

在队伍建设中，我们以加强各级领导班子建设为核心，把维护祖国统一，反对分裂主义，增强民族团结作为干部革命化标准中最基本的内容，以保证各级班子的领导权真正掌握在坚持四项基本原则，反对资产阶级自由化，维护祖国统一，增强民族团结，反对分裂主义，政治立场坚定的人手里。

在业务培训方面，我们坚持多渠道、多种方式培训干警的方法，继续选送干警到区内外院、校深造，去年我们开办了检察专业证书"电大学习班"，有59名干警参加培训。目前第一期学员已经毕业考试，将获得"检察专业证书"。

经过努力，广大干警的政治、业务素质得到进一步提高。在不平凡的1989年，特别是在关系到党和国家前途命运的紧要关头，在关系到维护祖国统一、民族团结，反对分裂的大是大非问题上，我区检察队伍旗帜鲜明，立场坚定，斗争坚决，表现了对党，对人民，对社会主义祖国的忠诚。在任务繁重，工作条件差，生活比较清苦的情况下，清正廉洁，忘我工作，恪尽职守，认真履行了自己的职责。全区涌现出20个先进集体和51个先进个人，分别受到最高人民检察院、区党委和全区检察系统的表彰。

我们决心继续坚持从严治检方针，加强各级检察机关的领导班子建设，加强思想政治工作和业务培训，为建设一支政治立场坚定，"严格依法办案，秉公执法，掌握政策，实事求是，联系群众，精通业务"的检察队伍而不懈努力。

五、努力克服困难，提高法律监督水平

我们工作中还存在不少困难和不容忽视的问题。主要是机构、编制、人员、技术装备及业务培训很不适应形势和繁重任务的需要，严重地影响检察业务的全面开展。在我们自身工作中，反贪污贿赂斗争发展不平衡，查办大要案还不多；法纪、监所检察开展得还不够有力；领导机关下基层联系群众不够；检察队伍中仍有个别干警违法乱纪败坏了检察机关的声誉。这些问题必须引起我们高度重视，并采取有力措施加以解决。

在过去的工作中，各级党委、人大常委会及各级政府对我们的工作非常重视，支持帮助我们解决了不少困难。希望今后继续大力支持帮助。我们决心发扬成绩，纠正缺点，克服困难，振奋精神，提高法律监督水平，把各项工作做得更好。

陕西省人民检察院工作报告（摘要）

——1990年4月23日在陕西省第七届人民代表大会第三次会议上

陕西省人民检察院检察长　杨　烈

（1990年4月26日陕西省第七届人民代表大会第三次会议通过）

1989年，全省检察机关和全体检察人员在省委和最高人民检察院的正确领导下，坚持四项基本原则，立场坚定，旗帜鲜明地积极参加了制止动乱和平息反革命暴乱的斗争，坚决贯彻执行党的十三届四中、五中全会精神，根据省七届人大二次会议批准的工作报告，紧紧围绕治理整顿、深化改革和加强廉政建设这个中心，开展各项检察工作，取得了新的成绩。在斗争实践中，我省检察队伍经受了锻炼和考验，为惩罚犯罪，促进廉政建设，维护安定团结的政治局面，保障治理整顿、深化改革和经济建设的顺利进行，发挥了积极作用。

一、深入开展反贪污、贿赂斗争，推动廉政建设，促进经济发展

根据党中央关于大力惩治腐败，搞好廉政建设的一系列指示，按照最高人民检察院的部署，全省检察机关把反贪污、贿赂斗争列为打击经济犯罪的第一位工作，作为检察机关的工作重点，取得了明显的成效。主要表现在：

——侦查贪污、贿赂等经济罪案工作取得了新的进展。全省检察机关共受理经济案件2942件，比上年增长57%；立案侦查1683件，比上年增长1.1倍。立案侦查贪污、贿赂案件1264件，比上年增长1.57倍，是1986年以来立案侦查贪污、贿赂犯罪案件最多的一年。依法逮捕犯罪分子541人，已办结各类案件1334件，结案率为79%，为国家和集体挽回直接经济损失1622.79万元。

——查处的大案要案成倍增长。全省共立案侦查万元以上的大案及县处级以上干部犯罪案件414件，比上年的129件增长2.2倍。其中，贪污贿赂大案要案299件，比上年的75件增长3倍；立案侦查的县处级以上干部犯罪案件52人（内有厅局级干部2人），比上年的5人增加9倍多。已办结大案要案229件。

——对经济犯罪的特点和“多发部位”有所掌握。在发案较多的金融、建筑、房地产、供销、物资等系统和部门查处了一批利用行业特权进行贪污、贿赂犯罪的案件。贪污、贿赂大案、特大案件发生在这些单位的较多，且挖一案带一串的情况较普遍。

——贯彻“两高”《通告》取得了显著效果。去年8月15日，最高人民法院、最高人民检察院《关于贪污、受贿、投机倒把等犯罪分子必须在限期内自首坦白的通告》发布后，我省各级检察机关把落实《通告》的工作作为贯彻党的十三届四中全会精神的具体措施，采取多种形式广泛宣传，深入发动群众，掀起了反贪污、贿赂斗争的高潮。从8月15日到10月31日，全省有603名贪污、受贿等违法犯罪分子到检察机关投案自首。共交待违法犯罪金额578.5万余元，其中万元以上的有124人（一至五万元的100人，五万至十万元的16人，十万至三十万的8人）。已退交赃款及赃物折款计246.2万余元。还有53名在押人员坦白交待了余罪，294名在押人员检举揭发了一大批经济犯罪线索。其中，贪污线索148件，贿赂线索77件。到去年底，对坦白自首人员审查了584人，决定立案侦查382人（已起诉33人，免诉217人），移交其他部门处理202人。

——办案质量有了明显提高。我们强调各级检察机关在查处案件中，要坚持“一要坚决，二要慎重，务必搞准”的原则，认真按照政策和法律的规定办事，严格区分罪与非罪的界限，加强调查研究和请示报告，对具体案件进行具体分析。在办案程序上，实行侦查、起诉分开，建立自我制约机制，严格把关，收到了好的效果。

——侦查的偷税、抗税案件明显增多。共208件，比上年增长42.5%。其中，重大、特大案件68件，是上年的3倍；挽回经济损失295.8万元。立案数、重大特大案件数和挽回经济损失数都是历年来最多的。

在反贪污、贿赂斗争中，我们的主要做法有以下几点：

1、提高认识，明确重点，抓办案，多办案。去年，全国检察长工作会议要求把反贪污、贿赂斗争列为打击经济犯罪的第一位工作，作为检察机关的工作重点。为了贯彻落实这一精神，省检察院召开了全省第八次检察工作会议，之后又三次召开分、市院检察长会议和侦查工作经验交流会，比较好地解决了各级领导和广大干警对反贪污、贿赂斗争重要性的认识问题。迅速把主要力量投入查办贪污、贿赂案件上来，立案数逐月递增。据统计，二季度立案343件，比一季度增加152件。四中全会以后，各级检察机关遵照中央坚决惩治腐败的指示，进一步集中精力，集中力量，集中时间狠抓了贪污、贿赂案件的立案查处，使三季度的工作有突破性的进展，立案查处567件，比上半年立案数还多36件。

2、依靠和发动群众，开展反贪污、贿赂斗争。全省检察机关在反贪污、贿赂斗争中，采取多种形式向人民群众大力进行宣传工作。各地结合实际，进行法制讲演、举办法制教育展览、开办法制宣传专栏、开展法律咨询、召开新闻发布会等，进行深入、广泛的宣传动员。“两高”《通告》发布后，全省检察机关组织了较大规模的宣传活动，共翻印《通告》7万多份，编写了一批宣传材料，派出宣传组，出动宣传车并及时召开宽严大会等，形成了一定的声势，一大批违法犯罪分子纷纷向检察机关投案自首。陕西省煤炭建设公司工会主席任友林（副厅级），在《通告》期限截止的前一天，到检察机关交待了他受贿7000元的犯罪事实并交出全部赃款。挪用20多万巨额公款，侦查中潜逃的解放军某部材料库财务科副科长张文秀，于9月22日主动归案交待了问题。岐山县看守所收审人员郭荣斌听了检察人员宣讲《通告》后，主动交待了受贿问题，并带领检察人员到其家中将藏匿在地下的6万多元赃款挖出，还检举了他人的受贿问题。全省不少地方出现了父送子、妻陪夫到检察机关投案的情况。在《通告》期间，还接待检举揭发的群众3291人（次），比上年同期增长2.96倍。

大力开展举报工作，是检察机关依靠群众同犯罪分子作斗争的重要形式。去年，我们按照最高人民检察院制定的《人民检察院举报工作若干规定》，在全省各级检察院和150多个检察室建立了举报机构，初步形成了举报网络，并积极开展工作。全年共接到人民群众举报的各类案件线索11605件，其中，贪污、贿赂案件线索4976件，在立案侦查的贪污贿赂案件中，有70%是群众举报的，许多贪污、贿赂大要案都是群众举报和在群众的大力协助下破获的。

3、检察长亲自办案，推动大案要案的查处。省检察院明确要求各级检察长要把主要精力放在反贪污、贿赂斗争上，要亲自抓办大案要案的侦查工作。做到：检察长要亲自部署，督促检查，实行面对面的领导；实行领导包案制度，检察长都要包抓一些大要案件的查处；对重大、特大或疑难案件要亲自查，参与办案的全过程。渭南两级检察院的33名正副检察长亲自侦查或参与侦查贪污贿赂案件84件。西安市新城区检察院全年立案侦查贪污贿赂案件52件，正副检察长直接侦查或者参与侦查26件。各级检察长亲自办案，大大加快了办案速度。

4、加强侦查工作，提高侦破贪污贿赂案件水平。全省检察机关认真贯彻最高人民检察院召开的第一次反贪污贿赂侦查工作会议精神，加强了侦查业务工作建设。去年7月，我们召开了侦查工作经验交流会，总结推广了侦查工作经验，并在全省开展了争创侦破贪污、贿赂犯罪案件先进集体和侦破能手活动。干警的侦查意识和侦破水平有了提高。“以拘代侦”、“以收代侦”、“以捕代侦”的现象基本上得到纠正，办案速度、办案质量有了明显提高。今年1月，省检察院对西安市、宝鸡市检察院和渭南分院等29个先进集体和44名先进个人进行了表彰奖励。

5、自觉地接受党委的领导和人大及其常委会的监督。各级检察机关在反贪污、贿赂斗争中，积极主动地向党委和人大汇报工作进展情况和存在问题，受到了重视和支持，从工作的部署、以及解决在执行方针政策、法律方面的问题等，都加强了具体领导和监督。省委多次召开会议，研究部署查处贪污、受贿等大案要案的工作。省人大常委会听取了省检察院关于查处贪污、贿赂犯罪案件的工作汇报。各地都还建立了由党委牵头的反贪污、贿赂斗争领导小组，实行联席会议制度。省、地、县三级党委、人大、政府和政协的领导同志都亲自督促查处大要案件，帮助检察机关排除阻力，解决困难，极大地鼓舞了检察干警的士气，加快了办案速度。山阳县城建局原局长马世华的贪污、受贿犯罪事实败露后，采取种种手段，收买、拉拢一些人，给侦查设置障碍。商洛地委和山阳县委坚决支持检察机关依法办案，及时排除阻力，设法解决侦查力量不足等问题，使罪犯贪污、受贿近14万元的犯罪事实很快查清。宝鸡市渭滨区检察院侦查赵希孟特大贪污、受贿案遇到困难时，区委、区人大和区政府大力支持，除抽调五名会计协助工作外，还拨出专项办案经费解决侦查中的具体困难，使这一贪污贿赂36万元的特大案件顺利结案。

当前贪污、贿赂犯罪的特点：一是大案、要案明显上升，罪犯侵吞财物数额大；二是共同贪污犯罪多，“一对一”行贿受贿犯罪多；三是牵连性犯罪突出，共同作案，数罪交织；四是一些“小金库”、帐外资金和票据管理漏洞为犯罪提供了条件等。

从我省检察机关查处的案件看，在我们党政机关中，滋生的贪污、贿赂犯罪分子始终是极少数。实践证明，我省广大党员和干部包括领导干部是清正廉洁的，是全心全意为人民服务的。但是，我们决不能低估贪污、贿赂犯罪的严重性和危害性，特别是党和政府在反对腐败问题上，始终是同人民群众站在一起的，依法惩治贪污、贿赂犯罪的决心是坚定不移的。我们检察机关竭诚欢迎和随时接受任何人对贪污、贿赂犯罪的举报，凡有事实根据的，不管涉及什么人，绝不手软，一查到底。

从我们检察机关本身的情况看，也存在不少问题，需要进一步解决。一是工作发展不平衡，有的地方没有打开局面，办案很少。二是结案进度较慢，去年尚有相当一部分案件还未查结，要转到今年来办。三是侦查力量、办案经费、技术设施远不能适应当前反贪污贿赂斗争的需要。

同贪污、贿赂等经济犯罪活动作斗争，是一项长期的、复杂的、艰巨的任务。这是社会主义现阶段阶级斗争的一个重要表现。反贪污贿赂犯罪是党和政府惩治腐败的一个重要方面，也是我们检察机关一项中心任务，我们一定要长期地、坚持不懈地抓下去。今年，我们继续把反贪污贿赂作为重点，作为检察工作第一位的工作来抓，进一步引向深入，取得更大的成果。

二、依法从重从快打击严重刑事犯罪活动，维护社会安定

依法从重从快打击严重刑事犯罪活动，是检察机关的又一个工作重点。去年，我省刑事案件上升幅度较大；行凶杀人、抢劫、流氓滋扰、盗窃等刑事犯罪在一些地方较为猖獗；私种、贩卖、吸食毒品，拐卖妇女儿童，以及卖淫嫖娼、聚众赌博等在少数地方较为严重。面对社会治安的严峻形势，检察机关紧密配合公安、法院，坚持依法从重从快的方针，坚决打击各类严重刑事犯罪活动。1989 年，全省检察机关共受理公案机关提请逮捕各类人犯 19090 人，经审查，批准逮捕 15680 人，比上年上升 33.8%；受理公安机关移送起诉、免诉案犯 18253 人，经审查，已提起公诉 14433 人，比去年上升 4%。对 1963 人作了免予起诉决定，对不构成犯罪的 86 人作了不予起诉决定。

去年 4 月中旬以后的近两个月时间里，我省西安等地发生了一场政治动乱。在这场严重的政治斗争面前，省检察院和全省各级检察院忠实地履行了国家法律监督机关的职责，积极投入了制止动乱的斗争。与公安机关密切配合，及时依法审查批捕、审查起诉“两乱”中的严重犯罪分子，对稳定我省局势起了重要作用。

从检察机关批准逮捕人犯的情况看，1989 年，我省刑事犯罪有以下变化：一是抢劫、盗窃、破坏交通能源设备、制造贩运毒品犯罪上升。其中，批捕抢劫人犯 2770 名，比上年上升 37.9%；批捕盗窃人犯 7771 名，比上年上升 37%；批捕破坏交通能源设备人犯 495 名，比上年上升 3.16 倍；批捕制造贩运毒品人犯 199 人，比上年上升 2.32 倍。二是重、特大案件突出。全年共批捕重、特大案件人犯 3206 名，比上年上升 29.6%，占批捕人犯总数的 20.4%。三是农民和青少年犯罪比例高。批捕农民身份的人犯 10482 名，占批捕总数的 66.8%，比上年上升 28.2%；批捕青少年人犯 10349 名，占批捕总数的 66%，比上年上升 32.2%。四是无业人员犯罪居高不下，共批捕 2032 人，比上年上升 58.4%。

为了严惩严重刑事犯罪活动，稳定社会秩序，我们重点做了以下几方面的工作：

1、与公安、法院等部门密切配合，积极开展专项斗争和专项治理，解决各地治安方面存在的突出问题。在过去的一年里，各地开展了“打击抢劫、盗窃、流氓滋扰”，“打击流窜犯罪分子”，“打击破坏通讯、电力设备犯罪分子”及扫除“六害”等专项斗争和专项治理，依法批捕和起诉了一大批犯罪分子。

2、坚持提前介入制度。对于重、特大案件、突发性案件以及其他影响较大的案件，主动与公安机关联系，介入侦查和预审，参与现场勘查，讯问被告人等，及早了解案情，掌握证据。从而大大缩短了审查批捕、审查起诉的时间，保证了及时准确地打击刑事犯罪分子。一些检察院还与公安机关建立了提前介入的工作制度，使这项工作逐步制度化、规范化。

3、加强侦查监督、审判监督和执行监督，保证法律的正确统一实施。各级检察机关认真履行法律监督职能，防止了错、漏案件的发生，纠正了侦查活动和审判活动中的一些违法行为。在审查公安机关提请逮捕人犯中，依法对不需要逮捕的1789人作了不批准逮捕的决定，并追捕各类犯罪分子300名。对公安机关移送起、免诉案件，经审查对不构成犯罪的86人作了不起诉决定，追诉各类犯罪分子241人。同时还纠正了公安机关侦查活动中的违法情况176件（次）。对法院认定事实不准、适用法律不当，量刑畸轻畸重的40件案件提出抗诉，已收到法院判决、裁定9案，改判6案。纠正法院审判活动中违法情况13件（次）。在执行监督中，共向监管改造场所提出纠正违法1194次。查处监管改造场所干警和执勤武警犯罪案件6案6人，法院全部作了有罪判决。审查起诉“两劳”人员重新犯罪案件171件。查处“两劳”人员申诉344件，建议法院改判37件。还对监外罪犯执行情况进行了检察，对监改组织措施不落实，应收监而未收监的，应解除管制而未解除的均建议纠正。

当前，我省的社会秩序基本上是稳定的，但社会治安形势仍然是相当严峻的。各种社会矛盾和不安定因素还很多。东欧局势的动荡也会给我国带来一些不利影响。因此，我们教育广大检察干警要充分认识斗争的长期性和复杂性，保持高度的敌情观念，密切注意敌情、社情动态，加强对治安形势的分析和研究，继续坚持依法从重从快方针，严厉打击严重刑事犯罪活动，积极参加社会治安的综合治理工作，促进社会进一步稳定。

三、依法查处侵犯公民民主权利、人身权利和渎职犯罪，促进民主与法制建设

1989年，各级检察机关从保护公民合法权益和促进为政清廉，克服官僚主义，建设民主政治的高度，加强法纪检察工作，查处“侵权”和渎职犯罪工作有新的进展。全年共受理法纪案件1249件，立案侦查422件，比上年增长1%，重大、特大案件55件，比上年增长61.76%，查处的“侵权”和渎职案件378件，比上年增长17%。其中，查处基层干部和公安司法人员非法拘禁、非法管制、非法侵入他人住宅、诬告陷害、报复陷害等案件201件；查处国家工作人员因严重官僚主义，弄权渎职的玩忽职守和重大责任事故案件177件。汉阴县农民张宽国、蒋大寿无证开采矿石，违章冒险作业，致使矿坑顶盖塌落，造成16人死亡，4人受伤的恶性事故。汉阴县检察院依法查处并提起公诉。

为了保障公民的控告、申诉权利，各级检察机关的控告申诉检察工作有了改进和加强。去年共受理各类控告申诉18225件，直接查办7320件，转其他机关处理9052件。复查不服免诉决定的申诉案件58件，纠正12件；复查不服法院判决的申诉案件10件，建议法院改判2件。

运用法纪检察职能，坚决依法查处

"侵权"和渎职犯罪案件，今年要取得更大进展。重点查处玩忽职守、重大责任事故、非法拘禁等犯罪案件，特别是要在查处大要案上取得突破性进展。以适应大力发展社会主义民主和加强社会主义法制建设的要求。

四、思想政治工作和队伍建设进一步得到加强，保证了各项检察工作的完成

按照最高人民检察院提出的"从严治检"和建设一支"严格依法办案，秉公执法，掌握政策，实事求是，联系群众，精通业务的检察队伍"的要求，全省检察机关开展了坚持四项基本原则、反对资产阶级自由化教育，进行了职业道德、职业纪律和廉政教育，开展了以检察专业证书为主要内容的业务培训，坚持一年一度的执法情况的检查，在开展"创先争优"活动的同时，严肃查处队伍中的违法违纪案件等，使检察干警的政治素质和业务素质有了进一步提高。在去年春夏之交，我省检察干警立场坚定，旗帜鲜明地反对和制止动乱。省检察院对机关21名有功人员和两个先进集体，给予表彰。省检察院技术处被最高人民检察院授予制止动乱先进集体，通令嘉奖。

我省5000多人的检察队伍是有战斗力的，广大干警在任务繁重、工作条件较差、办案经费困难、生活比较清苦的情况下，任劳任怨，忘我工作，认真地履行了自己的职责。涌现出一大批秉公执法、忠于职守、清正廉洁的先进人物和先进集体。有693人被评为先进工作者，38人记功。但也存在一些问题，主要是思想政治工作的开展还不平衡，有的地方存在着重业务、轻思想教育的倾向；有的地方忽视严格的管理，极少数干警有违法乱纪现象。去年受到各种处分的有15人，其中5人受行政处分（内开除1人），4人受党纪处分，1人受刑事处罚。今年，我们要继续组织广大干警认真学习马列主义、毛泽东思想，学习邓小平同志重要著作，提高理论水平和思想觉悟。继续加强思想政治工作，深入进行坚持四项基本原则、反对资产阶级自由化教育，进一步搞好廉政建设，坚定正确的政治方向。坚持从严治检，坚决执行最高人民检察院关于检察人员"八要八不准"的纪律，即：要热爱人民，不准骄横霸道；要服从指挥，不准各行其是；要忠于职守，不准滥用职权；要秉公执法，不准徇私舞弊；要调查取证，不准刑讯逼供；要廉洁奉公，不准贪赃枉法；要提高警惕，不准泄露机密；要接受监督，不准文过饰非。对干警中的违法乱纪行为，一经发现，定要严肃处理。要继续抓好业务培训，把我省这支检察队伍建设成政治、业务素质较高，能适应新形势下斗争需要的过硬队伍。

五、明确今年检察工作指导思想，竭尽全力维护社会稳定

今年是九十年代的第一年，是贯彻治理、整顿和深化改革方针的关键一年。为了实现这一奋斗目标，最重要的是保持国家的稳定、社会的稳定，坚决维护安定团结的政治局面。因此，检察机关的任务将更加繁重和艰巨。今年1月，我们召开了全省检察长工作会议，以党的十三届四中、五中全会和省委七届四次会议精神为指导，回顾总结了去年的工作，认真分析了形势，制定了1990年检察工作要点，全面安排了今年的工作。最近，中央又召开了六中全会，做出了《关于加强党同人民群众联系的决定》，我们组织了广大检察干警进行了认真的学习。使我们对搞好检察工作的指导思想更加明确。特别是去年以来，国际风云变幻和国内现实充分表明，阶级斗争还将在一定范围内长期存在，在某种条件下还会激化。广大人民群众同敌对分子、敌对势力之间的斗争，渗透与反渗透、颠覆与反颠覆、和平演变与反和平演变的斗争，已经成为我们现阶段阶级斗争的主要表现。斗争的焦点是要不要党的领导和要不要坚持走社会主义道路，归根到底仍然是政权问题。我们检察干警必须保持清醒头脑，坚持阶级斗争观念和专政意识，增强反渗透、反颠覆、反和平演变的意识，正确严肃行使检察权，以强化人民民主专政职能，竭尽全力维护社会的稳定。1990年检察工作的指导思想是：认真贯彻党的四中、五中、六中全会决定，牢固树立稳定压倒一切的思想，充分发挥法律监督职能，坚决惩治贪污、贿赂犯罪，严厉打击严重刑事犯罪活动，全面开展各项检察业务，维护正常的经济秩序，保障进一步治理整顿和深化改革的顺利进行，促进国民经济持续、稳定、协调发展，为社会稳定和国家安全做出新贡献。按照这个指导思想，我们要求全省各级检察院全力抓住反贪污、贿赂和打击严重刑事犯罪这两个工作重点。查处贪污、贿赂犯罪，我们检察机关是第一线，是第一位的工作。要继续抓办案，多办案，重点查处大要案。打击刑事犯罪活动决不能放松，要保持“严打”的声威，积极参加专项斗争和专项治理，防止严重刑事犯罪活动的发展蔓延。要围绕两个重点，全面加强各项检察工作。同时，认真地执行政策法律，把案件搞准，经得起历史的检验。切实加强思想政治工作，建设清正廉洁的检察队伍。

甘肃省人民检察院工作报告（摘要）

——1990年3月3日在甘肃省第七届人民代表大会第三次会议上

甘肃省人民检察院检察长　王　平

（1990年3月9日甘肃省第七届人民代表大会第三次会议通过）

省第七届人民代表大会第二次会议以来，根据大会关于加强社会主义民主和法制的精神，各级检察机关遵循党的基本路线，认真贯彻四中、五中全会精神，在省委和最高人民检察院的正确领导下，立场坚定、旗帜鲜明地参加了制止动乱的斗争，清查打击制造动乱的犯罪分子，开展反贪污、贿赂斗争，严厉打击严重刑事犯罪活动，在维护社会的安定，促进廉政建设，保障治理整顿和深化改革的进行中，正确履行法律监督职责，发挥了应有的作用。广大检察干警秉公执法，恪尽职守，在斗争中经受了锻炼和考验，各项检察工作都取得了新的进展。

一、开展反贪污、贿赂斗争，查处大案要案取得突破性进展

1989年，党和政府采取了一系列廉政建设、惩治腐败的措施，按照最高人民检察院的部署，全省检察机关基本上把工作重点转移到了反贪污、贿赂斗争上来。特别是党的十三届四中全会之后，坚决贯彻中央的七条决定，把反贪污、贿赂作为惩治腐败的一项重点内容，突出抓了大案要案的查处，取得了明显成效。

一年来，全省检察机关共受理贪污、贿赂等经济犯罪案件1718件，比上年增加135.3%；立案851件，比上年增加2.2倍，其中贪污案件385件，比上年增加127.8%，贿赂案件247件，比上年增加8.8倍。已结案575件，决定逮捕人犯373人，向人民法院提起公诉230件325人，已追缴赃款及赃物折款1114.8万多元，比上年增加近2.5倍。无论是受案、立案数，查处贪污、贿赂案件数，还是挽回经济损失数，都是历史上最多的一年。

在打击贪污、贿赂等经济犯罪斗争中，各级检察机关主要做了以下工作：

第一，集中力量，突出查处大案要案。各级检察机关始终把大案要案列为中心环节，集中力量进行查处，共立大要案286件，比上年增加近6倍，其中县处级以上干部犯罪案件58件69人。犯罪金额在万元以上的案件228件，其中一万元至五万元的158件，五万元至十万元的36件，十万元以上的34件。一年中查获这么多巨大金额的贪污、贿赂等经济犯罪案件，是检察机关重建以来所没有的。各地根据实际情况，对利用行业特权进行犯罪、发案较多的建筑、物资、商贸、金融、经济管理等部门中问题较多的单位重点进行查处，取得了一定效果。兰州市检察院在建筑行业突破了七里河区商品房开发公司经理王瑰兰受贿12.7万多元案件，同时带出6件受贿案，涉及案犯10人，犯罪金额10万多元。七里河区检察院在查处市商品房开发公司副经理薛守义等人受贿28.8万多元案件中，又带出7件受贿案，涉及案犯23人，犯罪金额17.3万多元。在查处七里河区城建开发公司经理徐岩长贪污、受贿34.5万元案件中，又带出6件贪污受贿案，涉及案犯10人，犯罪金额11.9万多元。同一时间、同一地区在建筑行业接连突破三大案，带出一批大案要案，涉及县级干部13人，犯罪金额115万多元，在全省是少有的。

第二，贯彻《通告》，掀起了反贪污、贿赂斗争高潮。最高人民法院、最高人民检察院《关于贪污、受贿、投机倒把等犯罪分子必须在限期内自首坦白的通告》发布后，在各级党委、人大、政府的重视和大力支持下，各级检察院与宣传新闻部门密切配合，广泛深入地进行了宣传贯彻《通告》的工作，迅速形成了反贪污贿赂的群众斗争声势。在《通告》限期内，全省有366名贪污、贿赂等违法犯罪人员到检察机关投案自首，其中有地局级干部2人，县处级干部28人，科级干部100人。自首人员交待犯罪金额在万元以上的有77人，其中一万元至五万元的63人，五万元至十万元的9人，十万元以上的5人。共交待犯罪金额316万元，《通告》期限内退出赃款及赃物折款209万元。在被检察机关采取强制措施、正在侦查的贪污、贿赂犯罪分子中，还有51人坦白交待了罪行。在这期间，举报线索大幅度上升，两个半月内收到群众举报849件，比去年同期增加2.7倍。《通告》显示了巨大威力，给了犯罪分子以很大的震慑。金川区检察院突破了区物资供销公司经理喻学周行贿6.8万多元、投机倒把经营数额400多万元的特大案件，侦破此案过程中，有31人到检察机关投案自首，交待受贿金额21万多元。张掖市检察院在贯彻《通告》期间，把办案与宣传相结合，重点进行突破，仅张掖糖厂在三天内就有厂长、科长、供销人员、工人等26人到检察机关投案自首。原酒钢基建指挥部丰顺企业公司副经理郭铁泉，在贪污2万元的案发后，潜逃齐齐哈尔四个多月，在《通告》届满前赶回投案，途中先发了电报，于10月31日上午到嘉峪关市检察院投案自首。金昌市检察院10月31日发出敦促犯罪分子投案自首通知书，出动宣传车到机关、企业宣传《通告》，当夜，市、区检察院灯火通明，接待投案，到凌晨共有14人投案自首，交待犯罪金额16万多元。

事实证明，根据邓小平同志提议和党中央的决定，最高人民法院、最高人民检察院采取这一重大措施和行动，是完全正确的。《通告》充分体现了党和国家严厉惩治腐败的决心和坦白从宽、抗拒从严的政策，得到了广大人民群众的热烈拥护，促使一大批犯罪分子走自首坦白、认罪服法的道路，提高了人民群众对反腐败的信心，推进了廉政建设，收到了显著的社会效果。

目前，各级检察院正在依照法律和《通告》的规定，对自首坦白的案件进行查证、处理工作，兑现政策。凡符合立案标准的，按照立案、侦查程序审查，查实以后，依法处理。截止12月底，已立案193人，经审查核实，对115名罪行较轻或有立功表现的自首、坦白的犯罪分子依法从宽处理，作出了免予起诉的决定；对罪行严重的犯罪分子向人民法院提起公诉，建议法院依法从轻、减轻处罚；对不构成犯罪的，移交有关部门按党纪政纪处理。既贯彻《通告》从宽的精神，又掌握宽严有度，从宽从严都不超越法律和《通告》规定的界限。对那些拒不自首坦白，企图蒙混过关的犯罪分子一经查实，坚决惩处。七里河区副区长辛建仁，自首时避重就轻，隐瞒了重要罪行，已被依法逮捕。通告期限届满，11月4日兰州市检察机关召开群众大会，依法逮捕了11名拒不坦白的严重犯罪分子。

第三，广泛发动群众，举报工作有新进展。坚定地依靠群众、走群众路线，接受人民群众的监督，是我国人民民主专政的优良传统，是法律规定的检察机关活动的重要原则。在反贪污、贿赂斗争中，各级检察机关坚持群众路线，把举报工作作为依靠和发动群众同贪污、贿赂作斗争的有效途径，深入到发案比较多的系统和单位，与党政领导部门结合，发动群众检举揭发犯罪，同时，认真做好举报线索的查处和反馈工作，得到了人民群众的信任和支持。举报工作已形成一定的声势，显示了人民群众同贪污腐败分子作斗争的积极性，不少人不怕非议和报复，积极检举揭发犯罪，有的还提供人证、物证要求协助检察机关进行查处，给检察机关的工作以很大的支持。一年来，全省检察机关共受理群众举报3495件，属检察机关管辖的已初查1274件，立案429件。检察机关查处的贪污、贿赂案件，有50%左右来自于群众举报，有的案件是在群众举报协助下直接抓获犯罪分子的。

第四，正确执行法律政策，加强侦查工作，严格依法办案。从检察机关办理的经济犯罪案件看，近年来贪污贿赂犯罪呈现上升的趋势，共同犯罪增多，一人犯数罪的增多，而且带有很大的冒险性和贪婪性，有些案件犯罪金额之大是前所未有的，有的一次作案就侵吞数万元、十几万元甚至数十万元。贪污犯罪多属利用职务特权弄虚作假直接侵吞公款公物。受贿犯罪则常常带有行业、职业、职务的特点，倚仗掌管的权力，利用各种名目索贿受贿，犯罪手段狡猾诡秘，甚至利用现代化通讯、交通工具联络，进行反侦查活动。我们同贪污贿赂严重经济犯罪的斗争，是一场复杂、尖锐的斗争。各级检察机关依法行使检察权，运用法律规定的各种侦查手段，查处贪污贿赂犯罪案件。在具体工作中，我们强调，侦查工作必须依照法律进行，防止“以拘代侦”、“以捕代侦”的错误做法，各级检察长参加立案前的审查、立案后的侦查、决定逮捕、预审、起诉和出庭公诉等全过程的工作，排除办案中的阻力和干扰，侦破了不少重大疑难案件；通过斗争实践，不断积累经验，增强侦查意识，侦查水平有所提高。根据最高人民检察院的规定，各级检察院强化了反贪污、贿赂职能，将举报、受理、侦查统一归口，加强集中统一领导和组织协调，在案件多、任务重的情况下，始终强调正确执行法律政策，认真贯彻全国人大常委会关于惩治贪污罪贿赂罪的有关规定，确保案件质量。检察机关办案必须坚持以事实为根据，以法律为准绳和公民在法律面前一律平等的原则，对于一切犯罪线索，都要一查到底，通过侦查工作，查证虚实，辨别真伪，避免主观臆断，做到不枉不纵。各级检察院坚持“一要坚决，二要慎重，务必搞准”的办案原则，绝大多数案件做到了办案程序合法，证据确凿，定性准确，法律文书齐备。对法律规定不明确、政策界限不清楚的问题，坚持具体案件具体分析，严格区分罪与非罪的界限，慎重处理，集中打击严重的贪污贿赂犯罪分子，收到了比较好的社会效果。不少基层检察院在经验不足和人手少、办案经费短缺的困难条件下，都办了一批贪污贿赂案件，办案质量总的情况是好的。

第五，在反贪污、贿赂斗争中，加强法制宣传和教育工作。我国的法律是保护人民、打击敌人的武器，同时又具有重要的教育作用。我国刑事法律的指导思想是惩办与宽大相结合，着眼点始终放在教育挽救上。各级检察院在实际工作中不局限于就案办案，还通过新闻媒介对一些重要情况和典型案件进行通报，在接受群众和舆论监督的同时，还针对少数人对反贪污贿赂斗争的疑虑和不正确认识，深入宣传法律，宣传党的惩治腐败的政策，宣传反贪污贿赂斗争对稳定局势和治理整顿、深化改革的重要意义，宣传查处贪污贿赂案件对维护企业合法权益、促进生产发展的积极作用，把对反贪污贿赂斗争的认识统一到四中全会、五中全会的精神上来，激发了干部群众同贪污贿赂等腐败现象作斗争的积极性。

1989 年反贪污、贿赂斗争取得以上成绩，首先是党中央惩治腐败的英明决策，各级党委重视，人大、政府支持，最高人民检察院指导正确，在人民群众的支持下，形成了反腐败的“大气候”。从检察机关工作讲，把反贪污、贿赂作为第一位的任务，在实际工作中，我们强调必须自觉接受党委的领导，要把反贪污、贿赂斗争置于党的领导之下，保证了检察工作正确的政治方向。在具体办案中，检察机关同党的纪委保持着密切联系，得到了纪委强有力的支持。各级检察院同时自觉接受人大的监督，向人大常委会汇报工作，对涉及适用法律的疑难问题和重大案件向人大报告，接受人大的检查、指导。各级人大重视审议检察院的报告，支持并监督检察机关进行反贪污、贿赂斗争，依法履行法律监督职责，使检察执法水平有了提高。各级检察院在工作中还得到政府的重视和支持。各级政府在加强政府机关廉政建设的同时，对检察机关开展反贪污、贿赂斗争给予了很大支持，在财政比较困难的情况下，各地都拨出一些专款解决检察机关办案经费、侦查装备方面的一些困难。正是由于各级党委、人大、政府的重视和支持，才保证了反贪污、贿赂斗争的健康顺利发展。

我们工作中还存在不少缺点，反贪污、贿赂斗争要深入下去也存在一些值得注意解决的问题：一是工作发展不平衡。有相当一些地方和单位，局面还没有真正打开，群众反映强烈的问题还未突破，有27个县（市）、区检察院在贯彻《通告》期间未接受一人投案自首。二是工作的深度还不够。现在办理的案件和《通告》期间投案自首的，大多是浮在面上或已被检察机关触动、已经暴露的犯罪分子，一般基层单位人员多，深层次的犯罪挖出来的比较少。从总体看，一些隐蔽较深的犯罪分子尚未被揭露。三是任务繁重。去年遗留未结和今年需要查处的重要线索数量还不少，检察机关侦查水平不高，经验不足，查处大要案、疑难案件的能力还不强。特别是侦查技术装备、侦查力量、办案经费存在很大困难，很难适应任务的需要，影响和制约着工作的进一步开展。四是深入开展斗争还存在一定阻力，对于存在腐败现象和贪污贿赂问题的严重性还没有为一些人所真正认识，有人把反贪污、贿赂斗争与发展经济、改革开放对立起来，有些地方反贪污、贿赂斗争一般化，还没有得到有力支持。在检察人员中也有人缺乏秉公执法的勇气，对涉及一些重要案件态度不坚决，群众担心一阵风。

邓小平同志讲，我们同贪污腐败现象的斗争“是一种特殊形式的阶级斗争”。从现在已经揭露的案件看，贪污、贿赂犯罪确实是相当严重的，确实有极少数人经不起改革开放的考验，搞权钱交易的违法犯罪活动，严重地败坏了党和政府的形象，败坏了党风、政风和社会风气，危及到党和国家同人民群众的血肉关系。这种腐败现象，对我们党和国家机关有着极大的危害，对四化建设、对坚持四项基本原则和改革开放有着极大的破坏。广大人民群众关心、爱护、信任党和政府，坚决要求惩治腐败，这正是我们的力量和希望的所在。四中全会、五中全会以来，党中央采取了一系列重要措施，充分表明了党和政府对廉政建设的清醒认识和高度重视，体现了对惩治腐败的坚定决心和实际行动。随着治理整顿的深入进行，我们的廉政建设一定会更有成效，我们完全有决心、有能力、有办法克服当前存在的腐败现象，建设廉洁政治。中央决定治理整顿搞三年或更长一些时间，反贪污、贿赂斗争必须同步进行。1990年在任务艰巨、斗争复杂的情况下，各级检察院要按照最高人民检察院的部署，紧紧依靠党委的坚强领导，主动接受人大的监督，在政府的支持下，巩固已有成果，继续做好群众举报工作，抓紧查处大案要案，积极配合有关部门，在财税物价大检查、清理整顿公司、查处投机倒把案件中深挖贪污贿赂犯罪，把反贪污、贿赂斗争深入持久地开展下去。

二、彻底清查、坚决打击制造动乱的犯罪分子，严厉打击严重刑事犯罪活动，维护政治稳定和社会的安定

去年春夏之交发生动乱以来，全省检察机关坚决执行党中央的决策和最高人民检察院的指示，认真贯彻省委关于彻底清查、严厉打击制造动乱的犯罪分子的部署，积极投入了这场严肃的政治斗争。根据我省的情况，办案中提前介入侦查、预审活动，严格区分两类矛盾、罪与非罪的界限，坚决打击批捕了一批严重犯罪分子。

去年发生动乱以来，不少地方社会治安不好，群众反应强烈，打击刑事犯罪任务繁重。根据公安部门的统计，1989年全省刑事案件共立案15493起，比上年增加33.3%；立重大刑事案件5493起，比上年增加53.6%，发案数已超出“严打”前1982年高峰时期的数字。盗窃案件继续大幅度上升，占发案总数70%以上，暴力犯罪也有增加，“六害”屡禁不止，特别是制贩毒品犯罪活动猖獗，一些地方吸毒蔓延，犯罪增多，严重地危害着社会的安定。

1989年，继续贯彻依法从重从快的方针，严厉打击严重刑事犯罪活动，共受理公安机关提请逮捕人犯13201人，比上年增加35.7%；经审查批准逮捕11508人，比上年增加39.9%。其中重特大案犯3403人，比上年增加67.4%。受理公安机关移送起诉的案犯12438人，已向人民法院起诉10555人，分别比上年增加42.5%和43.9%。在侦查监督、审判监督中，追捕犯罪分子144人，追诉犯罪分子53人。

一年来，在打击刑事犯罪方面，检察机关主要做了以下工作：

第一，针对刑事犯罪案件上升和社会治安中存在的突出问题，按照统一部署，开展集中打击行动。各级检察院与公安、法院等部门密切配合，开展了以打击杀人、抢劫、强奸、重大盗窃、制贩毒品等犯罪为重点的专项斗争和集中行动，依法从快批捕、从快起诉重大特大案犯，坚决打击危害大、影响大的严重犯罪活动。在批准逮捕的严重犯罪分子中，有杀人犯265人，伤害犯959人，强奸犯521人，贩毒犯417人，抢劫、流窜、诈骗、重大盗窃等犯罪分子2248人。同时，紧密配合开展了打击流窜犯、“扫黄”和扫除“六害”的斗争，及时有力地打击气焰嚣张的刑事犯罪分子，坚决清除社会公害，共批准逮捕制贩毒品、拐卖人口、制贩淫秽物品、引诱卖淫、赌博等犯罪分子600人，对稳定全省的治安大局起了重要作用。

第二，普遍提前介入对重大刑事案件的侦查、预审活动。通过参与现场勘查、预审，了解侦查、预审活动，提前审阅案卷、审查证据，提出建议，缩短了办案时间，提高了办案质量和侦查监督水平，对严重犯罪分子给予了及时有力的打击。

第三，加强了侦查监督和审判监督。各级检察院认真履行法律监督职能，防止错、漏案件，纠正了侦查活动和审判活动中的一些违法行为。对公安机关提请逮捕、经过审查不够法定逮捕条件的1151人作了不批准逮捕决定；对公安机关移送起诉、经审查不构成犯罪的41人作了不起诉决定。对人民法院刑事判决、裁定提出抗诉28件，已收到法院判决15件，其中改判12件。对公安机关侦查活动中的违法行为提出纠正意见139次；对审判活动中的违法行为提出纠正意见49次。对保证侦查、审判活动的依法进行起到了监督和促进作用。

第四，进行了检察机关内部办案制度的改革。对检察机关自行侦查的经济、法纪案件，实行侦、诉分开，增强了内部制约机制，提高了自侦案件的办案质量。目前，全省14个分、州、市院和铁路、矿区、林区检察院已全部实行了这一制度。

从当前情况看，治安形势仍然是严峻的。重特大案件持续上升，发案数较长时期居高不下，相继发生了一些罕见的抢劫出租汽车、绑架人质敲诈钱财等恶性案件，盗窃案件突出，制贩毒品犯罪严重，有些地方出现了具有黑社会性质的贩毒集团，“六害”蔓延。当前影响政治安定和社会安定的因素还很多。对打击严重刑事犯罪活动不能有丝毫放松。各级检察机关要继续与公安、法院等部门密切配合，在党委和政府的统一领导和部署下，抓住治安不好的重点地区和重点打击对象，特别是在城市和交通沿线，继续保持“严打”声势，稳准狠地打击严重刑事犯罪分子，继续深入开展扫“六害”斗争，突出重点，狠狠打击制贩毒品的严重犯罪分子，为治理整顿、深化改革提供一个良好的社会环境。

三、统筹安排，加强法纪检察等各项检察工作

一年来，全省检察机关在突出打击贪污贿赂和刑事犯罪两项重点工作的同时，统筹安排，加强了各项检察工作。

1. 加强法纪检察工作，查处“侵权”、渎职案件有进展。依法查处国家工作人员、司法人员和基层干部利用职权侵犯公民民主权利、人身权利和渎职犯罪案件，是法律赋予检察机关的重要职责，是反腐败斗争的重要组成部分，对建设高度的社会主义民主和完备的社会主义法制有着重要的意义。按照最高人民检察院的要求，各级检察机关在任何时间，任何情况下，都不能放松法纪检察工作。在打击贪污、贿赂和刑事犯罪任务繁重的情况下，各级检察机关加强了对法纪检察工作的领导，积极克服办案力量不足、干扰阻力较大等困难，办理了一批“侵权”、渎职案件。一年来，共受理法纪案件622件，比上年增加7.3%；立案186件，比上年增加13.4%。在法纪检察工作中，突出抓了大案要案的查处。同时，特别注意了通过查处玩忽职守案件深挖经济犯罪。张掖市检察院在办理市水电局黑河东总干渠工委副主任田风山玩忽职守案件中，排除干扰和阻力，很快查清田风山玩忽职守给国家造成直接经济损失12.5万元的重大问题，又抓住疑点，查出田风山利用职权贪污、受贿，涉及32人，犯罪金额30万元的问题。对发生在极少数司法人员中的贪赃枉法、徇私舞弊、贪污受贿犯罪案件依法从严查处。对不构成犯罪的417件案件，本着认真负责的态度，积极协助党政部门分别作了处理。

前不久，最高人民检察院公布了《人民检察院直接受理的侵犯公民民主权利、人身权利和渎职案件立案标准的规定》，这是贯彻四中、五中全会关于加强民主与法制建设的一项重大措施。公布这项决定有利于人民群众对国家工作人员和执法人员的执法活动进行监督，并对利用职权或在执行公务中的犯罪行为检举控告。同时也有利于公民增强法律意识，自觉地用法律规范自己的行为，维护自身的合法权益。按照刑事诉讼法的规定，人民检察院除对贪污、贿赂等经济犯罪依法进行侦查外，还担负着对侵犯公民民主权利、人身权利犯罪和国家工作人员渎职犯罪进行侦查的任务。目前这方面的工作还不适应加强民主与法制建设的要求。要大力宣传加强法纪检察的重要意义，把查处“侵权”、渎职犯罪案件列为廉政建设、惩治腐败的重要内容，纠正不重视法纪检察，以及办理此类案件畏首畏尾的现象。各级检察机关要集中力量重点查处发案较多的玩忽职守、重大责任事故、刑讯逼供、非法拘禁犯罪案件，同时注意查处徇私舞弊、泄露国家重要机密、报复陷害、私放罪犯、妨害邮电通讯等渎职犯罪案件，以进一步弘扬法制，维护法律的尊严。

2. 加强了对监管改造场所的监督工作，保证了刑事判决、裁定和劳动教养的正确执行。1989年全省检察机关向监管改造场所提出纠正违法93件（次），检察起诉监管场所又犯罪案件72件。打击了监管场所内的又犯罪活动，纠正了执法中的违法问题。检察机关配合公安部门重点对看守所进行整顿，清理出“牢头狱霸”114人，对49人依法追究了刑事责任。对发现的152名被违法释放、超期羁押的人员，依法进行了纠正，维护了法律的严肃性。

3. 认真做好控告申诉检察工作，依法保护公民的合法权益。一年来，各级检察机关把认真做好公民的控告申诉工作看作检察机关联系群众的一条重要纽带，积极慎重处理每一件案件，取得了新的成绩。1989年，共受理公民控告申诉10089件，比上年增加24.6%。对226件久拖不决、告状无门、久诉不息以及告急的案件直接由检察控申部门自侦办理，维护了公民的合法权益。

4. 认真开展执法检查。根据省人大常委会的部署，全省检察机关从8月中旬到11月底，重点对执行全国人大常委会《关于严惩严重危害社会治安的犯罪分子的决定》、《关于严惩严重破坏经济的罪犯的决定》的情况进行了检查。各级检察院把这次执法检查作为严格执法再教育的内容，把对整个工作的检查和对案件的检查相结合，以正确处理案件作为严格执法的标志，通过检查中发现的问题，总结失误和不足，从加强领导、严格执法、改进工作、提高素质等方面吸取经验教训，提出改进措施。对错捕、错诉、漏捕、漏诉的71人和执法中的一些问题，检查中作了纠正。总的看，贯彻执行两个决定的情况是好的，执法水平有所提高。

四、坚持从严治检，加强思想政治工作和检察队伍建设

按照最高人民检察院“从严治检”的要求，一年来，各级检察院在干警中普遍开展了党的基本路线、共产主义理想、职业道德、职业纪律、国情和形势教育，提高了广大检察人员的政治觉悟和职业责任感。在制止动乱中，各级检察院认真组织学习《人民日报》“四·二六”社论、学习邓小平同志重要讲话和中央文件，针对当时的复杂情况进行坚持四项基本原则、反对资产阶级自由化的教育。全体检察人员严格遵守党的政治纪律和检察纪律，积极参加制止动乱的斗争，没有一人参与动乱活动，表现出了较好的政治觉悟和组织性、纪律性。各级检察机关在制止动乱、反贪污贿赂斗争和打击刑事犯罪等各项工作中，涌现出了一批先进集体和先进个人，兰州市检察院被评为全国检察系统制止动乱、平息反革命暴乱的先进集体，出席了全国表彰大会，受到最高人民检察院的表彰。

检察人员的教育培训工作一年来有进一步发展。目前，在政法院校接受学历教育和参加电大、检察专业证书教育的检察人员达1400人；同时，通过短训方式，对106名检察人员进行了业务培训。干警的政治业务文化素质不断提高。

继续加强各级检察院领导班子建设，选拔、调配了一批年轻优秀的干部充实各级领导力量。去冬今春县、区换届，省检察院会同分、州、市院积极协同党委组织部门，对县、区检察院班子进行考核，按照四化要求，重点考察干部的政治思想、政治品德、在动乱中的表现和实际工作能力，选配政治上强、立场坚定、思想品德好、有领导才能和工作实绩的干部充实领导班子，认真做好换届工作。

在坚持“从严治检”中，认真贯彻最高人民检察院加强思想政治工作的决定和检察人员纪律，发挥检察机关党组织的政治优势，加强纪律检查工作，对10名检察人员中发生的违纪和违法犯罪行为，作了严肃查处。其中2人被依法追究了刑事责任，8人给予党纪和行政处理，整饬了检察纪律，纯洁了检察队伍。

1990年，检察工作总的指导思想是：认真贯彻党的四中全会和五中全会决定，充分发挥法律监督职能，坚决惩治贪污、贿赂犯罪，严厉打击严重刑事犯罪活动，维护正常的社会秩序和经济秩序，保障进一步治理整顿和深化改革的顺利进行，促进国民经济持续稳定协调发展，为社会安定和稳定大局做出新贡献。全省检察机关要继续振奋精神，围绕反贪污、贿赂和打击刑事犯罪两项重点任务，加强各项检察工作，同一切危害国家安全和破坏社会秩序的犯罪行为进行坚决的斗争。

青海省人民检察院工作报告（摘要）

——1990年4月27日在青海省第七届人民代表大会第三次会议上

青海省人民检察院副检察长　索元德

（1990年4月30日青海省第七届人民代表大会第三次会议通过）

我受青海省人民检察院张济民检察长的委托，就省七届人大二次会议以来全省检察机关的主要工作，向大会作一报告，请予审议。

省七届人大二次会议以来，我省各级检察机关坚决贯彻执行了党在社会主义初级阶段的基本路线，坚持以经济建设为中心，坚持四项基本原则，坚持改革开放，反对资产阶级自由化。在制止动乱和平息北京地区反革命暴乱的斗争中，立场坚定，旗帜鲜明。坚决贯彻执行党的四中、五中全会决定，突出了反贪污、贿赂斗争和打击严重刑事犯罪活动这两个工作重点，为维护稳定服务，为治理整顿深化改革服务，为消除腐败促进廉政建设服务，使检察工作有了新的进展。

一、关于反贪污、贿赂斗争情况

依照法律规定，贪污、行贿受贿、偷税抗税、挪用公款、假冒商标等8种经济犯罪案件由人民检察机关立案侦查。根据党和国家推进廉政建设，克服腐败现象，惩治贪污、贿赂的政策和法律规定，以及最高人民检察院的工作安排，1989年，我省各级检察机关把反贪污、贿赂的斗争作为检察机关的工作重点和打击经济犯罪的第一位工作，在领导精力、力量配备、后勤保障上突出抓好贪污、贿赂案件的查处工作，使这一斗争取得明显成效。1989年，共受理各类经济犯罪案件720件，比上年上升201.3%，其中受理贪污、贿赂案件639件，占受理案件总数的88.75%，增加224.4%。对上述受理的案件，经各地检察机关初查后，认为不构成犯罪，但应给予党纪、政纪处理的，都及时移送给有关部门；对需要追究刑事责任的335件，依法立案进行了侦查，比1988年增加134%。其中立案侦查贪污、贿赂案件289件，占立案总数的86.27%，比上年增加165%。共追缴赃款、赃物折款及非法收入610万元，增加276.8%。已侦查终结247件，增加65.77%，其中贪污、贿赂案件208件，增加76.3%。审查后，依照刑法规定免予起诉134件156人，向人民法院提起公诉88件103人。通过一年来的反贪污、贿赂斗争，党和国家严厉惩治贪污、贿赂等腐败现象的决心和坦白从宽、抗拒从严的政策已深入人心；经济犯罪分子的犯罪活动受到严厉打击；干部、群众对惩治腐败的信心和免疫能力不断增强。

反贪污、贿赂斗争在去年取得明显成效的基础上，今年第一季度又取得了较好的成绩，共立查经济犯罪案件81件，比去年同期增加68.75%。其中，贪污、贿赂案件49件，占60.5%，增加25.64%；大要案21件，增加61.54%。

当前，贪污、贿赂犯罪有下列突出的特点：

——被查处的党政机关干部犯罪案件增多。1989年查处这类案件65件75人，上升364.3%和435.7%。

——被查处的党员干部和企业管理、业务人员犯罪案件突出。1989年共查处71名党员干部犯贪污、贿赂罪，比1988年上升294%；企业管理、业务人员的贪污、贿赂案有187件，占贪污、贿赂案总数的64.7%。

——商业、金融、建筑、物资等系统发生的贪污、贿赂犯罪现象比较严重。商业系统为78件，占立查贪污、贿赂案总数的27%，比上年上升254.5%；金融系统24件，占8.3%，上升140%；建筑系统13件，占4.5%，上升85.7%。这些案件多系案犯利用管钱、管物等便利条件大肆侵吞国家财产。

——案犯畏罪潜逃现象严重。这主要是由于检察机关在初查阶段和立案后、具备逮捕条件前的侦查期间，缺乏控制嫌疑人和案犯的手段所造成的。1989年共有17名经济犯罪分子作案后潜逃（至今还有9人未抓获归案），其中贪污、贿赂案犯12人。

——执法人员犯罪上升。1989年共查处16名执法人员犯贪污、贿赂罪，上升了7倍。

——新滋生的犯罪比例较大。1989年立案的335件经济犯罪案中，有179件是1988年至1989年期间作案的，占立案总数的53.4%。在85件大要案中，有74件是1988年以来发生的，占87.1%。

一年来，全省检察机关的反贪污、贿赂斗争能够取得较大进展的主要原因在于：

（一）各级党委、人大加强了对反贪污、贿赂斗争的领导和监督。1988年底和1989年初，我省各级党委和人大常委会听取了全国检察长工作会议和全省检察长工作会议精神的汇报，支持检察机关将反贪污、贿赂斗争列为打击经济犯罪的第一位工作和检察机关工作重点的部署，支持检察机关依法独立行使检察权，支持检察机关加强侦查工作，支持检察机关突出重点，集中力量查处大要案，支持检察机关实行大要案分级办理的制度和检察长亲自办案的方法。最高人民法院、最高人民检察院根据中央政治局的建议发布《关于贪污、受贿、投机倒把等犯罪分子必须在限期内自首坦白的通告》以后，省委和各级党委把贯彻《通告》作为中心工作来抓，层层发动，层层检查，帮助检察机关协调外部关系，指导检察机关及时兑现政策。七届省人大常委会十次会议也听取了省检察院关于打击贪污、受贿犯罪情况的报告，作出了《关于深入开展打击贪污、受贿犯罪斗争的决议》，要求全社会积极支持检察机关的反贪污、贿赂斗争，有力地推动了这一斗争的发展。各级政府也给了检察机关很大的支持，不少地方为检察机关解决了一些办案经费和侦查设施方面的实际问题。

在党委的领导、人大及其常委会的监督和政府的支持下，全省检察机关迅速行动，多渠道、多形式地宣传《通告》，认真做好自首坦白和群众举报的接待工作，集中了一批骨干力量查处自首坦白案件和群众举报案件，特别是对大要案及时兑现政策，借助《通告》的强大威力，与纪委、公安、法院、司法、监察等部门通力合作，密切配合，掀起了反贪污、贿赂斗争的高潮。贯彻《通告》的两个半月，全省共有107名违法犯罪分子到检察机关投案自首，交待犯罪金额168.3万元，退出赃款赃物89.8万元。在投案自首的人员中有县处级干部4人、科级干部12人。另有93名已被立案侦查的案犯和服刑在押犯坦白交待了自己的罪行，或检举揭发了他人的犯罪行为。在8、9、10三个月中，检察机关共立案侦查经济犯罪案件139件，占全年立案数的41.5%，其中贪污、贿赂案102件，大要案38件。对于向检察机关投案自首的案件，我们严格按照法律和《通告》的规定进行查处，作到宽严适度。至今年2月底，对不构成犯罪的28人已移送有关部门处理，对构成犯罪的，免予起诉35人，向人民法院起诉6人。正在侦查的有20人，另有18人因力量不足尚未查处。

最高人民检察院一再宣告，在《通告》规定期限结束后，有贪污、贿赂犯罪行为的人投案自首的，我们仍然欢迎。去年11月以来，又有3名有经济犯罪行为的人投案自首，其中贪污、贿赂、诈骗各1人，对于这些人，都将依照刑法的有关规定，给予从宽处理。

（二）依靠人民群众，同贪污、贿赂犯罪进行斗争。要使反贪污、贿赂斗争切实收到成效，把贪污、贿赂犯罪减少到最低限度，必须依靠和发动群众揭露、举报犯罪，形成群众性的反贪污、贿赂斗争声势，把专门工作与走群众路线紧密地结合起来，以形成对贪污、贿赂分子的强大压力，这样才能使反贪污、贿赂斗争长期、持久地进行下去。1989年，全省各级检察院注意抓住有利时机宣传和动员群众，依靠人民群众揭露和打击贪污、贿赂犯罪，共受理群众举报1727件，涉及1712人。其中贯彻《通告》的三个月接受群众举报630件，月平均数是1至7月的2.6倍。对群众举报的1727件犯罪线索，我们采取认真负责的态度进行办理，对其中不属检察机关管辖的374件已转有关部门查处，对属于检察机关管辖的1353件，多数已进行了初步查证。1989年，我省检察机关立案侦查的经济罪案，由群众举报而立案的占70%左右。

（三）突出重点，集中力量查处大要案件。为使查处大要案工作落在实处，我们强调各级检察长亲自办理或参与办理大要案和干扰大、阻力大的案件。1989年，全省65名正副检察长亲自办理或参与办理了125件经济犯罪案件，其中亲自办理贪污、贿赂案件65件。我们还实行了大要案分级查办制度，厅级以上干部的犯罪案件由省检察院为主查办，县级干部的犯罪案件由州、市、分院为主查办；实行了突出抓好重点地区、重点案件的办法，省检察院与各州、市、分院把已经掌握的大要案线索分类排队，落实到查办院、承办人。到1989年底，全省有29个检察院立查大要案85件，占立案总数的25.37%，比1988年增加2.4倍。其中大案65件，犯罪金额最高的达65万元；要案20件，其中厅级干部3人，处级干部12人。根据群众举报，1989年8月，省检察院从全省检察系统抽调了63名检察干警，在省委的领导下，在省纪委、公安、监察等部门的密切配合下，对格尔木马兰山金场采金过程中发生的经济犯罪问题进行了查处。

（四）坚持按照“以事实为根据，以法律为准绳”和“公民在法律面前人人平等”原则办案，只要有线索，不管涉及到什么人，我们都一查到底，依法惩处。1989年，我们要求检察干警敢于秉公执法，很多大要案件都是敢于排除干扰、敢于秉公执法才得以突破的。

检察机关开展反贪污、贿赂斗争所取得的成绩，是坚持党的领导、接受人大的监督、依靠政府的支持、充分发动群众的结果，同时这也是检察机关反贪污、贿赂斗争取得明显成效的基本经验，是我们今后继续深入开展这一斗争必须坚持的基本做法。

过去一年的反贪污、贿赂斗争虽然取得了一些成绩，但我们认为这仅仅是斗争的开始。反贪污、贿赂斗争是资产阶级腐朽思想的腐蚀与我们反腐蚀之间的斗争，实际上也是阶级斗争和反“和平演变”的政治斗争的一个方面。小平同志早就指出：改革开放搞多久，打击经济犯罪就要搞多久。我们要求全省检察干警必须充分认识反贪污、贿赂斗争的长期性和复杂性，作好长期作战的思想准备，将反贪污、贿赂斗争作为检察机关当前和今后一个时期必须紧紧抓住的工作重点，努力工作，克服困难，把反贪污、贿赂斗争深入持久的开展下去，并通过侦查、起诉工作，发现经济活动和管理工作的漏洞，及时向有关部门提出检察建议，预防和减少犯罪。

二、关于严厉打击严重刑事犯罪情况

依法严厉打击严重刑事犯罪，是我省检察机关 1989 年的另一个工作重点。为此，全省各级检察机关与公安机关、人民法院密切配合，坚决贯彻依法“从重从快”方针，始终把打击的锋芒指向严重的刑事犯罪分子。一年来，全省检察机关共受理公安机关提请批捕的各类人犯 3737 人，比 1988 年增加 24.19%，其中批准逮捕 3014 人；受理公安机关移送起诉、移送免诉案犯 4461 人，经审查已提起公诉 2737 人，免诉 288 人。

从检察机关审查批捕的情况看，1989 年我省的刑事案件较之 1988 年出现了一些新情况，即：重特大案件增加，共批捕重特大案犯 86 人，比 1988 年上升 56.49%；案犯中学生和无业人员增加，分别上升 27.27%和 27.71%；青少年案犯增加，共批捕 2208 人，占批捕数的 73.26%，上升 30.96%；犯罪性质有所变化，与 1988 年相比，抢劫案犯上升 161.36%，杀人上升 70.83%，伤害上升 45.68%，盗窃上升 32.47%，强奸上升 15.27%。上述情况可以概括为，青少年犯罪多，财产型犯罪多，暴力型犯罪多。这种情况与当前青少年教育工作跟不上和前几年拜金主义的泛滥有很大关系，值得全社会深思。

在严厉打击严重刑事犯罪活动中，全省检察机关重点做了以下工作：一是教育干警进一步认清当前社会治安形势的严重性，针对刑事犯罪的特点，做好及时打击的思想准备。民和县检察院还有针对性地对干警进行“摆、查、找”教育，即：摆当前社会治安中存在的突出问题，特别是民和地区不断发生的重、特大杀人案件，查近期干警中存在的松劲、厌战情绪，找工作中的薄弱环节和差距，使广大干警树立了长期作战的思想。二是积极配合侦查部门开展反贪污、贿赂斗争，按照刑法和“两高”《通告》的有关规定，正确掌握处理界限。一年中，共审查批准逮捕贪污、贿赂案犯 123 人，经审查，决定起诉 93 人，免予起诉 119 人，保证了反贪污、贿赂斗争的顺利进行。三是积极配合公安机关开展扫除“六害”的专项斗争。根据中央的部署，去年 8 月开始对“六害”进行重点打击。全省检察机关为了配合公安机关开展好这项斗争，及时行动，至今年 2 月中旬，已批准逮捕“六害”犯罪分子 41 人。四是努力改进对公安机关、审判机关的法律监督工作，1989 年在审查公安机关提请逮捕的人犯中，对不符合逮捕条件的 317 人作了不批准逮捕决定；对公安机关移送起诉，经审查不构成犯罪的 78 人作了不起诉决定；通过审查批捕、审查起诉，追捕、追诉公安机关遗漏报捕和遗漏起诉的各类犯罪分子69人；对人民法院的二审监督工作有所加强，一年中，共出席二审法庭68次，相当于1980年到1988年出席二审法庭总数的89.47%；对人民法院确有错误的判决、裁定提出抗诉14件。五是贯彻“提前介入”的办案制度。1989年全省检察机关对重、特大刑事案件提前介入244次，对从重从快打击严重刑事犯罪、保证案件质量起了重要作用。

一年来，全省监所检察部门严格履行各项监所检察业务，加强了对看守所、劳改劳教场所执行法律情况的监督。监所检察部门以查处监管改造场所的犯罪案件为重点，同时认真做好劳改、劳教人员的申诉复查工作和对监外执行罪犯的监督考察工作。一年来，立案查处监管改造场所干警犯罪案件7件，结案后已向人民法院起诉5件5人。受理劳改、劳教机关移送起诉“两劳”人员犯罪的案件78件，审结后向法院起诉64件76人，免诉6件8人。共纠正违法118次，比上年增加2.9倍。如格尔木市公安局看守所关押的已决犯张华跃，其父张玉荣是西藏自治区党委副秘书长，张玉荣为使其子逃避法律制裁，为其子骗得疾病诊断书后，格尔木市公安局不经法定程序核实，将张华跃保外就医。检察机关发现后，向格尔木市公安局提出纠正意见，使脱管5个多月的张犯归案服刑。最高人民检察院也已建议西藏自治区党委对张玉荣进行查处。

当前我省的社会治安总的说是基本稳定的，但存在不少潜在的不安定因素，形势相当严峻，维护社会稳定的任务还十分艰巨。我们必须清醒地认识这种形势，绝不能掉以轻心。我们要继续坚定不移地把打击严重刑事犯罪作为自己的工作重点；全体检察人员要不继增强阶级斗争观念和人民民主专政观念，密切注视阶级斗争的动向，经常分析社会治安形势，与公安、法院通力合作，密切配合，继续依法从重从快打击严重刑事犯罪活动，同时注意做好综合治理工作，努力使社会治安状况尽快得到扭转。

三、关于查处侵犯公民民主权利和渎职犯罪的情况

依法查处侵犯公民民主权利和渎职犯罪案件是检察机关的一项重要任务。1989年，全省检察机关共受理这类案件215件，立案侦查65件，其中重特大案件10件。已办结59件，向法院起诉30件，免诉28件。全省人民瞩目的西宁元宵灯会案，在省委和省人大常委会的支持下也已办结，经西宁市中级人民法院一审、省高级人民法院二审后对被告人刘光乾作了有罪判决。

1989年，我们在法纪检察工作中特别重视查处了以下两种案件：

第一种是玩忽职守案。这种犯罪往往给国家和人民造成重大经济损失和重大人身伤亡。如湟源塑料制品厂厂长苏发林轻信本厂聘用人员一面之辞，在没有见到货源，也没有了解对方有无履约能力的情况下，与北京京北公司签订了标的为430万元的塑料原料购销合同，并付给对方440万元预付款，结果被骗。除后来收到部分质次原料、追回部分货款外，尚有201万元无法追回。此案已由湟源县人民检察院侦查终结，向人民法院提起公诉。又如祁连县多隆乡第二煤矿主要领导人张俭文，对违章作业的行为不仅不加制止，反而表示同意，导致发生重大事故。事故发生后又未有效地组织抢救，以致造成8人死亡的严重后果。祁连县人民检察院对张俭文以玩忽职守罪向人民法院提起了公诉。

第二种是私放罪犯的案件。1989年，我省监管改造场所发生了4起监管改造干警私放罪犯的案件，这在全国也是少有的。对这些案件，检察机关都依法严肃进行了查处。如兴海县武警中队在县看守所执行看押任务的战士王庆业、多乐与在押犯勾结，9次私放3名人犯出监行窃，王庆业还参与盗窃2次。兴海县检察院提起公诉后，县人民法院分别判处王、多二犯有期徒刑五年、二年。

做好控告、申诉工作，是切实保障公民的民主权利与人身权利的重要途径，也是密切检察机关与人民群众联系的重要桥梁。1989年，我们坚持做好三方面的工作：一是健全和坚持了检察长亲自批阅重要信件和检察长接待日制度；二是重视处理好告急信访和告状无门的案件，注意减少矛盾，防止矛盾激化；三是对党委、人大、政府交办、转办的信件认真办理。一年中，全省检察机关共受理各类控告、申诉2236件，处理2204件。复查不服免予起诉决定申诉案37件，改变原决定6件，复查不服法院判决的申诉案2件，依照审判监督程序，提请法院改判1件。我们党和国家一贯高度重视保护公民的民主权利、人身权利和其他合法权益。作为法律监督机关的人民检察院负有保障公民权利的神圣职责。1990年，我们在突出抓好两个重点工作的同时，将切实加强法纪检察工作，坚决依法保护公民的合法权益。我们还将积极依法开展对民事、行政审判的监督工作，为人民群众行使当家作主的权利提供有效的法律保障。

四、关于检察队伍建设情况

根据省委、最高人民检察院关于加强检察队伍建设和“从严治检”的要求，我们结合不同时期干警的思想实际，着重抓了检察队伍的思想政治工作，始终注意坚持检察机关必须在党的领导下依法独立行使检察权，把政治上同党中央保持高度一致作为思想政治工作的首要内容，作为教育和规范全体检察人员的一条政治纪律。去年动乱期间，在关系党和国家前途、命运的严重关头，全省检察机关特别加强了对干警的政治纪律教育，要求每个检察干警都必须做好家属子女的工作；针对个别干警的出格言行，除采取坚决果断的措施外，还多次对他们进行思想教育，帮助他们反思，提高认识，站稳立场，积极工作，使广大干警在关键时刻经受住了考验。动乱发生后，西宁地区三级检察院都组织了应付突发事件小分队，加强了通讯联络和信息工作，收集敌情、社情动态，及时向省委和最高人民检察院报告，还主动配合公安机关坚决打击了刑事犯罪活动。在动乱的4、5、6三个月，全省检察机关依法批捕刑事犯罪分子730人，起诉436件763人。监所检察部门主动深入到劳改场所，多方收集在押犯的各种思想动态，协助劳改部门做好对狱内监管秩序的管理，维护了我省劳改场所的基本稳定。在平息反革命暴乱之后，西宁等地的检察机关把彻底清查打、砸、抢、烧、杀分子作为首要任务，集中力量，打破常规，做到了依法快捕快诉。

按照最高人民检察院制定的“八要八不准”纪律，我们加强了对干警忠于党的事业、忠于法律、忠于人民的教育，加强了职业责任、职业道德、职业纪律教育。在具体方法上实行思想政治工作与具体业务工作一起抓，不断完善了岗位责任制、考核奖惩制和廉政措施等规章制度，制定了《检察机关廉政建设的决定》和《关于加强思想政治工作的决定》等措施，使全省检察机关的思想政治工作出现了新的转机。同时我们还开展了争先创优活动，1989年，全省共有22个先进集体，55名先进工作者获得省检察院的表彰，有22位同志立功受奖。

我们还加强了干警的培训工作，结合成人法律专业教育，不断提高干警的文化素质、业务素质和法学理论水平。随着全省检察系统电大教学机构的建立，电大教育已成为检察干部正规化教育的主要渠道。但是由于工学矛盾突出，学员还不巩固。我们面对困难，一方面继续解决各级领导班子对电大工作重要性的认识，另一方面注意采取措施解决工学矛盾。为了提高少数民族干警的业务素质。我们积极组织他们报考省司法学校民族干部培训班，同时积极进行两种语言文字民族法律班的筹建工作。为使青年干警多接触实际，我们在最近几年中一直坚持青年干警下基层锻炼的做法。去年省检察院又选派9名青年干警下基层，各州、市、分院也选派了一批干警到区、县检察院办案，使他们在基层接受锻炼，增长才干。

当前，全省检察机关正在学习、贯彻六中全会决定，进一步加强和改进思想政治工作，重新进行坚持四项基本原则、反对资产阶级自由化的教育，进行马列主义基本理论教育，进行忠于党的事业、忠于人民利益、忠于法律的教育和检察业务教育，为造就一支政治上过硬，业务上精通，严格依法办事，秉公执法，实事求是，联系群众的检察队伍而努力。

1989年，全省的检察工作虽然取得了较大的进展，但还存在一些不容忽视的问题，主要有：

（一）反贪污、贿赂的侦查工作体制不适应斗争的需要。当前，贪污、贿赂犯罪活动发生了新的变化，案件数量明显上升，大要案增多，案情复杂，侦破难度大，现在的侦查工作体制和有些做法，已不适应深入开展反贪污、贿赂斗争的需要。这就有必要在体制上进行改革，加强对侦查工作的集中统一指挥，实行“受理——初查——侦查”一条龙的机构体制和指挥体制。最高人民检察院要求省级检察院和贪污、贿赂案件多、侦查任务重、实际工作需要的检察院，报经党委批准，成立反贪污、贿赂工作局。我们已向省委报告，拟在省检察院和西宁市院、海东分院和海西州院成立这样的机构。

（二）打击不力的现象仍然存在。由于检察机关的侦查力量薄弱，侦查手段落后，在反贪污、贿赂斗争方面还存在大案办成小案，小案办成无罪的情况；在打击刑事犯罪方面，存在该逮捕未批准逮捕，该起诉未起诉，该抗诉而未抗诉的情况。

（三）执法不严，法律监督职能发挥不够。一是个别案件定性不准，在捕人和起诉方面处理不当。二是对侦查、审判活动的监督作用发挥不够，对违法行为不能及时纠正。三是超期羁押现象还比较普遍，有的县检察院办理刑事案件超期羁押达到13.8%，西宁市的一件贪污案超期115天。四是使用少数民族语言文字进行诉讼的问题，在全省范围内还未解决。

（四）思想政治工作还存在一些薄弱环节，表现在：个别干警放松思想改造，在关键时刻摇摆、动摇。部分检察院重业务学习、轻政治学习。少数干警革命意志衰退，不思进取，或追求物质享受，甚至违法违纪，腐化堕落，走上犯罪道路。去年年初至今年3月底，检察机关的纪检部门共受理单位和群众检举揭发检察干警违法乱纪28件29人，其中有违反枪支管理规定的，有酗酒滋事的，有在经济上违法乱纪的。已查清处理了22件23人。有1人受到刑事处分，1人被劳动教养，12人受到党纪政纪处理。

除存在上述问题之外，办案经费严重不足，缺少侦查破案所必需的物质、技术装备，刑事技术力量十分薄弱，也严重困扰着检察机关办案。

不久前党中央和省委先后召开了政法工作会议，强调维护政治、经济和社会稳定，是全党和全国人民当前和今后一个时期压倒一切的政治任务，也是今年和今后一个时期政法工作的基本指导方针。为此，全省检察机关将坚决依靠党的领导、人大的监督和政府的支持，依靠人民群众，为维护稳定，保障我省治理整顿、深化改革的顺利进行，推进廉政建设做出不懈努力。

宁夏回族自治区人民检察院工作报告（摘要）

——1990年4月25日在宁夏回族自治区第六届人民代表大会第三次会议上

宁夏回族自治区人民检察院检察长　马　钊

（1990年4月28日宁夏回族自治区第六届人民代表大会第三次会议通过）

一、关于查处贪污、贿赂等经济犯罪案件的情况

1989年，我区检察机关继续把打击贪污、贿赂等经济犯罪作为检察工作的重点，自觉地为治理整顿和深化改革服务，集中力量查处大案要案，取得了明显的成效。据统计，全年共受理各类经济违法犯罪案件821件，比1988年上升近一倍，立案侦查382件，是上年的2.26倍，已办结305件，结案率为79.8%，其中决定起诉118件160人，决定免诉170件242人。同时，对不够立案标准的举报线索，在进行了大量的调查工作后，移送有关部门处理。通过办案，为国家挽回经济损失892.12万元，比上一年增加了48.7%。

1989年办理的各类经济犯罪案件，有以下几个特点：一是贪污、贿赂案件多。贪污案154件，贿赂案88件，两项共占立案数的63.4%。二是重大、特大案件多。共查办万元以上重大、特大经济犯罪案件114件，占立案数的29.8%，是1988年的4.1倍。三是基层领导干部和党员较多，掌管人财物实权的人员比例大。四是发案单位、部门涉及面广，且有“成窝”、“成串”的特点。五是近一两年来发生的案件多，占立案总件数的87.9%。六是作案手段越来越隐蔽狡猾，作案后携款逃跑的增多。

我区检察机关开展反贪污、贿赂斗争的主要做法：

1、认真学习和贯彻党的十三届四中、五中全会精神和全国检察长工作会议精神，统一思想，提高认识，切实把反贪污、贿赂斗争作为检察工作的重点。自治区检察院在1988年底召开的第七次全区检察工作会议上，及时传达了全国检察长工作会议精神，明确了把反贪污、贿赂列为打击经济犯罪的第一位工作，作为检察机关的工作重点。各级检察机关动手早、行动快、抓得紧、措施得力，使全区反贪污、贿赂工作从年初就呈现出好势头。1989年7月下旬，自治区检察院召开了分、市院检察长座谈会，认真学习党的十三届四中全会精神和邓小平同志关于反腐败问题的重要指示，对进一步开展反贪污、贿赂工作提出了新的要求。全区检察机关抓住贯彻落实十三届四中、五中全会精神的有利时机，加强领导，充实办案力量，狠抓办案，各县、市（区）检察院在任务艰巨、人员紧张的情况下，仍下决心增调120多名干部办理贪污、贿赂案件，自治区检察院和各分、市检察院也都派出一批业务骨干协助基层检察院突破大案要案。

2、依靠党委统一领导，主动接受各级人大及其常委会的监督，积极争取各级政府的支持。反贪污、贿赂斗争是党和国家惩治腐败，建设廉洁政治的重要组成部分，我区检察机关在斗争中始终注意紧紧依靠党委领导，积极向各级党委报告工作。各级党委及时批转了检察机关关于开展反贪污、贿赂斗争的意见，由于党委重视，措施有力，迅速打开了工作局面。自治区党委、人大和顾委的领导亲自督办一批大要案件，银南地委还在吴忠市召开了反贪污、贿赂斗争现场会，有力地支持了检察机关的工作。检察机关把主动向人大及其常委会汇报工作作为一项制度，自治区检察院1989年曾两次向自治区人大常委会汇报全区反贪污、贿赂斗争情况。自治区人大负责同志先后两次到自治区检察院听取大要案查处情况和举报情况的汇报。各级检察院进一步建立和完善了同监察、工商、税务、审计等部门的联席会议制度和案件移送制度，加强了与政府及其有关部门的配合协作。各级政府及时为检察机关解决了办案经费和侦查设备等方面的一些实际困难。

3、认真贯彻执行《通告》，掀起反贪污、贿赂斗争的高潮。最高人民法院、最高人民检察院《关于贪污、受贿、投机倒把等犯罪分子必须在限期内自首坦白的通告》发布后，我区检察机关在各级党委的领导下，大张旗鼓地开展了贯彻《通告》的宣传发动工作。一是及时向党委报告了宣传和贯彻执行《通告》的意见，各级党委先后召开了不同规模的干部大会进行动员，推动全区反贪污、贿赂斗争的深入开展。二是广泛宣传《通告》，深入发动群众。自治区检察院先后四次召开新闻发布会和情况通报会，及时通报全区反贪污、贿赂工作的进展情况。各级检察院分别由检察长、处科长带领宣讲组深入到各大系统、重点行业、工矿、企业、乡镇广泛宣传。自治区检察院派出两个宣讲组深入到金融、外贸、粮食、供销、物资等11个系统的26个部门进行宣传发动，调查摸底，结合案例宣讲《通告》。全区检察机关共翻印《通告》12万余份，编印《通告》宣传材料2.5万份，出动宣传车百余辆（次）。三是加强了对投案自首人员的受理接待工作，建立了24小时值班制度，有的还到边远山区设立自首坦白接待站和举报箱。由于各级党委的重视和广大人民群众对这一工作的支持，初步形成了惩治贪污、贿赂等腐败现象的大气候，促使一批贪污、贿赂等经济犯罪分子向检察机关自首坦白。从1989年8月15日到10月31日的两个半月里，我区有157名经济违法犯罪分子向检察机关自首坦白，共交出赃款171.9万元。在自首坦白人员中，有处级干部8人，贪污、贿赂违法犯罪分子121人，占自首坦白总人数的77.1%；贪污、贿赂金额在万元以上的有21人。事实表明：邓小平同志关于“制定一个临时大政策”的指示非常英明；党中央建议最高人民法院、最高人民检察院发布《通告》十分正确；《通告》充分显示了党的政策的感召力和国家法律的威慑力。

对《通告》期间的自首坦白案件，各级检察机关集中力量办理，认真细致地调查核实，做到既加快办案速度，又保证办案质量。为了正确地执行《通告》的从宽精神，我们对《通告》期间自首坦白案件的免诉处理，实行了由上级检察院备案审查和审批的制度，严格依照法律和《通告》的规定，把好处理关。符合免诉条件的依法免诉，该起诉的及时向法院起诉，基本做到了宽严适度，处置有据。截止今年2月底，全区检察机关对《通告》期间受理的自首坦白案件已全部依法处理完毕。其中依法起诉7件14人（含处级干部1人），决定免予起诉51件78人（含处级干部4人），转有关部门作行政处理35件65人。按照最高人民检察院通知要求，我们最近对全区检察机关处理的《通告》期间自首坦白案件进行了检查，没有发现有构成犯罪做党纪、政纪处理的，办案质量是好的。

4、坚持领导亲自办案，集中力量查处大案要案。在反贪污、贿赂斗争中，我们坚持分级负责制度，即：涉及厅、局级干部的案件，由自治区检察院为主查办；涉及县处级干部的案件，由分、市检察院为主查办。从自治区检察院做起，各级检察长带头查处大要案，亲自参与办案，实施具体指导，及时排疑解难，提高办案水平。工作中，我们还加强了侦破案件的统一指挥，加强了地区间办案工作的配合，提高了工作效率。

1989年，我区检察机关查处贪污、贿赂等大案要案取得了突破性进展，在立案侦查的114件经济犯罪大要案件中，有一万元至五万元的82件，五万元至十万元的13件，十万元至二十万元的11件，二十万元至五十万元的3件，五十万元以上的3件，其中涉及处级干部9人。通过对大要案件的查处，有力地震慑了犯罪，鼓舞了人民群众，推动了反贪污、贿赂斗争的发展。截止1989年底，全区检察机关已侦查终结大要案件90件，包括贪污、贿赂大要案42件，结案率为78.9%。其中因执行《通告》精神或依照法律规定，免予起诉的40件73人，依法向人民法院提起公诉45件71人。

5、切实加强举报工作，利用多种渠道广辟案件来源。自治区检察院于1989年初在进行调查研究，总结经验的基础上，对举报机构隶属关系和人员进行了调整和充实。在此基础上，各级检察机关进一步加强了举报宣传发动工作。一是在集市及节假日，深入街头巷尾和大中型企业进行宣传；二是广泛张贴散发宣传材料，利用有线广播、电台深入宣传；三是设立固定宣传栏和举报咨询站；四是办理一案、宣传一片，造成声势，调动群众举报积极性。1989年共受理举报线索1721件，其中贪污、贿赂案件线索759件，占受理数的44.1%。各级检察院都把举报线索的查处和反馈作为重要工作来抓，特别是对大要案线索做到快速反应，集中人力，连续作战，迅速突破，及时反馈，取信于民。对受理的举报线索，多数都进行了初查；对已构成犯罪的，及时立案查处。对于群众的举报，检察机关严格坚持保密制度，注意保护举报人的合法权益。根据举报奖励规定，全区45名举报有功人员受到各级检察机关的奖励。

6、坚持一要坚决，二要慎重，务必搞准的原则，把好案件质量关。各级检察院严格依法办事，正确执行《通告》和最高人民检察院关于执行《通告》的有关规定，遵守各项办案制度，加强内部制约机制，及时纠正违法现象，防止发生错案。各基层检察院对办案中遇到的政策法律问题，都及时向上级检察机关请示报告。为了加强办案指导，提高办案水平，自治区检察院去年下半年还召开了“贪污、贿赂疑难案例及政策法律研讨会”，所有这些，对严格执行法律和正确掌握政策，确保办案质量起了积极作用。

今年第一季度，我区各级检察机关在总结经验的同时，充分认识反贪污、贿赂斗争的艰巨性和长期性，再接再厉，努力工作，除将执行《通告》期间所立案件全部办结处理外，又立案侦查贪污、贿赂等经济犯罪案件96件121人，其中大、要案25件39人，与去年同期相比都有所增加，我区当前反贪污、贿赂斗争仍保持着较好势头。

一年来的斗争实践表明：我区检察机关在各级党委的领导下，在人大的监督和政府的支持下，反贪污、贿赂斗争取得了明显的社会效果。但是，我们必须清醒地看到，一方面，贪污腐败分子只是共产党员和国家机关工作人员中的极少数，我们的党和人民政府是清正廉洁的。另一方面，反贪污、贿赂斗争的任务是长期、艰巨的。去年查处的案件，其中不少是浮在面上的；《通告》期限内的自首坦白案件，多数是在我们视线以内的；一些隐蔽较深的犯罪分子还没有被揭露出来，并且将会采取更加狡猾的手段掩盖罪行；也还会有一些新的犯罪分子继续进行贪污、贿赂犯罪活动。因此，对当前打击经济犯罪形势要有一个正确的估价，始终保持清醒的头脑和足够的思想准备，在今后乃至一个相当长的时期内，我们都要始终不渝地把反贪污、贿赂斗争作为工作重点。正如邓小平同志指出的：“打击经济犯罪活动，我们说不搞运动，但是我们一定要说，这是一个长期的、经常的斗争。我看至少是伴随到实现四个现代化那一天。”我们一定要发扬成绩，乘胜前进，把反贪污、贿赂斗争深入持久地进行下去。

我们虽然取得了一些成绩，但是还存在不少缺点和问题：一是各地工作发展不平衡，个别地方群众还没有充分发动起来，还有死角死面；二是举报和查处工作衔接还不够紧密；三是侦查力量不足，一些办案人员的侦查意识不强，业务素质不高，办案效率低；四是办案经费，特别是基层检察院的办案经费紧张，装备落后，侦查器材缺乏，交通工具陈旧。我们要在各级党委、人大和政府的支持下，努力克服困难，不断提高执法水平，更好地适应斗争的需要。

二、关于严惩严重刑事犯罪分子，维护社会治安秩序稳定的情况

1989年春夏之交的政治动乱和北京地区反革命暴乱也波及我区。全区检察机关忠实履行国家法律监督机关的职责，充分运用审查批捕、审查起诉和出庭支持公诉等法律手段，揭露反革命分子的罪行，维护国家宪法和法律的尊严，捍卫党的领导，捍卫社会主义制度，保卫人民共和国。

依法从重从快严厉打击严重刑事犯罪活动，是检察机关的一项长期的重要任务，也是检察工作的重点。1989年，我区社会治安秩序基本上是稳定的，但形势相当严峻。各级检察机关在任务增加、人员不足、经费紧张情况下，克服困难，积极工作，为稳定社会治安秩序做出了贡献。1989年全区检察机关共受理公安机关提请逮捕人犯2968人，比上年上升13.7%；经审查批捕2552人，比上年上升19.7%，其中批捕重、特大案犯627人，占批捕总人数的24.6%，是上年的1.6倍，内有杀人犯54人，比上年增加68.8%；重大盗窃犯295人，增加65.7%；抢劫犯234人，增加80%；强奸犯131人，增加25.3%；制造、贩运毒品犯29人，增加14.5倍。受理公安机关移送起诉各类刑事案件1830件3211人，件数和人数比上年分别上升20.8%和30.5%；经审查决定起诉1592件2643人，比上年分别上升19%和24.4%，出庭支持公诉1394件，发表公诉词1240篇，决定免诉137件324人。

各级检察机关主要抓了以下几方面工作：

1、正确处理反贪污、贿赂斗争与严惩严重刑事犯罪的关系，绝不放松打击严重刑事犯罪工作。各级检察机关注意经常引导干警正确分析当地治安形势，始终保持清醒的头脑，增强忧患意识和专政意识，提高对稳定治安重要性的认识，使广大检察人员斗志不懈，干劲不减，把严惩严重刑事犯罪的工作进一步搞好。

2、针对我区严峻的治安形势和突出问题，在各级党委的统一领导下，与公安、法院等机关紧密配合，先后参加了反撬盗、查禁赌博、打击拐卖人口、流窜犯罪等专项斗争和集中统一行动。去年11月以来，各级检察机关在全区扫除“六害”的统一行动中，与公安机关密切配合，共批准逮捕“六害”犯罪分子108人，起诉“六害”犯罪分子61人。在办理案件中，坚持基本犯罪事实清楚，基本证据确实充分，不纠缠不影响定罪量刑的细枝末节，凡构成犯罪并符合逮捕条件的，就迅速依法批捕；罪该起诉追究刑事责任的，抓紧向法院提起公诉，有力地打击了“六害”犯罪分子。

3、在坚决贯彻依法从重从快打击严重刑事犯罪的同时，注意发挥政策威力，对犯罪分子发动政治攻势。去年一季度，银南检察分院在审查马占林特大盗窃案件中发现，该被告人不但主动坦白交待公安机关尚未掌握的重大犯罪，而且揭发了他人盗窃价值1万余元的犯罪事实，有立功表现，建议中级人民法院体现政策，从轻处罚。自治区高级人民法院在死刑复核中，同意了检察机关的意见，改判被告人马占林死刑，缓期二年执行。自治区检察院与高级人民法院、公安厅以此案为例，联合发出通知，要求全区政法机关认真贯彻惩办与宽大相结合的政策，大力开展政治攻势，分化瓦解严重刑事犯罪分子。各级检察机关积极行动，与有关部门共同配合，促使近百名刑事犯罪分子投案自首。收到明显的社会效果。

4、认真总结“提前介入”经验，完善“提前介入”制度。为了加强与公安机关的配合和协作，自治区检察院与公安厅联合制定《检察机关提前介入公安机关侦查活动暂行规定》，使检察机关与公安机关的密切联系经常化、制度化。全区共“提前介入”刑事大案185件，各级检察机关通过“提前介入”了解案情，核实证据，加快了办案速度，提高了办案质量，进一步加强了侦查监督。

5、认真履行检察职责，积极开展法律监督。1至12月全区检察机关在审查公安机关提请批捕和移送起诉中共决定追捕遗漏报捕人犯72人，追诉遗漏移送起诉人犯51人；对公安机关侦查活动中的违法情况和人民法院审判活动中的违法情况及时进行了纠正，向公安机关口头纠正违法129次，书面纠正35次，向法院口头纠正违法8次，书面纠正2次，向人民法院提起抗诉17件，经二审法院审理改判8件，维持原判6件，正在审理3件。贺兰县检察院对公安机关收审劳教、治安处罚的案件进行检察，对4案7人追究了刑事责任。

为了严肃执法，保证国家法律的正确实施，各级检察院采取自查、上级抽查和异地互查的办法对审查逮捕、审查起诉工作进行了质量检查，对发现的个别错案已依法予以纠正，并认真总结教训，提高执法水平。

当前，我区的社会治安形势仍然是相当严峻的，各类严重刑事犯罪，特别是杀人、抢劫等暴力性案件增多，人民群众已为此深感不安。各种社会矛盾和不安定因素，影响社会的稳定。活生生的事实说明，阶级斗争虽然已不是我国社会的主要矛盾，但仍在一定范围内长期存在，而且在某种条件下还可能激化。我们必须在大力发扬社会主义民主和加强法制建设的同时，加强社会主义国家机器的专政职能。各级检察机关要认真履行自己的职责，高度警惕国外境外敌对势力的渗透和颠覆，打击敌对分子的破坏活动。要继续坚持依法从重从快的方针，严厉打击严重刑事犯罪分子，积极参加社会治安综合治理工作，为维护我区的社会治安秩序做出新的贡献。

三、关于法纪检察、监所检察和控告申诉检察工作的情况

各级检察机关在抓好反贪污、贿赂斗争和严惩严重刑事犯罪工作的同时，全面履行检察职责，法纪、监所和控告申诉等检察工作也取得了较好成绩。

我们的党和政府历来十分重视保障公民的民主权利、人身权利以及其他合法权益。检察机关把依法保障公民权利作为自己的神圣职责，并且为此做了大量工作。全年共受理各类法纪案件 309 件，立案 115 件，其中大、要案件 24 件，和上年相比，受案数上升 19.3%，立案数上升 3.6%，大要案件上升 1.4 倍。在立案查处的案件中，玩忽职守案 20 件，重大责任事故案 28 件，侵犯公民人身权利、民主权利案 39 件，这三类案件合计占立案数的 75.7%。已办结 102 件，结案率为 88.7%，其中决定逮捕人犯 14 人，决定起诉 58 件 75 人，免诉 40 件 48 人。为了加强办案工作，一些基层检察院对法纪检察队伍进行了调整充实。各级检察院在加强侦查工作，抓好办案的同时，还注意加强基础建设。

各级检察机关严格履行法律监督职责，认真开展了对监管场所监管改造活动的检察。1989 年共纠正监管场所各类违法问题 46 件；检察纠正超期羁押 16 人；受理“两劳”人员重新犯罪 24 件，审查起诉 19 件 23 人，决定免诉 3 件 3 人，有力地维护了监管改造秩序，保证了法律的正确实施。各级检察院还配合有关部门在监管场所开展政治攻势，深挖犯罪，全区监管场所在押人犯、劳改犯和劳教人员共交待、揭发犯罪问题和线索 940 条，转有关部门已查证落实 51 条，逮捕犯罪分子 27 人，依法兑现政策从轻处罚 12 人。《通告》期间，各级检察机关组织人员深入各个监管场所共宣讲《通告》112 次，受教育人员达 9800 余人次，共有 58 名在押人犯坦白余罪 15 条，检举贪污、贿赂等犯罪线索 138 条，涉及金额 258 万余元，配合有关部门查实 47 条，挖出犯罪分子 22 人，罪犯主动退赃 28.6 万元。“两劳”单位职工中有 2 人投案自首，缴回赃款 9250 元。年底自治区检察院对全区监所检察三年目标管理工作进行了检查总结，促进监所检察工作进一步制度化、规范化。

各级检察机关为维护社会安定，密切党、政府和司法机关同人民群众的血肉关系，推动廉政建设，积极开展了控告申诉检察工作。在集中力量做好举报工作的同时，认真接待和处理其他控告申诉信访 3746 件，共办理控告申诉案件 351 件，已办结 330 件，结案率为 94%。另外，各级检察院还及时把群众反映的重大问题向上级领导及有关部门进行转达，较好地发挥了桥梁作用。

民事、行政诉讼法律监督工作已经起步。根据最高人民检察院的要求正进行机构建设，调查研究和干部培训，为开展工作创造条件。

四、关于检察队伍建设的情况

1989年，我们遵照最高人民检察院关于“从严治检”的要求，努力建设一支“严格依法办案、秉公执法、掌握政策、实事求是、联系群众、精通业务”的检察队伍，经过一年的努力，有了较明显的成效。在去年春夏之交的动乱期间，我区各级检察机关无一人上街参与或支持动乱，表现出了高度的政治觉悟和良好的纪律，贺兰县检察院受到最高人民检察院的表彰。广大检察人员在任务繁重，斗争复杂，工作条件差，生活比较清苦的情况下，不计名利，任劳任怨，艰苦奋斗，无私奉献，认真地履行了自己的职责，较好地完成了各项检察任务。

1、努力加强和改进思想政治工作。1989年，全区各级检察机关采取各种措施进一步加强了思想政治工作。特别是通过对动乱、暴乱的深刻反思，通过对十三届四中、五中全会精神和邓小平、江泽民同志重要讲话的学习，提高了检察人员对思想政治工作重要性的认识，进一步增强了各级领导加强思想政治工作的自觉性，把做思想政治工作与抓检察业务有机地结合起来。自治区检察院党组要求检察机关各级领导，在部署、检查、汇报工作中，必须把思想政治工作作为一项重要内容，把开展思想政治工作的情况作为考查各级领导干部和领导班子的重要依据。各级检察院都把思想政治工作纳入目标管理中，制定了一些具体制度，使政治思想工作经常化、制度化。自治区检察院先后总结转发了吴忠等6个县、市（区）检察院的典型经验，银川市检察院、石嘴山市检察院还先后召开了政治思想工作研讨会和经验交流会，推动了政治思想工作的深入开展。

2、狠抓廉政建设，不断整顿纪律和作风，提高队伍的战斗力。我区各级检察院坚持不懈地抓党员的党性、党纪和检察人员的职业道德、职业纪律教育，不断增强党员和检察人员的“免疫力”。对先进人物和秉公执法、拒贿拒请的模范事例进行表扬，为全体检察人员树立学习的榜样。据不完全统计，1989年以来，全区有25个院、处、科和87名干部受到当地党委和有关部门的表彰，办案中拒受礼品、现金5000多元，拒吃请230多人次，12名干部的先进事迹被报纸和电台采用，在社会上树立了人民检察官的良好形象。各级检察院不断加强廉政制度建设，建立和完善了自我约束机制，自治区检察院根据中央（89）5号文件精神制订了《检察干警保持廉洁十条规定》。各分、市院健全纪检、监察机构，充实调整了干部。认真查处检察人员违纪案件，1989年，全区共查处检察人员违纪案件16起25人，到年底已结案10起16人，其中给予党内严重警告处分1人，给予行政记过处分2人，因情节轻微，认错态度较好给予其他处理的13人。

3、进一步重视和加强了对检察干部的业务教育培训。为了适应形势和任务的要求，各级检察院十分重视干部教育。一是办好电大检察分校，抓好检察人员的学历教育和专业证书教育。目前在学人数达517人，占全体检察人员的43%。二是抓好短期业务培训，自治区检察院自编教材，去年先后举办了“自侦案件侦查取证和预审培训班”、“自侦案件审查批捕、审查起诉培训班”，对全区近百名检察人员进行了培训，使检察队伍的业务素质有了进一步的提高。

五、关于1990年检察工作的任务

“竭尽全力维护社会稳定”，是今年和今后一个时期检察工作的基本指导方针。

根据这个基本指导方针，1990年我区检察工作总的指导思想是：认真贯彻党的四中、五中和六中全会精神，充分发挥法律监督职能作用，继续抓住坚决惩治贪污、贿赂犯罪和严厉打击严重刑事犯罪两个重点，加强各项检察工作，维护社会主义经济秩序和社会治安秩序，为促进国民经济长期持续、稳定、协调发展而努力。一是充分认识各种不安定因素和社会治安形势的严峻性，增强阶级斗争和人民民主专政的观念以及反渗透、反颠覆、反和平演变的意识，牢固树立“稳定压倒一切”的思想。二是充分发挥专门机关的作用，把反贪污、贿赂斗争坚持不懈地抓下去。三是继续依法从重从快严厉打击严重刑事犯罪活动，千方百计地维护国家和社会的稳定。四是充分发挥检察机关法律监督的职能作用，全面开展各项检察业务。五是继续加强检察队伍建设，提高队伍的政治素质和业务素质，进一步密切检察机关、检察人员与人民群众的血肉联系。

坚决维护安定团结的政治局面和社会的稳定，是我区各族人民的最大利益和共同的愿望，也是我们检察机关的神圣职责。在今后的工作中，我们要继续依靠各级党委的正确领导，主动接受各级人民代表大会及其常委会的监督，争取各级政府和人民群众的支持，充分发挥法律监督职能作用，同一切危害国家安全，破坏社会安定和民族团结、破坏社会经济秩序、治安秩序的犯罪行为进行坚决的斗争，为稳定大局和进一步治理整顿、深化改革做出更大的贡献。

新疆维吾尔自治区人民检察院工作报告（摘要）

——1990年3月9日在新疆维吾尔自治区第七届人民代表大会第三次会议上

新疆维吾尔自治区人民检察院检察长　米吉提·库尔班

（1990年3月13日新疆维吾尔自治区第七届人民代表大会第三次会议通过）

1989年是不平静的一年，也是我区检察工作不平凡的一年。一年中，在自治区党委和最高人民检察院的正确领导下，在自治区人大及其常委会的有力监督下，在自治区人民政府的大力支持下，我区检察机关坚决贯彻党的十一届三中全会以来的路线、方针、政策，坚持“一个中心、两个基本点”的基本路线，忠实地履行检察机关人民民主专政的职能，充分发挥法律监督机关的作用，在关系到党和国家命运的关键时刻，立场坚定、旗帜鲜明地制止动乱和坚决拥护平息反革命暴乱，深入开展了反贪污、贿赂斗争，严厉打击了反革命分子和严重刑事犯罪分子，推动了其他检察工作的全面开展，为维护自治区的政治稳定，保障治理整顿和深化改革的顺利进行发挥了积极作用。

一、关于反贪污、贿赂犯罪的情况

反贪污、贿赂是惩治腐败、加强廉政建设的重要措施，是法律赋予检察机关的重要职责。去年以来，我们根据最高人民检察院的部署和自治区人大七届二次会议批准的工作报告，迅速而果断地把反贪污、贿赂作为打击经济犯罪的第一位工作，作为检察工作的重点，自觉地为国家的稳定服务，为进一步治理整顿和深化改革服务，从领导精力、工作部署、力量组织上不断加强反贪污、贿赂斗争，侦查破获和依法处理了一大批案件，得到了广大人民群众的拥护。特别是党的十三届四中全会以来，党中央采取了一系列廉政建设、惩治腐败的有力措施和最高人民法院、最高人民检察院《关于贪污、受贿、投机倒把等犯罪分子必须在限期内自首坦白的通告》的发布，大大地推动了我区反贪污、贿赂斗争的开展，取得了受案、立案、查处大要案、结案和挽回经济损失等五个方面的突破性进展。一年中，全区检察机关共受理经济犯罪案件2286件，其中贪污、贿赂犯罪案件1844件，比上年增加1.3倍；立案侦查1360件，其中贪污、贿赂犯罪案件1150件，比上年增加1.3倍；查处大要案275件，其中贪污、贿赂大要案213件，比上年增加1.6倍；已结案1117件1288人，比上年均增加近1倍。通过办案，为国家、集体追缴贪污、贿赂赃款赃物计1121.8万元，比上年增加81.11%。

我们之所以能取得上述这些成绩，主要是：

（一）加强领导、精心组织。一是全区各级检察机关根据中央关于坚决惩治腐败的重要指示和全国检察长工作会议精神，在指导思想上把反贪污、贿赂斗争作为检察工作的重点，要求各级检察长亲自抓反贪污、贿赂斗争，特别是狠抓大要案的查处，取得了领导斗争的主动权；二是集中力量深入到群众反映较大、问题较多的重点系统单位，调查摸底，发动群众揭露查处了一批案件；三是实行了侦诉分开的内部制约和分级负责组织查办大要案制度，对提高办案质量，排除阻力、依法办案，起了一定作用，推动了反贪污、贿赂斗争的深入开展。

（二）加强了举报工作，群众举报案件大增。一年中，全区各级检察机关不断加强举报工作的领导，把举报工作作为一项重要的检察业务工作，作为反贪污、贿赂斗争的重要措施，健全机构，充实人员，完善制度，深入发动群众举报犯罪活动，从而出现了受理和查处举报案件线索一季比一季增多的好势头。去年全区检察机关共受理举报线索6784件，其中贪污、贿赂案件线索3002件，除移送侦查部门和有关单位查处的以外，举报部门初查771件，有力地揭露和震慑了犯罪，鼓舞了群众。

（三）认真贯彻落实“两高”《通告》，掀起了反贪污、贿赂斗争的高潮。去年八月初，根据党的十三届四中全会和自治区党委关于坚决惩治腐败，切实做好几件人民普遍关心的事情的决定精神和最高人民检察院的部署，针对我区贪污、贿赂犯罪活动严重的情况，我们适时召开了检察长座谈会，提出要把反贪污、贿赂的旗帜打出去，实行领导动手，精心组织，依靠党委，发动群众，严格执法，狠抓大要案，争取8、9、10三个月作出明显成效的方针，在全区统一开展了集中打击贪污、贿赂犯罪的斗争。8月15日发布“两高”《通告》以后，在各级党委、人大、政府的领导、监督和支持下，通过广泛宣传和发动群众，迅速形成反贪污、贿赂的群众斗争声势，举报大量增加。在“两高”《通告》的震慑和感召下，从8月15日至10月31日，全区有305名贪污、贿赂等经济犯罪分子到检察机关投案自首，其中贪污犯罪分子122人，贿赂犯罪分子127人，县处级干部10

人，科级干部46人，共产党员94人。投案自首人员交待违法犯罪金额276万余元，已退出赃款赃物计218万余元。犯罪金额在万元以上的有45人，其中五万元以上的10人，十万元以上的2人。同时，全区还有327名已被检察机关采取强制措施的贪污、贿赂犯罪分子坦白交待了罪行。

事实证明，邓小平同志"制定一个临时大政策"的指示非常英明，党中央建议"两高"发布《通告》是十分正确的。《通告》充分发挥了党的政策的感召力，显示了国家法律的威慑力，表明了党和国家反对腐败，严厉惩治贪污、贿赂、投机倒把等经济犯罪的决心，体现了惩办与宽大相结合的政策，大大推动了反贪污、贿赂斗争的深入开展。同时，带动了查处偷税抗税、挪用公款、假冒商标等经济犯罪案件的工作，收到了很好的社会效果。

这段时间，从检察机关受理自首坦白人员的情况看：(1) 大案要案较多。据统计，在投案自首的犯罪分子中，大、要案犯占17%。(2) 基层掌管财物实权的人员多。70%以上是企、事业单位的基层领导和财会、业务人员。(3) 大多数投案自首的人员真诚交待了问题，退清了赃款赃物。(4) 不少犯罪分子的亲属深明大义，规劝、动员或带领犯罪分子投案自首。(5) 在自首人员中有一半是慑于群众举报和检察机关以及单位触动而投案自首的，而那些隐蔽较深、尚未触动的犯罪分子主动投案自首的较少。

在《通告》限期内和期满以后，各级检察院依照法律和《通告》的规定，坚决执行坦白从宽、抗拒从严的政策，对自首坦白案件，认真地做好查证处理工作，及时兑现政策，先后召开90余次宽严大会，对经侦查证实，确属自首、坦白的400余名贪污、贿赂犯罪分子依法作了从宽处理。对那些在《通告》限期内拒不自首坦白或订立攻守同盟、销毁罪证的200余名犯罪分子，依法给予从严惩处。

(四) 各级检察长带头办案，带头抓大要案的侦查工作。去年一年，我们要求全区各级检察院的领导干部，亲自深入办案的第一线，带头办案，重点查处大案要案和有干扰阻力的案件，推动了斗争的深入开展。一年中全区有153名正副检察长亲自参加办理了353件贪污、贿赂犯罪案件，总结和积累了领导指挥查处贪污、贿赂犯罪案件经验。

(五) 自觉服从党委领导、接受人大监督、争取政府支持，保证斗争的健康顺利发展。我区检察机关在反贪污、贿赂斗争中，得到了各级党委的坚强领导，得到了各级人大及其常委会的有力监督，得到了各级政府的大力支持。各级党委都召开会议，听取汇报，动员和部署反贪污、贿赂工作。各地政府积极支持检察机关查处贪污、贿赂犯罪案件，及时解决检察机关办案经费等实际困难。特别是去年10月我院向自治区七届人大常委会第十次会议作了《关于我区检察机关开展反贪污、贿赂犯罪工作情况的报告》后，受到了各级人大的重视和支持，许多地方的人大常委会还直接听取检察院的汇报，并且通过视察，帮助检察机关排除阻力和干扰，支持检察院依法查处大案要案，这对于深入开展反贪污、贿赂的斗争起了重要作用。

二、关于依法惩处反革命分子和其他刑事犯罪分子的情况

1989年我区的社会治安形势总的讲是稳定的。但又是十分复杂和严峻的，突出地表现在两个方面：一是去年春夏之交发生的波及全国的动乱和北京发生的反革命暴乱影响我区的政治稳定，在我区发生了动乱和各种反革命宣传煽动活动，境内

外分裂主义势力相勾结的破坏活动有所加剧，反革命案件上升。二是刑事案件居高不下，拐卖妇女儿童、制毒贩毒、制作贩卖传播淫秽物品、卖淫嫖娼、赌博等社会丑恶现象蔓延，重特大刑事案件连年大幅度上升，直接危害了社会治安秩序和人民群众生命财产的安全。针对上述情况，全区各级检察机关继续贯彻依法从重从快严厉惩处刑事犯罪分子的方针，共批准逮捕各类刑事案犯 8913 人，比上年增加 35.48%，其中重、特大案犯 2919 人，比上年增加了 53.31%；依法决定起诉 9506 人，比上年增加 26.97%。在批准逮捕的严重刑事犯罪分子中，杀人犯 342 人，比上年增加 35.71%；抢劫犯 796 人，比上年增加 56.39%；故意伤害犯 539 人，增加 15.17%；强奸犯 598 人，增加 11.78%；盗窃犯 5604 人，其中重大盗窃犯 1465 人，增加 118.66%，仍居各类犯罪之首。在打击刑事犯罪方面，我区检察机关主要做了六个方面的工作：

（一）在制止动乱中，充分发挥了检察机关的职能，积极配合公安机关、人民法院坚决打击了以各种形式进行反革命活动、分裂祖国统一活动的犯罪分子和打、砸、抢犯罪分子。在斗争中，各级检察机关由检察长亲自挂帅，提前介入侦查、预审活动，与公安机关一起收集、审查证据，对极少数严重犯罪分子，坚决做到快捕，快诉，配合人民法院及时公开审判。在严厉打击的同时，我区检察机关严格依法办事，坚决执行政策，注意划清罪与非罪的界限，最大限度地教育和挽救多数，孤立和打击极少数顽固分子，对不构成犯罪的或者罪行轻微的人，检察机关都依法作了不批准逮捕、免予起诉、不予起诉决定。

（二）继续贯彻依法从重从快的方针，与公安机关、人民法院密切配合，在城镇、交通沿线等重点地方，有组织、有步骤地开展了集中打击流窜犯的专项斗争。同时，各级检察机关加强了对本地治安形势和犯罪动态的分析，针对各地刑事犯罪和社会治安中的突出问题，与公安、法院一起适时地开展了不同规模、不同内容的区域性专项打击和专项治理，保持了“严打”的声威。去年我区各级检察机关共参与专项斗争 84 次，依法从快批捕起诉了一批影响大、危害严重的重大特大案犯。去年 7 月昌吉市发生王洪志，陈豪诈骗 5 万元、杀死 2 人特大案，昌吉州检察机关提前介入公安机关侦查预审工作，仅用了 3 天时间，就依法批捕、起诉，并配合州法院在 18 天内将二犯判处死刑。又如，去年上半年哈密地区先后发生 10 起杀人案，其中对阿不都瓦依提、刘孝芳等 9 件杀人案，哈密地区检察机关坚持从重从快的方针，使每案审查起诉时间平均只用了 13 天，最快的仅用了 4 天，就依法起诉到法院，及时打击了严重刑事犯罪分子的嚣张气焰。与此同时，我区各级检察机关还积极配合公安机关等有关部门开展了扫除“六害”的专项斗争和专项治理，快捕快诉了一批拐卖妇女儿童、制毒贩毒、制作贩卖传播淫秽物品、卖淫嫖娼、赌博等犯罪分子，维护了社会治安的稳定。

（三）主动加强与公安机关的联系，普遍实行了提前介入重大刑事案件侦查、预审活动的制度，取得了好的效果。1989 年全区检察机关提前介入重大刑事案件 1028 件。通过提前介入现场勘查、预审、案件讨论等活动，熟悉了案情，协助公安机关收集证据，及时有力地打击犯罪，防止和纠正了错漏案件。如马兰基地发生的价值 30 万元的高压线被盗案件，巴音郭楞蒙古自治州检察机关及时参加现场勘查和侦查预审，配合公安机关收集、审查证据，三天内就批准逮捕了14名案犯。

（四）积极认真地开展了侦查监督和审判监督工作。一年来全区检察机关坚持以事实为根据、以法律为准绳的原则，既严厉打击犯罪分子，又注意保护无罪的人不受追究。在侦查监督过程中，对公安机关提请逮捕、经审查不够法定逮捕条件的1330人作了不批准逮捕决定。追捕、追诉了286名公安机关漏报的犯罪分子。对公安机关移送起诉、经审查不构成犯罪的217人作出了不起诉决定。纠正公安机关侦查活动中的违法行为288件（次）。在审判监督过程中，我区检察机关加强了出庭公诉和二审、再审案件监督工作，不断提高出庭水平。同时，加强了对法院判决、裁定的审查，通过抗诉纠正了确有错误的判决、裁定。去年，全区检察机关审查了人民法院对4819件刑事犯罪案件作出的判决、裁定，比上年增加29.61％。对人民法院确有错误的判决、裁定依法提出抗诉111件。

（五）在办案中突出一个“准”字。去年我区各级检察机关为了提高办案质量，除继续坚持批捕、不批捕、免予起诉、不起诉案件向上一级检察院备案审查等行之有效的办案制度外，还着重从办案程序的各个环节上，加强了对案件的审查，把关。特别是通过定期对案件质量进行复查，发现错案、漏案及时作出纠正和逐案进行分析、通报，及时总结经验教训，做到了正确执行法律，不枉不纵。

（六）加强对刑事案件判决、裁定的执行监督和监管改造场所活动的法律监督。一年来，全区各级检察机关充分认识到监所的稳定与全区的社会安定、治安稳定关系重大，从而积极配合监管改造部门严厉惩处了劳改犯、劳教人员在改造期间的犯罪活动，依法起诉重新犯罪的劳改犯和犯罪的劳教人员550人，严厉打击了“牢头狱霸”和反改造分子的嚣张气焰。同时，各级检察机关还对监管人员的违法行为，提出纠正意见370次，狠抓了防逃工作，对监管改造场所中发生的徇私舞弊、私放罪放、玩忽职守、贪污受贿等犯罪案件依法进行了查处，从而整顿了监管改造秩序，促进了文明管理，提高了改造质量。贯彻“两高”《通告》期间，各级检察机关与监管改造部门密切配合，宣传《通告》，敦促在押犯坦白交待，检举揭发。据不完全统计，有300余名在押犯交待了余罪，有500余名在押犯揭发犯罪线索586件，其中大要案线索22件。

三、关于开展法纪检察和其他检察工作的情况

全面担负和认真开展对侵犯公民民主权利、人身权利和渎职犯罪案件的侦查，是国家法律赋予人民检察院的又一项重要职责。一年中，全区检察机关在狠抓反贪污、贿赂斗争和打击严重刑事犯罪活动的同时，把查处“侵权”和重大责任事故、玩忽职守等渎职犯罪案件作为检察机关的一项重要工作和惩治腐败、廉政建设的一个重要组成部分来抓。全区各级检察机关共受理法纪犯罪案件882件，比上年增加28.38％，决定立案侦查274件，比上年增加13.69％。我们在查处法纪案件中，一是突出重点，集中查处了“侵权”和玩忽职守、重大责任事故等“三类”案件，取得了明显成果，在立案侦查的法纪案件中，这“三类”案件就占81.02％；二是狠抓大案要案的查处，共查处重大特大法纪犯罪案件29件；三是把查处玩忽职守、重大责任事故案件与打击贪污、贿赂等经济犯罪活动结合起来，深挖了一批犯罪分子。

为了完善检察机关的法律监督职能，我们依照民事诉讼法（试行）的规定，在各级人大常委会和人民法院的支持配合下，去年，我区先后有20多个检察院开展了民事行政诉讼法律监督试点和调查研究工作，办理民事、行政诉讼监督案件100余件，为民事、行政检察工作的开展培训了干部，积累了经验。

为了稳定社会、保护公民的控告申诉权利，去年全区检察机关共查办公民控告、申诉案件2654件，比上年增加1.1倍，并妥善处理了一批告状无门、久诉不息的控告申诉案件。加强了刑事技术工作，为侦破案件提供了服务。积极开展调查研究工作，加强了反贪污、贿赂和打击刑事犯罪以及各项检察业务中的政策法律、新情况、新问题的研究，对有效地指导工作起到了积极的作用。认真执行《民族区域自治法》，加强了少数民族文字检察刊物的编译出版工作，对提高少数民族检察干部的法学理论水平，发挥了重要的作用。

四、加强思想政治工作和队伍建设的情况

加强思想政治工作和队伍建设是检察机关正确地执行国家法律和履行法律监督职能的基本保证。一年来，我区各级检察机关在复杂和严峻的斗争形势面前，不断加强对广大检察人员进行“一个中心、两个基本点”的基本路线教育、形势政策教育、坚持四项基本原则、反对资产阶级自由化的教育、加强民族团结教育等，使广大检察干警增强了同党中央在政治上保持一致的坚定性和自觉性。特别是在去年春夏之交发生的动乱和反革命暴乱以及“5·19”严重打砸抢骚乱事件期间，我区各级检察机关始终保持了坚定正确的政治方向，坚定地与党中央保持一致，坚决贯彻执行党中央、国务院的正确决策，坚决执行自治区党委和最高人民检察院的指示，一切服从自治区党委的指挥，坚守岗位，恪守职责，严守纪律，努力工作，经受住了政治风波的考验。实践证明，我区检察队伍是党和人民可以信赖的，是一支稳定社会的重要力量。

去年，我区各级检察机关充分发挥思想政治工作的优势，带领广大检察干警，在反贪污、贿赂和打击刑事犯罪任务日益繁重，工作、生活条件比较艰苦，装备较差的情况下，以高度的政治觉悟和无私奉献的精神，团结奋战，克服困难，勇于进取，认真履行法律监督职责，以饱满的热情和旺盛的斗志，完成了大量的工作任务。涌现出了115个先进单位和集体，943名先进模范人物，有7人立功受奖。同时，为了整顿队伍，严肃纪律，加强自身的廉政建设，充分发挥检察机关在反腐败斗争中的主力军作用，自治区检察院制定下发了《关于保持人民检察机关清正廉洁的规定》，加强了检察机关的上下级监督。一年中，先后对22名违法乱纪的干警分别给予了党纪、政纪和法纪处理，保证了检察队伍的纯洁性。

加强检察干部培训，是提高干警素质的重要措施。去年，我区各级检察机关加强了正规化教育和短期专业培训相结合的干部培训工作，依托政法院校、电大等加强干警的学历教育。同时，针对检察工作的特点，着重加强了干警岗位基本功和专业能力的培训，先后举办了经济、法纪犯罪案件侦查干部和民事行政检察、监所检察、检察统计等短期培训班，对于促进我区检察队伍整体素质的提高，起到了积极的作用。

检察机关是国家的法律监督机关，加强自身监督十分重要。我们根据最高人民检察院的指示和自治区人大常委会的要求，向全区各级检察院下发了开展第二次执法检查的通知，各分、州、市院成立了执法检查领导小组，在各级人大常委会的指导下，认真进行了自查、互查和抽查。通过执法检查，我区检察机关的执法情况总的讲是好的，执法工作是严肃认真的，较好地履行了法律监督职能。同时，对发现的问题及时作了纠正，促进了检察机关执法水平的提高。

在过去的一年里，我区各级检察机关和广大干警为稳定自治区的社会秩序，促进社会主义民主和法制建设，保卫改革开放和社会主义经济建设，做出了一定的成绩。但是，还面临着一些问题和困难，主要是：

当前，影响我区政治稳定和社会安定的因素还比较多，帝国主义和国际反动势力加紧对我区进行渗透、颠覆、“和平演变”；一小撮坚持资产阶级自由化、不甘心失败的人正在伺机进行破坏、捣乱；国内极少数分裂主义分子与国外分裂主义势力遥相呼应，打着“民族独立”和宗教的旗号，加紧在我区进行旨在破坏民族团结、鼓吹新疆独立、分裂祖国统一的犯罪活动。同时，社会治安形势十分严峻，有的地方治安不好，群众意见很大。贪污、贿赂等经济犯罪活动依然相当严重，惩治贪污、贿赂犯罪的任务仍很艰巨。从总体上讲，我们党和国家机关是廉洁的，广大的干部是奉公守法的，贪污、贿赂的只是极少数。但是，正是这极少数人所为，影响极坏，危害很大，影响社会稳定，必须严加惩治。而我区反贪污、贿赂斗争发展还不平衡，有些地方对严厉惩治贪污、贿赂犯罪的重要性认识不足，措施不够得力，收效不很大。究其原因，主要是那些地方的领导抓得不紧，工作不够深入，群众没有发动起来，局面没有打开。个别检察人员缺乏秉公执法的勇气，对查处有些大要案心存顾虑，对个别以党纪、政纪处罚代替刑事处罚的现象纠正不力。少数干警违法乱纪和执法不严的情况时有发生，有的领导对此监督检查不够。一些国家工作人员的“侵权”案件和给国家造成重大损失、给人民群众的生命财产造成严重后果的玩忽职守、重大责任事故犯罪案件仍时有发生，防范和减少这类案件，还需各方面做出艰巨的努力。

我区检察机关的工作条件、生活条件、物质装备在各级党委、人大、政府的关怀支持下，有了一定改善，对于检察工作的开展起了很大作用。但是，目前我区检察机关还存在不少困难，特别突出的是经费短缺，已严重影响到对案件的查处。

当前，全国和自治区的形势是好的。随着治理整顿和深化改革的深入，党和国家对检察机关提出了更高、更严、更新的要求。今年1月我们召开了全疆检察长工作会议，部署和安排了今年的检察工作。1990年我区检察机关要牢固树立“稳定压倒一切”的指导思想，坚决为稳定大局服务，坚定不移地贯彻执行党的十三届四中、五中全会和自治区党委三届十四次全委（扩大）会议以及全国检察长工作会议精神，充分发挥检察机关的法律监督职能，进一步突出反贪污、贿赂斗争，坚决镇压危害国家安全的反革命分子，依法严厉打击分裂祖国统一的犯罪活动，严厉打击严重刑事犯罪活动，切实加强思想政治工作，以此推动其他各项检察工作的全面开展，维护正常的经济秩序和社会秩序，保障进一步治理整顿和深化改革的顺利进行，促进国民经济持续、稳定、协调发展，为维护自治区的政治稳定、经济稳定、社会稳定做出贡献。

第三部分 最高人民检察院负责人重要报告和讲话

在全国检察长工作会议上的报告

最高人民检察院检察长 刘复之

(1990年11月6日)

同志们：

全国检察长工作会议开幕了。这是年度例会。我们的任务是总结今年的工作，安排明年的工作，制定《1991年的检察工作计划要点》。

去年制止动乱、平息暴乱以来，国际国内形势发生了很大变化。我们检察干部要关心大局。目前，国际形势动荡不安。在对我制裁上，欧共体有了松动，但美国还没有完全取消，对我们搞和平演变的战略不会改变。这一些对我们来说是严峻的一面。同时，应当看到对我们有利的一面。海湾局势紧张，战争有一触即发之势，但世界大战还打不起来，还可以争取到本世纪末甚至更长点时间的和平环境来搞建设。我们的外事工作取得节节胜利。大多数国家特别是亚洲、第三世界是理解、支持我们的。我国成功地举办了北京第十一届亚运会，显示了中国人民在中国共产党领导下走社会主义道路的决心、信心和力量，树立了良好的国际形象。国内政治稳定、社会安定，经济正在向好的方向发展。在以江泽民同志为核心的党中央正确领导下，全国认真贯彻执行党的十三届四中、五中和六中全会精神，治理整顿、深化改革取得了明显成效。农业空前大丰收。党的建设和思想政治工作加强了。惩治腐败和廉政建设抓得很紧。国务院专门部署纠正行业不正之风，李鹏总理提出："廉政才能稳定，勤政才有希望。"党和政府采取了这一系列措施，密切了同人民群众的血肉联系，精神文明建设出现了好气象。人民民主专政进一步巩固。

在这样好的有利条件下，各级检察院认真贯彻执行了去年11月检察长工作会议的部署和年度计划，反贪污、反贿赂斗争和严厉打击严重刑事犯罪都取得了显著成绩，法纪检察和其他各项业务也有了进展。各级检察院和广大检察人员在任务很重、条件较差的情况下，忠于职守，秉公执法，发扬了艰苦奋斗、不怕疲劳、连续作战的精神，为维护社会主义民主和法制的尊严做出了新的贡献！

1991年，我国开始实施第八个五年计划，这是实现我们党提出的在本世纪末国民生产总值再翻一番这个战略目标的第一年。检察机关要紧紧围绕把国民经济搞上去这个全党的中心任务，自觉地为进一步治理整顿、深化改革服务，为国民经济持续、稳定、协调发展服务，为国家稳定服务。1991年检察工作的指导思想是：在党中央领导下，在人大及其常委会的监督和国务院、各级人民政府的支持下，发挥法律监督职能，深入开展反贪污、反贿赂犯罪斗争，坚持依法从重从快严厉打击严重刑事犯罪，加强法纪检察，开展各项业务，搞好思想政治工作和队伍建设，为维护国家稳定、社会稳定，促进经济建设，保障公民的人身权利、民主权利不受侵犯做出新的成绩！

现在，我就今年工作回顾和明年工作安排的六个问题，提出意见，请同志们讨论。

一、关于深入开展反贪污、反贿赂犯罪斗争问题

1—9月，反贪污、反贿赂犯罪斗争成绩很大，成效显著。据统计，全国检察机关共受理贪污、贿赂案件77163件，比去年同期增加11.86%；立案侦查42234件，增加16.36%。办结36190件（39557人），占立案数的85.69%，其中，向人民法院提起公诉15595人，占结案人数的39.4%；免予起诉21743人，占55%；撤案2219人，占5.6%。追缴赃款赃物折合人民币52670万元，比去年同期增加1.39倍。今年反贪污、反贿赂斗争的主要特点有五个：

一是侦破大案要案最多。1—9月立案侦破万元以上大案9261件，占总数的21.9%，比去年同期增加15.4%。其中十万元以上不满五十万元的270件，五十万元以上不满一百万元的19件，一百万元以上的17件。立案侦破要案924件1032人，比去年同期200多件增加2.6倍，其中县处级干部976人，厅局级干部53人，省部级干部3人。突出的案例如：中信实业银行深圳分行行长高森祥（副局级）收受港商贿赂人民币73万元、港币166万元、美金5000元；洛阳市委书记武振国受贿2万余元；中国民航广州管理局售票员易芳贪污302万元；西藏自治区拉萨民航局女售票员扎西措姆贪污78万元等等。

二是侦破贿赂案件多。1989年和今年前八个月侦破的贿赂案件是前10年的总和。贪污分子多是掌管钱物的，受贿分子则多是有领导权和直接掌管审批权的。1—9月查处贿赂案件18559件，比去年同期增加36.4%，占贪污、贿赂案件总数的43.9%。有的地方查处的贿赂案件数已经超过了贪污案。

三是侦破不正之风严重的某些行业和部门的案件多。在这些行业和部门很多国家工作人员卷进了贪污、贿赂犯罪，检察机关从破获一两个案件入手，不放过任何蛛丝马迹，抓住线索，顺蔓摸瓜，深入细致侦查，往往“破一案带一串”，“挖一个端一窝”。如福建办7个案子带出157个贪污、贿赂案，北京办了46个串案，挖出贪污、贿赂犯罪分子242人。

四是通过抓大案要案发动小高潮，扩大社会效果。搞得成功的如广东省清远市检察院，在市委直接领导下，抓住英德县公安局局长张文列贪污、贿赂要案，冲破县委个别领导人的阻力，公布案情，发动群众揭发、举报，召开宽严处理大会，敦促有贪污、受贿问题的人投案自首，很快形成了高潮，仅一个半月时间，这个县就有119人坦白自首，而去年“两高”《通告》期间只有二十几个人自首。

五是群众举报继续保持好势头。1—9月全国检察机关受理举报线索23万多件，与去年同期持平。其中举报贪污、贿赂12万多件，占54.8%，初查了53000多件，已立案侦查的近3万件。

反贪污、贿赂斗争是在宣传教育工作

的配合下进行的。既向群众宣传教育，又掌握适度。高检院举办了全国检察机关惩治贪污、贿赂展览。江泽民、李鹏、宋任穷同志为展览题词，乔石、宋平等中央领导同志参观了展览。两个月时间里，观众达60多万人（次），最后安排了驻京外国使节参观，收到了良好的社会效果。目前正在一些省、市巡回展出。有的地方运用个案展览方式，宣传和发动群众，效果也很好。西藏区院办了拉萨市扎西措姆贪污罪证展览，全市轰动，观众7万人（次），家喻户晓。

侦查意识提高了，工作加强了，侦查工作体系开始形成。目前，已有19个省级检察院、155个分、州、市院建立了反贪污贿赂工作局。有了这个专职机构，力量相对集中，使办案质量和办案效率都有了程度不同的提高。1—9月，全国检察机关的侦结率为85.69%，而去年同期侦结率为49.4%。一年多来，自侦案件实行了内部制约制度，把侦查与决定逮捕、起诉分开，由两个部门分工负责，这在保证办案质量上起了很好的作用。

实践证明，检察机关依法把反贪污、反贿赂犯罪列为工作重点，是正确的。挖出社会主义大厦的“蛀虫”，深得民心，广大干部、群众热烈拥护。这几年侦破的大量案件充分印证了小平同志早在1982年的正确指示。当时他就明确地指出：“打击经济犯罪活动的斗争，是我们坚持社会主义道路和实现四个现代化的一个保证。这是一个经常的斗争，经常的工作。否则，社会主义道路怎么坚持呀？如果不搞这个斗争，四个现代化建设，对外开放和对内搞活经济的政策，就要失败。所以，我们要有两手，一手就是坚持对外开放和对内搞活经济的政策，一手就是坚决打击经济犯罪活动。”

要充分肯定成绩，但不能估计过高。必须看到，工作还存在一些不足、缺点和问题。主要是发展不平衡，在情况、条件相似的地方办案成果悬殊比较大，抓大案要案的悬殊也比较大；还不善于利用典型案例开展政策攻势、贯彻宽严政策，在局部地方形成“小气候”，发动“小高潮”；经常的侦查工作和反贪污的法制建设和规章制度建设，如立反贪污法，如规定公务人员不准贪污、受贿等，都落后于现实斗争的需要；对举报线索的初查进展缓慢，要案线索积压得更为突出，有的地方检察院受理要案线索后，左顾右盼，顾虑重重，既不及时初查，又不向上级检察院报告。人力不足、经费不足，也是一个不能忽视的因素。

值得注意的是，今年以来，我们立案侦查的4万多件贪污、贿赂罪案中竟有50%左右是去年“两高”《通告》以后新作案的。这个事实尖锐地告诉我们，反贪污、反贿赂斗争是一场严重的斗争，是腐蚀与反腐蚀的斗争，阶级斗争色彩很浓。贪污、贿赂犯罪分子的嚣张气焰，还没有刹下去。在我们的社会里，滋生了一批贪婪的投机性很大的“冒险家”，“你打你的，我贪我的”。贪污、贿赂犯罪是一种社会现象，将会长期存在下去。我们面对繁重的任务，必须坚持长期斗争，必须坚决贯彻“两手抓”的方针，始终如一地把反贪污、反贿赂斗争作为工作重点来抓，力求把犯罪分子的气焰刹住。

坚持反贪污、反贿赂斗争，要心中有数。我们认为，在今后几年内，有三个问题要注意。第一，查处贪污、贿赂案件数量太少了不符合实际。比如今年受案近8万件，立案4万多件，明年突然大幅度下降，就不符合实际，就可能反映工作不正常。我们历来不搞侦破数量的攀比，受案、立案、破案都不要单纯追求数量，但这不是说办案可以完全不讲数量。我们要学经济工作的定性、定量分析。定性分析，就是要从战略上认清贪污、贿赂犯罪的严重性和斗争的长期性；定量分析，就是要通过数字分析各时期的不同的情况和工作的进度。就一个具体案件来说，首先要注意准确定性，犯罪还是没有犯罪；其次讲定量，罪行轻重与情节是否恶劣。第二，从发展趋势看，在我们社会主义制度下，虽然贪污、贿赂犯罪有时表现很猖獗、来势很猛，但不可能越打越多。这是因为，我们有坚强的党的领导，有强有力的思想政治工作，有党的、国家的、政府的监督机制，有群众的举报制度，我们坚持依法惩治犯罪，而且随着改革开放的发展，各项管理会越来越完善，漏洞会不断减少。我们相信国家法律的威慑力和党的政策的感召力，经过努力是能够扼制住贪污、贿赂犯罪的气焰的。但是，贪污、贿赂分子是不会自动罢手的，如果认为反贪污、反贿赂斗争抓上几年，搞几个高潮，就能大功告成，因而工作不一贯、不协调、不得力，那就会出现反复，就会有一批干部继续陷进去，我们就要犯错误。第三，要坚持“一要坚决，二要慎重，务必搞准”的原则。强调办案质量，关键是必须掌握确凿证据，保证侦破案件的成功率要高。侦查工作要讲究斗争策略和艺术，要掌握具体情况具体分析的原则，逐案进行具体部署和指导，办得扎扎实实，使每个案件都要经得起历史的检验。

1991 年，反贪污、反贿赂工作要在深入上下功夫、做文章。主要路子是：在党委领导和政府支持下，尊重人大的监督，从当地实际情况出发，集中力量抓大案要案的侦破，适时地与有关部门结合召开宽严处理大会，宣传国家法律和党的政策，兑现坦白从宽、抗拒从严，发动群众举报，号召有贪污、受贿问题的人坦白自首，及时地采取预防犯罪、保护企业合法权益、保障经济稳定发展的措施。就是说采取三管齐下的方针：侦查工作、发动举报、预防犯罪并举，在新的条件下发扬专门工作与群众路线相结合的优良传统。

1991 年，在深入开展反贪污、反贿赂犯罪斗争中，态度要坚决，政策要对头，要实事求是，依法办案。要注意七个问题：

第一，坚持把查处大案要案作为反贪污、反贿赂工作的中心环节，克服各种干扰和阻力，力争有新突破。高检院贪污贿赂检察厅、省级院和分、市院要把主要精力放在查处要案上。大案要案特别是涉及厅局级以上干部的犯罪线索，受理后要及时初查，并向上级检察院报告。

第二，专门侦查工作同广泛发动群众相结合，把斗争引向深入。我们推广广东清远市英德县、福建三明市清流县和西藏自治区检察院办理扎西措姆贪污案的经验。简要地说，就是抓住典型案例，与有关部门结合，及时召开宽严大会，体现惩办与宽大相结合的政策，形成“小气候”，发动“小高潮”。同时，结合纠正行业不正之风，抓住重点系统和行业的犯罪线索，以点带面地抓，系统地抓，力争深挖，扩大战果。

第三，发动群众开展举报。举报已成为侦查线索的主要来源之一，要大力改变线索积压的状况，以调动和保护群众的举报热情。要提高初查效率，及时反馈、取信于民。要注意保护举报人，奖励举报有功人员，严肃查处打击报复举报人和借举报诬告陷害他人的案件，使举报工作在反贪污、反贿赂斗争中更好地发挥威力。

第四，踏踏实实地开展侦查工作。要重证据而不轻信口供。侦查工作的根本目的是为了取得确凿的犯罪证据。在侦查工作中，既要反对以捕代侦的简单化，又要反对神秘化。调查工作要秘密地进行，但不能搞得神神乎乎，以致脱离群众和受骗上当。要正确、适时地运用各种法定侦查手段。接到线索进行初步调查要放开。在通常情况下，立案不得向被侦查对象宣布。立案后采取强制措施既要慎重又要适时，如果发现有串供、毁证、逃跑可能的，只要有过硬的犯罪证据，就要果断处置。如果经过侦查，有嫌疑但拿不到确凿证据时，不能久押不决，要有勇气撤案。

第五，从严掌握免诉，依法行使免诉权。从近几年的实践情况看，各地检察院在免诉工作中，普遍存在免诉率过高，一般都超过审结数的50%，个别的高达70%。虽然其中大多数是五千元以下的罪案，有的也是法律许可免诉的，但确实存在滥用免诉的现象，主要是将以下三种不应当免诉的作了免诉处理：一是罪行较重，应该提起公诉的；二是事实不清、证据不足的；三是不构成犯罪的。不管哪种情况作免诉处理，后果都不好。特别要警惕的是，发展下去必然会形成打击不力或者冤枉无辜。对此，我们决不能掉以轻心。今后，从高检院做起，各级检察院都要严格掌握免诉的法定条件，把免诉对象限制在法定的数额较小、情节较轻的案件上，并且必须由检察委员会作出决定，下级检察院作出的免诉决定要报上一级检察院备案，以保证正确行使免诉权，把过高的免诉率降下来。高检院将对免诉工作程序作出具体的规定。

第六，加强宣传教育工作，树立为经济建设服务的思想。从严惩治贪污、贿赂、挪用公款、偷税抗税、假冒商标等犯罪活动，对维护国家经济秩序，促进经济发展，是不可缺少的一个保障。要通过生动事例，向广大干部进行宣传与教育，纠正“反贪污斗争影响生产发展”、“搞活经济就要对经济犯罪‘松绑’”等错误认识。同时，检察机关必须明确为经济建设服务的观点。处理每一个案件，都要考虑全局，要千方百计地为经济发展创造良好环境，使办案工作取得积极的社会效果。当前，要严格区分经济交往中必要的应酬与贪污、贿赂犯罪的界限，分清哪些是合法的行为，哪些是不合法的，哪些是犯罪的。对罪与非罪界限不清和有争议的案件，要慎重处理或暂缓处理。在办理涉及生产、经营、管理部门主要领导成员和关键岗位的技术、管理、经营人员的案件时，要及时向党委、政府反映情况，建议调整有关人员，采取恰当措施，避免生产、经营、管理、流通等活动脱节。在办案中，不要轻易冻结银行帐户，保护企业产品产、供、销正常渠道的畅通。要积极做好防范工作，加强综合治理意识，对因管理疏漏、制度不健全而发生贪污、贿赂等犯罪案件的，要结合办案，分析研究堵塞漏洞的办法，提出检察建议，推动有关部门严密会计制度、审计制度，健全和完善行政管理。

第七，要继续抓紧对偷税抗税、假冒商标、挪用公款等犯罪案件的查处工作。1—9月全国检察机关立案侦查偷税抗税罪案5427件，假冒商标罪案244件，挪用公款罪案8556件(其中十万元以上不满五十万元的641件，五十万元以上不满一百万元的47件，一百万元以上的61件)。查处这类犯罪案件，对保障国家财政收入，促进治理整顿和深化改革都是有意义的。

二、关于坚持依法从重从快严厉打击严重刑事犯罪问题

今年以来，打击刑事犯罪突出抓了几项工作：

1、贯彻了依法从重从快方针，同公安、

法院、司法行政部门配合，严厉打击严重刑事犯罪活动。5月以后，根据中央政法委员会电话会议精神，在各级党委领导下，各级检察机关积极参加了集中打击的统一行动。1—9月共受理公安机关提请批捕人犯547559人，已审查批准逮捕473333人，批捕数比去年同期增加16.8%；受理公安机关移送起诉534566人，已审查提起公诉429534人，起诉数比去年同期增加18.9%。其中，在“严打”期间批准逮捕的有311909人（内有七类重点打击对象119675人，犯罪团伙成员17212人），提起公诉的280569人。

2、坚持了提前介入制度。各级检察院对重大、特大犯罪案件特别是重大团伙犯罪案件，基本上做到了提前介入。据不完全统计，各级检察院在侦查阶段提前介入36262件（次）；在准备移送起诉阶段提前介入10309件（次）。各地认真总结经验，千方百计改善交通、通讯条件，提前介入工作有了进一步开展，缩短了办案时间，提高了效率，信息比较灵了，贻误战机的事少了。

3、加强侦查监督和审判监督。各级检察院在审查公安机关提请逮捕和移送起诉的案件中，对38608名不构成犯罪或已经构成犯罪不需要逮捕的人犯，作出了不批准逮捕决定；对2383人作出了不起诉的决定。各级检察院通过发现新线索，深挖余罪、漏犯和隐蔽较深的犯罪分子，共追捕6407人，追诉3599人。对公安机关侦查活动中的违法情况提出纠正意见8926件（次）。对人民法院审判活动中的违法情况提出纠正意见2359件（次）。在审判监督中，重点抓了二审监督，对人民法院确有错误的判决、裁定提出抗诉1698件。

4、及时依法批捕、起诉了一批暴乱中的犯罪分子。这项工作即将结束。

当前，治安形势仍然相当严峻，有些地方刑事犯罪活动猖獗；全国刑事案件特别是重大特大案件发案数居高不下；杀人、抢劫、强奸、爆炸等恶性案件时有发生，少数敌对分子的破坏活动还没有遏止住；赌博、卖淫嫖娼、贩毒、拐卖人口等违法犯罪活动还在一些地方蔓延；个别地方出现了带有黑社会性质的犯罪团伙；一批为数不少的逃犯尚未抓获。这些不安定因素仍然是危害治安的潜在危险。人民群众对治安不好特别是偷盗多反映很强烈。

打击严重刑事犯罪仍然是我们的另一个工作重点，1991年要抓好以下几点：

1、树立长期作战的思想。我们国家各种滋生、诱发犯罪的消极因素还大量存在，显现出同刑事犯罪斗争的反复性和长期性。必须坚持“严打”方针，在任何情况下，思想上不能懈怠，工作上不能放松。

2、依法从重从快打击的重点是中政委电话会议规定的七个方面的犯罪。要严厉打击杀人、抢劫、爆炸犯和惯犯、累犯以及团伙犯罪分子。要巩固发展扫黄、除“六害”的成果，坚决打击制造、贩卖、运输毒品以及制作、贩卖淫秽物品和拐卖妇女、儿童的犯罪分子。要与有关部门密切配合，从实际出发，因地制宜，积极参加形式不同的专项斗争。对于那些情节严重恶劣的重大、特大案件，要抓紧弄个水落石出，及时从严惩处。

3、加强侦查监督、审判监督。坚持提前介入制度，做好批捕、起诉工作，要抓紧审查，及时交付审判。对侦查活动和审判活动中的违法情况要及时提出纠正，注意防错防漏。

4、不断提高出庭支持公诉的水平，重点做好重大疑难案件和自侦案件的出庭支持公诉工作。重大特大案件提倡检察长亲自出庭。公诉人员要增强临场应变能力，提高答辩水平和答辩艺术，努力扩大办案的宣传、教育效果。要加强出庭人员的业务培训，培养更多的优秀公诉人。

5、高度重视青少年犯罪问题。检察机关要协同有关部门，做好预防和改造青少年犯罪工作。按照政策法律的规定，对于那些罪行较轻、初次犯罪的青少年，区别对待，从宽处理。要通过办案和其他渠道耐心地做对犯罪青少年的教育、感化、挽救工作。

6、积极参加社会治安综合治理。目前已经普遍在做的工作很多，如结合办案进行法制宣传，发动群众，揭发、检举犯罪；做好被免诉人员的帮教工作；协助劳改、劳教单位开展教育改造工作；在接待来信来访中，对容易引起矛盾激化的案件，及时做好疏导教育工作；对发现的管理工作中存在的隐患、漏洞，积极提出检察建议，减少犯罪分子的可乘之机，等等。这方面工作要进一步做好，逐步规范化、制度化。

三、关于加强法纪检察工作，严肃查处“侵权”、渎职案件问题

今年以来，各级检察院逐步加重了法纪检察工作的份量，大力开展了立案标准的宣传活动，立案查处了一大批“侵权”、渎职案件。1—9月，全国检察机关受理“侵权”、渎职案件35800多件，立案侦查12000多件。各级检察院都把主要精力集中在查处大案、要案上，共查处重大案件1438件，特大案件416件。查处县处级以上干部犯罪92人，其中厅局级干部犯罪的5人。从立案侦查的案件看，法纪检察工作正在稳步健康地发展。其主要标志是：受案数、立案数、重大特大案件数都高于往年；查处的国家工作人员犯罪案件5464件，多于以往同期数字。同时对2万余件不够刑事处罚的案件，也认真地进行了调查，做了息诉工作。勘查重大责任事故等案件现场23000余次。这些工作促进了民主政治建设和廉政建设，保障了公民的民主权利和人身权利，群众反映很好，很得人心。

当前，“侵权”、渎职案件的发案情况仍然是严重的。一是以绑架、扣押人质等方法逼还债务的侵犯公民人身权利案件比较严重。尤其是公检法机关和人员参与这种活动，助长了地方保护主义，破坏了正常的执法秩序，造成极坏的影响。二是以购销和信贷活动中玩忽职守为重点的各种渎职犯罪案件屡有发生，损失惊人。仅据高检院备案的173件特大案件统计，造成直接经济损失5.8亿元。三是恶性责任事故案件发案较频，后果惨重。1—9月，全国受理重大责任事故案件9855件，立案侦查的2965件，就造成死亡4923人，直接经济损失6490万元。四是贪赃枉法、徇私舞弊案件群众反映强烈。

法纪检察工作面临艰巨的任务。但我们的工作仍不适应，专业人员数量较少；一些地方对法纪检察工作的重要性认识不足，存在“说起来重要，干起来次要，忙起来挤掉”的状况；少数领导同志不会“弹钢琴”，顾此失彼，不能保持法纪检察干部队伍相对稳定；侦查工作比较薄弱。为此，必须提高认识，采取有效措施，使法纪检察工作得到切实的加强。

1、深刻认识加强法纪检察工作的重要意义。今年9月6日，乔石同志在高检院编发的《检察院情况反映》（查处“侵权”、渎职犯罪特大案件专刊）第91期上批示：“刑讯逼供的严重案件，务必坚决查处，依法惩办。这也是处理队伍不纯，加强队伍建设的重要方面。”我们要把贯彻这个批示提高到密切党和人民群众的血肉联系，维护党和政府崇高威望这个高度来认识，从纯洁队伍、建设队伍入手，自觉地把法纪检察工作抓得更紧一些，位置提得更高一些，克服畏难情绪，严肃履行法律职责。

2、集中精力查处大案要案。当前，要依法坚决查处刑讯逼供、非法拘禁、玩忽职守、重大责任事故、徇私舞弊案件，突出查处大案要案，力争明年有新的进展。各级检察院的领导同志要重视和参与大案要案的查处，排除干扰和阻力，精心组织指挥，保证办案的效率和质量。

3、要健全法纪检察机构，充实办案力量，保证业务骨干的稳定。各级领导要提高领导艺术，合理安排办案力量，不要打乱专业分工，临时拼凑力量，搞"单打一"，以免影响正常的工作秩序。

4、提高侦查工作水平。法纪案件侦查同反贪污、反贿赂侦查一样，同属内部侦查范畴，工作难度大，领域广，侦查人员要加强学习，提高侦查意识，熟练地运用各种侦查手段，及时、准确地收集证据。侦查工作要强调迅速及时，初查要放开，不能久拖不决，该立案的要果断地立案。要总结和交流"侵权"、渎职案件侦查经验，在实践中培养法纪案件侦查专家。

四、关于监所、铁路运输、控告申诉、民事行政诉讼监督和检察技术、法律政策研究工作问题

今年以来，监所、铁路运输、控告申诉等检察工作开展得也比较活跃，都取得了明显成绩。

1—9月，全国检察机关共起诉劳改犯、劳教人员犯罪2484人，查处了一批监管改造场所干警体罚虐待、索贿受贿、私放罪犯案件，稳定了监管改造场所秩序，促进了文明管理。

各级铁路运输检察院与铁路公安、法院配合，大力整顿铁路治安秩序，严厉打击各种危害旅客和铁路运输安全的犯罪活动。1—9月，共批准逮捕犯罪分子8165人，提起公诉7969人。同时，各级铁路运输检察院结合整顿铁路行业不正之风，认真查处了铁路货运、工程、多种经营中的贪污、贿赂犯罪案件。1—9月，全国铁路运输检察院立案贪污、贿赂案674件，其中大案要案132件。

1—9月，共受理公民控告、申诉719926件；查处不服免诉的申诉3295件，纠正354件；查处不服法院判决、裁定的申诉1474件，对经过调查认为确有错误、向人民法院提出纠正意见的117件，保障了公民控告、申诉权利的行使。

1—6月，检察技术部门共作检验鉴定24791件；现场勘验7467次；文证审查2806件。为查实案件提供证据材料17061件。检察技术工作，已经在办案中发挥了一定作用。

1991年，在保证重点工作的同时，各项检察工作都要有新的发展。

监所检察要加强对监管改造场所执行法律情况的监督，严格纠正执行刑事判决、裁定和监管改造活动中的违法行为，坚决制止体罚虐待被监管人的违法现象。同时，努力实现劳改、劳教检察派出机构工作制度化。

铁路运输检察工作，要紧紧围绕铁路企业的特点，把工作重点放在查处"以车谋私"的贪污、贿赂犯罪案件上；要严厉打击"车匪路霸"、流窜犯罪和团伙犯罪活动。

控告申诉检察工作，要继续坚持检察长亲自批阅来信、接待来访群众的作法，对重大上访案件，各级领导要亲自处理；要分析研究控告、申诉的变化情况和重要的社情动态，为领导决策和指导工作提供可靠依据。

行政诉讼法律监督工作，要根据行政诉讼法的规定，依法承担监督职责。民事法律监督，要根据“两高”关于试点工作的通知，本着“积极、认真、稳妥”的原则，作好调查研究和试点工作。

抓好省、地、县三级检察技术点建设，进一步提高搜集、鉴别证据的能力，充分运用科学技术手段为办案服务。

法律政策研究工作，要在理论与实践的结合上做出新的努力。当前，研究的重点是：贪污、贿赂犯罪和“侵权”、渎职犯罪中的法律问题，抓紧《反贪污法》（草案）的起草工作；自侦工作在法律监督中的作用问题；完善检察机关的领导关系问题；建设基层派出机构在检察体制中的地位问题；自侦案件的范围问题；刑法、刑诉法和检察院组织法的修改等，探索、研究、总结有中国特色的检察制度。要根据比较成熟的经验，适时进行应用法律的司法解释。

五、关于坚持党的领导和严格执行法律的统一问题

检察机关必须强调严格执法，在办案中，不论犯罪分子是一般老百姓还是国家工作人员或者是领导干部，都应坚决依法查处。如果遇事左顾右盼，畏首畏尾，不敢究举，不敢碰硬，那就有愧于检察官的光荣称号。

要做到严格执法就必须坚持党的领导。党领导人民制定法律，党又要领导人民执行法律。我们国家是共产党领导的。检察机关是国家一个重要的司法机关，又是执行国家法律监督的专门机关，必须置于党的绝对领导之下，必须坚决贯彻执行党的路线、方针、政策。这是任何时候、任何情况下都不能动摇的根本原则。检察机关必须紧紧依靠党委领导。党委领导全面工作，站得高、看得远，经验多。随着社会主义民主越来越发展，法制越来越完善，党委领导执法的水平也越来越高。我们自觉地服从党委领导，有助于开阔视野，考虑问题更全面，处理问题更妥当；排除阻力、解决困难也更有力量。如果没有党委领导，检察机关孤军作战，就无法履行法律监督职责。

检察机关要坚决贯彻党的路线、方针、政策，对工作中的重大问题和重要案件的情况，要经常向党委请示报告，正确地依法独立行使检察权。

严格执法，还要求检察机关必须坚决纠正和杜绝自身的违法行为。目前，少数地方存在执法不严肃或不敢严格执法的现象。少数地方停止使用收容审查之后，又把监视居住搞成变相收审、拘押，把被告人放在一个地方管起来，完全限制被告人的人身自由，这是违法的。另外，超期羁押的问题也比较严重。因此，必须增强执法观念，严格依法办事，加强侦查工作，坚决纠正各种违法现象。

六、关于加强思想政治工作，提高队伍素质，推进物质装备建设问题

今年8月高检院召开第一次政工会议，贯彻落实党中央5月21日关于建立高检院政治部的“批复”精神，明确了检察机关政治工作的任务、特点和内容，使政治工作进入了一个新的发展阶段。1991年要做好以下几件主要工作：

第一，针对检察工作的特点开展思想政治工作。检察机关是以法律为武器的战斗队伍，拥有广泛的司法权力，是监督执法的，经常接触社会阴暗面，而且物质生活条件比较清苦。因此，要求检察人员具有很高的政治觉悟，有秉公执法、廉洁奉公的高尚品质。要深入持久地进行马克思主义基本理论教育、职业道德和职业纪律教育。当前，要组织学习马列主义关于社会主义的基本理论，学习哲学，学习毛泽东著作、邓小平著作，学习江泽民等中央领导同志的重要讲话。使广大检察人员牢牢树立共产主义世界观和全心全意为人民服务的思想，自觉坚持四项基本原则、反对资产阶级自由化，关心大局，严以律己。

第二，建设坚强的领导班子。中央多次提出，领导权必须牢牢掌握在忠于马克思主义、德才兼备的人手里。经过去年平息动乱暴乱的检验，各级检察院的领导集体，绝大多数表现是好的，是坚强的有战斗力的。但也有个别领导班子或多或少地存在问题，表现思想懒惰，不求进取，闹不团结。高检院和省级院的政治部要在党组领导下，协助地方党委对存在这样那样问题的班子有计划、有重点地进行整顿和建设，健全党内民主生活制度，把领导班子真正建设成富有战斗力的核心。各地要抓紧后备干部队伍建设。

第三，加强干部培训工作。检察机关“七五”计划时期的培训规划已基本完成，检察队伍的文化、专业结构有了改善，各级检察长有44%以上受过培训，全国已有5万多检察人员接受了专业培训。干部教育培训工作具有战略意义，在“八五”计划期间，要贯彻巩固、提高的指导思想，在提高政治素质的同时，大力加强岗位职务培训，继续抓好学历教育和专业证书教育。今明两年要把新换届的检察长轮训一遍；抓紧建设经国家批准的中国检察官学院，继续做好高级检察官培训工作；对少数民族地区的干部培训工作进行深入的调查，作出发展规划，予以重点扶持。

第四，坚持从严治检，严格执行纪律。《检察人员纪律》颁布后，各级检察院进行了纪律整顿、作风整顿，建立健全制度。从目前的情况看，检察队伍存在一些相当严重的问题，主要是利用工作和职务之便徇私舞弊、索贿受贿、敲诈勒索等违法违纪案件上升。今年1—8月有527名检察人员违法违纪，比去年同期增加19.5%，占检察人员总数的3.1‰。在已查清结案的430名违法违纪的检察人员中，有136人受到了党纪处分（其中开除党籍21人）；199人受到政纪处分（其中开除公职15人）；76人被依法追究刑事责任。

高检院贯彻党中央、国务院纠正行业不正之风的精神，部署了第四季度开展执法执纪情况大检查工作。各地要认真贯彻从严治检，纠正行业不正之风，推进检察机关自身的廉政建设。明年要以查处利用职务之便索贿、受贿、敲诈勒索和徇私舞弊等违法违纪案件为重点，继续整顿纪律、整顿作风。对违法违纪案件要彻底逐案查清，严肃处理。要一级抓一级，切实抓出成效。

要抓紧物质装备建设。检察机关底子薄，在办案条件、物质装备、干部待遇等方面都存在很大困难。近几年，在国务院以及国家计委、财政部和地方各级政府的支持下，检察机关的物质装备有了一些改善。业务经费和交通工具略有增加；侦查技术设施建设开始起步。但是，现在我们在办案经费和物质装备方面的困难仍然很大。各地要如实地经常地向党委和政府汇报，并用自己的工作成绩来赢得支持，不断改善工作条件。

要加强检察工作制度建设和继续探索、稳妥地进行体制改革，以保证检察事业发展的后劲。抓紧起草并早日向全国人大常委会提出《检察官条例》（草稿），实现对队伍的科学管理和依法管理。明年我们将召开第九次检察工作会议，专门讨论检察工作的发展和建设的一些重大问题，总结有中国特色的检察工作经验，推进检察工作的正规化、现代化建设。

同志们，我们要在已经取得成绩的基础上，再接再厉，继续发扬团结协作、艰苦奋斗、无私奉献的精神，把北京“亚运”精神贯彻到1991年实际行动中去，使今冬和明年的工作更上一层楼！

在检察机关实施行政诉讼法工作会议上的讲话

最高人民检察院副检察长　张思卿

（1990年9月12日）

同志们：

检察机关开展民事、行政诉讼法律监督调查研究和试点工作已有一段时间了，现在行政诉讼法即将实施，我们要依法正式承担对行政诉讼的法律监督职责。根据复之同志指示，高检院决定召开这样一次会议。会议开了两天，大家对前段时间的调查研究和试点工作进行了总结和交流，重点对行政诉讼法实施后的工作进行了讨论和研究，提出了许多很好的意见。现在，我根据大家讨论的情况和反映的主要问题，讲几点意见。

一、检察机关开展民事、行政诉讼法律监督的调查研究和试点工作是必要的，是有意义的。

检察机关对民事、行政诉讼实行法律监督的调查研究和试点工作是从1986年下半年开始的。通过对这几年工作的回顾、总结，我们可以看出，各地检察机关的同志在开展这项工作的过程中，兢兢业业，埋头苦干，开拓前进，努力工作，取得了相当大的成绩。这主要表现在如下几个方面：

第一，调查研究和试点工作，为检察机关实行民事、行政诉讼法律监督打开了初步局面。检察机关对民事、行政诉讼实行法律监督是检察工作的一个新领域、新课题。当时，高检院从完善检察机关法律监督制度和国家政治、经济和法制建设客观形势发展的需要出发，依照有关法律规定的精神，决定开展这项工作，没有也不可能提供一个现成的模式。按照高检院提出的要求，先是由高检院和少数地方的检察院着手进行对民事、行政诉讼法律监督有关问题的调查研究，象辽宁、四川、湖北和宁夏等地都是调查研究起步较早的地方。他们的做法很快在其他地方推广开来。一些地方检察院在进行调查研究的基础上，开展了对具体民事、经济、行政案件实行诉讼监督的试点工作，取得了较好的效果。从目前的反映来看，各级党委、人大和政府对检察机关实行民事、行政诉讼法律监督是支持和肯定的。一些地方人民法院对我们开展这项工作给予了积极的配合和帮助。我国法学理论界也予以很高的评价。特别是在一些进行了试点工作的地方，人民群众对检察机关监督民事、行政诉讼是欢迎的、赞扬的。这说明，我们的这项工作已经有了一个良好的开端。

第二，调查研究和试点工作为检察机关顺利开展民事、行政诉讼法律监督业务积累了实践经验，培养了干部队伍。各地在开展调查研究的过程中，注意收集、积累大量的第一手材料，写出了不少专题报告和理论文章，分别从不同的角度，对检察机关监督民事、行政诉讼的必要性和可行性作了阐述，对一些基本问题进行了研究和探讨，其成果是丰富的，特别是不少地方的检察机关通过派人到有关部门了解情况，通过尝试对具体案件的诉讼监督活动，把理论与实践结合起来，解决了不少实际问题。有的还把实践经验进行总结和归纳，起草制定了有关工作制度和业务细则。各地检察机关从事这项工作的同志，通过调查研究和试点，边学边干，较快地掌握了民事、经济、行政法律、法规，熟悉了有关诉讼业务知识。他们正在成为检察机关开展民事、行政诉讼法律监督业务的骨干力量。

第三，调查研究和试点工作为有关法律的制定和修改提供了依据，特别是对行政诉讼法规定检察机关监督行政诉讼的内容起了促进作用。在这方面，全国人大常委会法工委提出过多次要求。我们的指导思想也是明确的，就是要通过开展民事、行政诉讼法律监督调查研究和试点，为制定行政诉讼法和修改、补充民事诉讼法提供充分的理论和实践依据。过去这段时间，各地在总结、归纳调查研究成果和试点经验的基础上，提出了一些很好的立法建议。在去年制定的行政诉讼法中，规定了检察机关要对行政诉讼实行法律监督，也规定了检察机关有权按审判监督程序提出抗诉。这就解决了检察机关如何监督行政诉讼的问题。

实践证明，我们开展民事、行政诉讼法律监督的调查研究和试点，走的路子是对的。无论是从检察机关自身建设，还是从社会效果，乃至从国家法制建设的整个发展趋势来看，我们开展这项工作是有益的工作，是有意义的工作。我们检察机关搞这项工作的同志，对于打开这项工作的局面，付出了辛苦劳动。在此，我代表高检院向大家表示慰问。

我在去年高检院办的民事行政检察学习研讨班上说过，民事、行政诉讼法律监督是一个新领域、新工作。新事物的开始总是很难的，有点困难，是不可避免的。这也是个锻炼。我们好在已经开了头，有了起步。我们要对这项工作树立信心，坚持把它干下去，干好。

二、当前的工作重点是贯彻实施好行政诉讼法。

我国行政诉讼法从10月1日起实施。党中央、国务院对这项工作很重视。李鹏总理在今年的《政府工作报告》中说，行政诉讼法的实施“是我国法制建设中的一件大事，是发扬社会主义民主，健全社会主义法制，建设社会主义民主政治的一个重要步骤。”几天前，国务院专门召开了实施行政诉讼法电话会议。姚依林副总理在讲话中进一步说明了实施行政诉讼法对国家政治生活、经济生活和社会生活的重要性。为了实施好行政诉讼法，国家行政部门和法院系统做了大量的准备工作。行政诉讼法已经明确规定人民检察院有权对行政诉讼实行法律监督，这是国家法律赋予检察机关的新的职责。认真履行好这一职责，对于保证国家行政法律的统一、正确实施，维护行政机关依法行使职权，保障公民、法人和其他组织的合法权益，增强和完善检察机关的法律监督职能，促进我国检察事业的发展，都具有重要意义。为了顺利贯彻实施行政诉讼法，高检院于今年3月专门发出了《关于做好〈中华人民共和国行政诉讼法〉实施准备工作的通知》。最近要再发一个关于认真做好行政诉讼法实施工作的通知，要求各级检察机关进一步重视起这项工作，认真执行行政诉讼法的有关规定，特别是有关抗诉的规定，切实依法承担对行政诉讼的法律监督职责。检察机关的民事行政检察部门作为专门业务部门，当前应明确地把工作重点放到实施行政诉讼法方面来。我们这个部门的业务是双重的，既要负责行政诉讼法律监督工作，又要负责民事（包括经济）诉讼法律监督工作。在行政诉讼法对检察机关监督行政诉讼已经作出明确规定的情况下，我们开展这方面的工作就有法可依，行之有据了。把工作重点放在这个上面，就好比抓住了“龙头”，能够起带动和促进作用。通过实施行政诉讼法，搞好对行政诉讼的法律监督，可以带动和促进民事诉讼法律监督调查研究和试点工作的深入开展。我们根据行政诉讼法的规定，对行政诉讼实行法律监督，可以积累经验，为民事诉讼法律监督的实践提供借鉴和参考。行政诉讼法的这两条规定行不行？能不能满足对诉讼活动实行法律监督的需要？我们可以通过实践检验，在修改和补充民事诉讼法时，提出更加符合实际的立法建议。

关于如何具体实施行政诉讼法，根据行政诉讼法的规定，检察机关对行政诉讼的法律监督，目前主要体现在按审判监督程序提出抗诉的环节上。为此，高检院起草了《关于执行行政诉讼法第六十四条的暂行规定》（征求意见稿）。这个稿子总体上是可行的，各地可先按这个暂行规定办，然后再根据大家的意见进行修改正式下发。行政诉讼法实施后，各地在依法对人民法院已经发生法律效力的判决、裁定提出抗诉的过程中，要吃透案情，务必搞准，保证抗诉质量。

三、继续深人进行民事行政诉讼法律监督的调查研究和试点工作。

继续深入进行民事行政诉讼法律监督的调查研究和试点，是当前检察机关民事、行政检察工作的又一个任务。

关于下一步的调查研究工作，既包括执行行政诉讼法的调查研究，也包括完善民事诉讼法的调查研究。检察机关对行政诉讼实行法律监督，虽然行政诉讼法已经作了两条规定，但有一些问题还要进一步研究解决。对此，王汉斌副委员长在作《关于〈中华人民共和国行政诉讼法〉（草案）的说明》时指出：“人民检察院有权对行政诉讼实行法律监督。人民检察院对人民法院已经发生法律效力的判决、裁定，如果发现有违反法律规定的，有权依照审判监督程序提出抗诉。关于人民检察院在行政诉讼中如何进一步实行法律监督问题，现在还有一些不同意见，难以作出具体规定，需要在今后的实践中进一步研究和探索。”对行政诉讼法执法问题的研究，主要是如何具体执行第十条的规定，要提出切实可行的意见来。民事诉讼法律监督的调查研究要抓紧、抓好。调查研究的重点主要应放在两个方面，一是检察机关监督民事诉讼的必要性和可行性。要用专题调查报告和典型案例材料来说明。实践中这样的材料是很多的。要搞些案例材料来说明检察机关监督民事诉讼确实是必要的。二是除了要把“事后监督”作为一个主要问题进行研究外，也要对检察机关参与民事诉讼的问题进行探讨和论证。总之，我们要掌握大量的一手材料，使我们提出修改和补充民事诉讼法的立法建议的工作建立在科学的基础上。

关于下一步的试点工作。试点也是调查研究。高检院经过与高法院协商，已就试点问题达成了一致意见，并联合下发了“两高”《关于开展民事、经济、行政诉讼法律监督试点工作的通知》。这为我们下一步的试点工作创造了较为有利的条件。根据“两高”联合通知规定，四川、河南进行了民事诉讼法律监督试点；天津、吉林进行经济诉讼法律监督试点；广东、湖北进行行政诉讼法律监督试点。民事（经济）诉讼法律监督的试点，主要是为民事诉讼法规定检察机关监督民事诉讼的程序问题提供实践经验。行政诉讼法律监督试点，主要是对行政诉讼法未规定明确的问题进行实践探索。这六个省、市要抓紧制订措施选择好试点单位，提出试点方案，积极进行试点工作。“两高”通知指定试点的六个单位，我们要加强领导。其余省、自治区、直辖市已进行的民事、经济、行政诉讼法律监督试点工作还要坚持下去，总结经验，积累材料，为修改和补充民事诉讼法提供实践依据，为今后全面开展业务打下基础。

四、关于加强领导的问题。

加强领导，是检察机关做好行政诉讼法律监督工作的关键。一要进一步统一思想，提高认识。检察机关开展民事、行政诉讼法律监督，是检察工作的一项重要的任务。特别是行政诉讼法的实施，是我国法制建设的一件大事。依法对行政诉讼实行法律监督，是法律赋予检察机关的职责。各级检察机关必须履行好这一职责。否则，就有愧于职守，无法向党和人民作出交待，也无法向人大作报告。各级领导同志要提高认识，切实加强领导，把这项工作抓紧抓好。二要建立相应的机构，配备适当的力量，把这项工作认真担起来，省级检察院还没有建立民事行政检察机构的，要在10月1日之前建立起来。从工作发展来看，大、中城市检察院，市辖区检察院，分、州、市院和经济发达、人口众多的县检察院，都应建立业务机构，配备人员。其他地方根据需要和实际情况，逐步建立机构。一时没有条件设立机构的，可暂由控申部门来承担起这方面的工作。三要采取积极、认真、稳妥的工作方针。所谓积极，就是要加强案件受理工作，及时依法办案；所谓认真，就是要对申诉案件进行认真负责的审查，对法院正确的判决、裁定要给予支持，对确有错误的要依照行政诉讼法的有关规定，该抗诉的提出抗诉，对循私舞弊的，应按检察机关内部分工，转有关部门查处；所谓稳妥，就是在工作安排上，要从当地实际出发，先抓重要的，逐步地开展工作。四要抓好宣传工作。近两年检察工作的经验证明，无论是反贪污贿赂工作，还是贯彻“两高”《通告》，以及开展法纪工作，主要靠宣传。检察机关开展行政诉讼法律监督和对民事诉讼法律监督的调查研究和试点，是检察工作的一项新的任务，更需要加强宣传。要宣传检察机关在行政诉讼和民事诉讼中的职能、地位和作用，以取得广大群众的支持和监督，取得其它部门的配合和帮助。五要注意总结经验。特别要及时、认真地总结对具体案件的诉讼活动实行监督的经验，建立和完善有关工作制度，使这项工作逐步实现规范化、制度化。六要继续抓好干部培训工作。高检院要有计划培训民事、行政检察干部。各省、自治区、直辖市检察院都可举办短训班，提高这些干部的业务水平。今年要进行上岗前的培训。七要解决开展工作过程中的困难。鉴于机构初建，工作刚刚起步，困难较多，要切实解决工作中的问题和困难，为开展工作创造必要的条件。

在全国检察机关第二次反贪污贿赂侦查工作会议上的总结讲话

最高人民检察院副检察长　张思卿

（1990 年 10 月 17 日）

同志们：

我们这次会议已经开了五天，今天就要结束了。这是检察机关第二次反贪污贿赂侦查工作会议，根据复之同志关于这样的会议每年要开一次的要求，也可以说是一次例会。高检院党组对这次会议很重视，复之同志和党组其他同志接见了会议代表，并同各地的领导同志进行了座谈。赵登举同志在会上作了工作报告，比较全面地总结了今年以来反贪污、贿赂的工作情况和侦查工作经验，提出了下一步工作的意见。十几位同志在大会上介绍了侦查工作经验，通过具体、生动的案例，反映了广大检察干部反贪污、贿赂工作的成功实践和新鲜经验。会议还讨论了有关加强侦查工作的文件。与会同志普遍反映，这次会议开得是好的，达到了预期目的。这是大家共同努力的结果。

根据反贪污、贿赂的工作情况和会上大家提出的问题，我讲几点意见。

一、要充分肯定今年以来反贪污、贿赂工作的成绩。

今年以来，各级检察机关认真贯彻去年 11 月全国检察长工作会议的部署，继续把反贪污、贿赂斗争作为第一位工作，坚持“一要坚决，二要慎重，务必搞准”的方针，加强侦查工作，集中力量查处大案要案，取得了很大成绩，有了明显的进展。

今年 1 至 8 月，全国检察机关共受理贪污、贿赂案件 80528 件，比去年同期增加 17.1%；立案侦查贪污、贿赂案件 45104 件，比去年同期增加 70.1%；侦查终结贪污、贿赂案件 36687 件，比去年同期增加 1.6 倍；为国家挽回经济损失 63400 万元，比去年同期增加 2.8 倍。具体地讲，在以下七个方面有明显的进展：

一是侦破大案要案工作有明显的进展。今年 1 至 8 月，全国检察机关立案侦查的贪污、贿赂大案要案占立案总数的 30%多，是历史上比例数最高的。其中，大案 13493 件，比去年同期增加 1.02 倍；要案 924 件，比去年同期增加 2.6 倍。

二是侦破贿赂案件工作有明显的进展。今年 1 月至 8 月，全国检察机关共立案侦查贿赂案件 16634 件，比去年同期增加 66.2%。不少地方贿赂案件的立案数占贪污、贿赂案件立案总数的一半以上。贿赂案件过去一向被认为是立案难、取证难、认定难的案件，现在有了很大的突破。

三是侦破一些重点行业和基层执法部门的贪污、贿赂案件有明显的进展。各地检察机关根据近年来贪污、贿赂犯罪行业性比较强的特点，深入发案多、群众举报多的重点行业和单位，从具体案件入手，认真分析行业管理特点，掌握犯罪的基本手段和规律，有针对性地采取侦查措施和对策，提高侦破能力，查获了一大批贪污、贿赂案件。发生在重点行业和单位的案件，往往有“办一案带一串，挖一个端一窝”的特点。我们在这方面的工作加强了、深入了，因此办的“群案”、“串案”多。

四是在提高侦查工作水平方面有明显的进展。去年第一次反贪污贿赂侦查工作会议以后，各地普遍重视了加强侦查工作，把提高侦查水平作为反贪污、贿赂斗争的关键环节来抓，从培养干部的侦查意识入手，以收集和审查证据为核心开展侦查工作，侦查水平有了新的提高。今年以来不少地方办的案件中有三分之一是在查别的案件中带出来的。福建办7个案子带出157个，北京办46个案子挖出242人。在赵登举同志的报告中和会上介绍的经验中，都讲了不少具体的事例，案子侦破的好，经验总结得也好，集中反映了一年来我们在加强侦查工作上的进步。实践证明，在提高侦查水平方面，我们努力的方向是对的，也是有成效的。

五是熟练运用各种侦查手段有明显的进展。广大检察人员在侦查中，围绕收集和审查证据这个核心，解放思想，依法办事，根据不同案件的具体情况，大胆、灵活地运用法律规定的各种侦查手段，破获案件。总的看，熟练运用侦查手段的能力普遍增强，特别是通过秘密调查获取证据的能力有了较大的提高，取得了成功的经验。高检院决定自侦案件不准使用收审以后，各地基本上执行了这个规定，促进了在调查取证上下功夫，有效地防止了以收审代替侦查的不良现象，保证了办案质量。

六是反贪污、贿赂专门机构建设有明显的进展。到目前为止，已有19个省级检察院，100多个分、州、市院建立了反贪污贿赂工作局。各地在加强专门机构建设中，把主要精力放在办案上，放在侦查工作上，以专门机构建设促进反贪污贿赂斗争的深入发展。实践显示了建立反贪污贿赂工作局的必要性。今年6、7月间，高检院召开了全国检察机关反贪污贿赂工作局局长座谈会，举办了培训班。“反贪局在行动”，引起了社会各界的关注和重视，已经有了一定的影响。

七是侦查设施建设有明显的进展。各级检察机关依靠党委、政府和有关部门的支持，从实际情况和工作的迫切需要出发，加强侦查设施建设，都不同程度地解决了一些实际问题。侦查设施建设的明显进展，对加强反贪污、贿赂侦查工作，提高办案效率，起到了重要的作用。

从以上七个方面的分析中可以看出，今年的反贪污、贿赂工作确实是取得了很大成绩，有了明显的进展，形势很好。我们所以能够取得这样的成绩，首先是党中央和各级党委正确领导的结果。以江泽民同志为核心的党中央十分重视加强廉政建设，各级党委进一步重视了反腐败斗争，给了我们坚强有力的领导和支持，巩固和发展了去年“两高”《通告》形成的好形势，保持了反腐败的大气候。同时也是各地检察机关切实把反贪污、贿赂作为第一位的工作，加强了专门工作的结果，是全体检察干警特别是反贪污贿赂部门的广大干警辛勤努力的结果。我们的干警确实很辛苦，也很清苦，但是精神状态很好，工作很勤奋，兢兢业业，任劳任怨，不怕疲劳，连续作战，不少人身体素质下降，很多人带病坚持工作，默默无闻地战斗在反贪污、贿赂的第一线。他们的革命精神和有成效的工作应该得到充分的肯定和赞扬。我在这里代表最高人民检察院，代表复之同志，向他们表示崇高的敬意！向积极支持我们工作的检察人员的家属表示衷心的感谢！我们一定要充分肯定成绩，鼓舞士气，坚定信心，再接再厉，夺取反贪污贿赂斗争的新胜利。

二、要清醒认识反贪污、贿赂斗争形势，树立长期作战思想，深入开展反贪污、贿赂斗争。

检察机关的反贪污、贿赂斗争，是整个反腐败斗争的重要组成部分。党中央、国务院对开展反腐败斗争的指导思想是非常明确的，态度是非常坚决的，提出要坚持不懈地抓下去，做出切实的成效。今年8月，国务院专门召开电话会议，部署加强廉政建设，纠正行业不正之风。“廉政才能稳定，勤政才有希望”，已经成为越来越多的人的共识，各行各业各部门都开始行动起来，积极抓廉政、反腐败，廉政建设出现了一个好的开端，反腐败的大气候仍然是好的。

我们在看到廉政建设的好形势和充分肯定工作成绩的同时，也要看到工作中的不足和差距。主要是工作发展不平衡，一些情况相似的地方工作成果相差悬殊，对免诉掌握不严，免诉率过高；侦查工作还不能适应斗争的需要，侦查水平有待于进一步提高。我们还要清醒地认识到，反贪污、贿赂斗争是长期的，任务还相当繁重。群众举报的属于检察机关管辖的案件线索，还有很大数量没有进行初查；多年来形成的不正之风还没有从根本上得到遏制，在不正之风中掩盖了不少贪污贿赂犯罪活动；贪污、贿赂犯罪作为一种社会现象，将会长期存在。今年以来，我们查处的案件就有50%左右是去年“两高”《通告》以后新作案的。这说明，在我们的社会中还确实有不少大大小小的“冒险家”，在党和国家机关工作人员中还确实有少数经不起改革开放考验的意志薄弱者，他们钱迷心窍，利令智昏，以至不惜以身试法，进行贪污、贿赂犯罪活动。因此，我们必须始终坚持邓小平同志提出的“两手抓”，牢固地树立长期作战的思想，改革开放搞多久，反贪污、贿赂斗争就要搞多久。要继续把反贪污、贿赂斗争作为第一位的工作，不能有丝毫的松劲。要认真总结经验改进不足，把工作不断推向前进。

下一步的反贪污、贿赂工作要在“深入”上做文章。主要路子是：在党委领导下，从当地情况出发，集中力量抓大案要案的侦破，适时地召开宽严处理大会宣传国家法律和党的政策，兑现坦白从宽、抗拒从严，发动群众举报，号召有贪污、受贿问题的人坦白自首，及时地从组织上、工作上采取预防犯罪、保护企业、保护经济的措施。下面我就反贪污、贿赂斗争如何深入的问题讲几点意见：

(一)深入开展反贪污、贿赂斗争，必须结合实际，明确工作的方向。

1. 廉政的需要和群众的要求是我们深入的方向。深入开展反贪污、贿赂斗争，总的要求是从实际出发，突出抓办案，不提高指标，不要互相攀比。全国的情况不一样，经济发展的情况和开展反贪污、贿赂斗争的情况都不平衡。因此，各地要认真分析今年以来反贪污、贿赂斗争的情况，对过去的工作要有个基本估价，对面临的形势要有个清醒的认识，从当地的实际情况出发，抓住群众反映最强烈、本地最突出的问题，选定自己深入的方向。

2. 要把群众揭发出来的党政机关工作人员的案件作为重点。我们不能一般地提把党政机关作为反贪污、贿赂斗争的重点，但一定要把群众举报和我们在侦查过程中揭露出来的这类案件作为查处的重点。目前，群众举报党政机关领导干部的案件线索初查很少，如果我们对这个问题不认真对待，斗争就难以深入。

3. 要继续把发案多、群众反映强烈的

行业和基层执法部门作为重点。要结合正在开展的纠正行业不正之风和查处建私房、高标准装修房屋的工作，和有关部门密切配合，坚决查处从中揭露出来的贪污、贿赂犯罪案件。

4. 要继续下大力查处贿赂案件。权钱交易主要反映在贿赂案件上，这是腐败现象最突出的表现，也是人民群众最深恶痛绝的。要认真总结和推广今年查处贿赂案件的经验，使这方面的工作再上一个新台阶。

5. 要坚决依法查处巨额财产来源不明案件。这两年群众举报这类案件比较多，但查的很少。查处这类案件，是斗争深入的一个新领域。开始时会有一定难度，要争取有所突破。高检院正在抓紧制定实施细则。

（二）深入开展反贪污、贿赂斗争，要进一步提高认识。李鹏同志在国务院电话会议上指出：加强廉政建设，改进机关作风，是我国政权建设的一个极其重要的内容，是关系到国家兴衰的一件大事。我们要集中精力，下大力量，解决这个问题。反贪污、贿赂斗争作为反腐败斗争的重要组成部分，具有非常重要的意义。贪污、贿赂犯罪对治理整顿、深化改革和经济建设是消极因素、破坏因素。查处犯罪案件，惩治犯罪活动，挖出"蛀虫"，减少和消除这些消极因素和破坏因素，不仅不会影响生产，而且会促进企业生产的发展，促进经济建设，这已经为大量的事实所证明。李鹏同志在去年12月国务院第七次全体会议上，就曾经批评过把抓廉政建设说成是经济下降的原因的错误观点。从当前的情况看，反贪污、贿赂斗争不是搞过头了，而是还要坚持和深入下去。开展反贪污、贿赂斗争不仅对促进治理整顿、深化改革和生产发展有积极作用，而且还有很大的政治意义，对保证我们各级领导权真正掌握在忠诚于马克思主义的人的手中有重要作用。今年以来，我们有几个地方办了一些很有影响的案子，如洛阳市委书记武振国案件、福建清流县县委书记余有炜和湖南桃江县县长习铁良案件，等等。办理了这些案件，割除了党的健康肌体上的毒瘤，解决了一个地区、一个部门的领导权问题。让这些人在一个地区、一个部门主持工作，党的路线、方针、政策不可能在那个地方得到真正落实。我们要把认识统一到中央的指示精神上来，坚定不移地把反贪污、贿赂斗争进行下去，促进廉政建设、经济建设和政权建设。

（三）深入开展反贪污、贿赂斗争，要重视通过办案为经济建设服务。我们办贪污、贿赂案件要考虑为经济建设服务，妥善处理涉及到企业经营的有关问题，为发展生产创造条件，保护企业和经营者的合法权益。在查处发生在生产、经营部门的案件时，不要轻易冻结银行帐户，要注意保护企业产品产、供、销正常渠道的畅通。在办理企业主要领导人和生产、经营、管理岗位上的关键人员的案件时，要及时向党委反映情况，建议企业主管部门补充、调整有关人员，不使企业的生产和管理出现中断、脱节。要积极支持经济部门和企业经营者的工作，努力维护正常的生产和经营秩序，促进搞活经济、搞活企业。在办案后要通过剖析具体案例，进行法制教育和反腐败教育，帮助企业建立健全规章制度，从制度上、管理上和容易发生贪污、贿赂犯罪的经营活动的各个环节上堵塞漏洞，做好综合治理工作，预防和减少犯罪。

（四）深入开展反贪污、贿赂斗争，还必须大力加强宣传工作。今年检察机关反贪污、贿赂的宣传工作搞得比较活跃，有一些新做法、新经验，效果是好的。主要形式是经常向党委、人大、政府、政协报告反贪污、贿赂工作情况；通过举行新闻发布会向人民群众汇报查处大案要案的情况；举办一个地区反贪污贿赂展览或重大案件的个案展览；带着案件到发案单位以案释法进行宣传，等等。最近高检院还肯定和推广了广东清远市、福建三明市利用典型案例在一个地区形成宣传攻势的经验。宣传工作使反贪污、贿赂斗争得到了各方面的理解和支持，起到了发动和组织群众同贪污、贿赂犯罪作斗争的作用。今后要继续抓好宣传工作，坚持已有的成功做法，创造适合当前情况的新形式，通过深入宣传，进一步发动群众，把反贪污、贿赂斗争引向深入。

要进一步加强反贪污、贿赂的宣传工作，大力宣传党和政府坚决反腐败的决心和政策，宣传国家惩治腐败的法律规定，宣传检察机关反贪污、贿赂斗争的工作和成果，达到深入发动群众的目的。

（五）深入开展反贪污、贿赂斗争，必须继续坚持“一要坚决，二要慎重，务必搞准”的方针，严格依法办事，坚决执行党和政府的政策，包括各项经济政策，认真区分罪与非罪的界限。最近几年在改革开放过程中，中央和地方都制定了一些发展经济的政策，我们在办案中要注意学习和掌握。特别是在办理企业领导人和生产经营活动中的贿赂案件时，要严格划分哪些是必要的应酬，哪些是不合法的，哪些是犯罪的，该撑腰的要撑腰，该批评的要批评，该法办的要法办。贪污、贿赂犯罪都是故意犯罪，要注意研究主观因素。对难以查清和定性的问题，要及时请示报告。这几年随着改革开放的发展，外商进来投资办企业的增多，在经济特区和沿海开放地区更多一些。处理涉及外商的案件，是个比较复杂的问题，要考虑到国际惯例和习惯，处理要慎重。

三、要继续加强侦查工作，不断提高反贪污、贿赂侦查水平。

深入开展反贪污、贿赂斗争，侦查工作是一项基本的工作。深入的关键在办案，办案的关键在侦查。我们要在认真总结经验的基础上，继续加强侦查工作，不断提高侦查水平。

（一）要研究和把握侦查对象作案的一般规律。掌握侦查对象的一般规律，对有效地开展侦查工作是非常重要的，不仅可以使侦查工作得以顺利进行，少走弯路，还有利于加快侦查速度，提高办案效率。贪污、贿赂犯罪是职务犯罪，犯罪活动同职务有密切的关系。我们从这些年来办理的大量案件中，可以看出这样一个基本的现象，或者叫作基本的特点，就是贪污的往往是管钱的，受贿的往往是掌权的。不同行业、不同部门、不同的环节上、不同层次的犯罪人员，尽管作案的手段不完全相同，不断变换手法，但还是有规律可循的。如当前的贪污案件，很多犯罪分子作案时很少在单位帐上留有痕迹，而是在资金、物资的周转中进行贪污，或是利用不少单位有小金库，大量帐外资金公私混用进行贪污。这就要求我们在侦破贪污案件中，一定要从与案件有关的经济往来入手，从行业经营中的帐、款、物的运转过程中，寻找犯罪的蛛丝马迹，收集证据。再比如贿赂案件，多数是由于受贿人不正常地行使权力，使行贿人获得了不正当利益（当然也有受贿人正常地行使权力，使行贿人获得正当或不正当利益的）。这种“不正常”和“不正当”之间有着内在的联系，其本质就是权钱交易。如果我们在侦破贿赂案件中，注意从行贿人、受贿人双方寻找疑点，看受贿人在同行贿人的交往中是否不正常地行使了权力，看行贿人在同受贿人的交往中是否获得了不正当的利益，进而具体分析受贿人为什么要不正常地行使权力，行贿人为什么能获取不正当的利益，就能够比较容易地揭露出在“不正常”和“不正当”背后所隐藏的肮脏交易。一般地说，一方有问题，另一方也会有问题。从当前的情况看，行贿人要想获得不正当的利益，往往需要用行贿打通各个关节，所以串案、群案多。因此，在侦查中，要注意抓住和扩大线索，顺藤摸瓜，一查到底。

(二)要提高熟练运用法律规定的侦查手段的本领。能够熟练地运用各种侦查手段，是提高侦查工作水平的重要标志，是同犯罪分子作斗争的有效保障。我这里强调几点。

一是要依法熟练运用各种侦查手段，在收集证据上下功夫。我曾经几次讲过，侦查工作必须以证据为核心，要千方百计地收集证据；侦查过程中的一切活动，各种手段和方法的使用，都必须围绕证据这个核心来进行。反复讲这个问题的目的，就是要使我们的干部牢固地树立证据观念和提高收集证据的本领。我们办案是以事实为根据，有了充分、确凿的证据，就可以证实犯罪，制服犯罪分子，就可以把案件办成“铁案”，经得起历史的检验。国家法律规定的各种侦查手段是我们同犯罪分子作斗争的有力武器，也是收集证据的有效手段。在办案过程中，要根据案件情况和侦查的需要，正确、灵活、适时地综合运用各种侦查手段，实现获取证据的目的。我们要正确理解各种侦查手段的法律意义和目的，并能够熟练地运用到实践中去。如讯问被告人，要在掌握一定的事实、证据的基础上进行；要充分研究不同被告人的心理状态，明确讯问被告人是调查取证的一个重要方面；要讲究讯问的策略和方法，避免公式化，注意克服那种单纯靠口供破案的片面做法。又如搜查，这是在侦查贪污、贿赂案件中取证破案的一个常用的重要手段。当前犯罪分子转移、隐匿证据是普遍现象，因此要根据案件的具体情况决定搜查的时间和方向，搜查前要摸清情况，搜查中要仔细、认真，切忌简单、粗糙，克服当前一些地方存在的把搜查的主要注意力放在追赃上而不是放在收集证据上，重钱重物不重书证的现象。再如询问证人，这是收集证据的一个重要方面。贪污贿赂案件的证人有特殊性，往往是案件的利害关系人。因此，要注意全面收集，比照研究，辨别真伪，去伪存真。针对当前串供、作伪证比较多的情况，要善于运用法律关于公民有作证义务和惩治伪证的规定，教育证人，揭露伪证，打破攻守同盟；还要善于运用伪证获取真实的证据，侦破案件。总之，对各种侦查手段，我们都要学懂、会用，使之发挥应有的作用。

二是要重视秘密调查。贪污、贿赂犯罪的隐蔽性很强，秘密调查是基本的调查方法。尤其是在当前贪污、贿赂犯罪分子串供、毁证、反侦查活动猖獗的情况下，更需要我们重视和加强秘密调查工作。受理举报线索后的初查，主要是秘密调查，重点要放在调查能够认定犯罪事实的关键性证据上，为立案后的侦查工作选好突破口。在初查中，要注意不要打草惊蛇，暴露我们的意图。立案后的侦查也应尽可能地秘密进行，加强保密工作，并注意同讯问被告人、公开搜查、询问证人等措施相结合，全面收集证据。立案是我们侦查工作的程序，在通常情况下，不必要向被侦查对象宣布，在需要进行公开搜查、采取强制措施时再宣布已经对其立案侦查。

三是要慎重而果断地采取强制措施。在办案中，对人犯采取强制措施，即不是结案，也不是处罚，目的在于保证诉讼活动首先是保证侦查活动的顺利进行。我们要根据案件的情况和侦查工作的需要，适时地采取不同的强制措施。逮捕人犯要慎重，要执行逮捕的法定条件和规定。在当前犯罪分子越来越狡猾、反侦查能力增强、携巨款潜逃增多的情况下，果断地采取强制措施是很必要的。今年以来各地向高检院备案的 14 件贪污、受贿一百万元以上的大案中，就有 6 件的人犯携款潜逃，有的已经很难追回，所以，对于有一定的犯罪事实，抓到一、两笔可靠的证据，有逃跑、串供、毁证、自杀可能的，必须当机立断，及时逮捕。这既是侦查工作的需要，也是保护性措施。特别是沿海、沿边境地区，更要注意这个问题。去年高检院决定在自侦案件中不准使用收审以后，一些检察院比较多地使用了法律规定我们可以使用的监视居住，对侦破贪污、贿赂案件发挥了积极的作用。但是也发现少数地方采用这一手段时有违法现象，有的搞成了变相的关押。今后要坚决纠正，严格依法办事。

另外，讲一讲坚持贪污、受贿案件一千元的立案标准问题。有的同志曾经提出贪污、受贿案件一千元的立案标准太低，建议适当提高。我们研究，这个立案标准不能改变。主要理由是：①一千元的立案标准是在总结了较长时间司法实践的基础上制定的，符合立法精神。全国人大常委会《关于惩治贪污罪贿赂罪的补充规定》中规定："个人贪污数额不满二千元，情节较重的，处二年以下有期徒刑或者拘役"。这个规定说明，不满二千元的贪污、受贿案件并不是都不能定罪。②立案是侦查的开始，不是定案。立案以后经过侦查，证明被告人的行为不构成犯罪或不应追究刑事责任的，应当撤案，移交有关部门处理。撤案不是错案，是正常的。③符合中央一再强调的反腐败要从严的精神。④从办案实践看，许多贪污、贿赂案件都是经过侦查工作从小数额发展到大数额的。提高立案标准就有可能使那些开始暴露时线索数额较小但实际上犯罪数额巨大的犯罪分子漏网，发生打击不力的现象。

（三）要强调运用辩证唯物主义的基本理论指导侦查工作。马克思主义的辩证唯物论是科学的世界观和认识论、方法论，是我们认识世界、改造世界的有力武器。侦查贪污、贿赂案件是一项复杂的工作，更需要自觉地以辩证唯物主义的基本理论为指导。我们搞侦查，收集和审查证据的过程，从哲学意义上讲，是一个实践、认识、再实践、再认识的过程。在实现这个认识的过程中，依据科学的认识论去进行，无疑是非常重要的。我们可以拿贿赂案件来说明这个问题。过去有的同志讲贿赂案中有不少是"一对一、四只眼"的案件，查证难。确实是这样。但贿赂犯罪作为一种客观存在，必然有一个过程，要有一系列的活动，有前因后果。我们不能孤立地静止地只把眼睛盯在给钱这一点上，而是要分析事件的全过程，找出各种现象之间的必然联系，抓住权钱交易这个本质，这样就可以收集到直接的或间接的证据，互相印证，认定犯罪事实的存在。在办理贪污、贿赂案件中，除了要注意收集和运用直接证据，还要特别注意收集和运用间接证据，从中找出客观事物的内在联系，揭示犯罪的必然性，使犯罪分子不能自圆其说，在事实面前就范。近两年我们曾多次强调，侦查干部要学哲学，实践中也有不少以马克思主义哲学思想为指导，成功地侦破大案要案、疑难案件的事例。但是总的说，我们学的还不够，特别是自觉地运用基本理论指导侦查工作还很不够，因此还必须大力提倡学哲学，强调辩证唯物主义基本理论对侦查工作的重要指导意义，提高干部的理论水平，用正确的理论指导和推动侦查实践的不断发展。

四、要加强专门机构建设和队伍建设，逐步建立和完善具有中国特色的反贪污贿赂侦查工作体制。

反贪污、贿赂斗争是长期的，必须在党的领导下，坚持群众路线和专门工作相结合，在社会主义法制的轨道上进行。检察机关是我们国家惩治贪污、贿赂犯罪的专门机关。我们要从战略的高度，建设具有中国特色的反贪污贿赂侦查工作体制，加强检察机关反贪污贿赂专门机构建设和队伍建设，为深入开展反贪污、贿赂斗争提供有力的组织保障。

去年8月，广东省检察院率先成立了反贪污贿赂工作局，高检院肯定和推广了他们的做法。此后，各地学习广东的经验，加快了检察机关侦查工作专门机构建设。从目前的情况看，专门机构建设发展很快，工作情况也是很好的，在反贪污、贿赂斗争中发挥了重要作用，初步显示了建立工作局的必要性和优越性。工作局的建立理顺了检察机关的内部工作关系，加强了对侦查工作的领导，可以集中统一使用力量侦破大要案。侦查工作的相对独立，有利于提高侦破案件的效率和效力，有利于实现侦查工作的专业化、正规化、制度化，有利于培养具有较高素质的反贪污、贿赂专家。通过工作局加强对贪污、贿赂犯罪的系统研究，也有利于加强宣传和防范，做好综合治理工作。实践证明，有没有工作局大不一样。因此，各省级检察院和大中城市、沿海开放地区和经济发达地区的检察院，都要根据“积极建设，稳步前进，边干边建，以干促建”的方针，抓紧反贪污贿赂工作局建设。已经建立的，要认真总结经验，完善工作制度，扎扎实实地开展工作；已经报请党委批准尚未挂牌办公的，要抓紧筹建，争取尽快正式开展工作；还没有建立的，要学习广东等地的经验，积极取得党委和政府的支持，努力创造条件，争取尽早把工作局建立起来。要把重点放在抓工作上，放在工作局的建设上，不要把劲都用在规格上。要通过抓工作，争取各方面的理解和支持，建设好反贪污贿赂工作局。

还要继续加强侦查技术设施建设，重点抓好交通、通讯和侦查技术装备的配备，有条件的地方要搞得更快一些。

侦查队伍建设，总的要求是在稳定中加强，在稳定中提高。当前首要的是保持现有人员特别是骨干力量的稳定。要进一步加强侦查干部的培训工作。培训主要是以实践教育为主要内容的岗位培训，通过学习侦查工作的实际经验，提高干部的侦查水平。这样抓培训，联系斗争实践紧密，见效快，效果好。同时还要增加和充实一些力量，今年增编的6000人主要是充实反贪污、贿赂斗争的第一线，以解决当前办案之急需。要重视侦查队伍的作风建设，加强教育，严格管理，严肃纪律，努力培养好作风。要贯彻奖励为主的精神，对在反贪污、贿赂中作出突出成绩的、对侦破大案要案有功的同志，要及时给予大力表彰，该记功的记功，该授奖的授奖。侦破贪污、贿赂一百万元以上大案的有功人员都应该奖励。当然对在其它部门工作中作出突出成绩的同志也要大力表彰。这项工作要经常化，以宣传先进，激励后进，调动广大干部的积极性。要在政治上、生活上关心干部。对那些资历较长、有丰富经验的老骨干，要适当提高他们的政治、职级待遇；对年轻同志，要注意培养和提高，鼓励他们到第一线去锻炼，放手让他们大胆工作，在斗争实践中逐渐地成熟起来。要想办法解决干部的实际生活困难，在政策允许的范围内多办实事，关心他们的生活和家庭，解除他们的后顾之忧。各地反映，检察干警的工作和生活都有不少实际困难。高检院将继续与中央有关部门协商，争取尽早解决检察干警的岗位津贴等问题。各地也要积极向党委、政府反映情况，尽可能地帮助干警解决实际困难。工作越忙越要注意关心干部。

同时，我们还要认真贯彻从严治检精神，严格执行“八要八不准”纪律。我们的队伍从整体上说是好的，但也应该看到，我们不是生活在真空里，社会上的各种不正之风、不正确的思想不可能对干部没有影响。今年上半年检察干警中违法违纪人数比去年同期增加近一倍，说得严重一些，社会上的各种不正之风在检察队伍中都有不同程度的反映。有的同志说，要特别重视侦查队伍中的违法乱纪问题。这个话符合实际情况。搞侦查工作，单独行动多，直接和外界打交道多，接触阴暗面多，因此受不正之风影响的机会和渠道也多。现在已经发现有的侦查人员在办案中吃喝拿要，甚至徇私枉法、收受贿赂，为被告人通风报信。这是败坏门风的事，严重的是犯罪，是绝不能允许的。尽管人数不多，但影响很坏。各级检察机关特别是我们主管侦查工作的领导同志，对这个问题一定要清醒，要重视，宁可把问题看得重一些，绝不可掉以轻心。要经常抓思想政治工作，抓作风建设，抓检查监督，防微杜渐，真正把我们的侦查队伍管好、带好。

同志们，当前我们国家的形势很好，政治稳定、社会稳定、经济稳定，各项工作都在朝着好的方向发展。希望同志们回去以后，认真传达贯彻这次会议精神，扎扎实实地抓紧工作，进一步提高侦查工作水平，深入开展反贪污贿赂斗争，为促进廉政建设、促进社会主义经济建设，作出新的贡献！

检察机关政治工作的报告

最高人民检察院副检察长　王晓光

（1990年8月21日）

同志们：

全国检察机关政治工作会议今天召开了。出席这次会议的有各省、自治区、直辖市检察院和军事检察院主管政治工作的检察长和政工部门负责人；计划单列市检察院和新疆生产建设兵团检察院主管政治工作的领导；部分基层检察院领导，以及高检院各厅、室、局的负责同志。集中全国各级检察院这么多的领导同志，专门研究新形势下如何加强检察机关的政治工作，是检察机关重建以来的第一次。去年全国检察长工作会议曾把加强思想政治工作问题作为会议的重要议题之一，作出了《关于加强检察机关思想政治工作的决定》和《关于制订和颁布〈检察人员纪律〉的决定》。今年5月，中央批准设立高检院政治部，明确规定了政治部的性质和主要任务。为了贯彻落实中央“批复”精神，在这次会前，高检院曾召开了两次小型座谈会，分别同17个省、市检察院的同志就有关问题作了研讨，充分听取了意见。同时，还组织有关部门对全国检察机关政治工作情况进行了调查了解。经过比较充分的酝酿，高检院党组决定召开这次会议。这次会议的主要议题是：总结交流党的十三届四中全会以来检察机关政治工作情况，着重研究落实中央关于设立高检院政治部的“批复”精神，进一步加强全国检察机关政治工作，促进检察队伍的思想作风和组织建设。

现在，我受高检院党组委托，讲四个问题。

一、去年以来，检察机关政治工作情况

党的十三届四中全会以来，以江泽民同志为核心的党中央，采取一系列正确有效的措施，使切实加强党的建设、加强思想政治工作，有了良好的“大气候”。在这样一个好的环境和前提下，各级检察院发挥积极性和主动性，认真贯彻党的四中全会、五中全会、六中全会精神，认真贯彻执行去年全国检察长工作会议精神和高检院关于加强思想政治工作的决定、关于颁布检察人员纪律的决定，坚持“从严治检”方针，加强马列主义基本理论教育，加强纪律作风整顿和廉政建设，使检察机关的政治工作在实践中得到进一步发展，出现了可喜的变化，突出表现在以下方面：

(一) 认真贯彻党的四中全会决议，重视并加强了对政治工作的领导。

去年制止动乱、平息反革命暴乱后，各级检察院认真反思这场严重政治风波的经验教训，对前几年淡化党的领导，削弱思想政治工作，放松思想教育的严重危害有了深刻的共识。各级领导机关、领导干部自觉贯彻四中全会决议，把政治工作列入重要议事日程，责无旁贷地担起了抓政治工作的重任。全国先后有14个省、自治区、直辖市检察院，125个分、市检察院召开了本地区政治工作会议，专题研究加强和改进政治工作，加强队伍建设问题。许多单位一把手亲自到会部署工作，落实任务。会后亲自带队深入基层，调查研究，帮助解决实际问题，身体力行地推动了工作的开展。

各地还积极依靠地方党委的领导和支持，加强了政工机构建设。现在，省、自治区、直辖市检察院中已有12个成立了政治部，有10个正在组建政治部；分、市检察院中有近90%建立了政工机构，比1988年增加了3.5%；县（市）、区检察院中有1045个建立了政工机构，占总数的34.3%，比1988年增加8%，有665个配备了专职政治协理员。

许多检察院注意加强政工制度建设，先后制定了本地区、本单位的政治工作条例、政治协理员条例以及政工人员岗位责任制。并对政工干部队伍作了适当充实和调整。有的单位还为政治工作的顺利开展，提供必要的经费和宣传设备，创办政工简报，加强信息沟通，改善了政治工作的条件。

为了提高政工干部的素质，高检院依托中央党校国家机关分部举办了全国检察机关政工领导干部培训班，为地方检察院政工干部在较高层次上系统地学习掌握马克思主义基本理论和政治工作专业知识，开辟了新途径。现在第一期学员（主要是省级检察院政工部门负责人），经过四个多月的学习已顺利结业。第二期学员（主要是计划单列市和省会所在市检察院政工部门负责人）将于今年9月1日开学。天津、四川、河南等省、市检察院也开始积极筹备对本地区政工干部的培训工作。

各级检察院由于加强了对政治工作的领导，并且认真解决了一些实际问题，从而保证了政治工作任务的具体落实和有效开展。

（二）以建设一支政治上合格的检察队伍为根本，突出抓了政治理论教育。

一年来，各级检察院针对国际、国内形势变化，针对检察机关所担负的重要职能对检察队伍的更高要求，始终把政治理论教育摆在队伍建设的首要位置，有计划地组织广大检察人员深入学习党的四中全会、五中全会、六中全会文件和中央领导同志的重要讲话，学习马列和毛泽东著作，学习邓小平等老一辈无产阶级革命家的著作，以及党中央的重要指示、决定。全国绝大多数分、市以上的检察院建立了以党组成员为主的学习中心组，许多检察院还把政治学习纳入业务培训中，作为干部接受学历教育、专业证书教育和岗位职务培训的必修课。

在学习教育中，各级检察院坚持理论联系实际，坚持针对干部思想上的“难点”、“疑点”问题，区分不同层次，采取多种形式，进行正面灌输和引导。特别是联系去年那场政治风波和东欧局势的变化的实际，运用马克思主义的阶级斗争和人民民主专政的观点，澄清模糊认识，解决深层次的思想认识问题，取得了较好的效果。经过学习教育，广大检察人员进一步澄清了被资产阶级自由化搞乱了的思想理论是非，增强了党的领导观念、阶级斗争观念、人民民主专政观念、社会主义法制观念，坚定了走社会主义道路、搞好治理整顿、深化改革、克服腐败现象的信心和决心，提高了为党的基本路线和稳定大局服务的自觉性。

现在，以马克思主义基本理论学习为主要内容的政治理论教育，已作为检察政治工作的一项主要任务，有了一定的组织和措施保证。一个重视理论学习、重视队伍思想建设的良好势头，已在各级检察院初步形成。

（三）加强党的组织建设和领导班子建设有了新的实践和发展。

去年制止动乱、平息反革命暴乱后，各级检察院根据中央统一部署，在地方党委领导下，开展了清查清理工作。进行了党员民主评议和省以上检察院及重点城市检察院的党员重新登记。并在此基础上，进行了县、处级以上干部考察和领导班子调整，进一步纯洁了组织，提高了党组织的战斗力和领导班子的整体素质。这是新形势下，加强检察机关党的建设、队伍建设和领导班子建设的一项重大措施和成功实践。

通过组织党员系统学习党的四中全会以来关于党建工作的指示，重温党员标准、党的优良传统，联系实际，认真对照反思，开展批评与自我批评，使广大党员受到了一次深刻的党的性质、宗旨、理想和任务的再教育，进一步坚定了为共产主义事业奋斗终身，作一名全心全意为人民服务的无产阶级先锋战士的信念。各级领导班子普遍召开了民主生活会。领导干部带头搞好个人小结，带头开展批评与自我批评，自觉接受群众监督，为党员群众作出表率。一些检察院党组还针对党员群众提出的批评意见，制订了改进工作、加强领导班子建设的整改措施，进一步提高了威信，密切了干群关系。

通过清查清理和干部考察工作，各级检察院进一步了解掌握了队伍的状况。按照中央有关政策，那些经过斗争考验，表现优秀的干部被选拔充实到各级领导班子中。各地检察机关还结合基层检察长换届，对基层领导班子进行了普遍考核，调整充实了力量。这为进一步强化党对检察机关的领导，正确贯彻执行党的路线、方针、政策，提供了组织保证。

（四）认真执行检察人员纪律，廉政建

设取得了一定成效。

一年来，各级检察院认真执行党中央关于廉政建设的指示和高检院关于检察人员纪律的规定，突出抓了内部制约制度和廉政制度的贯彻落实。许多检察院结合实际，有针对性地制定了案件回访制度、办案责任制度、干部拒礼拒贿登记制度、接受社会监督制度等等，把廉政建设与业务建设、队伍建设紧密结合起来，纳入目标管理，定期检查，定期通报。

各地还把贯彻六中全会决定，改进执法工作作为廉政建设的重要内容，有针对性地开展整顿，转变作风，努力做到秉公执法，文明执法。同时，注意抓好廉政典型，及时进行宣传表彰，使干警学有榜样。对违法违纪案件，严肃查处，对典型案例，认真剖析原因，健全完善预防措施。

由于认真抓了廉政建设，广大检察人员的遵纪执法的自觉性有了很大提高。涌现出一大批拒礼拒贿，拒吃请、拒说情的好人好事和廉政勤政的先进典型，维护了检察机关清正廉洁的好形象。

一年来，各级检察院还注意加强经常性思想政治工作，继续深入开展具有检察机关特色的争先创优活动，大张旗鼓地表彰、树立各类先进集体和个人。并把这一活动与学雷锋、学焦裕禄、树新风紧密结合起来。通过参加社会公益活动和支农扶贫活动，为地方群众做好事、办实事，进一步密切了检察机关与人民群众的联系，扩大了检察机关的社会影响。此外，在加强干部管理，加强编制、机构管理等方面也做了大量工作，取得了一定成效。

以上这些工作，都为调动广大检察人员的积极性，保持队伍的高度稳定和统一，促进检察机关自身建设和各项业务工作的出色完成，发挥了较好的保证作用。

我们之所以取得这样的进步和成绩，是由于有党中央和各级地方党委的正确领导和支持，是各级检察院坚决贯彻了党的四中全会以来的正确决策和指示，坚持继承和发扬党的政治工作的优良传统，紧紧抓住教育人、培养人这个根本，积极、主动地开展工作的结果。我们要在现有工作的基础上，再接再厉，采取切实有力的措施，努力解决好目前政治工作机构不健全、关系不顺和工作开展不平衡等问题，改进工作方法，增强工作实效，把政治工作再向前推进一步。

二、认清形势，提高认识，增强做好政治工作的责任感

一年来，在以江泽民同志为核心的党中央正确领导下，我国的形势正朝着好的方向发展，政治稳定、经济稳定、社会稳定。社会主义民主政治和社会主义法制建设有了新的进展，对外关系取得了新成绩。但是，国内外斗争形势仍然是严峻复杂的。在国际上，从四十年代末五十年代初，西方敌对势力提出“和平演变”战略到现在，他们从来没有放弃推翻共产党领导，颠覆社会主义制度，把社会主义国家变成西方资本主义国家附庸的企图。他们在东欧一些国家的得手，以及苏联发生的动荡，使社会主义事业遭到了暂时的挫折和困难。现在，他们继续利用各种手段和各种方式把资产阶级的政治模式、经济模式、价值观念以及腐朽的生活方式传播渗透到我国社会中来。在我国进入改革开放新的历史时期，阶级斗争虽然不是主要矛盾，但在一定范围内仍然长期存在，一定条件下还可能激化。极少数顽固坚持资产阶级自由化立场的人并不甘心失败，还会同国际敌对势力的“和平演变”战略相呼应，鼓吹资产阶级自由化思想。因此，这种渗透与反渗透、颠覆与反颠覆、“和平演变”与“反和平演变”的斗争，四项基本原则与资产阶级自由化的对立和斗争，将是长期的。

同时，我国的改革开放和经济建设正处于关键时期。在治理整顿、深化改革中，新旧矛盾交织，还会遇到许多复杂的问题。随着社会主义商品经济的发展，一些资产阶级的腐朽思想的侵蚀影响也在增加。

这样严峻、复杂的形势，既要求检察机关必须更好地担负起保卫社会主义制度，维护国家政局稳定，促进廉政建设和国民经济持续、稳定、协调发展的重要任务，也对检察队伍建设提出了更高的要求。检察队伍经过重建十年的锻炼和去年严峻政治斗争的考验，在总体上是好的，不愧为是一支忠于党、忠于人民、忠于社会主义事业的坚强队伍。但是，经过几年的新老交替和几次增编，队伍的构成正在发生着变化，党员比例下降，新成份增多。有相当一部分同志，马克思主义理论基础薄弱，缺乏政治斗争的锻炼和经验，缺乏对中国近百年历史、党领导全国人民艰苦创业的历史和党的优良传统的深刻了解。还有一些同志的为人民服务和奉献精神淡化，个人主义、功利主义思想有所滋生，降低工作标准，缺乏严格要求，纪律松弛，作风松散。少数干警反腐蚀意识薄弱，在“金钱关”、“权力关”、“人情关”前经受不住考验，以权谋私，徇私舞弊，贪赃枉法，蜕化变质。据统计，今年1至5月份与去年同期相比，违纪数上升37.71%；构成犯罪人数上升20%。还有极个别人在制止动乱、平息反革命暴乱的斗争中犯了严重错误。

鉴于上述情况，我们决不可低估国际敌对势力“和平演变”战略的影响；不可低估国内资产阶级自由化思潮的影响，不可低估发展商品经济条件下腐蚀与反腐蚀斗争的严重性；不可低估队伍中存在的不足和问题。我们必须保持清醒的头脑和高度的警惕，进一步发挥政治工作的优势，采取有效的措施，切实提高队伍的整体素质，使我们的队伍适应形势和任务的要求。

三、紧密结合检察工作特点，开展政治工作

今年5月，党中央批准设立最高人民检察院政治部，“批复”规定：政治部是党组的政治工作机构，其主要任务是在党组领导下，协助地方党委搞好本系统所属单位的党的建设和思想政治工作，开展具有行业特点的思想教育。这一规定明确了检察机关政治工作的领导关系，使政治工作的开展有了明确的依据。是党中央高度重视检察工作，关怀检察队伍建设所采取的一项重大措施，完全符合斗争形势的需要，符合加强检察机关建设的需要。

根据中央“批复”精神，当前和今后一个时期检察机关政治工作的指导思想和基本任务是：以马列主义、毛泽东思想为指导，继承和发扬党和政治工作的优良传统，加强党的建设，加强思想政治工作，开展具有检察工作特点的思想教育，激励广大检察人员的社会主义积极性、创造性和献身精神，建设一支政治上合格的、严格依法办案、秉公执法、掌握政策、实事求是、联系群众、精通业务的检察队伍，保证法律赋予的各项检察任务的完成。当前，要把贯彻落实“批复”精神与贯彻党的十三届四中、五中、六中全会精神紧密结合起来，与贯彻中央六号文件和高检院《关于加强检察机关思想政治工作的决定》、《关于制定和颁布〈检察人员纪律〉的决定》紧密结合起来，扎扎实实地抓好以下工作：

（一）大力加强思想政治工作，推进队伍的思想建设。

江泽民同志在庆祝国庆四十周年大会上的讲话中指出：要紧密结合现代化建设

和改革开放的实际，结合人们的思想实际，大力加强和改进意识形态领域的工作，加强和改进思想政治工作，坚持不懈地向全国人民进行社会主义、爱国主义、艰苦奋斗的思想教育，以及革命传统教育。检察机关的思想政治工作，要以此为指导，继续以抓好思想教育为根本。

要根据中央和地方党委的统一部署、安排，继续抓好系统的政治理论教育和正面灌输，组织全体检察人员认真学好马克思主义基本理论。当前，重点是学好马克思主义哲学，掌握科学的世界观、方法论。要深入进行党的基本路线教育，抓好党的四中全会以来重要文件的学习贯彻，抓好坚持四项基本原则、反对资产阶级自由化教育，抓好国情教育和爱国主义教育。要采取各种有效的形式和措施，充分调动广大检察人员的学习热情。使广大检察人员学会运用马克思主义的历史唯物主义和辩证唯物主义观点，认清当前形势的本质和特点，明确党的四中全会以来作出的决定和提出的任务的理论根据和客观基础以及贯彻方法。掌握和理解邓小平同志关于建设有中国特色社会主义的思想，深化对改革开放和社会主义发展规律的认识。学会全面辩证地看问题，提高正确分析各种现实问题和历史现象的能力，把坚持党的领导，自觉维护和服从党的领导，坚持阶级斗争和人民民主专政观念，坚持群众观念，坚定对社会主义制度的信心，建立在科学、坚实的基础之上。

要根据中央"批复"要求，开展具有行业特点的思想教育。检察机关是国家的法律监督机关，代表国家行使检察权。工作任务繁重，难度较大。广大检察人员要长期与敌对势力和各类刑事犯罪分子作斗争，与社会阴暗面打交道，个人的工作、学习、生活都与职业环境密切相关。这就决定了对检察人员的思想教育必然具有不同于其它行业部门的特点和规律。从这个实际出发，总结归纳各地检察院比较成功的作法和经验，开展具有检察工作特点的思想教育，主要包括以下内容：

1、经常进行党的领导观念、人民民主专政观念、全局观念、群众路线观念以及检察机关性质、职能教育。使广大检察人员能够把坚持党的领导与依法独立行使检察权统一起来，自觉坚持和服从党的领导。善于运用检察职能，同各种敌对势力和犯罪分子作坚决斗争，忠于党，忠于人民，忠于社会主义事业。

2、经常进行检察职业道德、职业责任和检察人员纪律教育。使广大检察人员热爱检察工作，增强职业责任感，认真履行岗位职责，努力钻研业务。忠于法律，忠于事实真相，秉公执法，重证据，重调查研究，文明执法，维护国家法律的统一正确实施。

3、经常进行艰苦奋斗教育。使广大检察人员在条件较差，装备落后，生活待遇偏低，工作任务繁重的情况下，正确对待物质利益，正确对待个人得失，自觉抵制资产阶级腐朽思想的侵蚀影响，振奋精神，廉洁自律，忠于职守，无私奉献，努力保证各项检察任务的完成。

4、经常进行革命英雄主义教育。使广大检察人员在困难面前不低头，在压力面前不弯腰，无私无畏，勇于拼搏，在党和人民利益受到危害的时候，挺身而出，不畏艰险，不怕流血牺牲，经得住苦与乐、生与死的考验。

开展具有检察工作特点的思想教育，有很强的针对性。它与系统的理论教育是相辅相成的。是思想政治工作的重要组成部分。其根本目的仍是帮助广大检察人员树立正确的世界观、人生观，增强识别和抵制错误思想的能力，经受住反“和平演变”斗争、反腐蚀斗争的考验，经受住改革开放和执法的考验。

思想政治工作还有一个重要内容是，紧密结合检察工作实际，开展争先创优活动，树先进、学先进，弘扬正气，对广大检察人员进行生动、具体的正面引导。这也是思想政治工作的原则性和战斗性的重要体现。

当前，要加强对先进典型的发现、培养和宣传工作。注意抓好三个环节：一是从加强队伍建设的高度选准典型。使推出的典型确实基础深厚，事迹突出，有示范意义；二是引导干部深入学习先进典型。用先进典型的成长过程和有血有肉、真实可信的事迹，启发提高干部的思想觉悟，激发进取精神，能够自觉以典型为榜样，长学不辍；三是广泛宣传先进典型，使教育形式多样化。通过举办先进事迹展览，播放录像，组织先进事迹报告会，编发先进事迹材料，组织干部联系思想和工作实际，进行专题讨论等，使推广运用先进典型的工作更生动、具体、扎实，富有成效。

在抓好上述工作的同时，要继续坚持做好深入细致的经常性思想政治工作。只有在坚持正面教育为主的同时，坚持领导干部以身作则，以自己的模范行动影响和带动干警；坚持为干警多办实事，热情服务；坚持寓教于文，寓教于乐，让干警在丰富多彩、健康有益的精神文化生活中受到感染、熏陶；坚持理解人，关心人，为干警及时排忧解难，思想政治工作才更有吸引力和说服力，才能取得做好工作的主动权。

（二）认真搞好检察机关党的建设，进一步提高党组织的战斗力。

党的十三届四中全会后，党中央就加强党的建设问题作出了很多深刻精辟的指示，阐明了在国际、国内严峻复杂的斗争形势下，加强党的建设的重大意义。指出在“和平演变”与反“和平演变”的长期斗争中，如何保证我们党永远不改变性质，如何保证我们国家永远沿着社会主义道路前进，是考虑加强党的建设的一个根本出发点。一定要坚持把党建设成为马列主义、毛泽东思想武装的中国工人阶级的先锋队，真正是领导全国各族人民建设有中国特色的社会主义坚强核心。根据上述要求，协助地方党委，搞好检察机关党的建设，应着重抓好以下四个方面：

1、切实加强各级领导班子建设。这是党的建设的关键。只有确保各级领导权掌握在忠于马克思主义的人手里，才能维护和巩固党在检察机关的领导地位，坚持社会主义制度，带出一支忠于党、忠于人民的队伍。

加强领导班子建设，一定要搞好干部的考察、选配。要严格执行干部革命化、年轻化、知识化、专业化方针，坚持德才兼备标准，注重对干部一贯的政治态度、政治立场的考察，真正把那些经过斗争考验，政治上强、廉政勤政、德才条件好、群众拥护的干部选进领导班子。要定期进行班子考核和对领导干部的考察，区分不同情况，适时做好充实、调整，把对干部的考察、培养、使用同班子建设紧密结合起来。

加强领导班子建设，还要坚持不懈地抓好领导班子的思想作风建设。要认真贯彻中央关于领导干部学习、培训的指示，制定并落实领导干部定期到党校进修或在职学习计划，使各级领导干部能够系统地学习马克思主义基本理论，切实提高马克思主义理论素养，增强政治敏锐性和洞察力，增强驾驭全局，处理复杂问题的能力。要严格领导班子的民主集中制和民主生活会制度。切实执行中央《关于县以上党和国家机关党员领导干部民主生活会的若干规定》。使班子成员都能正确处理集体领导和个人分工负责的关系，主动接受党组织和党员群众的监督。班子内部要充分发扬民主，定期开好民主生活会，认真开展批评和自我批评，增强团结，避免内耗，提高依靠自身力量解决矛盾的能力。有条件的地方要逐步开展领导干部交流，让干部在交流中经受锻炼，提高素质。

各级领导班子都要继承发扬党的优良传统，密切与群众的联系，带头艰苦奋斗，廉洁务实，作好表率，以较高的威信和凝聚力，赢得广大党员、群众的真正信任和拥戴。

2、认真抓好后备干部工作。加强领导班子建设，必须重视对后备干部的选拔和培养。江泽民同志在党建理论研讨班的讲话中指出："我们务必高瞻远瞩，采取措施，把各级领导班子建设好，保证老一辈无产阶级革命家开创的事业代代相传。"后备干部问题，从根本上说，就是培养无产阶级革命事业接班人的问题，是各级检察机关领导权能不能掌握在忠于马克思主义的人手里的问题。目前，这项工作还比较薄弱，全国有近半数的检察院没有建立后备干部名单。已经建立的，一是在质量和数量上与中央要求有差距，二是在培养上缺乏有力措施。因此各级党组要重视这项工作，按照党委的部署和要求，切实做好工作安排。这次会议提出了"关于加强检察机关后备干部工作的意见"，请讨论修改。

3、抓好党员队伍建设，进一步提高广大党员的素质。检察机关共产党员在队伍中占较大比例，把党员队伍抓好了，就会形成坚强的主导力量，保证检察队伍的正确方向，保证各项工作的顺利进行。因此，必须坚持"从严治党"的方针，切实提高党员的素质。

要严格党员的教育。重点抓好党的基本路线、马克思主义基本理论、党的基本知识教育，抓好党的优良传统和作风纪律教育。不断提高党员的政治觉悟，增强党性观念。要严格组织管理。定期开好组织生活会，定期进行党员民主评议，加强党内监督。要严格按照党员标准发展党员，坚决清除腐败分子，维护党组织的纯洁性和战斗力。使广大党员在检察机关建设和各项工作中，能够勇挑重担，勤奋工作，多作奉献，切实发挥先锋模范作用。

4、加强党的基层组织建设，充分发挥党支部的战斗堡垒作用。

目前，基层党支部成员多是兼职的。要针对这个特点，研究加强支部建设。要健全支部班子，坚持好支委民主生活会和支部例会制度，认真抓好"三会一课"制度，定期分析党员队伍状况，搞好党员的教育和管理。

加强党支部建设，党小组的作用不可忽视。党小组一般建在基层科、室中，处于第一线，直接教育和管理党员。对党支部的战斗堡垒作用和党员的先锋模范作用的发挥，对科、室业务建设和工作开展都有着密切关系。党小组坚强有力，就能推动思想政治工作在基层落实，带动和影响周围同志，形成合力。各项业务工作开展，就有了保证。因此，党支部要加强对党小组工作的指导，使党小组的活动适应检察工作特点，逐步制度化、规范化。

协助地方党委，抓好检察机关党的建设，作为政治工作的一项重要任务提出来还是第一次。在具体工作中还需要进一步探索、实践。要密切依靠地方党委的领导，注意根据不同时期的工作重点，作好具体安排，努力把中央关于党建工作的要求落到实处。

（三）坚持"从严治检"，进一步加强

检察机关廉政建设。

培养检察人员清正廉洁、秉公执法的好作风，是保证检察机关正确履行法律监督职责，密切与人民群众联系的重要措施。

前不久，乔石同志在中纪委座谈会上要求中央和国家机关各部门党组一定要把纠正行业不正之风、搞好廉政建设作为下半年的一项重要任务，下大气力抓紧抓好。指出廉政建设贯穿于执政党建设和改革开放的全过程，必须坚持“一要坚决，二要持久”的方针。

检察机关廉政建设已取得了一定成效，但还存在着不少问题。主要是少数单位治检不严或执法不严，致使干部滥用职权、违法违纪问题时有发生。近来年，少数干警利用职务和工作之便，谋取私利，进行钱权交易的问题有所上升，有些性质相当严重。这不仅给执法工作带来损害，而且给党和国家的形象，给检察机关的形象也带来严重损害。

针对这个情况，要继续坚持行之有效的作法。一是大力抓好以清正廉洁、秉公执法为核心的廉政教育，使广大干部进一步认清新形势下，加强检察机关廉政建设的重大意义，增强廉政自律意识，反对特权思想和以权谋私，增强抵制腐蚀的能力，自觉经受住“金钱关”、“权力关”和“人情关”的考验。同时大力树立和宣传廉政典型，作好正面引导，弘扬正气。

二是健全监督制约机制。要完善内部制约机制，坚持依法办案。特别是对自侦案件，要坚决实行侦、捕、诉分开，严格按照程序规定行使权力。要在可能的范围内，增加检察工作透明度，主动接受外部监督。

三是坚持严肃执纪。要严格执行《检察人员纪律》。对违法违纪问题，发现一起，严肃查处一起，决不姑息、护短。要敢于揭露矛盾，重视对典型案例的剖析研究，认真总结吸取经验教训，有针对性地改进工作，制定防范措施。对于问题较多特别是领导有问题的单位，上级机关要帮助查处整顿。

四是加强组织保证。要建立健全纪检、监察机构，配备得力干部，充分发挥纪检、监察的职能作用。廉政建设是项综合工作。防范和查处违法违纪问题常常涉及到思想教育、组织管理和业务建设等诸多方面。因此，政工和业务部门也要承担起这一任务，与纪检、监察部门分工负责，协同配合，齐抓共管。各级领导要严格要求自己，带头清正廉洁，自觉接受组织和群众的监督。要支持各业务部门严格依法办案，切实担负起保持队伍廉洁的责任。

领导机关要重视基层检察院的廉政建设。基层检察院是行使检察职能的第一线。基层检察干警能否正确行使检察权，对保持检察机关廉洁，具有十分重要的意义。各级领导要把抓好基层建设作为一项战略任务，帮助基层加强思想作风建设和业务建设，健全完善管理制度，把加强检察机关廉政建设的工作落到实处。

以上着重讲了当前需要认真抓好的几项工作。另外，根据全国统战工作会议精神和中央〔1989〕14号文件的规定，各级检察院还要协助地方党委，做好到检察机关任职的民主党派成员、无党派人士的考察、选配；有步骤地有计划地开展聘请特约检察员的工作。先在有条件的大、中城市开展这项工作，搞好试点，总结经验。

各级政工部门所担负的编制机构管理、工资福利、人事调配等人事行政工作，及干部教育培训工作等，也要统筹安排，继续抓紧抓好，保持工作的连续性和稳定性。

明年将召开第九次全国检察工作会议。会议的重点是研究队伍建设问题，讨论《检察官条例》。目前，高检院已加强了对《条例》及配套办法的草拟工作的领导，最近，又举办了专题研讨班。希望各级领导、政工部门，关心重视这项工作，早作准备。对《条例》及配套办法认真研究，提出修改意见。有试点任务的单位，要切实加强领导，抓好试点工作。

四、切实加强对政治工作的领导

一年来的工作实践证明，尽管加强政治工作已有了很多有利的条件，但也有许多新的情况和问题，需要认真研究、探索、解决。政治工作的任务比以往更艰巨繁重。这就迫切需要进一步加强领导。

各级领导干部要按照刘复之检察长在全国检察长座谈会上所要求的那样“首先是政治家，要讲党性，要有较高的马克思主义理论水平”，提高“两手抓”的自觉性。这对于加强检察机关的政治工作，提高政治工作水准，具有决定性的意义。

各级检察院党组，要认真抓好党的方针政策的贯彻，抓好党的建设和思想政治工作，要经常研究队伍建设情况和干警思想反映，及时解决工作中的问题。分管检察长要切实担负起领导责任，深入实际，了解掌握工作进展情况，加强具体指导。

抓好工作还要注意处理好“条块”关系。要尊重地方党委，自觉接受地方党委的领导，认真执行地方党委对政治工作的指示、决定，经常向党委汇报本地区、本单位政治工作情况，争取党委的支持。上级检察院要主动协助地方党委抓好所属单位的工作，研究部署和指导工作，要注重检察机关的特点，不搞简单的重复，也不搞包办代替。努力使条块工作有机地协调统一起来，相辅相成，相得益彰。

为了保证各级检察院党组对政治工作的具体领导，要进一步抓好政工机构建设。根据中央“批复”精神，各级检察机关也应设立相应的政工机构。各省、自治区、直辖市，计划单列市、省会和自治区首府所在市以及较大城市检察院应设立政治部；各市、分、州检察院设立政治处；县级检察院原则上设政工科。在内部机构设置和力量配备上，都应突出党的建设和思想政治工作。尚未建立机构的，要抓紧与地方党委联系，争取尽快建立起来。各级政工机构的设立，均应按照有关规定，履行审批手续。

要重视政工干部的选配。把那些党性强、作风正、懂业务，有一定组织能力和文字水平的干部充实到政工队伍。要采取多种形式，加强对政工干部的培养，逐步建立和完善培训体制，不断提高政工干部的素质和能力，努力建设一支忠于党、热爱检察事业，适应政治工作要求的、精干的政工干部队伍。

根据政治工作的特点和要求，要帮助解决必要的活动经费和宣传设备。有条件的地方，应创办政工刊物，开辟宣传阵地，加强信息交流。

为了实现政治工作的规范化，现已拟订了《人民检察机关政治工作暂行条例》(草稿)，请大家认真修改，以便试行。

政治工作是教育人、培养人、提高人素质的工作，责任十分重大。邓小平同志曾指出：政治思想战线上的战士，都应当是人类灵魂的工程师。在当前这个转变时期，在社会主义精神文明建设和整个社会主义建设事业中，他们在思想教育方面的责任尤其重大。作为灵魂工程师应当高举马克思主义的、社会主义的旗帜，教育和引导人民正确对待历史、认识现实，坚信社会主义和党的领导，鼓舞人民奋发努力，积极向上，真正做到有理想、有道德、有文化、守纪律，为伟大的壮丽的社会主义现代化建设事业而英勇奋斗。邓小平同志的这一指示，是对从事政治工作的干部的最大勉励和热诚期待。各级政工部门务必以更高的标准，加强自身建设，健全完善各项工作制度（如定期思想分析制度，与干部谈心制度，政工例会制度，岗位责任制度），不断改进工作，真正成为党组抓政治工作的参谋助手。各级政工干部要热爱本职，勤奋学习，努力增强党性观念，增强马列主义理论修养，增强思想政策水平，增强检察专业知识和实际工作本领，真正做到言行一致，联系群众，勇于吃苦，无私奉献，成为合格的“灵魂工程师”。

同志们：党的十三届四中全会以来，切实加强政治工作的大气候已经形成。中央决心很大，要求明确，已为加强检察机关的政治工作创造了良好的外部条件。就我们自身而言，经过十年建设和实践，已锻炼培养了一批优秀的政工骨干人才，创造总结了许多成功作法和经验，政治工作已有了一定的格局和基础，这些都是我们进一步做好工作的内在条件。我们一定要不辜负党中央对我们的殷切期望，振奋精神，增强信心，依靠广大政工干部的创造性和积极性，依靠党、政、工、团的力量，依靠广大检察干部，扎扎实实地做好工作，努力开创检察机关政治工作的新局面。

在全国铁路检察工作会议上的总结讲话

最高人民检察院副检察长　冯锦汶

（1990年12月1日）

同志们：

全国铁路检察工作会议今天就要结束了。这次会议大家认真学习了江泽民总书记和乔石同志对检察工作所作的重要指示，认真学习了刘复之检察长的报告和重要讲话，学习了全国检察长工作会议文件，总结了今年铁路检察工作，部署了明年的任务，对《1991年铁路检察工作要点》讨论稿提出了修改意见，交流了“两打”斗争的经验，研讨了有关司法解释意见。会议期间，大家敞开思想、畅所欲言，对搞好铁路检察工作提出了许多好的意见，统一了思想，明确了任务，坚定了信心，会议开得很成功。

这次会议充分肯定了各级铁路检察机关在1990年“两打”斗争中取得的成绩。各级铁路检察机关在各级铁路党委和上级检察院的领导下，在铁路各级行政机关的支持下，充分发挥了专门检察机关的法律监督作用，积极开展了打击“以车谋私”为重点的反贪污贿赂犯罪斗争和严厉打击了“车匪路霸”等严重危害铁路治安秩序的刑事犯罪活动，为促进铁路廉政建设和铁路治安秩序的稳定好转做出了贡献；各级铁路党委重视铁路检察工作，加强了对铁路检察工作的领导，帮助铁路检察机关克服困难、排除阻力，积极解决办案力量、业务经费、技术装备、办公用房等实际困难。实践证明，紧紧地依靠党委领导是搞好铁路检察工作的根本保证。

这次会议确定了1991年铁路检察工作的指导思想：在铁路各级党委和上级检察机关的领导下，在铁路各级行政机关的支持下，充分发挥铁路检察职能，深入开展打击“以车谋私”等以权谋私的贪污贿赂犯罪斗争；坚持依法从重从快严厉打击“车匪路霸”等严重危害铁路治安秩序的刑事犯罪活动；加强铁路法纪检察；积极开展各项铁路检察业务；为促进铁路的廉政建设和铁路治安秩序的稳定好转，为保障铁路运输安全生产和铁路建设的发展而努力奋斗。这个指导思想符合党中央对检察工作的要求，符合高检院1991年工作部署，符合铁路检察工作实际。为什么说这个指导思想是正确的呢？一是由党的基本路线决定的。“一个中心，两个基本点”是全国工作的中心，各行各业一切工作都要围绕它服务，这是一切工作的指导方针，也是检察工作的指导方针。二是作为上层建筑的铁路检察机关是人民民主专政工具，它必须围绕这个中心服务，必须为经济基础服务，为促进社会主义的铁路经济建设服务，这符合马克思主义的基本原理。三是宪法和检察院组织法等法律都明确规定了要通过行使各项检察职能，打击敌人，保护人民，惩治犯罪，维护社会秩序、生产秩序、工作秩序、教学科研秩序和人民群众生活秩序。铁路检察机关就应保护铁路的秩序稳定和保护铁路的运输安全生产，这是法律赋予的职责。四是高检院确定“深入、坚持、加强”的工作重点和指导思想，是客观形势的反映，任何方针、政策和指导思想的确定，都是根据客观形势的变化、发展确定的。存在决定意识。只有正确地分析和认识客观形势，才能作出正确的决策。客观实际情况是：全国反贪污贿赂斗争虽然取得了很大成绩，但不能估计过高，因为，贪污贿赂的案件并没有下降，而且今年以来立案的贪污贿赂案件中竟有50%左右是“两高”《通告》以后作案的，我们已办的案件还只是实际存在的案件的一部分，贪污、贿赂犯罪分子的嚣张气焰，还没有刹下去。这说明在这个范围内的斗争将是长期的。所以搞好廉政建设，打击贪污、贿赂犯罪的斗争，必须深入下去。

坚持依法从重从快严厉打击严重刑事犯罪，这也是客观形势的需要，今年5月开始“严打”斗争，成绩很大，保卫了亚运会和国庆的安全，治安秩序有所好转，但整个犯罪案件并没有下降，特别是近两个月来发案又抬头回升，有些地方刑事犯罪猖獗，人民群众对治安不好，特别是偷盗多，反映很强烈。而且重、特大案件上升幅度居高不下，治安形势仍然相当严峻，社会治安今后的发展趋势，不可能在短期内好转。所以必须坚持贯彻依法从重从快的方针，继续打击严重刑事犯罪活动，才能为社会主义经济建设创造良好的环境。

加强法纪检察工作，也是由于当前刑讯逼供、玩忽职守、徇私舞弊等“侵权”渎职案件不断发生，给国家和人民造成了严重的损害，影响很坏。现在这项工作必须提到重要的位置上来，必须加强。

根据高检院的指导思想，结合铁路检察工作的实际情况提出相应的指导思想，创造性地贯彻上级的指示，是完全必要的，正确的。各地在具体执行中，也要从实际情况出发，正确运用这个指导思想，才能把工作做得更有成效。下面就铁路检察工作的问题谈几点意见：

一、关于深入开展反贪污、反贿赂斗争问题

贪污贿赂犯罪是一个长期的社会现象，不可能在几年内销声匿迹，而且贪污贿赂犯罪分子还会随着斗争的开展，不断变换手法进行犯罪活动，还可能有起伏和反复。这就要求我们，必须树立长期作战的思想，要在“深入”上下功夫：

（一）提高思想认识，坚定信心，知难

而进。党中央、国务院对开展反腐败斗争的指导思想是非常明确的，态度是非常坚决的。这场斗争对维护社会稳定，保证各级领导权真正掌握在忠诚于马克思列宁主义者的手中，对促进治理整顿、深化改革和社会主义经济建设具有非常重要的意义。江泽民总书记指出：反贪污贿赂要永远反下去，在共产主义没有实现以前，都不能休止，都要反下去。李鹏总理在今年8月国务院召开部署加强廉政建设、纠正行业不正之风电话会议上指出："加强廉政建设，改进机关作风，是我国政权建设的一个极其重要的内容，是关系到国家兴衰的一件大事。廉政才能稳定，勤政才有希望。要集中精力，下大力量解决这个问题"。要看到广大人民群众对贪污贿赂和不正之风腐败现象是深恶痛绝的，这关系到党和国家政权的生死存亡。大家想想国民党反动派为什么被打倒，就是广大人民群众痛恨他们的腐败，所以拥护共产党，打倒反动统治。东欧的失败，除了帝国主义的和平演变，颠覆活动外，与它本身领导的失误和严重脱离群众有极为重要的关系。这一切都应引起我们高度的重视。这样讲并不是说我们的党和广大干部是一团漆黑了，我们的党和国家狠抓廉政建设和坚决反腐败，这说明我们的党是伟大的、光荣的、正确的。我们的广大干部队伍也是好的，有贪污受贿和严重腐败行为的人，从总体上来说是极少数，至于领导干部更是极少数，但这一些严重危害社会主义建设的蛀虫影响很大、后果严重，不能任其发展蔓延，必须坚决制止。另外对那种把打击经济犯罪同发展经济对立起来的观点，李鹏总理在去年12月就曾经批评过：如果说在打击经济犯罪上有教训值得吸取，那就是小平同志指出的坚持得还不够一贯，一手硬、一手软，有打击不力的现象。各级检察机关要通过学习中央文件和中央领导同志的讲话，不断提高对反贪污反贿赂斗争政治意义的认识，从维护大局稳定和密切联系群众，加强廉政建设，促进改革开放，保障治理整顿的高度来认识这场斗争的政治意义。只有提高认识，才能够坚定我们的斗争意志和信心，有效地防止和克服"畏难、厌战、松劲"情绪，增强使命感、责任感和紧迫感，才能把这场斗争真正深入下去。这次会议交流了许多既打击犯罪又促进铁路运输生产发展的好经验，充分说明了反贪污贿赂、廉政建设是促进经济建设的重要保证，两者是一致的，不矛盾的。

（二）抓住行业不正之风中的突出问题，确定打击重点，明确深入方向。铁路是国民经济的大动脉，与国民经济的发展、与人民群众的生活息息相关。尽管铁路行业中的腐败现象是少数人的行为，但它对社会的影响面却很大。我们要抓住群众反映最强烈、腐败现象最突出的问题和部位，确定打击重点、选准突破口，把斗争引向深入。当前，铁路运输中的"以车谋私"犯罪活动仍然相当突出，铁路多种经营、客运、工程部门中贪污贿赂犯罪也比较严重。我们要继续把打击"以车谋私"的贪污贿赂犯罪作为工作重点，同时还要注意查处铁路多种经营、客运、工程部门中的贪污贿赂犯罪。在斗争中我们还要从实际出发，既要注意抓普遍性的重点，又要因地制宜确定本地区的重点。

（三）在大要案特别是要案上下功夫、求深入。大要案特别是要案影响大，危害大，群众最为关注。办大案难、办要案更难。怎么办？复之同志讲："我看没有必要采取什么特殊的办法。就是要有毅力、有耐心、有韧劲。现在讲工作要'深入'，'深入'的对立面是浅尝辄止。"我看一要坚持大要案分级管理制度；二要坚持检察长带头办案，以自己的实际行动鼓励和支持大家依法办案；三要坚持党内请示报告制度，争取党委的领导和支持。有了毅力、耐心、韧劲，再加上这三条，困难就比较容易克服。斗争的实践也充分证明办好大案要案的关键在于争取党委的领导和支持，检察长带头办案、加强研究、具体指导也是突破大要案的好方法。

（四）增强侦查意识，在提高侦查水平上下功夫。今年，我们的侦查水平有了较大提高，但是就全路来讲，还不平衡。当前，犯罪分子的反侦查意识明显增强，隐蔽、掩饰犯罪行为的手段越来越狡猾。只有不断提高侦查水平才能适应斗争的需要。我们一是要切实重视和加强初查工作，把搞好初查作为斗争的重要环节，提高初查的成案率。二是既要反对侦查工作脱离群众的神秘化观点，又要注意秘密调查。三是不断总结推广侦查经验，办一案、总结一次、提高一步。应在现有基础上，有计划、有系统地在更高层次上总结侦查工作经验，特别是如何运用法律规定的侦查手段获取各种证据；在预审工作中研究罪犯心理，正确、适当地运用各种对策制服罪犯的方法，以逐步提高侦查、预审工作水平。四是抓好侦查机构和装备的建设，逐步健全和完善侦查工作体制及手段，建立一支能熟练掌握侦查技能、适应长期作战要求、精干的反贪污贿赂侦查队伍。五是重视分析研究具有行业特点的犯罪规律和手段，以提高侦破效率和侦破能力。六是内部制约还要坚持，既要从有利于开展侦查工作出发，又要保证案件质量，严格依法办案，并制定相应的内部工作程序。

（五）在宣传发动方面下功夫，创造“小气候”，发动“小高潮”。要认真做好反贪污贿赂斗争的宣传，用生动的案例教育群众、干部，提高他们参加斗争的自觉性、主动性。有条件的地方要选择震动大的典型案件，适时召开宽严处理大会，发动“小高潮”，号召群众揭发检举，敦促有问题的人自首坦白，推动斗争有节奏地深入下去。

（六）扩大办案效果，在综合治理上下功夫。要正确处理打击与保护的关系，既要依法坚决打击贪污贿赂犯罪分子，又要十分注意保护企业的正常秩序和合法利益。坚持打、防、建三管齐下，千方百计为经济发展创造良好的社会环境和法制环境，尽力扩大办案的社会效果，调动各方面的力量，建立预防犯罪的有效机制，遏制贪污贿赂犯罪的嚣张气焰，使打、防、建有机地结合起来。各铁路检察机关设立检察联络员是非常好的经验，这是检察机关密切联系群众的桥梁，是提供案件线索和获取信息的重要渠道，各地要在总结经验的基础上，大力推广并加强管理，充分发挥它的积极作用。

二、关于坚持依法从重从快严厉打击严重刑事犯罪的问题

坚持“严打”是促进当前治安形势进一步好转和稳定大局的需要，也是人民群众的迫切要求。过去，各级铁路检察机关与铁路公安、铁路法院密切配合，积极开展“严打”斗争，取得了显著的成绩，打掉了一批严重危害铁路治安的“车匪路霸”、犯罪团伙，狠刹了犯罪分子的嚣张气焰，有力地促进了铁路治安秩序的稳定好转。但必须看到，目前铁路治安问题还很严峻，个别地区，部分路段的问题还相当突出。我们必须牢固树立长期作战的思想，坚持“严打”不放松，坚持把打击严重刑事犯罪，作为检察机关的工作重点，坚持从重从快的方针，坚持行之有效的作法和经验，为铁路治安秩序的稳定好转做出新的贡献。

（一）严厉打击团伙性质的“车匪路霸”犯罪活动。当前危害铁路治安的犯罪活动正从分散单独作案向集中团伙作案发展，甚至出现黑社会恶势力性质的犯罪集团，危害十分严重。这是铁路犯罪案件的新动向，我们必须依法从重从快予以坚决惩处，要露头就打，决不容其蔓延滋长，要除恶务尽，不留隐患，要力争一网打尽。

（二）坚持“两个基本”。铁路犯罪案件具有流动性大、现场复杂多变、证据难取、稍纵即逝等难点。要正确运用“两个基本”，依法处理。对于在站、车上发生的案件，只要基本事实清楚，基本证据确实充分，该捕则捕、该诉则诉，不要纠缠细微末节，以免贻误战机。

（三）坚持提前介入制度。实践证明，对重大特大刑事案件实行提前介入，是一项行之有效的工作制度。对铁路上发生的刑事犯罪案件就更为重要。各级铁路检察机关要克服人员少、任务重、条件差等困难，坚持好这项制度。要加强与铁路公安部门的联系，建立必要的联系制度，及时了解掌握重、特大刑事案件的发案、侦查、预审等情况，随时提前介入，为快捕快诉、及时打击犯罪、保证办案质量，创造有利条件。

（四）采取有力措施，刹住铁路内部职工盗窃货物严重的歪风。当前铁路内部职工中利用工作条件，盗窃铁路运输物资的情况相当严重。这一问题已成为铁路一大公害。它不仅给国家造成重大的经济损失，而且严重腐蚀了铁路职工的思想，还给铁路运输安全带来严重的威胁。从掌握的情况看，一些站、段、车间、班组在少数犯罪分子影响下，参与货盗的人数就像滚雪球一样，逐渐增多。严重的地方，甚至有的车站、车间、班组多数人都陷了进去，案发后，因怕影响生产往往难予大面积处理。这种状况已到了非彻底解决不可的地步。各级铁路检察机关要抓住典型案件，在党委领导和行政领导支持下，配合兄弟部门，发动群众，狠狠打击首要分子，区别对待、分化瓦解、争取教育大多数。从重从快的方针是针对严重刑事犯罪的，不适用于一般刑事犯罪，对一般刑事犯罪要按照刑法区别对待，贯彻惩办与宽大相结合的政策，对青少年犯罪中罪行较轻的初犯要贯彻教育、感化、挽救的方针，要少捕、不捕，注重帮教处理。同时健全规章制度，加强思想政治工作和管理工作。要搞好综合治理，即治标又治本，坚决遏制内盗歪风的发生和蔓延。

三、关于加强铁路法纪检察工作问题

最近结束的全国检察长工作会议强调，法纪检察工作要加强。这是贯彻中央六中全会精神，密切党同人民群众血肉联系的需要，是加强廉政建设，保障人民群众民主权利、人身权利和各种合法权益的需要，同时也是民主与法制建设的需要。从全路“侵权”、渎职案件给党和人民造成的危害和损失来看，也充分说明加强铁路法纪检察工作是完全必要的。

（一）从提高认识、搞好宣传上加强。提高认识是针对检察人员而言，加强宣传是针对群众而言。同时还要加强对内对外的联系和通报，以引起党政领导的重视和社会各方面的支持。要继续抓好立案标准的宣传，不断提高群众的法律意识、民主意识及维护自身合法权利的意识。通过典型案例向干部群众宣传，办一案、教育一片，宣传的重点要放在发案多、危害大的部位。

（二）从领导上加强、重点查处大要案。各级检察长要亲自动手，直接参与或办理大要案，积极争取党委的领导和支持，以有利于排除阻力和干扰。

（三）从办案质量和侦查工作上加强。法纪案件难度大，侦查工作是关键。我们不仅要掌握一般的侦查方法，还要懂得有关的专业知识，熟悉和了解铁路行业法纪案件的特点、规律。这一点非常重要，关系到能否坚持“一要坚决、二要慎重、务必搞准”的原则；关系到严格区分罪与非罪的界限。我们即要敢于办案又要善于办案，讲究方法、策略，案件要经得起历史的检验。

四、关于加强铁路检察机关的思想政治工作和队伍建设的问题

高检院党组关于检察机关思想政治工作和队伍建设的指导思想和基本任务是：认真贯彻党中央关于建立高检院政治部的批复精神和全国检察机关首届政治工作会议精神，以马列主义、毛泽东思想为指导，继续发扬党的政治工作的优良传统，加强党的建设，加强思想政治工作，开展具有检察工作行业特点的思想教育，激励广大检察人员的社会主义积极性、创造性和献身精神，建立一支政治立场坚定，严格依法办案，秉公执法，掌握政策，实事求是，联系群众的检察队伍，保证法律赋予的各项检察任务顺利完成。

（一）从学习社会主义理论入手，开展具有行业特点的思想政治工作。当前，一个学习社会主义理论的热潮正在全国形成。各级铁路检察机关要从战略高度充分认识开展社会主义理论学习和教育的重大现实意义和深远历史意义。通过学习，用科学社会主义的理论武装头脑，使大家明白中国走社会主义道路的历史必然性，牢固确立社会主义的坚定信念，不管遇到什么风浪都能“千磨万击还坚劲，任尔东西南北风”。同时，还要结合我们铁路检察工作的实际，有针对性地开展思想政治工作，使大家自觉抵制阴暗面和消极因素的影响，做到出污泥而不染，清正廉明，秉公执法。

（二）从严治检，加强班子建设。检察机关既是法律监督机关，又是执法机关。检察人员不仅要具有较高的法律业务水平，而且还应成为遵纪守法的典范。高检院颁发的《检察人员纪律》集中体现了党和国家对检察人员的期望和要求，每一个检察人员都应严格遵守。我们说，铁路检察队伍总体上是好的，但是也应看到队伍中还存在一些相当严重的问题，社会上的不正之风在检察队伍中都不同程度地存在，对此必须有清醒的认识。领导班子的建设非常重要，最近江泽民总书记指出：“我们务必高瞻远瞩，采取措施把各级领导班子建设好，保证老一辈无产阶级革命家开创的事业代代相传。”各级铁路检察机关不仅要把现在的班子建设好，而且还要十分注意后备干部的选择、培养、使用、锻炼、考查，使我们的事业后继有人。

（三）关于铁路检察体制问题。这个问题我不准备多讲，鞠永春同志工作报告中讲到的，就是我们的共同意见。这个问题的解决尚需有个过程，只要我们各级铁路检察机关同心协力，充分发挥专门检察机关的职能作用，以实际行动证明铁路检察工作在铁路两个文明建设中的必要性、重要性，就一定会促使问题的早日解决。

在全国检察机关干部教育培训工作会议上的讲话

最高人民检察院副检察长　梁国庆

（1990 年 11 月 30 日）

同志们：

全国检察机关干部教育培训工作会议是根据检察长工作会议精神，经最高人民检察院党组研究决定召开的。检察系统"七·五"期间干部教育培训规划中提出的各项任务和指标，已经基本实现。在"八·五"即将开始的时候，我们有必要对"七·五"规划落实情况进行认真的回顾，讨论今后五年干部教育培训工作面临的形势和任务，以便确定"八·五"期间要着重办些什么事。对此，我讲一些意见，供大家讨论。

一、"七·五"规划落实情况是好的

1987 年，我们召开了检察机关首次干部教育培训工作会议，确定了"七·五"期间干部教育培训规划；1988 年，决定在检察系统开展电大教育和法律（检察）专业证书教育；1989 年，创办了中国高级检察官培训中心；今年，又在湖北、吉林设立了高级检察官培训中心函授站。几年来，干部教育培训工作发展顺利，并不断有新的进展。

（一）分期分批组织各级领导骨干上党校学习政治理论，提高马列主义水平，取得初步经验。

干部教育培训工作必须坚持政治素质和业务素质同步提高的原则，既要组织干部学习业务，更要组织干部学习政治。检察系统从 1988 年开始，在中央党校的支持配合下，分期分批轮训分、州、市院检察长以上领导干部，到目前已开办六期，有 203 名同志参加了学习，占应轮训干部总数的 35%，其中省部级干部 16 名，占 45%。一些地方，如湖北、安徽等省在党委的支持下，与省委党校相配合，组织分、州、市院副检察长，县、区院检察长和其他领导骨干上党校的做法，也受到了广大领导干部的欢迎。经过去年那场政治风波之后，针对当前国际上风云变幻的复杂形势，为加强检察机关的思想政治工作，培训政治工作骨干，从去年下半年开始组织各省、自治区、直辖市和计划单列市检察院政工部门的领导骨干分批参加中央党校国家机关分校的学习，已举办两期，轮训政工骨干 73 人，现已决定在此基础上开办高级检察官培训中心政工专业，加强对领导干部和政工干部的培训。这些做法，对于提高各级领导干部对政治理论学习重要性的认识，加强自身的马列主义理论修养，推动广大检察干部学习政治理论，都是有重要意义的。

（二）检察干部队伍的文化水平有了较大提高，专业结构得到改善。

提高整个干部队伍的文化、专业水平，是"七·五"期间干部培训工作的重要内容。各级检察机关利用电大、夜大、职大、函大和高等教育自学考试等形式组织干部学文化、学专业，组织干部参加专业证书学习，使干部队伍的文化、专业水平大大提高。截止目前的统计，在159987名检察干部中，具有大专以上文化的有53378人，占干部总数的33.4%；取得高等教育专业证书的17181人，占干部总数的10.7%，两项合计共占干部总数的44.1%。目前正在参加大专以上和高等教育专业证书学习的人数为42276人，大部分明年暑期结业，届时检察系统大专层次以上的干部可达到65%以上，且绝大部分是法律专业。这说明，检察系统干部队伍文化水平、专业素质不高的状况已经改变。五年里，检察干部队伍的文化专业水平提高的速度比较快，每年增长的幅度也比较大，与1985年相比，提高了34个百分点，平均每年增长6.8%。五年当中，我们利用社会上的各种办学形式，自己培养出了32068名具有大专以上文化水平的干部，是国家历年分配给检察机关大专以上干部的4.13倍，相当于十一届三中全会前二十七年政法院校培养的大专以上毕业生（27562人）的1.16倍。与此同时，检察队伍中初中以下文化的则由1985年的43%下降到目前的18%，且绝大部分是五十岁以上，具有实践经验的干部。高中、中专文化的干部58995人，占36.9%。干部队伍文化、专业水平的提高，就为今后进一步开展岗位职务培训和不断提高岗位职务培训的水平打下了良好的基础。

（三）岗位职务培养有了新的发展，大学后教育开始起步。

据不完全统计，五年中，各级检察机关共举办各种类型的短期培训班1100余次，培训干部50000多人次。这些培训班的特点是专业性强，适应性强，容易收到实效，今后还要加强和提高。高级检察官培训中心的创办，对于培训各级业务骨干，探索检察官大学后教育，提高队伍的法律水平、业务能力，开辟了一个新的途径。中心创办以来，已开办反贪污贿赂班三期，轮训业务骨干423名，吉林、湖北两个函授站现有在学干部102名。此外，委托有关政法院校培养定向研究生和选送干部出国进修的工作也有所发展。

（四）干部培训的基础性工作得到加强，为实现正规化培训准备了条件。

检察机关的干部教育培训工作，有其自身的特点和要求，我们起步不早，起点不高，要求却很高，因为我们的培训对象是检察官，是一支坚持社会主义道路、具有专业知识和能力的干部队伍，即不同于其他国家机关工作人员，也不同于其他专业干部。从长远看，一定要有自己的培训机构、基地、教材和专、兼、聘相结合的师资队伍，为教育培训工作提供必要的物资条件和组织保障。四年来，这方面的工作也是有进展的。一是编写检察教材，先后组织一百多位法学专家教授和检察干部编写的检察业务系列教材，已确定15种60余本，可望明年能大部分出版发行；二是抓紧基地建设，除高级检察官培训中心已经创办，中国检察官学院正在抓紧筹建外，吉林、湖北、四川、上海、河南、江西、内蒙、广西等省、自治区、直辖市检察院也创办了检察干部学校或培训中心；三是建立健全培训管理机构，全国有14个省、自治区、直辖市检察院成立了教育处，19个省、自治区建立了电大检察分校，123个分、州、市院建立了电大工作站，许多基层检察院设立了电大教学班。一些地方开始注意培养自己的师资队伍。所有这些，都是“六·五”期间无法比拟的。

回顾这几年干部教育培训工作，令人高兴，使人欣慰，成绩不小，来之不易。这些成绩是在各项检察业务工作十分繁忙和经费困难的条件下取得的，是四级检察机关、全体检察人员努力的结果。各级领导同志为事业着想，为他人着想，为后人着想，把干部培训工作当作一项战略任务来看待，抓得紧、抓得实；从事教育培训工作的干部默默无闻地工作，一心朴实，脚踏实地，作出了可贵的贡献；受训干部刻苦求学，努力自学，受到称赞。据15个省、自治区的不完全统计，共有131个先进集体、162名优秀辅导员、68名优秀管理干部和1011名优秀学员受到表彰。我们的干部教育培训工作还得到中央和地方有关部门、政法院校和许多法学专家学者的积极支持和热心指导，我们的成绩浸透着许许多多同志的辛劳和心血。

二、几个认识问题

“七·五”期间检察系统干部教育培训工作取得了成绩，积累了经验，其中最主要的就是不断提高对干部教育培训工作重要意义的认识，这一点对于顺利实现“八·五”规划也是至关重要的。

第一，充分认识干部教育培训工作是一项战略任务，把它当作队伍建设的大事来抓。政治路线确定之后，干部就是决定的因素。这是非常正确的，在当前和今后具有更重要的现实意义和战略意义。党的十三届四中全会以来，党中央抓紧党的建设，取得可喜成效。江泽民同志指出：“现在这一代干部，特别是五十岁以下的中青年干部是跨世纪的一代，正生活和工作在我国社会主义现代化建设发展的关键时期，肩负着承前启后、继往开来的历史责任，经受着执政的考验，改革、开放的考验，反和平演变的考验。他们的素质如何，能否经受住这些考验，胜任党的任务的要求，能否正确判断风云变幻的国际形势，关系到我国现代化建设的成败，关系到党和国家的盛衰兴亡，关系到社会主义在中国的命运。大力提高广大干部的素质，已经成为一个非常重要、非常突出的战略任务摆到了全党面前。”为了加强国家民主法制建设，党中央强调发扬“抗大”精神，培养大批法律人才。检察事业的发展靠检察队伍素质的提高，检察官素质的提高靠教育培训。复之同志多次指出：要把干部教育培训工作当作一项战略任务来抓，当作队伍的一项基本建设来抓。最近一个时期，高检院党组同志经常谈论的两个重大问题，一是建设有中国特色的社会主义检察制度，二是确立中国式的检察官管理制度，并将此列入明年第九次检察工作会议的重要议题。为了建设有中国特色的社会主义检察制度，需要大批政治上、业务上合格的检察官，为了确立中国检察官管理制度，就要采取措施，进一步加强干部教育培训工作，这是检察官管理制度不可缺少的重要内容。因此，对“七·五”期间的成绩也只能看作是一个起点，不可估计过高，要看到差距和不足。30个省、自治区、直辖市干部教育培训工作的发展是不平衡的，有的还没有把教育培训工作放在战略位置上来抓，培训工作中的许多困难和问题还有待克服和解决，我们对教育培训工作的指导也不够及时具体。随着各项检察业务工作的拓宽和人员的增编、换届，也会不断提出新的培训任务。可见，今后干部教育培训工作的任务更加繁重，切不可因为“七·五”取得成绩，“八·五”就可松口气。

第二，提高检察队伍的政治素质是干部教育培训工作的首要任务，要把政治理论学习作为干部培训的重要内容。实践证明，干部队伍革命化、年轻化、专业化、知识化的方针是完全正确的。鉴于当前国内国外形势的发展变化，以马克思主义基本理论，特别是科学社会主义理论武装检察干部的头脑，增强党的观念，坚定社会主义信念，是关系到人民民主专政国家法律监督机关的领导权、检察权掌握在忠于马克思主义的人手里的大问题，关系到能否正确依法独立行使检察权的问题。党和国家历来对检察官的政治素质和业务素质，尤其是政治素质的要求是严格的，人民的检察官首先应当是政治上可靠的人，其次才是业务上精通的人。决不能把干部教育培训只理解为学历教育，只理解为业务培训，也不能在业务培训过程中，只讲业务不讲政治。要知道，法学是一门阶级性很强的科学，检察工作是一项政治性、业务性都很强的工作，必须学会运用马克思列宁主义的立场、观点和方法才能有真正的理解，才能做好本职工作。在今后干部教育培训工作中，要更加强调政治理论的学习，党的路线、方针、政策的学习和形势教育，认真组织广大干部学习马列和毛泽东同志的著作，学习老一辈无产阶级革命家的论述和中央领导同志的重要讲话。近期内，要有计划地组织干部学习邓小平同志《论民主与法制》、彭真同志《论新时期的社会主义民主与法制建设》、江泽民同志“国庆”四十周年重要讲话和《社会主义若干问题学习纲要》一书，把广大干部特别是各级领导骨干和中青年干部的马克思列宁主义、毛泽东思想的理论素养大大提高一步，增强坚持四项基本原则的自觉性，坚决反对和抵制资产阶级自由化。要对各级领导干部、后备干部学习马列、分批进各级党校学习作出具体安排。使我们的教育培训工作始终坚持正确的方向，为建设一支政治立场坚定，严格依法办案，秉公执法，掌握政策，实事求是，联系群众，精通业务的检察官队伍继续努力。

第三，岗位职务培训是今后干部教育培训工作的重点，要下大力气抓紧。岗位职务培训是对检察机关不同岗位上的人员进行旨在提高政治思想水平，法律水平和业务工作能力为目标的定向培训。“七·五”期间，我们在不放松岗位职务培训的同时，花了很大精力抓干部的学历教育、专业证书教育，这无疑为今后搞好岗位职务培训创造了条件。按照干部人事制度改革的方针，检察官条例已草拟到第十四稿，明年将提请全国人大常委会审议，培训是条例的重要组成部分，单独列为一章。我们要尽快制定检察长、检察员、书记员岗位职务培训规范，编写与其相配套的教学大纲，要逐步实行并不断完善对新录用人员的上岗培训，晋升职务的资格培训，转换工作的转岗培训，在职人员更新知识的适应性培训等等。要采取切实可行的措施，加速各项检察业务工作骨干的培养，要在今后五年内培养一大批反贪污专家，查处侵权、渎职案件专家和刑事、民事行政、控告申诉、监所检察等各方面的行家里手。进行岗位职务培训要通过试点总结经验，逐步展开。在开展岗位职务培训过程中注意加强检察人员行为规范和职业道德的教育。

三、加强领导，切实保证“八·五”规划的顺利实现

为使“八·五”规划顺利实现，还要强调加强领导，统筹规划，分级负责，齐心协力。

加强领导，就要坚定地贯彻巩固、提高的指导思想，巩固已经取得的成绩，不断提高培训水平，发扬重视智力投资和艰苦办学的精神，使我们的培训工作在“七·五”期间迈上了一个台阶的基础上，更上一层楼。

加强领导，就要全面规划，各省、自治区、直辖市检察院都要在认真总结“七·五”期间培训规划落实情况的同时，制定出本地区“八·五”期间干部教育培训规划。制定规划要从实际出发，实事求是，实实在在，便于执行，便于检查，不搞攀比，不搞不切实际的高指标，这一点务必请同志们注意。

加强领导，就要建立健全教育培训机构，争取“八·五”期间建立起以高检院的中国检察官学院、中国高级检察官培训中心，省、自治区、直辖市院的检察干部学校或检察官培训中心，分、州、市院的培训班分级培训的教育培训体系。这里需要强调的是，省、自治区、直辖市院教育机构原则上与高检院对口，已建立教育处的要加强自身建设，尚未建立的，应在贯彻中央关于高检院设立政治部批复的过程中，在筹建各级政治工作机构时，要把干部教育培训工作一并考虑。根据前几年的经验，一套人马几个牌子的做法是可行的。对从事干部教育培训工作的干部要严格要求，加强培养。要培养一批既善于组织管理、又能亲自讲课的骨干，逐步形成高检，省、自治区、直辖市和分、州、市检察院三级干部培训师资队伍。充分发挥他们的积极性，支持他们的工作，关心他们的疾苦，体谅他们的难处，注意帮助他们解决工作中的实际问题。

加强领导，就要实行分类指导，对沿海地区、内地和少数民族地区，要区别情况，确定符合实际的培训方针和培训任务。高检院要按照全国检察长工作会议的精神，对少数民族地区的干部培训工作进行深入调查，与有关省、自治区一起作出规划，共同予以重点扶持。要注意发现和培养干部培训工作中的先进典型，总结交流培训工作经验。要逐步建立健全培训工作中的有关制度，加强管理，严格要求。

同志们：

为适应检察事业不断发展的需要，“八·五”期间检察干部队伍教育培训工作的重要任务是提高整个队伍的政治理论水平和业务能力。我们要继续发扬各级领导重视，一把手亲自关心干部教育培训工作的好传统，不骄不躁，再接再厉，为把检察机关的干部教育培训工作提高到一个新的水平，做出应有的努力。

第四部分 最高人民检察院司法解释选载

最高人民检察院关于盗窃当地中国人民银行批准发行的有价证券如何计算盗窃数额请示的答复

高检研发字（1990）第2号

1990年3月16日

四川省人民检察院：

你院川检研（1989）59号“关于盗窃地方银行、大型企业等部门发行的不计名、不挂失的各种有价证券能否按票面数额计算盗窃数额的请示”收悉。经研究，答复如下：

根据最高人民法院、最高人民检察院《关于当前办理盗窃案件中具体应用法律的若干问题的解答》、最高人民检察院《关于盗窃中国工商银行的债券如何计算数额的批复》以及国务院有关债券、股票管理的规定，只要盗窃了根据国家规定发行的、不计名、不挂失的有价证券，其中包括报经当地中国人民银行批准发行的债券、股票，应按票面数额计算，未兑现金的，可作为情节考虑。

最高人民检察院关于人民检察院直接受理侦查的贪污、贿赂、“侵权”、渎职等犯罪案件不使用收容审查的通知

高检贪检发字（1990）第11号

1990年3月21日

各省、自治区、直辖市人民检察院，军事检察院：

收容审查是公安机关用来对付流窜犯罪分子和流窜作案嫌疑分子的强制性的行政审查措施。1985年公安部（85）公发50号文《公安部关于严格控制使用收容审查手段的通知》重申：“收容审查对象应严格控制在有流窜作案嫌疑的，或有犯罪行为又不讲真实姓名、住址、来历不明的人这个范围之内。对那些在本地作案、身份清楚、查有实据的犯罪分子不应采用收审，而应分别依法采取拘留、逮捕或取保候审、监视居住等其他法律措施。”人民检察院直接受理侦查的贪污、贿赂、“侵权”、渎职等犯罪案件，立案时被告人或犯罪嫌疑人姓名、地址、身份和部分犯罪事实比较清楚，且多是国家工作人员。显然，这些人不属于收容审查措施的适用对象。

1989年各地人民检察院在立案查处

贪污、贿赂等犯罪案件中使用收审措施的案件还占有一定比例。为此重申，今后人民检察院直接受理侦查的案件坚决不再使用收容审查措施。办案中要增强侦查意识，熟练地应用法律规定的各种侦查手段，提高侦查能力，如有必要限制被告人或犯罪嫌疑人的人身自由时，应分别情况依照刑事诉讼法有关规定采取拘留、逮捕或取保候审、监视居住等强制措施。

人民检察院是国家法律监督机关，要强调必须坚决地严格执法，依法办案。检察机关不搞收容审查有利于发挥法律监督机关职能作用，保证国家法律法规的正确实施。

望各地接此通知后认真贯彻执行。

司法部　最高人民法院
最高人民检察院　公安部
关于印发《人体重伤
鉴定标准》的通知

司发〔1990〕070号

1990年3月29日

各省、自治区、直辖市高级人民法院、人民检察院、公安厅（局）、司法厅（局）：

司法部、最高人民法院、最高人民检察院、公安部于1986年8月15日联合发布的《人体重伤鉴定标准（试行）》，试行以来，在重伤的法医学鉴定中，收到了较好的效果，同时，各地司法机关也提出了一些修改意见。现将司法部根据各地司法机关的意见修改的《人体重伤鉴定标准》印发给你们，作为法医评定重伤的标准，正式施行。

人体重伤鉴定标准

第一章　总　　则

第一条　本标准依照《中华人民共和国刑法》第八十五条规定，以医学和法医学的理论和技术为基础，结合我国法医检案的实践经验，为重伤的鉴定提供科学依据和统一标准。

第二条　重伤是指使人肢体残废、毁人容貌、丧失听觉、丧失视觉、丧失其他器官功能或者其他对于人身健康有重大伤害的损伤。

第三条　评定损伤程度，必须坚持实事求是的原则，具体伤情，具体分析。

损伤程度包括损伤当时原发性病变、与损伤有直接联系的并发症，以及损伤引起的后遗症。

鉴定时，应依据人体损伤当时的伤情及其损伤的后果或者结局，全面分析，综合评定。

第四条　鉴定损伤程度的鉴定人，应当由法医师或者具有法医学鉴定资格的人员担任，也可以由司法机关委托、聘请的主治医师以上人员担任。鉴定时，鉴定人有权了解与损伤有关的案情、调阅案卷和病历、勘验现场，有关单位有责任予以配合。鉴定人应当遵守有关法律规定，保守案件秘密。

第五条　损伤程度的鉴定，应当在判决前完成。

第二章　肢体残废

第六条　肢体残废是指由各种致伤因素致使肢体缺失或者肢体虽然完整但已丧失功能。

第七条　肢体缺失是指下列情形之一：

（一）任何一手拇指缺失超过指间关节；

（二）一手除拇指外，任何三指缺失均超过近侧指间关节，或者两手除拇指外，任何四指缺失均超过近侧指间关节；

（三）缺失任何两指及其相连的掌骨；

（四）缺失一足百分之五十或者足跟百分之五十；

（五）缺失一足第一趾和其余任何二趾，或者一足除第一趾外，缺失四趾；

（六）两足缺失五个以上的足趾；

（七）缺失任何一足第一趾及其相连的跖骨；

（八）一足除第一趾外，缺失任何三趾及其相连的跖骨。

第八条 肢体虽然完整，但是已丧失功能，是指下列情形之一：

（一）肩关节强直畸形或者关节运动活动度丧失达百分之五十[1]；

（二）肘关节活动限制在伸直位，活动度小于90度或者限制在功能位，活动度小于10度；

（三）肱骨骨折并发假关节、畸形愈合严重影响上肢功能；

（四）前臂骨折畸形愈合强直在旋前位或者旋后位；

（五）前臂骨折致使腕和掌或者手指功能严重障碍；

（六）前臂软组织损伤致使腕和掌或者手指功能严重障碍；

（七）腕关节强直、挛缩畸形或者关节运动活动度丧失达百分之五十；

（八）掌指骨骨折影响一手功能，不能对指和握物[2]；

（九）一手拇指挛缩畸形，不能对指和握物；

（十）一手除拇指外，其余任何三指挛缩畸形，不能对指和握物；

（十一）髋关节强直、挛缩畸形或者关节运动活动度丧失达百分之五十；

（十二）膝关节强直、挛缩畸形屈曲超过30度或者关节运动活动度丧失达百分之五十；

（十三）任何一侧膝关节十字韧带损伤造成旋转不稳定，其功能严重障碍；

（十四）踝关节强直、挛缩畸形或者关节运动活动度丧失达百分之五十；

（十五）股骨干骨折并发假关节、畸形愈合缩短超过5厘米、成角畸形超过30度或者严重旋转畸形；

（十六）股骨颈骨折不愈合、股骨头坏死或者畸形愈合严重影响下肢功能；

（十七）胫腓骨骨折并发假关节、畸形愈合缩短超过5厘米、成角畸形超过30度或者严重旋转畸形；

（十八）四肢长骨（肱骨、桡骨、尺骨、股骨、胫腓骨）开放性、闭合性骨折并发慢性骨髓炎；

（十九）肢体软组织疤痕挛缩，影响大关节运动功能，活动度丧失达百分之五十；

（二十）肢体重要神经（臂丛及其重要分支、腰骶丛及其重要分支）损伤，严重影响肢体运动功能；

（二十一）肢体重要血管损伤，引起血液循环障碍，严重影响肢体功能。

第三章 容貌毁损

第九条 毁人容貌是指毁损他人面容[3]，致使容貌显著变形、丑陋或者功能障碍。

第十条 眼部毁损是指下列情形之一：

（一）一侧眼球缺失或者萎缩；

（二）任何一侧眼睑下垂完全覆盖瞳孔；

（三）眼睑损伤显著影响面容；

（四）一侧眼部损伤致成鼻泪管全部断裂、内眦韧带断裂影响面容；

（五）一侧眼眶骨折显著塌陷。

第十一条 耳廓毁损是指下列情形之一：

（一）一侧耳廓缺损达百分之五十或者两侧耳廓缺损总面积超过一耳百分之六十；

（二）耳廓损伤致使显著变形。

第十二条 鼻缺损、塌陷或者歪曲致使显著变形。

第十三条 口唇损伤显著影响面容。

第十四条 颧骨损伤致使张口度（上下切牙切缘间距）小于1.5厘米；颧骨骨折错位愈合致使面容显著变形。

第十五条 上、下颌骨和颞颌关节毁损是指下列情形之一：

（一）上、下颌骨骨折致使面容显著变形；

（二）牙齿脱落或者折断共七个以上；

（三）颞颌关节损伤致使张口度小于1.5厘米或者下颌骨健侧向伤侧偏斜，致使面下部显著不对称。

第十六条 其他容貌毁损是指下列情形之一：

（一）面部损伤留有明显块状疤痕，单块面积大于4平方厘米，两块面积大于7平方厘米，三块以上总面积大于9平方厘米或者留有明显条状疤痕，单条长于5厘米，两条累计长度长于8厘米、三条以上累计总长度长于10厘米，致使眼睑、鼻、口唇、面颊等部位容貌毁损或者功能障碍。

（二）面神经损伤造成一侧大部面肌瘫痪，形成眼睑闭合不全，口角歪斜；

（三）面部损伤留有片状细小疤痕、明显色素沉着或者明显色素减退，范围达面部面积百分之三十。

（四）面颈部深二度以上烧、烫伤后导致疤痕挛缩显著影响面容或者颈部活动严重障碍。

第四章 丧失听觉[4]

第十七条 损伤后，一耳语音听力减退在91分贝以上。

第十八条 损伤后，两耳语音听力减退在60分贝以上。

第五章 丧失视觉[5]

第十九条 各种损伤致使视觉丧失是指下列情形之一：

（一）损伤后，一眼盲；

（二）损伤后，两眼低视力，其中一眼低视力为2级。

第二十条 眼损伤或者颅脑损伤致使视野缺损（视野半径小于10度）。

第六章 丧失其他器官功能

第二十一条 丧失其他器官功能是指丧失听觉、视觉之外的其他器官的功能或者功能严重障碍。条文另有规定的，依照规定。

第二十二条 眼损伤或者颅脑损伤后引起不能恢复的复视，影响工作和生活。

第二十三条 上、下颌骨骨折或者口腔内组织、器官损伤（如舌损伤等）致使语言、咀嚼或者吞咽能力明显障碍。

第二十四条 喉损伤后引起不能恢复的失音、严重嘶哑。

第二十五条 咽、食管损伤留有疤痕性狭窄导致吞咽困难。

第二十六条 鼻、咽、喉损伤留有疤痕性狭窄导致呼吸困难[6]。

第二十七条 女性两侧乳房损伤丧失哺乳能力。

第二十八条 肾损伤并发肾性高血压、肾功能严重障碍。

第二十九条　输尿管损伤留有狭窄致使肾积水、肾功能严重障碍。

第三十条　尿道损伤留有尿道狭窄引起排尿困难、肾功能严重障碍。

第三十一条　肛管损伤致使严重大便失禁或者肛管严重狭窄。

第三十二条　骨盆骨折致使骨盆腔内器官功能严重障碍。

第三十三条　子宫、附件损伤后期并发内生殖器萎缩或者影响内生殖器发育。

第三十四条　阴道损伤累及周围器官造成瘘管或者形成疤痕致其功能严重障碍。

第三十五条　阴茎损伤后引起阴茎缺损、严重畸形致其功能严重障碍。

第三十六条　睾丸或者输精管损伤丧失生殖能力。

第七章　其他对于人体健康的重大损伤

第三十七条　其他对于人体健康的重大损伤是指上述几种重伤之外的在受伤当时危及生命或者在损伤过程中能够引起威胁生命的并发症，以及其他严重影响人体健康的损伤。

第一节　颅脑损伤

第三十八条　头皮撕脱伤范围达头皮面积百分之二十五并伴有失血性休克；头皮损伤致使头皮丧失生存能力，范围达头皮面积百分之二十五。

第三十九条　颅盖骨折（如线形、凹陷、粉碎等）伴有脑实质及血管损伤，出现脑受压症状和体征；硬脑膜破裂。

第四十条　开放性颅脑损伤。

第四十一条　颅底骨折伴有面、听神经损伤或者脑脊液漏长期不愈。

第四十二条　颅脑损伤当时出现昏迷（30分钟以上）和神经系统体征，如单瘫、偏瘫、失语等。

第四十三条　颅脑损伤，经脑CT扫描显示脑挫伤，但是必须伴有神经系统症状和体征。

第四十四条　颅脑损伤致成硬脑膜外血肿、硬脑膜下血肿或者脑内血肿。

第四十五条　外伤性蛛网膜下腔出血伴有神经系统症状和体征。

第四十六条　颅脑损伤引起颅内感染，如脑膜炎、脑脓肿等。

第四十七条　颅脑损伤除嗅神经之外引起其他脑神经不易恢复的损伤。

第四十八条　颅脑损伤引起外伤性癫痫。

第四十九条　颅脑损伤导致严重器质性精神障碍。

第五十条　颅脑损伤致使神经系统实质性损害引起的症状与病征，如颈内动脉—海绵窦瘘、下丘脑—垂体功能障碍等。

第二节　颈部损伤

第五十一条　咽喉、气管、颈部、口腔底部及其邻近组织的损伤引起呼吸困难。

第五十二条　颈部损伤引起一侧颈动脉、椎动脉血栓形成、颈动静脉瘘或者假性动脉瘤。

第五十三条　颈部损伤累及臂丛，严重影响上肢功能；颈部损伤累及胸膜顶部致成气胸引起呼吸困难。

第五十四条　甲状腺损伤伴有喉返神经损伤致其功能严重障碍。

第五十五条　胸导管损伤。

第五十六条　咽、食管损伤引起局部脓肿、纵隔炎或者败血症。

第五十七条　颈部损伤导致异物存留在颈深部，影响相应组织、器官功能。

第三节　胸部损伤

第五十八条　胸部损伤引起血胸或者气胸，并发生呼吸困难。

第五十九条 肋骨骨折致使呼吸困难。

第六十条 胸骨骨折致使呼吸困难。

第六十一条 胸部损伤致成纵隔气肿、呼吸窘迫综合征或者气管、支气管破裂。

第六十二条 气管、食管损伤致成纵隔炎、纵隔脓肿、纵隔气肿、血气胸或者脓胸。

第六十三条 心脏损伤；胸部大血管损伤。

第六十四条 胸部损伤致成脓胸、肺脓肿、肺不张、支气管胸膜瘘、食管胸膜瘘或者支气管食管瘘。

第六十五条 胸部的严重挤压致使血液循环障碍、呼吸运动障碍、颅内出血。

第六十六条 女性一侧乳房缺失。

第四节 腹部损伤

第六十七条 胃、肠、胆道系统穿孔、破裂。

第六十八条 肝、脾、胰等器官破裂；因损伤致使这些器官形成血肿、脓肿。

第六十九条 肾破裂；尿外渗须手术治疗（包含肾动脉栓塞术）。

第七十条 输尿管损伤致使尿外渗。

第七十一条 腹部损伤致成腹膜炎、败血症、肠梗阻或者肠瘘等。

第七十二条 腹部损伤致使腹腔积血，须手术治疗。

第五节 骨盆部损伤

第七十三条 骨盆骨折严重变形。

第七十四条 尿道破裂、断裂须行手术修补。

第七十五条 膀胱破裂。

第七十六条 阴囊撕脱伤范围达阴囊皮肤面积百分之五十；两侧睾丸缺失。

第七十七条 损伤引起子宫或者附件穿孔、破裂。

第七十八条 孕妇损伤引起早产、死胎、胎盘早期剥离、流产并发失血性休克或者严重感染。

第七十九条 幼女外阴或者阴道严重损伤。

第六节 脊柱和脊髓损伤

第八十条 脊柱骨折或者脱位，伴有脊髓损伤或者多根脊神经损伤。

第八十一条 脊髓实质性损伤影响脊髓功能，如肢体活动功能、性功能或者大小便严重障碍。

第七节 其他损伤

第八十二条 烧、烫伤。

（一）成人烧、烫伤总面积（一度烧、烫伤面积不计算在内，下同）在百分之三十以上或者三度在百分之十以上；儿童总面积在百分之十以上或者三度在百分之五以上。

烧、烫伤面积低于上述程度但有下列情形之一：

1. 出现休克；
2. 吸入有毒气体中毒；
3. 严重呼吸道烧伤；
4. 伴有并发症导致严重后果；
5. 其他类似上列情形的。

（二）特殊部位（如面、手、会阴等）的深二度烧、烫伤，严重影响外形和功能，参照本标准有关条文。

第八十三条 冻伤出现耳、鼻、手、足等部位坏死及功能严重障碍，参照本标准有关条文。

第八十四条 电击损伤伴有严重并发症或者遗留功能障碍，参照本标准有关条文。

第八十五条 物理、化学或者生物等致伤因素引起损伤，致使器官功能严重障碍，参照本标准有关条文。

第八十六条 损伤导致异物存留在

脑、心、肺等重要器官内。

第八十七条　损伤引起创伤性休克、失血性休克或者感染性休克。

第八十八条　皮下组织出血范围达全身体表面积百分之三十；肌肉及深部组织出血，伴有并发症或者遗留严重功能障碍。

第八十九条　损伤引起脂肪栓塞综合征。

第九十条　损伤引起挤压综合征。

第九十一条　各种原因引起呼吸障碍，出现窒息征象并伴有并发症或者遗留功能障碍。

第八章　附　　则

第九十二条　符合《中华人民共和国刑法》第八十五条的损伤，本标准未作规定的，可以比照本标准相应的条文作出鉴定。

前款规定的鉴定应由地（市）级以上法医学鉴定机构作出或者予以复核。

第九十三条　三处（种）以上损伤均接近本标准有关条文的规定，可视具体情况，综合评定为重伤或者不评定为重伤。

第九十四条　本标准所说的以上、以下都连本数在内。

第九十五条　本标准仅适用于《中华人民共和国刑法》规定的重伤的法医学鉴定。

第九十六条　本标准自1990年7月1日起施行。1986年发布的《人体重伤鉴定标准（试行）》同时废止。

本标准施行前，已作出鉴定尚未判决的，仍适用1986年发布的《人体重伤鉴定标准（试行）》。

《人体重伤鉴定标准》说明

〔1〕鉴定关节运动活动度，应从被检关节的整体功能判定，可参照临床常用的正常人体关节活动度值进行综合分析后做出。检查时，须了解该关节过去的功能状态，并与健侧关节运动活动度比对。

〔2〕对指活动是指拇指的指腹与其余各指的指腹相对合的动作。

〔3〕面容的范围是指前额发际下，两耳根前与下颌下缘之间的区域，包括额部、眶部、鼻部、口唇部、颏部、颧部、颊部、腮腺咬肌部和耳廓。

〔4〕鉴定听力减退的方法：

①听力检查宜用纯音听力计以气导为标准，听力级单位为分贝（db），一般采用500、1000和2000赫兹三个频率的平均值。这一平均值相当于生活语音的听力阈值。

②听力减退在25分贝以下的，应属于听力正常。

③损伤后，两耳听力减退按如下方法计算：

（较好耳的听力减退×5＋较差耳的听力减退×1）除以6。如计算结果，听力减退在60分贝以上就属于重伤。

④老年性听力损伤修正，按60岁开始，每年递减0.5分贝。

⑤有关听力检查，鉴定人认为必要时，可选择适当的方法（如声阻抗、耳蜗电图、听觉脑干诱发电位等）进行测定。

〔5〕鉴定视力障碍方法：

①凡损伤眼裸视或加用镜片（包括接触镜、针孔镜等）远距视力可达到正常视力范围（0.8以上）或者接近正常视力范围（0.4—0.8）的都不作视力障碍论。视力障碍（0.3以下）者分级见下表：

视力障碍			
级别		低视力及盲目分级标准	
		最好矫正视力	
		最好视力低于	最低视力等于或优于
低视力	1	0.3	0.1
	2	0.1	0.05（三米指数）
盲目	3	0.05	0.02（一米指数）
	4	0.02	光感
	5	无光感	

如中心视力好而视野缩小，以注视点为中心，视野半径小于10°而大于5°者为3级；如半径小于5°者为4级。

评定视力障碍，应以“远距视力”为标准，参考“近距视力”。

②中心视力检查法：用通用标准视力表检查远距视力和近距视力。对颅脑损伤者，应作中心暗点、生理盲点和视野检查。对有复视的更应详细检查，分析复视性质与程度。

③有关视力检查，鉴定人认为必要时，可选择适当的方法（如视觉电生理）进行测定。

〔6〕呼吸困难是由于通气的需要量超过呼吸器官的通气能力所引起。症状：自觉气短、空气不够用、胸闷不适。体征：呼吸频率增快，幅度加深或变浅，或者伴有周期节律异常，鼻翼扇动，紫绀等。实验室检查：

①动脉血液气体分析，动脉血氧分压可在8.0KPa（60mmHg）以下；

②胸部X线检查；

③肺功能测验。

诊断呼吸困难，必须同时伴有症状和体征。实验室检查以资参考。

最高人民法院
最高人民检察院
公安部　司法部
关于印发《人体轻伤鉴定标准（试行）》的通知

法（司）发［1990］6号

1990年4月2日

各省、自治区、直辖市高级人民法院、人民检察院、公安厅（局）、司法厅（局）：

现将《人体轻伤鉴定标准（试行）》印发给你们，作为评定伤害他人身体造成轻伤的鉴定标准，在法医检案中参照执行。在试行中遇到的问题请及时按系统反映，以便进一步修改完善。

附：《人体轻伤鉴定标准（试行）》

人体轻伤鉴定标准（试行）

第一章 总 则

第一条 本标准根据《中华人民共和国刑法》有关规定，以医学和法医学的理论与技术为基础，结合法医检案的实践经验制定，为轻伤鉴定提供依据。

第二条 轻伤是指物理、化学及生物等各种外界因素作用于人体，造成组织、器官结构的一定程度的损害或者部分功能障碍，尚未构成重伤又不属轻微伤害的损伤。

第三条 鉴定损伤程度，应该以外界因素对人体直接造成的原发性损害及后果为依据，包括损伤当时的伤情、损伤后引起的并发症和后遗症等，全面分析，综合评定。

第四条 鉴定人应当由法医师或者具有法医学鉴定资格的人员担任；也可以由司法机关聘请或者委托的主治医师以上人员担任。

鉴定人有权了解案情、调阅案卷、病历和勘验现场，有关单位有责任予以配合。

鉴定人必须坚持实事求是的原则，应用科学的检测方法，保守案件秘密，遵守有关法律规定。

第二章 头颈部损伤

第五条 帽状腱膜下血肿；

头皮撕脱伤面积达20平方厘米（儿童达10平方厘米）；头皮外伤性缺损面积达10平方厘米（儿童达5平方厘米）。

第六条 头皮锐器创口累计长度达8厘米，儿童达6厘米；钝器创口累计长度达6厘米，儿童达4厘米。

第七条 颅骨单纯性骨折。

第八条 头部损伤确证出现短暂的意识障碍和近事遗忘。

第九条 眼损伤

（一）眼睑损伤影响面容或者功能的；

（二）眶部单纯性骨折；

（三）泪器部分损伤及功能障碍；

（四）眼球部分结构损伤，影响面容或者功能的；

（五）损伤致视力减退，两眼矫正视力减退至0.7以下（较伤前视力下降0.2以上），单眼矫正视力减退至0.5以下（较伤前视力下降0.3以上）；原单眼为低视力者，伤后视力减退1个级别。

视野轻度缺损；

（六）外伤性斜视。

第十条 鼻损伤

（一）鼻骨粉碎性骨折，或者鼻骨线形骨折伴有明显移位的；

（二）鼻损伤明显影响鼻外形或者功能的。

第十一条 耳损伤

（一）耳廓损伤致明显变形；一侧耳廓缺损达一耳的10%，或者两侧耳廓缺损累计达一耳的15%；

（二）外伤性鼓膜穿孔；

（三）外耳道损伤致外耳道狭窄；

（四）耳损伤造成一耳听力减退达41分贝，两耳听力减退达30分贝。

第十二条 口腔损伤

（一）口唇损伤影响面容、发音或者进食；

（二）牙齿脱落或者折断2枚以上；

（三）口腔组织、器官损伤，影响语言、咀嚼或者吞咽功能的；

（四）涎腺损伤伴有功能障碍。

第十三条 颧骨骨折或者上、下颌骨骨折；颞下颌关节损伤致张口度（上下切牙切缘间距）小于3厘米。

第十四条 面部软组织单个创口长度达3.5厘米（儿童达3厘米），或者创口累计长度达5厘米（儿童达4厘米）或者颌面部穿透创。

第十五条 面部损伤后留有明显瘢痕，单条长3厘米或者累计长度达4厘米；单块面积2平方厘米或者累计面积达3平方厘米；影响面容的色素改变6平方厘米。

第十六条 面神经损伤致使部分面肌瘫痪影响面容及功能的。

第十七条 颈部软组织单个创口长度达5厘米或者累计创口长度达8厘米。

未达到上款规定但有运动功能障碍的。

第十八条 颈部损伤出现窒息征象的。

第十九条 颈部损伤伤及甲状腺、咽喉、气管或者食管的。

第三章 肢体损伤

第二十条 肢体软组织挫伤占体表总面积6%以上。

第二十一条 肢体皮肤及皮下组织单个创口长度达10厘米（儿童达8厘米）或者创口累计总长度达15厘米（儿童达12厘米）；伤及感觉神经、血管、肌腱影响功能的。

第二十二条 皮肤外伤性缺损须植皮的。

第二十三条 手损伤

（一）1节指骨（不含第2至5指末节）粉碎性骨折或者2节指骨线形骨折；

（二）缺失半个指节；

（三）损伤后出现轻度挛缩、畸形、关节活动受限或者侧方不稳；

（四）舟骨骨折、月骨脱位或者掌骨完全性骨折。

第二十四条 足损伤

（一）2节趾骨骨折；

（二）缺失1个趾节；

（三）蹠骨2节骨折；跗骨、距骨、跟骨骨折；踝关节骨折或者蹠跗关节脱位。撕脱骨折除外。

第二十五条 四肢长骨骨折；髌骨骨折。

第二十六条 肢体大关节脱位、关节韧带部分撕裂、半月板损伤或者肢体软组织损伤后瘢痕挛缩致关节功能障碍。

第四章 躯干部和会阴部损伤

第二十七条 躯干部软组织挫伤比照第二十条。

第二十八条 躯干部创口比照第二十一条。

第二十九条 躯干部穿透创未伤及内脏器官或者重要血管、神经的。

第三十条 胸部损伤引起气胸、血胸或者较大面积的单纯性皮下气肿，未出现呼吸困难。

第三十一条 胸部受挤压，出现窒息征象。

第三十二条 肩胛骨、锁骨或者胸骨骨折；胸锁关节或者肩锁关节脱位。

第三十三条 肋骨骨折（一处单纯性肋骨线形骨折除外）。

第三十四条 女性乳房损伤导致一侧乳房明显变形或者部分缺失；一侧乳房乳腺导管损伤。

第三十五条 腹部闭合性损伤确证胃、肠、肝、脾或者胰挫伤。

第三十六条 外伤性血尿（显微镜检查红细胞＞10/高倍视野）持续时间超过二周。

第三十七条 会阴部软组织挫伤达10平方厘米（儿童酌减）或者血肿二周内不能完全吸收的。

第三十八条 阴茎挫伤致排尿困难；阴茎部分缺损、畸形；阴囊撕脱伤、阴囊血肿、鞘膜积血；一侧睾丸脱位、扭转或者萎缩。

第三十九条 会阴、阴囊创口长度达2厘米；阴茎创口长度达1厘米。

第四十条 外伤性肛裂、肛瘘或者肛管狭窄。

第四十一条 阴道撕裂伤、子宫或者附件损伤。

第四十二条 损伤致孕妇难免流产。

第四十三条 外伤性脊柱骨折或者脱位；外伤性椎间盘突出；外伤影响脊髓功能，短期内能恢复的。

第四十四条 骨盆骨折。

第五章 其他损伤

第四十五条 烧、烫伤

（一）烧烫伤占体表面积

浅Ⅱ度5%以上（儿童3%以上）；

深Ⅱ度2%以上（儿童1%以上）；

Ⅲ度0.1%以上。

（二）头、手、会阴部Ⅱ度以上烧烫伤，影响外形、容貌或者活动功能的。

（三）呼吸道烧烫伤。

第四十六条 冻伤比照本标准相关条文。

第四十七条 电烧伤当时伴有意识障碍或者全身抽搐。

第四十八条 损伤致异物存留深部软组织内。

第四十九条 各种损伤出血出现休克前期症状体征的。

第五十条 多部位软组织挫伤比照第二十条。

第五十一条 多部位软组织创伤比照第二十一条。

第五十二条 其他物理性、化学性、生物性损伤，致人体组织、器官结构轻度损害或者部分功能障碍的比照本标准相关条文。

第六章 附 则

第五十三条 多种损伤均未达本标准的，不能简单相加作为轻伤。若有三种(类)损伤均接近本标准的，可视具体情况，综合评定。

第五十四条 本标准所定各种数据冠有“以上”或者“以下”的均含本数。

第五十五条 本标准适用于《中华人民共和国刑法》规定的伤害他人身体健康的法医学鉴定。

第五十六条 本标准自1990年7月1日起试行。

最高人民检察院
关于不得以检察机关的名义
为当地追款讨债的通知

高检控申发字（1990）第2号

1990年4月16日

各省、自治区、直辖市人民检察院，军事检察院：

最近，高检院接连收到一些地方单位和群众的函电，反映有的基层检察院为了给本地追款讨债，采取不正当手段，违法干预经济纠纷，在社会上造成很坏的影响。有的为使追款合法化，把经济纠纷案件作为诈骗立案查处；有的超越案件管辖权限，直接立案查办诈骗、投机倒把等案件；有的为能尽快追回款项，动辄冻结企业流动资金，甚至强行拘押当事人和当事人亲属；有的在传唤当事人时，搞易地“监视居住”，限制人身自由；有的完全不顾检察机关的声誉，与被拘押人的单位或亲属讨价还价，不交钱就不放人；有的为企事业单位追回款项后，硬行索款提成。这些行为，严重侵犯公民的人身权利和有关单位的合法权益，是一种执法犯法，破坏法制的行为，损害了检察机关也损害了党和国家的声誉。必须坚决杜绝这类问题的再度发生，为此，高检院重申：

一、检察机关不得直接受理诈骗案、投机倒把案和民事、经济纠纷案件。如有群众和单位向检察机关提出控告或诉讼请求时，应按照案件管辖的有关规定，移送公安机关和人民法院处理。

二、检察机关不得以任何形式为经济纠纷当事人追款讨债，不得滥用检察职权，随意冻结企业流动资金，逼企业还债。

三、在办案中如需到外地拘捕人犯，应携带法律手续，主动与当地检察、公安机关联系，配合执行任务。严禁采取非法的方式拘押人员，更不能用扣押人质的方法追要钱款。

各地检察机关要根据上述要求，认真进行一次检查，违犯的，要坚决、尽快纠正，并做好善后工作。要深入开展检察人员“八要八不准”的纪律教育，依法正确行使检察权，时时处处注意维护检察机关秉公执法的良好形象。

最高人民检察院关于以人质勒索他人财物案件如何定罪问题的批复

高检研发字［1990］第3号

1990年4月27日

四川省人民检察院：

你院川检研（1989）74号《关于当前以人质勒索他人巨额财物案件如何定罪处罚的请示》收悉，经征求最高人民法院和有关部门的意见，答复如下：以人质勒索他人财物犯罪案件，依照刑法第一百五十条规定以抢劫罪批捕起诉。

最高人民检察院关于检察机关受理后被告人死亡的经济犯罪案件赃款赃物如何处理问题的批复

高检研发字［1990］第5号

1990年6月12日

浙江省人民检察院：

你院浙检研字（1990）第25号《关于受理后立案前被告人死亡的经济犯罪案件如何追缴赃款赃物问题的请示》收悉。经研究，现答复如下：

人民检察院直接受理侦查的贪污、贿赂等经济犯罪案件，受理后，被告人死亡的，按照刑事诉讼法第十一条第五项的规定，不予立案，已经立案的，应当撤销案件。但应按照刑法第六十条和全国人大常委会《关于惩治贪污罪贿赂罪的补充规定》第十二条规定，对已经死亡的被告人贪污、挪用的公共财物一律追缴；贿赂财物及其他违法所得一律没收。追缴的贪污、挪用财物，退回原单位；依法不应退回原单位的和没收的财物收入，一律上缴国库，并在不立案或者撤销案件决定书中载明。

最高人民检察院关于人民检察院受理、查处重婚案件有关问题的通知

高检控申发字［1990］第5号

1990年6月18日

各省、自治区、直辖市人民检察院、军事检察院：

高检院检察委员会研究了查处重婚案件的有关问题，现通知如下：

一、高检院决定将被害人不控告，而由人民群众、社会团体或有关单位提出控告的重婚案件移交控告申诉检察部门受理查处和决定是否起诉，是客观形势和检察业务工作发展的需要，各级人民检察院要重视这项工作。

二、人民检察院受理的重婚案件，是指被害人不控告而由其他公民、社会团体或有关单位提出控告，人民法院尚未受理的重婚案件，各地要严格掌握受案范围。

三、人民检察院在办理重婚案件中，要严格按照国家的法律和政策，根据最高人民检察院、最高人民法院的有关规定，正确区分罪与非罪的界限。对于犯罪事实清楚、证据充分的案件，及时作出起诉或者免予起诉的决定。

四、重婚案件属不需要侦查的轻微刑事案件，对被告人采取强制措施要慎重，应严格执行刑事诉讼法规定。

五、凡涉及财产分割、子女抚养等问题的重婚案件，均应起诉到人民法院审判。

六、人民检察院起诉有重大影响的重婚案件，应派员出席法庭，支持公诉，并且监督审判活动是否合法。

最高人民检察院　邮电部印发《关于查处邮电工作人员渎职案件的暂行规定》的通知

［1990］高检会（法）字第12号

1990年6月20日

各省、自治区、直辖市人民检察院，邮电管理局，邮电部属各局级单位：

为及时准确查处邮电工作人员渎职案件，打击破坏邮电通信的犯罪活动，保障国家、邮电企业的财产和公民的通信自由权利不受侵犯，维护邮电信誉，促进廉政建设，最高人民检察院、邮电部共同制定了《关于查处邮电工作人员渎职案件的暂行规定》，现印发给你们，请认真贯彻执行，并望将执行中的情况和问题按系统及时报告。

关于查处邮电工作人员渎职案件的暂行规定

第一条　根据国家有关法律法规的规定，为及时准确查处邮电工作人员渎职案件，打击破坏邮电通信的犯罪活动，惩治腐败，保障国家、邮电企业的财产和公民的通信自由权利不受侵犯，维护邮电信誉，促进廉政建设，制定本规定。

第二条　保障邮电通信和邮电财产的安全，预防邮电工作人员中的渎职行为，是各级检察机关和邮电部门的共同任务。检察机关和邮电部门应各司其职，密切配合，

秉公执法，共同做好渎职案件的查处工作。

第三条 邮电工作人员渎职案件，主要是指利用职务之便，侵犯公民的通信自由权利，泄露通信秘密，贪污用户财物，收受贿赂，玩忽职守等案件。凡具有下列行为之一者，邮电公安保卫部门应立案查处；需要追究刑事责任的，由检察机关立案查处：

（一）邮电工作人员私自开拆、隐匿或者毁弃邮件、电报，以及隐匿或者毁弃报刊数量较多的；

（二）邮电工作人员窃取邮件，或者从中窃取财物的；

（三）邮电工作人员贪污邮电营收款、用户汇兑款、储蓄存款、报刊款以及其他款项的；

（四）邮电工作人员利用通信工具，传递非法信息，从中收受贿赂的；

（五）邮电工作人员玩忽职守，收寄禁寄物品，致使发生火灾、爆炸、中毒等危及邮件或人身安全的；

（六）邮电工作人员窃取通信秘密或者泄露通信秘密的；

（七）邮电工作人员玩忽职守造成机要邮件丢失、被盗的；

（八）邮电工作人员玩忽职守，造成通信中断等危害后果，或者造成其他重大损失的。

第四条 邮电工作人员渎职案件的立案、查处，必须重视对邮电通信的破坏所造成的危害后果，不能仅以数量和直接经济损失多少为依据。

第五条 检察机关和邮电部门应按照各自的职责权限，建立健全案件查处工作的协作配合程序。

（一）案件初查工作，一般由邮电部门负责，必要时检察机关配合协助。对于构成犯罪的案年，移送检察机关依法立案查处，邮电部门积极配合；对于一般违法案件或者犯罪情节显著轻微不需要追究刑事责任的案件，由邮电部门负责处理。

（二）跨省（自治区、直辖市）的案件，由发案地的检察机关和邮电部门为主组织查处工作，有关省（自治区、直辖市）的检察机关和邮电部门要积极配合，对涉及本地区的有关线索和嫌疑人亦应调查清楚，及时通报情况。必要时上级领导机关组织协查，给予指导。

（三）邮电部门发现属于检察机关管辖的案件，在组织力量保护现场和进行追查的同时，应及时通报当地检察机关；检察机关发现有关破坏邮电通信和邮电工作人员渎职案件的线索，应及时通报当地邮电部门。检察机关接到报案后，对有作案现场的，应及时派员参加现场勘验、检查，或委托邮电公安保卫部门进行勘验、检查。

（四）已经立案的重大、特大、涉外或者涉及县以上领导干部的犯罪案件，检察机关在向当地通报的同时，及时报送上级检察机关，上级机关应加强指导，必要时直接派员参加办理。

（五）检察机关直接受理的邮电工作人员渎职案件，一些调查取证工作可请当地邮电公安保卫部门协助办理；邮电公安保卫部门的办案人员可以向有关单位和证人调查、取证，经检察机关依法审查认可后，具有法律效力。检察机关为了收集犯罪证据，需要对犯罪有关的场所、物品进行收集、勘查、鉴定、扣押物证、书证时，邮电部门应在检察机关主持下，积极配合。

（六）检察机关在侦查案件过程中，根据刑事诉讼法的有关规定，对被告人需要取保候审或者监视居住的，应由检察机关依法委托当地派出所或邮电部门执行。

（七）邮电部门移送的案件，检察机关应及时受理，认真审查，并将审理结果及时通知邮电部门。邮电部门对定性处理有不同意见，可向承办单位提出复议。复议后仍不能取得一致意见时，可逐级报告各自的上级领导机关协助调查解决，依法办理。

（八）检察机关立案侦查终结，对被告人作出提起公诉、免予起诉，或撤销案件的决定后，应将有关法律文书和检察建议送达被告人的所在单位，并向邮电部门提出对被告人予以单位内部处理的检察建议；所在单位处理的结果，应及时报送原办案的检察机关和上级邮电部门。

（九）邮电部门对于检察机关决定免予起诉的案犯，应建立帮教小组，制定帮教措施，定期教育考核，并及时向检察机关反映帮教对象的表现情况。检察机关亦应进行回访考查。

（十）检察机关、邮电部门对于在办案中罚没赃款赃物的处理，按最高人民法院、最高人民检察院、公安部、邮电部1983年《关于加强查处破坏邮政通信案件工作的通知》的规定和财政部（86）财预字第228号文件精神执行。应当由犯罪分子退赔的财物必须按照法院判决和检察机关的决定限期退赔，其中属于用户的，由邮电部门负责归还用户，并将归还的收据入卷作为证据存档；除此之外，按照有关规定上缴国库。

第六条 检察机关和邮电部门在办案和综合治理工作中，要在各自履行职责、发挥职能作用的同时，建立相应单位间对口工作联系制度。

工作联系制度可分为定期和不定期两种。定期联系制度的内容，主要通报分析发、破案情况和规律，协商制定加强防范和综合治理的措施，定期联系时间，根据实际需要，可以每季度、每半年联系一次；不定期联系制度的内容、时间，由一方向对方提出建议，双方共同商定作出安排，制定解决办法。

检察机关和邮电部门的领导对于工作联系制度的实施，要加强监督检查，并把检察机关与邮电部门相关单位的对口联系组织好、协调好。

第七条 邮电部门对已经作出处理，尚需移送检察机关立案查处的案件以及邮电部门已移送检察机关立案侦查尚未终结的案件，一般不宜公开报道，需要公开报道时，由双方协商决定。

第八条 检察机关、邮电部门在办案中应本着节约原则，勤俭办案。

第九条 各级检察机关和邮电部门，对于检举、揭发犯罪分子有重大贡献，或者在侦查破案中有显著成绩的单位和个人，应当给予表彰或奖励；对于隐瞒当事人的违法犯罪事实，或者纵容、包庇违法犯罪分子、或者捏造事实诬陷他人，以及有其他徇私舞弊、贪赃枉法行为的，应根据情节轻重，给予纪律处分，直至依法追究刑事责任。

第十条 本《暂行规定》自发布之日起施行。

最高人民法院
最高人民检察院
印发《关于办理淫秽物品刑事案件具体应用法律的规定》的通知

法（研）发〔1990〕11号

1990年7月6日

全国地方各级人民法院、人民检察院，各级军事法院、军事检察院，各铁路运输法院、铁路运输检察院，各海事法院：

现将《关于办理淫秽物品刑事案件具

体应用法律的规定》印发给你们，请遵照执行。今后如有新的法律规定，按新的法律规定执行。

附件：关于办理淫秽物品刑事案件具体应用法律的规定

最高人民法院
最高人民检察院
关于办理淫秽物品刑事案件具体应用法律的规定

为了准确、有力地打击制作、贩卖、传播、走私淫秽物品的犯罪，现对当前办理有关淫秽物品刑事案件如何具体应用法律的问题规定如下：

一、以营利为目的，制作、贩卖、传播淫秽物品，有下列情形之一的，依照刑法第一百七十条的规定追究刑事责任：

（一）制作淫秽录像带5—10盒以上，淫秽录音带10—20盒以上，淫秽扑克、书刊、画册10—20副（册）以上，或者淫秽照片、画片50—100张以上的；

（二）贩卖淫秽录像带10—20盒以上，淫秽录音带20—40盒以上，淫秽扑克、书刊、画册20—40副（册）以上，或者淫秽照片、画片100—200张以上的；

（三）向他人传播淫秽物品达25—50人次以上，或者组织播放淫秽影、像3—6场次以上的；

（四）制作、贩卖、传播淫秽物品，获利500元—1000元以上的。

二、以营利为目的，有下列制作、贩卖淫秽物品行为之一的，不仅触犯了制作、贩卖淫书淫画罪，也触犯了投机倒把罪，以刑法第一百一十八条规定的投机倒把罪论处：

（一）制作淫秽录像带25—50盒以上，淫秽录音带50—100盒以上，淫秽扑克、书刊、画册50—100副（册）以上，或者淫秽照片、画片250—500张以上的；

（二）贩卖淫秽录像带50—100盒以上，淫秽录音带100—200盒以上，淫秽扑克、书刊、画册100—200副（册）以上，或者淫秽照片、画片500—1000张以上的；

（三）非法经营数额在一万五千元至三万元以上，或者非法获利数额在五千元至一万元以上的。

对于以营利为目的，制作、贩卖淫秽物品，其数量（数额）达到前款规定的数量（数额）十倍以上，或者具有其他特别严重情节的，可以适用《全国人民代表大会常务委员会关于严惩严重破坏经济的罪犯的决定》第一条第（一）项的规定处罚。

三、制作、传播淫秽物品，有下列情形之一的，依照刑法第一百六十条的规定追究刑事责任：

（一）利用淫秽物品教唆、引诱他人进行流氓犯罪活动的；

（二）利用淫秽物品聚众进行淫乱活动的主犯或者侮辱、猥亵妇女情节恶劣的；

（三）在社会上经常传播淫秽物品，危害严重的；

（四）利用淫秽物品进行其他流氓犯罪活动的。

前款按流氓罪追究刑事责任的案件，危害特别严重的，可以适用《全国人民代表大会常务委员会关于严惩严重危害社会治安的犯罪分子的决定》第一条第1项的规定惩处。

四、走私淫秽录像带5—10盒以上，淫秽录音带10—20盒以上，淫秽扑克、书刊、画册10—20副（册）以上，或者淫秽照片、画片50—100张以上的，可以认为是以牟利或者传播为目的，适用《全国人民代表大会常务委员会关于惩治走私罪的补充规定》第三条的规定追究刑事责任。

五、企业事业单位、机关、团体走私淫秽物品的，适用《全国人民代表大会常务委员会关于惩治走私罪的补充规定》第五条的规定，追究刑事责任；以营利为目的，制作、贩卖淫秽物品，非法经营数额达到15万元至30万元，或者非法获利数额达到5万元至10万元的，对直接负责的主管人员和其他直接责任人员，以投机倒把罪追究刑事责任。

六、各省、自治区、直辖市高级人民法院、人民检察院，可以根据本地区情况，按照本规定确定的有关数量（数额）标准制定本地区执行的数量（数额）标准，并报最高人民法院和最高人民检察院备案。

七、对于制作、贩卖、传播、走私淫秽物品数量（数额）达到本规定第一、四条确定的标准而情节显著轻微的，可以由行政机关依法作行政处理；对于虽未达到规定的数量（数额）标准，但是危害严重，构成犯罪的，由司法机关依法处理。

八、司法机关受理的淫秽物品案件，应有公安机关开具的淫秽物品清单和必要的实物照片，以及鉴定部门出具的鉴定书。如果人民法院或者人民检察院对鉴定结论认为需要复核时，可以分别经人民法院院长或者人民检察院检察长批准，由主要办案人员到鉴定部门进行复核。

九、本规定下列用语的含意是：

（一）"淫秽物品"是指诲淫性的音、像、书、画等制品；

（二）"制作"是指生产、录制、复制、编著、绘画、出版、印刷、摄制、洗印、翻拍等行为；

（三）"贩卖"是指销售、发行等行为；

（四）"传播"是指播放、出租、出借、运输、携带等行为。

十、本规定自发布之日起施行。本规定施行后，正在办理的淫秽物品刑事案件，适用本规定。

最高人民法院
最高人民检察院
印发《关于非法种植罂粟构成犯罪的以制造毒品罪论处的规定》的通知

法（研）发〔1990〕14号

1990年7月9日

各省、自治区、直辖市高级人民法院、人民检察院，解放军军事法院、军事检察院：

现将《关于非法种植罂粟构成犯罪的以制造毒品罪论处的规定》印发给你们，请遵照执行。

附件：关于非法种植罂粟构成犯罪的以制造毒品罪论处

最高人民法院
最高人民检察院
关于非法种植罂粟构成犯罪的以制造毒品罪论处的规定

为杜绝制造毒品的原料来源，依法惩处非法私种罂粟的犯罪行为，特规定如下：

一、非法种植罂粟500株以上不满3000株的，依照刑法第一百七十一条第一款规定，以制造毒品罪论处；非法种植3000株以上的，依照刑法第一百七十一条第二款规定惩处。

二、非法种植罂粟500株以上，在割浆以前自动铲除、销毁的，可以减轻或者免除处罚。

三、本规定自发布之日起施行。发布后正在办理的案件，适用本规定。

最高人民法院
最高人民检察院印发
《关于依法严惩盗窃通讯设备犯罪的规定》的通知

法（研）发〔1990〕15号

1990年7月10日

各省、自治区、直辖市高级人民法院、人民检察院，解放军军事法院、军事检察院：

现将《关于依法严惩盗窃通讯设备犯罪的规定》印发给你们，请遵照执行。

附件：关于依法严惩盗窃通讯设备犯罪的规定

最高人民法院
最高人民检察院关于依法严惩盗窃通讯设备犯罪的规定

为了依法严惩为牟取暴利，盗窃通讯设备，破坏通讯线路的犯罪，不使犯罪分子逃避应有的惩处，特规定如下：

一、盗窃通讯设备价值数额不大，但危害公共安全已构成破坏通讯设备罪的，或者盗窃通讯设备价值数额较大，并构成破坏通讯设备罪的，依照刑法第一百一十一条的规定定罪处刑。

二、盗窃通讯设备价值数额巨大，或者情节特别严重的，依照刑法第一百五十二条或者《全国人民代表大会常务委员会关于严惩严重破坏经济的罪犯的决定》第一条第（一）项的规定，以盗窃罪从重判处。

三、本规定自发布之日起施行，发布后正在办理的上述犯罪案件适用本规定。本规定发布前已判决或者裁定并发生法律效力的案件，不适用本规定。

财政部　最高人民法院
最高人民检察院　公安部
司法部关于加强耕地占用税征收管理工作的联合通知

（90）财农税字第55号

1990年7月28日

各省、自治区、直辖市财政厅（局）、高级人民法院、人民检察院、公安厅（局）、司法厅（局）（不发西藏），各计划单列市财政局、法院、检察院、公安局、司法局：

为了贯彻《中华人民共和国耕地占用税暂行条例》精神，切实搞好耕地占用税的征收管理，确保该项税款及时足额入库，现就有关问题通知如下：

一、占用耕地建房或者从事其他非农业建设的单位和个人，都是耕地占用税的纳税义务人，应当按照《中华人民共和国耕地占用税暂行条例》规定缴纳耕地占用税。各级司法部门要配合财政征收机关搞好税收法律、政策宣传工作。要充分利用各种宣传工具，大力普及税法知识，宣传税收政策，增强公民依法纳税观念，培养公民自觉纳税习惯，做到家喻户晓，人人皆知。

二、各级人民法院要支持财政机关做好依法征税工作。对纳税人拖欠税款、滞纳金、罚款，经催缴无效，（一）可按照1988年5月7日（88）财农税字第8号一部四行联合通知，由财政征收机关开具扣缴税款通知书，通知其开户银行扣缴应缴税款；(二)可提请土地管理部门停发或收回土地使用证，限期缴纳税款。采取上述两项措施无效时，由财政机关按照最高人民法院法（行）发（1989）31号文件的规定，申请人民法院强制执行。情节严重构成犯罪的，依法追究刑事责任。

三、各级人民检察院要支持财政征收机关征收耕地占用税。对财政征收机关移送的偷税、抗税案件人民检察院要及时受理、认真查处。各级人民检察院应将查处征收耕地占用税中的犯罪案件作为一项任务。各级财政征收机关、人民检察院要相互配合，在强化征收管理，坚持以法治税方面，进一步采取有效措施，保证耕地占用税收入及时足额入库。

四、各级公安部门要大力支持财政征收机关和征收人员依法执行公务，对围攻财政征收机关和殴打征收人员案件要及时认真查处。凡构成违反治安管理行为的，要按照《中华人民共和国治安管理处罚条例》的规定给予治安处罚；情节严重，构成犯罪的，要依法提请司法机关追究刑事责任。

五、各级财政征收机关必须按照《国务院关于违反财政法规处罚的暂行规定》，做好耕地占用税征收工作，对于违反财政法规、隐瞒、截留应当上交的耕地占用税收入和超越权限擅自减免税收的，对直接责任人员和领导人，要按照《国务院关于违反财政法规处罚的暂行规定》处理。

六、各级财政征收机关要为政清廉，坚持原则，秉公执法，认真贯彻国家税收政策，依法办事，依率计征，并主动接受群众监督。对擅自减税、免税、贪污受贿以及违法渎职的征收人员要严加追究，依法处理。

七、农业税、农林特产税、契税、牧业税的征收管理工作，各地可结合具体情况，按照本通知的规定执行。

审计署　最高人民检察院关于进一步加强检察机关和审计机关工作联系的通知

审法发〔1990〕228号

1990年8月7日

各省、自治区、直辖市人民检察院、审计局，军事检察院，审计署各派出机构：

为进一步加强检察机关和审计机关的工作联系，互相协调，密切配合，查处违法犯罪案件和违纪行为，维护国家法律、法规的统一实施，现将有关事项通知如下：

一、审计机关在审计监督活动中，对认为已触犯刑律、构成犯罪的被审计单位的有关人员，应当按照检察机关受理案件范围的规定，将案件连同《移送处理意见书》、涉及该事项的有关证据材料，送交有管辖权的检察机关处理。

二、检察机关对审计机关提请处理的案件，应当及时进行审查。对决定立案侦查的，应将查处结果通知审计机关；对决定不予立案的，应将有关材料退回审计机关处理。

三、检察机关在检察活动中，发现有关单位有违反国家财经法规行为，属于审计监督范围的，应将有关材料及《检察建议书》送交审计机关。

四、审计机关对已送交检察机关查处的案件，在商检察机关同意后，可以公开报道。

五、检察机关和审计机关要加强联系，经常互通情况，搞好协调和配合。对于执行本通知中遇到的重要情况或重大不同意见，应当及时报告各自上级机关。

附：一、检察机关直接受理刑事案件的管辖范围

二、《中华人民共和国审计条例》关于审计监督范围的规定

附件一：

检察机关直接受理刑事案件的管辖范围

根据最高人民法院、最高人民检察院、公安部《关于执行刑事诉讼法规定的案件管辖范围的通知》、《关于人大常委会两个〈补充规定〉中有关几类案件管辖问题的通知》和中国人民解放军保卫部、军事法院、军事检察院《关于〈惩治军人违反职责罪暂行条例〉所列案件的管辖范围的通知》的规定，人民检察院负责侦查下列刑事案件：

一、贪污案；

二、贿赂案；

三、偷税抗税案；

四、挪用救灾、抢险等款物案；

五、假冒商标案；

六、挪用公款案；

七、巨额财产来源不明案；

八、隐瞒不报境外存款案；

九、刑讯逼供案；

十、诬告陷害案；

十一、破坏选举案；

十二、非法拘禁案；

十三、非法管制、非法搜查、非法侵入他人住宅案；

十四、报复陷害案；

十五、非法剥夺公民宗教信仰自由和侵犯少数民族风俗习惯案；

十六、伪证案；

十七、侵犯公民通信自由案；

十八、泄露国家重要机密案；

十九、玩忽职守案；

二十、重大责任事故案；

二十一、徇私舞弊案；

二十二、体罚虐待被监管人案；

二十三、私放罪犯案；

二十四、妨害邮电通讯案；

二十五、武器装备肇事案；

二十六、泄漏、遗失重要军事机密案；

二十七、擅离职守或玩忽职守案；

二十八、私放他人偷越国（边）境案；

二十九、虐待部属案；

三十、违抗命令案；

三十一、假传军令案；

三十二、人民检察院认为需要自己直接受理的其他案件。

附件二

《中华人民共和国审计条例》关于审计监督范围的规定

第十二条 审计机关对下列单位的财政、财务收支进行审计监督：

（一）本级人民政府各部门和下级人民政府；

（二）国家金融机构；

（三）全民所有制企业事业单位和基本建设单位；

（四）国家给予财政拨款或者补贴的其他单位；

（五）有国家资产的中外合资经营企业、中外合作经营企业、国内联营企业和其他企业；

（六）国家法律、法规规定应当进行审计监督的其他单位。

第十三条 审计机关对前条所列单位的下列事项，进行审计监督：

（一）财政预算的执行和财政决算；

（二）信贷计划的执行及其结果；

（三）财务计划的执行和决算；

（四）基本建设和更新改造项目的财务收支；

（五）国家资产的管理情况；

（六）预算外资金的收支；

（七）借用国外资金、接受国际援助项目的财务收支；

（八）与财政、财务收支有关的各项经济活动及其经济效益；

（九）严重侵占国家资产、严重损失浪费等损害国家经济利益行为；

（十）全民所有制企业承包经营责任的有关审计事项；

（十一）国家法律、法规规定的其他审计事项。

邮电部　最高人民法院
最高人民检察院　公安部
关于在“严打”斗争中加强
保护通信线路安全工作的通知

邮部联〔1990〕451号

1990年8月8日

各省、自治区、直辖市高级人民法院、人民检察院、公安厅（局）、邮电管理局：

去年8月，最高人民法院、最高人民检察院、公安部、邮电部召开全国电话会议，部署开展加强防范、严厉打击处理盗窃破坏通信线路的犯罪活动斗争以来，各地公、检、法机关和邮电部门，在地方党委、政府的统一领导下，紧密配合，通力协作，采取一系列措施，一手抓打击，一手抓防范，做了大量的卓有成效的工作，收到了发案有所下降、破案率有所提高、阻断通信时间和经济损失有所减少的可喜成果。据统计，电话会议之后的八个月与会前八个月相比，发案下降了6%，破案率提高10%，被盗电线电缆减少44.5%，直接经济损失减少2.3%。总的来看，电话会议后，对发案上升、通信安全遭受危害日益严重的趋势有所遏制。但是，目前通信线路治安状况仍较严重，今年上半年共发生盗窃破坏通信线路的案件1600多起，阻断通信1270万路分，直接经济损失550万余元，与去年相比，发案虽然基本持平，但阻断通信时间增加300多万路分，上升43.9%，经济损失增加110多万元，上升24.9%。这说明，打击盗窃通信线路犯罪活动的任务仍然繁重。

根据中央政法委员会的部署，目前全国各地正在开展的严厉打击严重犯罪分子的斗争，已经把打击盗窃破坏通信设施的犯罪分子列为“严打”重点对象之一。各地公、检、法机关和邮电部门要在这次“严打”斗争中，同心协力，进一步加强对盗窃破坏通信线路案件的查处工作，更有力地保护通信线路安全和全网通信的畅通。为此，特作如下通知：

一、加强侦破工作。对盗窃破坏通信线路的案件特别是对发生的大案，当地公安机关要及时组织力量开展侦破。同时，要切实加强对废旧物资收购站、点的检查，坚决查处非法收购的商贩，以堵塞销赃渠道。各级邮电部门要积极支持破案工作，为破案工作提供必要的条件。

二、依法严惩盗窃破坏通信线路的犯罪分子。各级检察机关和法院，对于盗窃破坏通信线路的犯罪分子要依法快捕快判。为了依法严惩为牟取暴利，盗窃通信设备，破坏通信线路的犯罪分子，各级法院和检察院要认真执行最高人民法院、最高人民检察院1990年7月10日《关于依法严惩盗窃通讯设备犯罪的规定》，即：“盗窃通讯设备价值数额不大，但危害公共安全已构成破坏通讯设备罪的，或者盗窃通讯设备价值数额较大，并构成破坏通信设备罪的，依照刑法第一百一十一条的规定定罪处罚。”“盗窃通讯设备，价值数额巨大，或者情节特别严重的，依照刑法第一百五十二条或者《全国人民代表大会常务委员会关于严惩严重破坏经济的罪犯的决定》第一条第（一）项的规定，从重判处”。为达到办理一案、教育一片的目的，要充分利用反面教材，公开宣判，以案讲法，使人民群众自觉遵守国法。

三、广泛开展护线宣传，大力组织护线联防。这是保护通信线路安全的重要措施。要运用各种形式，联系实际，经常而广泛深入地开展护线宣传，使广大群众懂得通信线路是国家的重要设施及其作用，了解国家保护通信线路的有关法律法规，主动保护通信线路和同盗窃破坏通信线路的犯罪分子作斗争。

护线工作是社会治安综合治理的重要内容之一，要大力组织和依靠群众开展护线联防。各地可以在当地政府的统一领导下，逐级建立护线领导小组，统筹规划和组织领导本省（区、市）的群众护线工作，做到组织落实，措施落实，责任落实，切实依靠人民群众保护通信线路的安全。对于护线先进集体和先进个人，要给予表彰奖励，以推动群众护线工作的不断发展。

最高人民检察院关于检察机关积极配合全国税收财务物价大检查依法严惩偷税抗税犯罪的通知

高检发〔1990〕23号

1990年8月30日

各省、自治区、直辖市人民检察院，军事检察院：

1985年以来，全国各级检察机关在一年一度的税收、财务、物价大检查中，与有关部门密切配合，运用检察职权，依法打击偷税、抗税犯罪活动，为保证大检查的顺利进行作出了积极贡献。一是查处了一批偷税、抗税案件，办案数逐年大幅度增加。以今年上半年为例，全国检察机关立案查处偷税、抗税案件3384件，是大检查前1984年全年立案数的7.8倍；追缴偷税、抗税款6056万元，是1984年全年的31.4倍。二是为切实保障依法治税，在地方各级税务机关派出税务检察室2235个，占应设置数的70%，初步形成了查处偷税、抗税犯罪案件的专门队伍。三是认真总结侦查经验，反偷税、抗税犯罪的水平有了较大提高。

但是，在历年配合大检查中，有的地方仍然存在不按受案标准受理案件，以罚代刑、执法不严的现象。当前，第六次全国税收、财务、物价大检查即将开始，为了支持和配合有关部门搞好这项工作，特通知如下：

一、要组织检察人员认真学习国务院《关于开展1990年税收财务物价大检查的通知》和有关文件，深刻领会抓好大检查对于推进治理整顿，深化改革，促进国家政治、经济和社会进一步稳定发展的重要意义。坚决贯彻执行大检查确定的任务、政策和具体措施，充分利用大检查的有利条件，深入开展打击偷税、抗税犯罪斗争，准确、及时地依法打击犯罪，保证大检查的顺利进行。

二、要加强大检查期间查处案件的组织领导工作。各级检察机关要根据本地党委、政府的统一部署，制定配合和支持大检查的具体措施，由分工主管的副检察长负责具体领导。要有专人与有关部门建立联系制度，了解掌握大检查中发现的偷税、抗税罪案线索，注意从清查"小金库"中发现贪污、贿赂等犯罪线索，对构成犯罪的，要坚决依法查处。对有关部门、单位移送和人民群众举报的案件材料，要及时受理，认真审查；对重大案件要提前介入调查。

三、要正确执行法律和政策，严格区分罪与非罪的界限，做到实事求是，宽严适度。对已掌握一定事实和证据、符合立案条件的案件线索，要及时立案，迅速侦查；对偷税、抗税性质严重、情节恶劣的，要坚决依法追究刑事责任；对于被查出来的或者在历次大检查中屡查屡犯的偷税案件，应当依法从严惩处；对于已被查明具有偷、漏、欠税违法事实，而采取各种手段拒绝履行纳税义务，情节严重的，应按抗税罪依法从严惩处。对于在规定期限内主动自查出来的偷税犯罪案件，可按自首对待，依法从宽处理。对于某些重大疑难案件，要认真听取各方面意见，并及时报告党委或请示上级检察机关解决。

四、要贯彻执法必严，违法必究的原则，坚决依法办案，注意防止和纠正以罚代刑的执法不严现象。在办案中，要严格执行诉讼程序以及有关经济犯罪案件立案标准的规定，对于需要追究刑事责任的案件，检察机关要主动过问，依法查处，不能以有关部门或单位已作行政处罚或未移送为由不予追究，以维护国家法律的统一正确实施。

五、要结合办案，运用典型案例，积极采取各种形式宣传国家的政策和法律，增强群众特别是各级领导的全局观念，法制观念，正确处理国家、集体和个人三者的利益关系。要针对发案单位财经管理制度上存在的问题，积极提出检察建议，配合有关部门做好综合治理工作，堵塞漏洞，扩大办案的社会效果。

六、要认真总结大检查期间查处案件工作的情况、问题和经验，推动税务检察工作的开展。各省、自治区、直辖市检察院在大检查结束后要向高检院写出专题报告。

最高人民法院
最高人民检察院关于开展
民事、经济、行政诉讼法律
监督试点工作的通知

高检会〔1990〕15号

1990年9月3日

各省、自治区、直辖市高级人民法院、人民检察院：

根据人民法院组织法、人民检察院组织法和民事诉讼法、行政诉讼法的有关规定，最高人民法院与最高人民检察院商定，在部分地方开展民事、经济、行政诉讼法律监督的试点工作。现就有关问题通知如下：

一、民事、经济、行政诉讼法律监督

试点分别在六个省、直辖市进行，即四川、河南进行民事诉讼法律监督试点；天津、吉林进行经济诉讼法律监督试点；广东、湖北进行行政诉讼法律监督试点。这六个省、直辖市可分别选定两至三个单位开展试点工作。进行民事、经济诉讼法律监督试点的单位为基层人民检察院和人民法院，进行行政诉讼法律监督试点的单位为分、州、市级人民检察院和中级人民法院。

二、在试点过程中，人民检察院可以通过下列方式对民事、经济、行政诉讼活动实行法律监督：

1、受理公民、法人和其他组织不服人民法院发生法律效力的判决、裁定的申诉。

2、检察长列席同级人民法院的审判委员会。

3、对人民法院已经发生法律效力的行政案件的判决、裁定，发现违反法律、法规规定的，按照审判监督程序提出抗诉。

4、应人民法院邀请或当事人请求，派员参加对判决、裁定的强制执行，发现问题，向人民法院提出。

三、最高人民法院和最高人民检察院重点抓好六个省、直辖市的试点工作。这些省、直辖市人民检察院和高级人民法院应当密切联系，共同研究，加强对试点工作的指导，以保证这项工作积极稳妥地开展。各地有关调查研究和试点工作的部署、进展情况及经验和问题，应及时向最高人民法院、最高人民检察院请示汇报。

最高人民检察院关于认真做好《中华人民共和国行政诉讼法》实施中有关工作的通知

高检发民字〔1990〕2号

1990年9月15日

各省、自治区、直辖市人民检察院，军事检察院：

《中华人民共和国行政诉讼法》于10月1日起实施。根据《行政诉讼法》的规定，检察机关要依法承担对行政诉讼实行法律监督的职责。这是检察机关面临的一项新的任务，各级检察机关要认真做好《行政诉讼法》实施中的有关工作。

一、进一步提高对《行政诉讼法》实施重要意义的认识，增强依法对行政诉讼实行法律监督的自觉性。《行政诉讼法》的制定和实施是我国社会主义法制建设的一件大事。人民检察院对行政诉讼实行法律监督是法律赋予检察机关的职责。各级检察机关对此要正确认识，严肃认真地把这项法律监督工作做好，按照高检院民发字〔1990〕第1号文件通知的要求，认真做好《行政诉讼法》实施的有关准备工作。

二、坚持依法办事，切实履行法律监督职责。根据《行政诉讼法》的规定，人民检察院对人民法院已经发生法律效力的判决、裁定，发现违反法律、法规规定的，有权按照审判监督程序提出抗诉。上级人民检察院要依法正确行使抗诉权，慎重从事，务必搞准。各级人民检察院的控告申诉检察部门要积极受理对行政判决、裁定不服的申诉，严肃认真地维护公民、法人和其他组织及行政机关的合法权益，维护法制的统一和实施，支持人民法院依法审判。

三、加强宣传工作。各地在实施《行政诉讼法》和对行政诉讼实行法律监督的过程中，要做好宣传工作，宣传检察机关在行政诉讼中的地位、职能、作用，取得社会的支持和监督。

四、要密切与有关部门的联系和协商，互相支持，各司其职。人民检察院对行政诉讼实行法律监督是一项新的工作，缺乏实践经验，要本着积极、稳妥的原则逐步开展，注意积累经验。在工作中要经常向党委、人大汇报情况，加强与各级人民政府、人民法院等部门的联系，共同研究执法过程中遇到的问题，慎重地解决问题。

各地有关这方面工作的部署、进展情况应及时向高检院请示汇报。

最高人民检察院关于进一步加强举报工作的通知

高检发控字〔1990〕13号

1990年10月9日

各省、自治区、直辖市人民检察院，军事检察院：

为适应反贪污、贿赂斗争和促进廉政建设的需要，各级检察机关从1988年7月开始，普遍开展了举报工作。两年多来，在各级党委的领导和广大检察干警的努力下，举报工作取得了很大成绩，拓宽了检察机关联系群众的渠道，成为直接发动和依靠群众同贪污、贿赂等犯罪作斗争的重要途径。各地要认真总结经验，理顺工作关系，进一步加强举报工作。

一、为了方便群众，检察机关对外设一个“窗口”，统一受理群众的举报。举报中心原则上归口控告申诉检察部门领导管理，挂两个牌子，一套人马，也可以设两套人马。因为地区情况差别较大，已由反贪污贿赂工作局管理或已独立设置的举报中心的归属问题，由各地自行决定。高检院控告申诉检察厅负责全国检察机关举报工作的日常工作，各省、自治区、直辖市检察院有关举报工作的情况和问题，向该厅报告和联系。

二、举报中心根据管辖和内部分工，及时“分流”举报线索。最高人民检察院举报中心向本院有关业务部门“分流”举报厅、局级以上干部和其他重大案件线索。各级地方检察院举报中心如何向本院有关业务部门“分流”举报线索，由省、自治区、直辖市人民检察院从当地实际出发，分层次作出规定。

三、举报线索除性质不明难以归口的，或情况紧急、特殊又必须及时办理的由举报中心进行初查外，原则上都应由侦查部门进行初查，使初查和立案侦查紧密衔接，提高工作效率和办案质量。

为了有效地保护群众举报热情，打击报复举报人的控告，法纪检察部门要及时初查，严肃处理。

四、上级检察院举报中心认为需要下级检察院查报结果的经济、法纪等举报案件，原则上应按管辖分工，移送本院有关业务部门决定，向下级检察院对口部门要查报结果，并负责催办、审查查处报告和结案、归档工作，以提高办案效率和质量。对其他举报案件是否需要查报结果，由举报中心决定，并负责催办、审查查处报告和结案、归档工作。

五、各极检察机关要按照《人民检察院举报工作若干规定（试行）》，认真做好答复举报人的工作，取信于民。移送其他机关、下级检察院处理的，由举报中心负责将移送情况答复举报人；移送本院其他业务部门查处的，由有关业务部门负责将查处结果答复举报人。

六、上级检察院举报中心和其他业务部门按照业务分工，对下级检察院的举报工作实行分类指导。举报中心负责对受理、移送、情况反映、制度建设、保护和奖励举报人等工作进行业务指导；有关业务部门负责对初查、侦查举报案件工作进行业务指导。

七、继续建立、健全举报工作制度。举报工作制度建设，主要由举报中心承担。已建立的各项工作制度，要结合工作实践，加以修改、补充，逐步完善；尚未建立的，要尽快制定，使举报工作走上规范化、制度化的轨道。

八、要严肃查处打击报复举报人和利用举报诬告陷害他人的案件，奖励举报有功人员，开展多种形式的宣传活动，保护公民合法权益，鼓励群众举报积极性。

九、举报工作是检察院的一项业务工作，各部门应密切协作，上下努力，共同搞好。本院有关业务部门要从有利于开展举报工作出发，将自行查办、交办举报案件情况和查处结果，通知举报中心。上级检察院要支持和协助下级检察院办理重大疑难举报案件，下级检察院要抓紧办理上级检察院交办的举报案件，及时上报查处结果。

十、各级检察院要切实加强对举报工作的领导，经常了解掌握举报工作情况，督促检查，适当调配和充实人员，改善工作条件。对举报工作人员要加强职业道德、遵纪守法教育，树立全心全意为人民服务的思想。

最高人民检察院印发《最高人民检察院关于查处“人质型”侵犯公民人身权利案件的若干意见》的通知

高检发法字〔1990〕1号
1990年10月26日

各省、自治区、直辖市人民检察院，军事检察院：

现将《最高人民检察院关于查处“人质型”侵犯公民人身权利案件的若干意见》印发给你们，望遵照执行。在执行中有什么问题，请及时报高检院。

最高人民检察院关于查处“人质型”侵犯公民人身权利案件的若干意见

近年来，以强行扣押“人质”，胁迫他人履行一定行为为目的的“人质型”侵犯公民人身权利的违法犯罪现象越来越严重，已成为人们普遍关注的社会问题。此类案件具有极大的社会危害性，不仅侵犯公民的人身权利，而且破坏了正常的社会秩序和经济秩序。特别是执法机关或公安、司法人员参与绑架、扣押人质，更是严重地损害了党和政府的形象，助长了地方保护主义，干扰了正常的执法秩序，影响了社会主义法制的统一实施，产生这类犯罪的主要原因，一是当事人法律意识淡薄，无政府主义严重；二是职能部门执法不力，致使当事人对通过法律解决经济纠纷、民事纠纷失去信心；三是严重的地方保护主义作祟，为了局部利益，有的人置法律于不顾，利用司法职权，收审、扣押一方当事人作人质，逼还款物。

"人质型"侵犯公民人身权利的案件，属于检察机关法纪检察部门管辖的范围，各级检察机关要切实重视此类案件的查处工作，认真担负起法律赋予的职责。为了准确、及时查处此类案件，根据有关法律规定和司法实践经验，特提出以下意见：

一、"人质型"侵犯公民人身权利案件情况复杂，行为手段多种多样，跨地区作案；被绑架、扣押的人多为外地人员并有过错，有的甚至有犯罪行为；查处时干扰多，阻力大。鉴于上述情况，查处此类案件的重点是下列手段恶劣、情节严重的犯罪行为：

（一）非法绑架、扣押无辜妇女、儿童、老人、残疾人作人质的；

（二）非法绑架、扣押人质，并对其实施侮辱、殴打及其他不人道行为，情节严重的；

（三）非法绑架、扣押人质，致人死亡、自杀、伤残等严重后果的；

（四）公安、司法机关解救人质时，行为人拒不释放或转移人质的；

（五）冒充公安、司法人员绑架、扣押人质的；

（六）非法绑架、扣押人质，造成其他严重后果的。

二、公安、司法机关或人员参与绑架、扣押人质的，要严格按照1990年9月8日公安部、最高人民检察院、最高人民法院《关于在商业贸易活动中发生非法拘禁案件情况的通报》的精神处理，对公安、司法人员为徇私情，滥用或超越职权，实施绑架、扣押人质的，应依法从严查办。

三、因债权债务关系引起的非法绑架、扣押人质案件，对实施绑架、扣押行为的行为人已构成犯罪的，应坚决查办；如果被扣押人确已构成诈骗、投机倒把罪的，应将诈骗、投机倒把案移送有管辖权的公安机关；对有关的经济、民事纠纷，检察机关可以促成纠纷双方协商解决；协商不成的，由有关法院或仲裁机关处理。

四、在查办"人质型"案件时，首先应无条件解救人质，并采取必要的措施，以防发生意外。有关检察机关应积极配合，协助做好解救人质的工作。

五、查处"人质型"侵犯公民人身权利案件，原则上由被告人居住地检察机关管辖。有重大问题需要协调的，由其共同的上级检察机关协调。

六、在办案中，应注意掌握法律政策界限，构成犯罪的，根据具体案情，可分别以非法拘禁罪、非法管制罪或徇私舞弊罪等定罪处理。

最高人民检察院关于印发《最高人民检察院关于执行行政诉讼法第六十四条的暂行规定》的通知

高检发民字〔1990〕3号

1990年10月29日

各省、自治区、直辖市人民检察院，军事检察院：

《最高人民检察院关于执行行政诉讼法第六十四条的暂行规定》于1990年10月29日经最高人民检察院第七届检察委员会第五十五次会议通过，现印发执行。

最高人民检察院
关于执行行政诉讼法
第六十四条的暂行规定

第一条 根据《中华人民共和国行政诉讼法》第十条和第六十四条的规定，制定本规定。

第二条 最高人民检察院对各级人民法院已经发生法律效力的行政判决、裁定，上级人民检察院对下级人民法院已经发生法律效力的行政判决、裁定，发现违反法律、法规规定的，应当按照审判监督程序提出抗诉。

地方各级人民检察院对同级人民法院已经发生法律效力的行政判决、裁定，发现违反法律、法规规定的，应当建议上级人民检察院按照审判监督程序提出抗诉。

第三条 人民检察院受理抗诉案件的来源为：

(一)当事人不服人民法院已生效的行政判决、裁定，向人民检察院提出申诉的；

(二) 公民、法人和其他组织检举的；

(三)同级国家权力机关和上级人民检察院交办的；

(四)其它由人民检察院自行发现的案件。

第四条 人民检察院发现人民法院已经发生法律效力的行政判决、裁定确实违反法律、法规规定时，应立案审查。在审查中，可以向人民法院调阅有关案件材料，可以调查核实有关证据。

第五条 人民检察院按照审判监督程序对已生效的行政判决、裁定提出抗诉时，应当查明：

(一) 判决、裁定是否已经生效；

(二) 事实是否清楚、证据是否充分；

(三) 审判活动是否合法；

(四) 判决、裁定是否违反法律、法规规定。

第六条 人民检察院立案审查后，认为不属于人民检察院管辖的案件，应当及时转送有关部门处理；认为属于人民检察院管辖又符合抗诉条件的，应当按照审判监督程序提出抗诉；认为不符合抗诉条件的，应当终止审查，并通知申诉人、检举人及有关单位。

第七条 人民检察院决定对违反法律、法规规定的行政判决、裁定提出抗诉时，应当制作抗诉书。

抗诉书抄送上一级人民检察院，上级人民检察院如果认为抗诉不当，有权撤销下级人民检察院的抗诉，并通知下级人民检察院。

第八条 人民检察院提出抗诉的案件，应当派员出席法庭，对诉讼活动是否合法实行监督。

第九条 本规定自 1990 年 11 月 1 日起执行。

最高人民检察院关于印发《关于检察机关办理贪污、贿赂、“侵权”、渎职等案件时相互配合、协调工作的规定》的通知

高检发〔1990〕40 号

1990 年 12 月 7 日

各省、自治区、直辖市人民检察院，军事检察院：

现将《关于检察机关办理贪污、贿赂、“侵权”、渎职等案件时相互配合、协调工作的规定》印发给你们，请遵照执行。

关于检察机关办理贪污、贿赂、“侵权”、渎职等案件时相互配合、协调工作的规定

为了加强检察机关之间的相互配合、相互协调，适应办案工作的需要，根据《刑事诉讼法》、《人民检察院组织法》及其他有关法律的规定，特作如下规定：

一、贪污、贿赂、“侵权”、渎职等刑事案件由犯罪地的人民检察院办理。如果由被告人居住地的人民检察院办理更为适宜的，可以由被告人居住地的人民检察院办理。

对于两地检察机关均有管辖权的案件，应由先立案的人民检察院办理，其他检察机关不得再以同一案由立案，已经立案的应予撤销，并将有关案件材料移交给先立案的人民检察院。对于同案多罪，几地检察机关均有管辖权并均已立案的，应由对该案主罪或主要犯罪事实有管辖权的人民检察院立案侦查。

二、对所涉及的同一案犯，一方检察机关已采取强制措施的，其他检察机关不得重复采取强制措施。

三、对于确需检察机关自行到外地拘捕人犯的，应参照最高人民检察院、公安部《关于到外地逮捕人犯手续的几项规定》办理。执行拘捕的人员应当携带“批准逮捕决定书”及其副本、“拘留证”、“逮捕证”等法律文书，以及工作证、介绍信和人犯犯罪的主要材料等，须与人犯所在地的人民检察院进行联系，人犯所在地的人民检察院应当协助外地检察机关执行拘捕任务。

在遇特殊紧急情况下，执行拘捕的人民检察院不能出具人犯犯罪的主要材料的，应当及时向人犯所在地人民检察院说明情况，并在拘捕任务完成以后，尽快将人犯犯罪的主要材料出具给人犯所在地的人民检察院。

四、检察机关需要函调证据的，应注明具体内容、取证对象和确切地址。函调内容应是较简单的直观可查的事项，较复杂的证据，不宜函调。协助函调的人民检察院应及时派员按照调查的内容进行调查取证，并在收到函件之日起一个月内将调查结果函寄（或电传）请调单位。

五、人民检察院需要到外地执行搜查任务的，执行人员应当携带“搜查证”、工作证，以及有介绍案情、搜查的目的、要求等内容的公函，与当地人民检察院联系。当地人民检察院应当协助执行搜查任务。

六、人民检察院之间移交案件时，应将赃款赃物随案移交，移送案件的人民检察院不得以任何名义截留赃款赃物。当地人民检察院协助外地人民检察院执行搜查任务的，对于在搜查中发现的赃款赃物，应由承办案件的人民检察院依法扣押。人民检察院到外地追缴赃款赃物，应当请当地人民检察院协助，并出示有关的案件材料和必需的法律手续，当地人民检察院应当协助外地人民检察院做好追缴赃款赃物的工作。

七、检察机关之间因上述问题发生纠纷时，应报请各自的上级检察机关直至共同的上级机关解决，上级检察机关必须在半个月内给予明确答复。对于上级机关作出的决定，下级机关必须执行。

八、各级人民检察院应克服地方保护观念，对外地检察机关拘捕人犯、调取证据、追缴赃款赃物等执法活动，不得违法阻挠、刁难。对于违法行事造成后果的应

严肃处理。同时，要禁止以办理刑事案件为由，干预民事经济纠纷案件并对这类案件所涉及的财物进行扣押或冻结，更不得随意将当事人作为人质扣押。

九、本规定自发布之日起实行。本院以前有关规定与本规定不一致的，按本规定执行。

最高人民法院 最高人民检察院 林业部 公安部 国家工商行政管理局 关于严厉打击非法捕杀、收购、倒卖、走私野生动物活动的通知

林安字〔1990〕514 号

1990 年 12 月 15 日

各省、自治区、直辖市高级人民法院、人民检察院、林业厅（局）、公安厅（局）、工商行政管理局，内蒙古自治区农委、西藏自治区农牧林委，黑龙江省森林工业总局，大兴安岭林业公司：

野生动物是国家宝贵的自然资源，是全人类的共同财富。保护好野生动物资源，对于维护自然生态平衡，拯救珍贵、濒危野生动物物种，开展科学研究，发展经济，改善和丰富人民的物质和文化生活，以及促进国际交流，增进各国人民之间的友谊，都具有重要的作用和意义。《中华人民共和国野生动物保护法》于 1989 年 3 月 1 日正式施行以来，各级人民法院、人民检察院、公安、林业、农业、工商行政管理、海关、交通运输、渔政等部门都十分重视野生动物保护工作，在各级党委、政府的领导下，互相配合，相互支持，查处了一批破坏野生动物资源的案件，取得了一定的成效。但是，一些地方非法捕杀、收购、倒卖、走私国家重点保护野生动物的案件仍然时有发生，特别是 1989 年秋冬以来，这类案件显著增多，不仅大量国家重点保护的珍贵、稀有野生动物遭到猎杀，而且非法收购、倒卖、走私野生动物及其产品的活动十分猖獗，并有愈演愈烈之势。各有关部门对此应引起高度注意，切实提高认识，坚决按照国务院办公厅 1990 年 5 月 12 日发出的《关于当前非法捕杀、收购、倒卖珍稀野生动物情况的通报》（国办发明电〔1990〕11 号）的要求，立即采取有效措施，尽快刹住这股歪风，切实做好野生动物的保护工作。现就有关问题通知如下：

一、及时查处乱捕滥猎野生动物案件，严厉打击破坏野生动物资源的违法犯罪活动。各地林业、公安、工商行政管理、渔政等有关部门要密切配合，结合目前开展的“严打”斗争，对乱捕滥猎野生动物的案件进行一次全面清理。各地公安机关对近年来尚未破获的此类重大案件，特别是 1989 年 3 月 1 日以来发生的重大案件，要认真排队分析，集中警力，积极进行侦破。对国务院办公厅通报的 11 起案件，有关地方公安机关要列为侦破重点，组织专门力量，予以查清，及时将查处结果报告公安部、林业部。在非法猎杀、倒卖、加工、走私野生动物严重的地方，应当适时开展专项斗争，或者列入“严打”的一项内容，进行专项治理。沿海地区要特别注意加强野生动物走私案件的查处工作。各级人民法院、人民检察院对破坏野生动物资源的犯罪案件，要及时受理，公开审判。对查获的犯罪人员，不论涉及到什么人和什么单位，都要依照《关于惩治捕杀国家重点保护的珍贵、濒危野生动物犯罪的补充规

定》，坚决进行处理，以震慑犯罪分子，教育广大群众。

二、认真加强野生动物的管理工作。各级林业和工商行政管理等部门要在当地人民政府的领导下，对野生动物管理、保护工作进行一次认真检查，尽快健全和完善各项管理制度，切实解决工作中存在的问题。林业部门要调查掌握本区域内野生动物资源状况，制定和完善各项保护措施；加强法制建设，尽快制定合理的狩猎限量及狩猎、入山、运输、驯养繁殖、经营利用、出口等管理制度和办法，加强对野生动物资源的管理。林业、工商行政管理部门要加强与铁路、交通、航运、公安等部门的联系与配合，对运输过程中和进入市场的野生动物及其产品要切实加强管理，注意从中发现违法犯罪活动，坚决堵住非法贩运、销赃渠道。各林业检查站对非法运输、销售野生动物及其产品的有权制止，予以扣留，区别情况，会同工商行政管理机关按照《野生动物保护法》的规定进行处理。不经野生动物行政主管部门批准，商业、外贸、供销等单位不得自行设点收购，市场上不得随意买卖野生动物及其产品，严禁走私和非法出口活动。工商行政管理机关和野生动物行政主管部门对经营野生动物的加工企业、宾馆、饭店等要进行认真的清查、整顿；对非法收购、加工、宰杀、出售、出口野生动物及其制品的，应依法进行处理。情节严重的，除对直接责任者给予处罚外，由工商行政管理机关责令其停止经营或吊销其营业执照。今后，经营野生动物及其产品的企业或个人，须征得林业行政主管部门的同意，经工商行政管理机关核准登记后，方可进行经营活动。各地应结合本地情况，规定禁猎区、禁猎期，必要时应报经省、自治区、直辖市人民政府批准，实行全省（自治区、直辖市）或部分地区的禁猎，切实保护好野生动物的栖息繁殖环境。

三、严格猎枪、弹具的管理。各级林业、公安部门，要按照1990年6月27日国务院召开的关于加强爆炸物品、枪支弹药安全管理电话会议的精神，结合“严打”斗争，对猎枪、弹具进行一次全面的清查。对未经林业部定点的猎枪、弹具生产厂家，立即责令停产，封存产品；对未经省级林业和公安部门批准，自行经销猎枪、弹具的单位，应立即责令停止销售，将剩余的猎枪、弹具查封，并依照有关规定予以处理。同时要严格猎枪购买审批手续，购买猎枪必须经县以上林业主管部门批准，和县级公安机关同意，由公安机关发给购买证，凭证向国家指定的单位购买。要严厉查处非法制造、运输、贩卖猎枪、弹具的活动。对没有持枪证、狩猎证而进行非法狩猎活动的，枪支一律当场扣押，待查明情况后分别处理。在实行禁猎的地区，当地林业、公安部门应在严格枪支弹药登记的基础上有针对性地加强禁猎宣传工作，对违章狩猎者依法惩处。对于军用枪支，有关部门应进一步加强管理，严禁用于狩猎活动。

四、加强领导，认真做好《野生动物保护法》的宣传教育工作。各级林业、公安、工商行政管理部门要主动当好各级人民政府的参谋，提请各级人民政府把保护野生动物工作列入政府领导的议事日程，加强对这项工作的领导，对清查、办案中遇到的困难给予支持。各地要广泛深入地开展保护野生动物的宣传教育活动，注意发挥野生动物保护协会、猎人协会等群众组织的作用；要选择典型案件公开宣传，不断提高人民群众对保护野生动物重要性的认识，自觉地与破坏野生动物资源的行为作斗争。案件多发的地方，可以建立有奖举报制度，建立群众联防组织，打防结合，形成强大的社会监督网络。各级林业、工商行政管理、公安部门和各级人民法院、人民检察院要把保护野生动物作为一项长期的经常性工作，互相支持，紧密配合，共同做好这项工作。

第五部分　最高人民检察院重要文件选载

最高人民检察院关于认真贯彻落实《中共中央关于加强党同人民群众联系的决定》的通知

（1990 年 4 月 14 日）

各省、自治区、直辖市人民检察院，军事检察院：

党的十三届六中全会审议通过的《中共中央关于加强党同人民群众联系的决定》，是一个极其重要的马克思主义文件。《决定》不仅对于实现我国政治经济和社会的进一步稳定具有重要的现实意义，而且对于实现党和国家在新时期的总目标、总任务，推进社会主义伟大事业，将产生深远的影响。贯彻落实《决定》，对我们做好检察工作，建设具有中国特色的社会主义检察制度，也具有重大的指导意义。各级检察机关和全体检察人员要认真学习、深刻领会、坚决贯彻执行《决定》。

一、认真学好《决定》，自觉地执行党的群众路线。各级检察机关都要组织检察人员用整风精神学习和贯彻执行《决定》。通过学习，深刻认识始终保持和发展同人民群众的血肉联系，是直接关系到党和国家盛衰兴亡的重大问题，群众路线是各项事业的根本工作路线，是我们的优良传统和政治优势；深刻认识我们是人民的检察机关，必须坚定不移地走群众路线，一切为了群众，一切依靠群众，全心全意为人民服务；深刻认识密切党群关系对维护国家稳定，实现长治久安和国民经济持续、稳定、协调发展的重要性，从稳定是压倒一切的大局出发，通过发挥检察机关的职能作用密切党群关系。要使学习《决定》成为对全体检察人员进行马克思主义群众观点再教育的极好机会，增强群众观念，自觉地执行党的群众路线。

二、深入开展反贪污、贿赂斗争，促进廉政建设，这是改善党群关系的一项战略措施。各级检察院要充分发挥职能作用，加强法律监督，深入开展反贪污、贿赂斗争。要继续坚持把反贪污、贿赂犯罪作为工作重点，积极受理公民举报，集中力量查处大案要案。要加强法纪检察工作，严肃查处“侵权”、渎职犯罪案件。要坚持公民在法律面前一律平等的原则，敢于抵制各种干扰查处案件的行为，严格依法办事，严格依法监督。

三、发动和依靠群众做好检察工作，自

觉地接受群众监督。人民群众是我们做好检察工作的力量源泉。检察机关在开展各项工作中，都必须依靠群众，不放过任何一个能够宣传发动群众的机会，不断疏通和拓宽联系群众的渠道，把检察工作植根于坚固的群众基础之中，置于人民的监督之下。①要坚持不懈地抓好举报工作。举报工作是检察机关走群众路线的好形式。各级检察院的举报中心是直接联系群众的“窗口”，要始终向人民群众敞开。要随时受理群众举报，以对人民高度负责的精神严肃处理每一件举报线索，通过认真查处和信息反馈，取信于民，保护公民依法行使监督国家机关和工作人员的权利，更有力地打击贪污、贿赂等犯罪活动。要建立和完善上级检察院对下级检察院受理和查处群众举报线索的监督制度，推进举报工作健康发展。②要加强控告申诉检察工作，热情接待来访群众，认真处理群众来信。对群众反映的问题，要区别情况，正确处理，决不允许压置不理。③要坚持和完善检察机关新闻发言人制度，适时开好新闻发布会，通报检察机关重要工作情况和查办大案要案的情况，使人民群众更多地了解检察工作，自觉地接受群众监督。④要认真贯彻《中共中央关于坚持和完善中国共产党领导的多党合作和政治协商制度的意见》，在党委领导下，结合本地实际情况，研究落实的具体措施，进一步发挥民主党派、无党派人士参政和监督的作用。高检院还将专门下发文件，请各地认真贯彻执行。⑤要采取召开人大代表、政协委员、民主党派、无党派人士和各界群众座谈会等形式，广泛联系群众，虚心听取对检察工作的意见和建议，自觉接受监督，不断改进工作。

四、加强检察机关自身的廉政建设，预防和克服某些消极腐败现象。检察机关是国家法律监督机关，要十分重视加强自身的廉政建设。检察机关廉政建设的核心是秉公执法，严肃执法。要继续坚持从严治检的方针，执行检察人员纪律，真正做到“八要八不准”。对领导干部要从严要求。要加强职业道德教育，加紧整肃违法乱纪行为，坚决刹住不正之风。各级检察院的纪检、监察部门要认真履行职责，严肃查处贪赃枉法、以权谋私等违法乱纪行为，坚决纠正侵犯群众利益的现象，对构成犯罪的要依法追究。今后禁止使用发案单位的经费办案，以保证执法的严肃性。要继续坚持一年一度的执法大检查活动，纠正违法现象，提高执法水平。各级检察机关要根据《决定》的要求，对本单位廉政建设的情况进行一次认真检查，提出解决存在问题的步骤、办法和措施。今年11月底以前，各省、自治区、直辖市检察院和军事检察院要将加强自身廉政建设的情况向高检院作一次专门报告。

五、广泛深入地开展学雷锋活动，弘扬雷锋精神。雷锋精神集中体现了中华民族传统美德和共产主义思想，体现了社会主义时代精神。全体检察人员要响应党中央的号召，广泛深入地开展学雷锋活动，使雷锋精神在检察机关发扬光大。学雷锋最根本的是要学习雷锋无私奉献、全心全意为人民服务的共产主义精神，坚信党的领导，坚持走社会主义道路，在改造世界观上下功夫，不断提高全心全意为人民服务的自觉性。要把学雷锋活动作为贯彻执行《决定》的一项重要内容，贯穿到检察机关的经常性工作中去，立足本职，长期坚持，学出成效。

六、坚持领导机关干部下基层，改进工作作风。贯彻执行党中央、国务院《关于组织党政机关干部下基层的通知》精神，地、市以上检察机关要组织机关干部分期分批到基层去，深入实际，深入群众，调查研究，参加办案。检察长要带头到办案任务重的地方去，帮助解决实际困难。领导机关干部下基层要形成制度，长期坚持，讲求实效，不搞形式主义。要关心基层检察院和派出检察院的建设，关心干警生活。同时，还要注意整顿机关纪律，防止和克服脱离群众的“衙门”作风和官僚主义作风，提高工作效率，切实改进机关作风。

七、在各级党委领导下，加强检察机关党的建设，充分发挥党组织战斗堡垒作用和党员先锋模范作用。密切联系群众是党的建设的根本问题。要在学习贯彻《决定》过程中，进一步加强检察机关各级党组织和党员队伍建设，保证党的路线方针政策和国家法律的贯彻执行。要组织党员认真学习马列主义、毛泽东思想和邓小平同志的著作，学习十一届三中全会以来党的路线、方针、政策，学习和遵守党章和《关于党内政治生活的若干准则》，不断提高政治素质。要教育党员发扬党的优良传统和作风，密切同人民群众的血肉联系，永远不脱离群众，忠实地为人民服务。要大力搞好党风建设，健全党内民主生活制度，认真开展批评和自我批评。领导干部要做出表率，并自觉地接受党内党外的监督。

八、制定具体措施，认真实施《决定》。各地要按照《决定》和本通知的要求，根据实际情况，制定贯彻《决定》的细则和措施，加强领导，逐项落实，经常检查和监督，扎扎实实地开展工作。各省、自治区、直辖市人民检察院和军事检察院要将有关情况及时报告高检院。

最高人民检察院印发《关于颁发检察机关工作人员荣誉证书和证章的办法》（试行）的通知

（1990 年 7 月 5 日）

各省、自治区、直辖市人民检察院，军事检察院：

为了表彰长期献身检察事业的老同志，增强检察人员的荣誉感，激励检察人员热爱检察工作，献身检察事业，特制定《关于颁发检察机关工作人员荣誉证书和证章的办法》（试行），现印发。试行中有什么问题，请及时报告高检院。

最高人民检察院关于颁发检察机关工作人员荣誉证书和证章的办法（试行）

（1990 年 6 月 15 日最高人民检察院第七届检察委员会第四十五次会议通过）

第一条 为了表彰和鼓励检察机关工作人员热爱检察工作，献身检察事业，增强荣誉感和责任心，为社会主义法制建设作贡献，特制定本办法。

第二条 在检察机关工作满三十年的在编人员（含离退休人员），均可获得荣誉证书和证章。

第三条 在检察机关工作年限的计算方法：

一、从建国前在革命根据地、人民军队内从事政法工作或建国后参加检察机关工作之日起，至发证年度十二月底或离退休时止，为从事检察工作时间。

二、属于下列情况之一，可连续计算为从事检察工作时间：

在检察机关工作期间，因受错误处理或株连而调离检察机关的；

"文化大革命"期间调出检察机关或在此期间下放劳动以及经组织动员回乡的。

上述计算工作年限的方法，只适用于颁发荣誉证书和证章。

第四条 受过刑事处罚的，一般不颁发荣誉证书和证章；因违纪违法正在接受审查的人员，暂不发给荣誉证书和证章。

第五条 本办法下发之前已故的检察人员不追授。

第六条 荣誉证书和证章以最高人民检察院名义授予。地方各级检察院的人员呈报省、自治区、直辖市检察院审批；军事检察机关的人员，由解放军军事检察院审批。

第七条 荣誉证书和证章每年颁发一次。颁发的具体时间由各省、自治区、直辖市检察院以及军事检察院根据实际情况确定。

第八条 荣誉证书和证章由最高人民检察院统一制作。

第九条 颁发荣誉证书和证章一定要实事求是，严肃认真。发现弄虚作假者，收回其荣誉证书和证章，并按《检察机关工作人员奖惩暂行办法》追究有关人员的责任。

第十条 本办法自下发之日起实施。

最高人民检察院关于加强检察机关廉政建设的指示

（1990年9月21日）

各省、自治区、直辖市人民检察院，军事检察院：

党的十三届四中、五中、六中全会提出的一项重要任务，就是要坚决惩治腐败，保持廉洁，发扬艰苦奋斗、密切联系群众的优良传统。最近，国务院专门召开电话会议，部署加强廉政建设、大力整顿和坚决纠正部门和行业不正之风，特别是加紧整顿和惩处执法部门和监督机构的违法违纪行为。各级人民检察院要坚决贯彻执行党中央、国务院的部署，切实加强检察机关的廉政建设。

几年来，广大检察人员在工作任务繁重、生活条件比较困难的情况下，发扬艰苦奋斗的精神，忠于职守，秉公执法，廉洁奉公，完成了各项检察工作任务，在斗争中涌现出一大批先进集体和模范人物。但是，我们必须清醒地看到，由于少数单位治检不严，思想政治工作和廉政工作薄弱，对干警教育、管理、监督不力，少数检察人员利用职权和工作便利谋取私利，违法违纪现象不断发生，特别是贪赃枉法、贪污、受贿、敲诈勒索等具有行业特点的违法违纪案件比较突出，并且呈上升趋势。极少数检察人员甚至触犯刑律走上犯罪道路。这些问题严重地破坏了检察机关的声誉，损害了检察人员的形象，造成恶劣的影响，应当引起我们的高度重视。

为了有效地惩治检察机关内部的腐败现象，切实纠正具有检察职业特点的不正之风和违法违纪活动，最高人民检察院认为，必须在全国各级检察机关进一步采取有力措施，切实贯彻"从严治检"的方针，加强检察机关的廉政建设。为此，特作如下指示：

一、各级检察机关都必须增强惩腐倡廉的紧迫感和自觉性，真正把从严治检、加强廉政建设放到重要日程上来。廉政建设是我们党和国家机关建设的一个极其重要的内容，是关系到国家兴衰的一件大事。检察机关是国家的法律监督机关，肩负着惩治贪污、贿赂、贪赃枉法等犯罪活动的重要任务，其自身的廉政状况如何，对于能否完成党和人民交给的任务，维护法律的尊严，维护党和政府在人民群众中的威望，关系重大。各级检察机关的领导必须对此有足够的认识，要经常分析研究本地区、本单位的廉政状况和违法违纪的情况、动向和特点，找出存在的问题，提出加强和改进工作的具体措施。上级检察机关要加强对下级检察机关廉政工作的监督，经常进行督促检查，层层负责，一级抓一级。对抓得好的要予以表彰、奖励；对抓得不力的要批评教育，限期改正；对问题较多的单位，要采取措施，进行整顿；对工作严重失职，造成严重后果的，要追究领导者的责任。

二、领导机关和领导干部要作廉政的表率。检察机关的廉政建设能否搞好，关键在领导。首先是领导干部要严于律己，以身作则，给广大干警作出表率；上级检察机关要改进机关作风，深入基层，调查研究，密切联系群众，以实际行动推进廉政建设。今后要把领导干部是否廉洁，其所领导的单位、部门廉政状况如何，作为考核领导干部政绩的重要内容。其次是领导干部要敢抓敢管，敢于和善于从严管好、带好队伍，不当"和事佬"，不怕得罪人，真正形成好风气。

三、加强教育，健全制度，严格管理，严格监督检查。加强廉政建设，思想教育是基础，制度建设是保证。要根据检察机关的性质和特点，坚持不懈地对全体检察人员进行职业道德、职业纪律和为检清廉的教育，不断增强检察人员的法律意识、纪律观念和工作责任心，树立全心全意为人民服务的思想，提高抵制各种不正之风的影响和资产阶级腐朽思想侵蚀的能力，使遵纪守法、秉公执法成为检察人员的行为准则和自觉行动。同时，要结合检察工作的实际，建立健全各项廉政制度和规章制度，强化内部制约机制。各项制度特别是办案程序、办案制度和办案纪律，一经建立，就要严格要求，严格管理，严格执行。为了保证制度的切实贯彻，必须加强监督检查，严密防范，发现问题，及时纠正。

四、切实贯彻执行《检察人员纪律》。《检察人员纪律》是加强检察机关廉政建设的重要措施，要继续坚持不渝地进行宣传和贯彻执行。要克服自满情绪和时紧时松的现象，加强宣传教育，使广大检察人员都能自觉地用"八要八不准"规范自己的行动。要经常对照"八要八不准"的规定，检查有无利用职权和工作便利以权谋私，吃、拿、卡、要，欺压群众，损害国家和群众利益等行为。"秉公执法、廉洁奉公"，要作为执行《检察人员纪律》的重点。对于违反《检察人员纪律》的行为，要严肃查处，发现一件及时查处一件，决不手软，决不护短，决不姑息迁就。

五、要充分发挥政工、纪检、监察部门在廉政建设中的职能作用。各级检察机关的政工、纪检、监察部门是廉政建设的办事机构，具体承担教育、管理、监督和查处违法违纪行为等重要职能。党中央已批准设立高检院政治部；高检院和国家编委联合下达了关于设立地方各级人民检察院监察机构的通知。各级检察机关要抓紧政工、纪检、监察机构的组建工作，调整、充实力量，积极开展各项工作。政工、纪检、监察部门要加强联系和协作，及时通报情况，定期召开联席会议，共同抓好廉政建设。

最高人民检察院关于印发《人民检察院政治工作暂行条例》的通知

（1990年11月14日）

各省、自治区、直辖市人民检察院，军事检察院：

现将《人民检察院政治工作暂行条例》印发给你们。请将执行过程中发现的问题，及时报高检院政治部，以便进一步修改完善。

附件：《人民检察院政治工作暂行条例》

人民检察院政治工作暂行条例

第一条 根据党中央关于加强政治工作的指示精神，结合检察机关的实际，制定本条例。

第二条 人民检察院是国家的法律监督机关，是人民民主专政的重要工具，依法维护国家的稳定和社会主义法制的统一实施，维护人民民主专政制度，维护社会的正常秩序，保护国家财产和公民的合法权益，保障社会主义现代化建设事业的顺利进行。

检察机关的政治工作是检察工作的生命线，它服务于国家的社会主义建设和法制建设，服务于检察机关的建设，从政治上、思想上、组织上保证党对检察机关的领导，保证检察机关的无产阶级性质和正确的政治方向，保证检察队伍的高度稳定和统一，保证法律赋予的各项检察任务的完成。

第三条 检察机关政治工作的指导思想和基本任务是：以马克思列宁主义、毛泽东思想为指导，继承和发扬党的政治工作的优良传统，搞好党的建设和思想政治工作，开展具有检察机关特点的思想教育，激励广大检察人员的社会主义积极性、创造性和献身精神，建设一支政治立场坚定，严格依法办案，秉公执法，掌握政策，实事求是，联系群众，精通业务的检察队伍。

第四条 检察机关政治工作必须遵循

的主要原则是：理论联系实际的原则；群众路线的原则；民主集中制原则；开展批评与自我批评的原则；说服教育与严格纪律相结合的原则；党管干部，按德才标准选拔培养干部的原则；实事求是，有错必纠的原则；提高思想认识与解决实际问题相结合的原则；尊重人，理解人，关心人的原则；身教重于言教的原则。

第五条　检察机关政治工作的主要内容是：

（一）开展马列主义、毛泽东思想基本理论教育；党的路线方针、政策教育；坚持四项基本原则，反对资产阶级自由化的教育；社会主义和爱国主义教育；形势与任务教育；全心全意为人民服务的宗旨教育；艰苦奋斗教育；检察人员职业道德、职业责任和职业纪律教育。

（二）搞好检察机关党的思想建设、组织建设和作风建设，充分发挥党组织的领导核心作用，党支部的战斗堡垒作用和共产党员的先锋模范作用。

指导本单位共青团、妇女和工会工作。

（三）正确执行党的干部革命化、年轻化、知识化，专业化方针，协助地方党委加强各级领导班子建设和后备干部队伍建设，保证检察机关的领导权掌握在忠于马克思主义的人手里。做好干部的培养、考核、选拔、任免、调配和奖惩工作。

做好离休、退休干部的服务工作。

（四）研究解决检察队伍建设中带有普遍性、倾向性的问题，抓好典型，总结推广工作经验。

（五）组织“争先创优”活动，及时表彰宣传先进集体和先进模范人物。

（六）贯彻“从严治检”的方针，严肃执行检察人员纪律，认真查处违法违纪行为。

（七）根据学用一致、按需施教的原则，对在职干部进行培训。

（八）开展群众性的文化、娱乐和体育活动，活跃机关文化生活。

第六条　各级人民检察院要坚持政治工作与业务工作的统一。领导机关要坚持面向基层，加强调查研究，从理论与实践的结合上，不断研究和解决政治工作中的情况和问题，充分发挥政治工作的优势。

第七条　检察机关政治工作机构的设置：最高人民检察院，各省、自治区、直辖市人民检察院设政治部；计划单列市、省会和自治区首府所在市以及较大城市人民检察院设政治部；省、自治区、直辖市人民检察院分院，自治州和省辖市人民检察院设政治处；县（市）、自治县和市辖区人民检察院设政工科，暂不具备条件的应配政治协理员。

最高人民检察院政治部是党组的政治工作机构，在党组的领导下开展工作。地方各级人民检察院的政治部、政治处、政工科是本级党组的政治工作机构，在党组领导下和上级检察院政治工作部门的指导下开展工作。

各级人民检察院的政治部主任、政治处主任、政工科科长，由同级副检察长级干部担任。

第八条　各级人民检察院的政工部门必须加强自身建设。全体政治工作人员要热爱本职工作，坚持四项基本原则，不断提高政治理论水平，模范执行和宣传党的路线、方针、政策，严于律己，宽以待人，公道正派，联系群众，遵纪守法，努力学习，积极工作，认真履行岗位职责。

第九条　各级人民检察院可根据本条例，结合实际情况，制定实施细则。

军事检察院的政治工作遵照中国人民解放军总政治部的规定执行。

第六部分 最高人民检察院重要会议和展览会简介

各省、自治区、直辖市检察长座谈会

1990年6月26日至7月1日，最高人民检察院在北京召开了各省、自治区、直辖市检察长座谈会。会议的任务是检查、总结上半年工作，推动下半年的工作，实现1990年工作计划要点。参加会议的有各省、自治区、直辖市检察院和军事检察院检察长，深圳、珠海、汕头、厦门四个经济特区检察院的检察长，最高人民检察院各厅、室、局负责人，共65人。刘复之检察长在会议开始和结束时讲了话。张思卿、王晓光、冯锦汶、梁国庆副检察长分别就有关问题发了言。会议采取小组座谈讨论和大会相结合的形式，敞开思想，畅所欲言，在继续深入开展反贪污、贿赂斗争和坚持“严打”两个重点工作上，统一了思想，深化了认识。

会议认为，1990年上半年，全国各级检察机关坚决执行党中央“稳定压倒一切”的方针，在党中央和各级党委领导下，紧紧抓住惩治贪污、贿赂和依法从重从快严厉打击严重刑事犯罪这两个重点不放松，扎扎实实地开展各项检察工作，在维护国家稳定、经济稳定、社会稳定，促进廉政建设中，发挥了法律监督机关的作用。惩治贪污、贿赂的斗争取得很大成绩，1至5月，受理案件44000多件，立案23000多件。但工作中也存在一些问题：一是个别地方对决定免予起诉的条件掌握不够严；二是因为人员紧张、办案经费困难，案件线索积压特别是举报线索积压严重；三是对惩治贪污、贿赂在维护经济生活的正常活动，保护、推动生产和改革开放的积极意义的宣传有待加强；四是个别基层检察院为了解决办案经费，有滥用权力的现象。

会议要求，各级检察机关要认清有利形势，坚定信心，把惩治贪污、贿赂与严厉打击严重刑事犯罪活动长期抓下去，抓到底。要树立长期作战的思想。在工作中，坚持专门机关的工作与群众路线相结合；要有高潮，更要有深入细致的经常工作；要坚决打击，又要严格依法办案，还要搞好检察建议，积极开展综合治理；要抓紧建设专门业务，特别是建设贪污、贿赂案件和法纪案件的侦查工作；要加强思想政治工作，抓紧筹建政治部，坚持从严治检，关心和爱护干部，不断提高队伍的政治、业务素质；要紧紧依靠党委、依靠群众，通过扎扎实实地查处一个一个的案件，特别是办大案要案，达到不断减少犯罪的战略目的。

会议期间，还召开了全国检察系统惩治贪污、贿赂先进集体和先进个人表彰大会。

（最高人民检察院办公厅李海伟）

全国检察长工作会议

1990年11月6日至13日，最高人民检察院在北京召开了全国检察长工作会议。会议的主要议题是检查总结一年来的工作，部署1991年的检察工作。重点研究深入开展反贪污、贿赂斗争，坚持严厉打击严重刑事犯罪活动，制定《1991年检察工作计划要点》。参加会议的有各省、自治区、直辖市人民检察院，军事检察院，计划单列市检察院，经济特区检察院的检察长和中央机关有关领导同志，共170多人。

会议开始时，刘复之检察长作了工作报告，分析了当前国内、国际政治、经济形势，回顾了1990年检察工作情况。提出1991年检察工作的指导思想是：在党中央领导下，在人大及其常委会的监督和国务院、各级人民政府的支持下，发挥法律监督职能，深入开展反贪污、反贿赂犯罪斗争，坚持依法从重从快严厉打击严重刑事犯罪，加强法纪检察，开展各项业务，搞好思想政治工作和队伍建设，为维护国家稳定，社会稳定，促进经济建设，保障公民的人身权利、民主权利不受侵犯做出新的成绩。张思卿副检察长作了总结讲话。会议结束时，刘复之检察长就提高对反贪污、反贿赂斗争的认识和搞好1991年的工作讲了话。

会议期间，江泽民总书记对检察工作作了重要指示。江泽民同志强调实行改革开放政策的正确性和坚持邓小平同志说的一手抓改革开放，一手抓打击经济犯罪的必要性，指出反贪污、反腐败必须永远反下去，在共产主义没有实现以前，我们的工作都不能休止。

会议对1991年的检察工作进行了部署：

一、在深入开展反贪污、反贿赂犯罪斗争中，态度要坚决，政策要对头，要实事求是，依法办案。要注意七个问题：一是坚持把查处大案要案作为反贪污、反贿赂工作的中心环节，克服各种干扰和阻力，力争有所突破。二是专门侦查工作同广泛发动群众相结合，把斗争引向深入。三是大力改变举报线索积压的状况，提高初查效率，及时反馈，取信于民。要注意保护举报人，奖励举报有功人员，严肃查处打击报复举报人和借举报诬告陷害他人的案件，使举报工作在反贪污、反贿赂斗争中更好地发挥威力。四是踏踏实实地开展侦查工作，重证据不轻信口供。五是从严掌握免诉条件，依法行使免诉权。六是加强宣传教育工作，树立为经济建设服务的思想。七是继续抓紧对偷税抗税、假冒商标、挪用公款等犯罪案件的查处工作。

二、打击严重刑事犯罪仍然是检察机关的另一个工作重点。要树立长期作战的思想，坚持"严打"方针，在任何情况下，思想上不能懈怠，工作上不能放松。要加强侦查监督、审判监督，坚持提前介入制度。要不断提高出庭支持公诉的水平，重点做好重大疑难案件和自侦案件的出庭支持公诉工作。要高度重视青少年犯罪问题，协同有关部门，做好预防和改造青少年犯罪工作。要积极参加社会治安综合治理。

三、提高认识，采取有效措施，切实加强法纪检察工作。要深刻认识加强法纪检察工作的重要意义，集中精力查处大案要案，健全法纪检察机构，充实办案力量，保证业务骨干的稳定。法纪案件侦查人员要提高侦查意识，熟练地运用各种侦查手段，及时、准确地收集证据，要总结和交流"侵权"、渎职案件侦查经验，在实践中培养法纪案件侦查专家。

四、1991年，在保证重点工作的同时，

各项检察工作都要有新的发展。

五、坚持党的领导和严格执行法律的统一。检察机关要坚决贯彻党的路线、方针、政策，对工作中的重大问题和主要案件的情况，要经常向党委请示报告。要本着对党高度负责、严格依法办案的精神，正确地依法独立行使检察权。

六、加强思想政治工作，提高队伍素质，推进物质装备建设。要针对检察工作的特点开展思想政治工作，深入持久地进行马克思主义基本理论教育、职业道德和职业纪律教育。要建设坚强的领导班子，对存在问题的领导班子要有计划、有重点地进行整顿和建设，健全党内民主生活制度。要加强干部培训工作。要坚持从严治检，严格执行《检察人员纪律》，纠正行业不正之风，推进检察机关自身的廉政建设。要抓紧物质装备建设，不断改善工作条件。此外，还要加强检察工作制度建设，继续探索、稳妥地进行体制改革，以保证检察事业发展的后劲。抓紧起草并早日向人大常委会提出《检察官条例》。1991年将召开第九次检察工作会议，专门讨论检察工作的发展和建设的一些重大问题，总结有中国特色的检察工作经验，推进检察工作的正规化、现代化建设。

（最高人民检察院办公厅　李海伟）

各省、自治区、直辖市人民检察院办公室主任会议

1990年5月10日至16日，最高人民检察院在北京召开了各省、自治区、直辖市人民检察院办公室主任会议。参加会议的有各省、自治区、直辖市检察院和军事检察院办公室主任，计划单列市检察院和新疆生产建设兵团检察院办公室主任，最高人民检察院有关厅、室、局的办公室主任，共78人。这次会议的主要议题是：深入学习江泽民、李鹏等中央领导同志在省自治区、直辖市党委秘书长座谈会和1989年11月召开的全国检察长工作会议上的讲话，学习最高人民检察院领导同志关于搞好办公室工作的指示，按照检察机关办公室的特点，明确职责范围；总结近年来办公室工作的经验，重点研究信息、统计和催办工作，提出改进措施；讨论有关办公室工作的几个规章制度；研究确定检察信息联络点，以进一步发挥办公室的参谋助手作用，为各项检察业务服务，推进反贪污、贿赂斗争和打击严重刑事犯罪斗争的深入开展。最高人民检察院办公厅主任王克作了工作报告，王晓光副检察长作了总结讲话。会议结束时，刘复之检察长到会接见了与会代表并就如何搞好办公室工作讲了话。

会议认为，各级检察院办公室围绕党和国家的中心工作和检察工作的重点，在参与检察政务，管理事务等方面进行了卓有成效的工作，较好地发挥了参谋助手作用。广大办公室工作人员，忠诚检察事业，勤勤恳恳工作，甘当无名英雄，为保证检察机关的正常运转做出了显著成绩。特别是在制止动乱、平息反革命暴乱中，在打击贪污、贿赂犯罪和打击严重刑事犯罪活动中，办公室工作人员更是加班加点，搜集和提供了大量信息，不少重大情况受到各级党政领导机关和中央领导同志的重视。事实证明，检察机关办公室的队伍是一支政治可靠、业务素质良好的骨干队伍，是检察事业的一支重要力量。

会议研究提出了检察机关办公室的基本任务和主要职责。基本任务：一是及时为领导提供准确、全面的有关检察工作的信息；二是为领导出主意，想办法，协助

领导部署一个时期的工作，并参加贯彻实施；三是协调决策前后出现的一些矛盾，同各地、各部门保持联系，协调力量，共同为领导机关服务；四是处理领导机关的一些日常事务；办文办会办事，完成领导交办的任务。主要职责：参予检察政务，发挥参谋、助手作用，督促、检查协调各部门的工作，调查研究，收集信息，起草文件，掌管文印，处理公文和负责统计、档案、通信、外事、保密工作，以及领导交办的其他工作。

会议还研究提出了加强办公室工作的意见。会议要求：(一)要进一步提高认识，增强信息意识。要建立健全检察信息网络，建立一支政治素质好，观察能力、分析能力、概括能力、表达能力较强的信息队伍，建立以最高人民检察院为中心的检察信息网络。信息工作要特别注重实际，坚持为中心工作服务。要努力提高信息质量，保证信息的准确、全面、及时。要加快信息传递速度，提高信息工作效率，力求快编快审快印快发，改善信息传播手段，逐步实现信息手段现代化。(二)统计工作要加强基层基础建设，提高统计数据的准确性和及时性。要积极开展统计分析工作，为领导机关决策提供科学依据。要加强统计人员岗位培训工作，逐步推行统计人员持证上岗制度。要加快检察统计现代化建设，逐步建立统计信息自动化系统。(三)催办工作要建立健全制度，使这项工作走上规范化、制度化的轨道。(四)通信工作要加强宏观管理和业务指导，完善通信系统，有计划地逐步实现通信工作现代化。(五)档案管理工作要着重抓好诉讼档案工作，建立健全规章制度。要积极参加地方档案部门组织的上等级活动，要认真组织档案工作的检查评比活动，提高档案管理工作水平。(六)保密工作要认真宣传贯彻《保密法》，牢固树立敌情观念和保密观念。严格执行《保密法》及有关规定，组织培训一批专职和兼职保密干部。要认真查处泄密、失密事件，运用典型泄密事例教育检察人员，增强保密观念。

此外，要认真做好外事工作，通过外事活动，宣传我国法制建设和检察工作的成就，了解其他国家的检察制度。

（最高人民检察院办公厅　李海伟）

全国检察机关政治工作会议

1990年8月21日至27日，最高人民检察院在北京召开了全国检察机关首届政治工作会议。各省、自治区、直辖市人民检察院、军事检察院主管政治工作的检察长和政工部门负责人，计划单列市检察院和新疆生产建设兵团检察院主管政治工作的检察长，部分基层检察院检察长，以及最高人民检察院各厅、室、局的负责同志参加了会议。中组部、中宣部、中国职工思想政治工作研究会的有关负责同志和部分新闻单位的同志也应邀出席了会议，共165人。

会议的主要议题是：总结交流党的十三届四中全会以来检察机关政治工作情况，研究落实党中央关于设立最高人民检察院政治部的批复精神，进一步加强全国检察机关政治工作，推动检察队伍的思想作风和组织建设。

会议由梁国庆副检察长主持，王晓光副检察长作了《检察机关政治工作的报告》，张思卿副检察长作了总结讲话，刘复之检察长作了题为《开创检察政治工作的新局面》的重要讲活。

会议认为，党中央批准设立检察机关政治工作机构，体现了党对检察机关的高度重视和巨大关怀。党中央的批复规定：政治部是党组的政治工作机构，其主要任务是在党组领导下，协助地方党委搞好本系统所属单位的党的建设和思想政治工作，开展具有行业特点的思想教育。这一规定明确了政治部的性质和主要任务，为检察机关加强政治工作，搞好队伍建设指明了方向。

会议认为，党的十三届四中全会以来，检察机关的政治工作在实践中得到进一步发展，出现了可喜的变化，主要表现在：(一)认真贯彻党的十三届四中全会决议，重视并加强了对政治工作的领导。(二)以建设一支政治上合格的检察队伍为根本，突出抓了政治理论教育。(三)加强党的组织建设和领导班子建设有了新的发展。(四)认真执行检察人员纪律，廉政建设取得了一定成效。

会议提出，当前和今后一个时期检察机关政治工作的指导思想和基本任务是：以马列主义、毛泽东思想为指导，继承和发扬党的政治工作的优良传统，加强党的建设，加强思想政治工作，开展具有检察工作特点的思想教育，激励广大检察人员的社会主义积极性、创造性和献身精神，建设一支政治立场坚定、严格依法办案、秉公执法、掌握政策、实事求是、联系群众、精通业务的检察队伍，保证法律赋予的各项检察任务的完成。

会议要求，当前应扎扎实实地抓好以下几项工作：(一)加强思想政治工作，推进队伍的思想建设。(二)认真搞好检察机关党的建设，进一步提高党组织的战斗力。(三)坚持"从严治检"，进一步加强检察机关廉政建设。

会议特别强调，要针对检察工作的特点开展政治工作。开展具有行业特点的思想教育，是在新形势下加强思想政治工作的有效方法。会议总结了各地检察机关的成功经验，认为开展具有检察工作特点的思想教育，主要包括以下内容：(一)经常进行党的领导观念、人民民主专政观念、全局观念、群众路线观念以及检察机关性质、职能的教育。(二)经常进行检察职业道德、职业责任和检察人员纪律教育。(三)经常进行艰苦奋斗教育。(四)经常进行革命英雄主义教育。

会议听取了13个单位的代表关于开展思想政治工作的经验介绍和辽宁省检察系统学雷锋标兵辽阳市铧子石门地区检察院齐贵春、鞍山市检察院冯基生同志学雷锋先进事迹的报告。会议还讨论修改了《人民检察院政治工作暂行条例》、《关于加强检察机关后备干部工作的通知》、《关于加强检察机关廉政建设的指示》等文件。

(最高人民检察院政治部　董智明)

最高人民检察院
聘请民主党派和无党派人士
担任特约检察员会议

1990年12月19日，最高人民检察院在人民大会堂安徽厅举行了聘请民主党派和无党派人士担任特约检察员会议。出席会议的有：全国人大常委会副委员长彭冲、全国政协副主席马文瑞和中央统战部、全国人大法工委、最高人民法院、安全部、监察部、司法部、民革中央、民盟中央、民建中央、民进中央、农工党中央、致公党中央、九三学社中央、台盟中央、全国工商联等单位的主要领导人。参加会议的有最高人民检察院部分厅、室、局负责人和18名特约检察员。会议还邀请了首都部分新闻单位的同志。

最高人民检察院副检察长张思卿主持会议。梁国庆副检察长宣布了最高人民检察院聘请的18名特约检察员名单，刘复之检察长向特约检察员颁发了聘书。彭冲副委员长、刘复之检察长、中央统战部常务副部长蒋民宽、民革中央副主席彭清源先后在会上讲了话，民盟中央宣传部副部长、特约检察员黄景钧发了言。

会议认为，我国是人民民主专政的社会主义国家。中国共产党领导的多党合作制度和政治协商制度是我国的一项基本政治制度。它是马克思主义同中国革命和建设相结合的一个创造。坚持和完善这项制度，是我国政治体制改革的一项重要内容，它对于巩固和扩大爱国统一战线，发扬社会主义民主，促进各民族人民的大团结，把我国建设成为富强、民主、文明的社会主义现代化国家，具有重要的现实意义和深远的历史意义。党中央与各民主党派协商、制定的《中共中央关于坚持和完善中国共产党领导的多党合作和政治协商制度的意见》，是在新的历史时期，坚持和完善共产党领导的多党合作政治制度的纲领性文献。最高人民检察院聘请特约检察员是贯彻党中央指示，加强具有中国特色的检察制度建设的重要措施。

会议认为，特约检察员制度的建立，将使检察机关更广泛地联系群众，更广泛地接触社会生活，推动检察工作开创新局面。会议希望通过特约检察员这个桥梁和渠道，能够经常听到各界群众对检察机关执行法律、政策的意见和对检察人员遵纪执法情况的批评和建议。

会议明确，特约检察员要经常参与讨论研究有关法律、政策和检察工作的重大问题；反映或传递对国家工作人员违法犯罪的检举、控告和不服刑事处罚的申诉材料；参加一些案件特别是贪污、贿赂大案要案、重大刑事犯罪案和重大的侵犯公民民主权利案、渎职案的调查、研究和复查；宣传社会主义法制和检察制度。会议相信，通过特约检察员参加检察工作的活动，检察机关同各民主党派、无党派人士的合作共事一定能够取得新进展，各位特约检察员一定能够在建设具有中国特色的社会主义检察制度中作出自己的贡献。

（最高人民检察院政治部　刘佑生）

自侦案件免诉和出庭工作座谈会

1990年9月14日至19日，最高人民检察院刑事检察厅在哈尔滨召开了部分省、自治区、直辖市人民检察院自侦案件免诉和出庭工作座谈会。参加会议的有：北京、天津、内蒙古、吉林、黑龙江、山东、上海、江苏、福建、新疆、河南、湖南、广东、四川、云南等省、自治区、直辖市人民检察院主管刑事检察工作的副检察长和刑事检察（起诉）处处长，共27人。最高人民检察院副检察长冯锦汶出席会议并讲了话。

会议总结了近两年来检察机关自侦案件免诉和出庭工作情况，讨论修改了《关于进一步加强自侦案件免予起诉工作的通报》，探讨了完善自侦案件内部制约机制等问题。

会议认为：近两年来，检察机关自侦案件免诉工作总的看是好的，多数免诉案件的处理是正确的，但也存在一些不容忽视的问题，主要是贪污、贿赂案件免诉率过高。其原因，除了对“两高”《通告》期间遗留下来的自首坦白案件宽大处理外，还有四方面的问题：一是不少检察院对免诉工作重视不够，没有严格执行法定的免诉条件；二是执法思想不端正，滥用免诉权；三是对法律理解不全面，扩大了免诉范围；四是免诉案件的办案程序不够完善，监督制约机制不够健全。

会议认为，对当前自侦案件免诉工作中存在的问题绝不能掉以轻心，必须高度重视，采取有力措施把过高的免诉率降下来。否则，势必造成对贪污、贿赂等犯罪打击不力或冤枉无辜的不良后果，损害法律的尊严，影响检察机关的声誉。会议提出了搞好自侦案件免诉工作的七点意见：(一)统一思想，充分认识做好免诉工作的重要意义；(二)坚持依法办事，正确行使免诉权；(三)正确执行全国人大常委会《关于惩治贪污罪贿赂罪的补充规定》，提高免诉案件质量；(四)坚持立案侦查与决定逮捕、起诉分开的制度，加强内部制约；(五)健全和完善免诉案件的辩护和申诉制度；(六)坚持免诉案件的审批和备案制度；(七)自觉接受群众监督。

会议总结回顾了自侦案件出庭工作的情况，对进一步搞好出庭工作提出了三点意见：一是提高出庭支持公诉的自信心；二是针对自侦案件的特点，扎扎实实地在审查核实证据上下功夫；三是加强领导，突出重点，抓好大要案的出庭工作。

(最高人民检察院刑事检察厅　元　明)

全国检察机关第二次反贪污贿赂侦查工作会议

1990年10月12日至17日，最高人民检察院在北京召开了全国检察机关第二次反贪污贿赂侦查工作会议。参加会议的有各省、自治区、直辖市人民检察院和军事检察院主管贪污贿赂检察工作的副检察长、反贪污贿赂工作局局长或经济检察处处长；25个计划单列市、沿海开放城市和经济特区人民检察院主管贪污贿赂检察工作的副检察长，以及中央国家机关有关部门的同志，共144人。最高人民检察院刘复之检察长、张思卿、王晓光、冯锦汶、梁国庆副检察长出席了会议。刘复之检察长、张思卿副检察长讲了话。

会议的主要任务是回顾1990年前10个月全国检察机关开展反贪污、贿赂斗争的情况，总结、交流侦查工作经验，研究如何进一步加强反贪污、贿赂侦查工作，深入开展反贪污、贿赂斗争，更好地为党中央提出的政治稳定、经济稳定、社会稳定服务，为改革开放和社会主义经济建设服务。

最高人民检察院贪污贿赂检察厅厅长赵登举做了题为《强化侦查意识，提高对策水平，深入持久地开展反贪污贿赂斗争》的报告，全面分析和总结了1990年前10个月反贪污贿赂工作情况。有20个人民检察院介绍了侦破贪污、贿赂犯罪案件经验。会议讨论修改了《关于加强贪污、贿赂案件初查工作的意见》、《人民检察院分级查办县、处级以上干部贪污、贿赂案件暂行规定》、《关于加强侦查业务指导工作的意见》等文件。

会议认为，1990年全国各级检察机关认真贯彻1989年11月全国检察长工作会议的部署，继续把反贪污、贿赂斗争作为第一位工作，坚持"一要坚决，二要慎重，务必搞准"的方针，加强侦查工作，集中力量查处大案要案，取得了很大成绩。1990年1至9月，全国检察机关共受理贪污、贿赂案件77163件，比上一年同期增加11.9%；立案侦查42234件，比上一年同期增加16.4%。反贪污、贿赂工作有了明显的进展，主要表现在以下七个方面：

一是侦破大案要案工作有了明显进展。1990年1月至9月，全国检察机关共立案侦查贪污、贿赂大案要案10185件，占立案总数的24.1%，是历史上比例数最高的。

二是侦破贿赂案件工作有明显进展。贿赂案件一向被认为是立案难、取证难、认定难的案件，1990年有了很大的突破。1至9月，全国检察机关共立案侦查贿赂案件18559件，比上一年同期增加36.4%。不少地方贿赂案件的立案数占贪污、贿赂案件立案总数的一半以上。

三是侦破一些重点行业和基层执法部门的贪污、贿赂案件有明显的进展。各地检察机关有针对性地采取侦查措施和对策，提高侦破能力，查获了一大批发生在重点行业和单位的贪污、贿赂案件。

四是在提高侦查水平方面有了明显的进展。1989年全国检察机关第一次反贪污贿赂侦查工作会议以后，各地普遍重视加强侦查工作，把提高侦查水平作为反贪污、贿赂斗争的关键环节，从培养干部的侦查意识入手，以搜集和审查证据为核心开展侦查工作。

五是熟练运用法律规定的各种侦查手段的能力普遍增强，特别是通过秘密调查获取证据的能力有了较大提高。

六是反贪污、贿赂专门机构的建设有明显进展。到1990年10月，已有19个省、自治区、直辖市检察院，100多个分、州、市检察院建立了反贪污贿赂工作局。

七是侦查设施建设有明显进展。

会议对1991年的反贪污、贿赂工作如何深入开展，提出了具体意见：(1)要继续把反贪污、贿赂斗争作为第一位工作。要在深入开展反贪污、贿赂侦查工作上狠下功夫，要不断强化侦查意识，提高对策水平。(2)要继续坚持突出抓大案要案。(3)要继续下大力气查处贿赂案件。(4)要把群众揭发出来的党政机关工作人员的案件作为重点。(5)要继续把发案多、群众反映强烈的行业和基层执法部门作为重点。(6)要坚决依法查处巨额财产来源不明案件。(7)要树立服务思想，重视通过办案为经济建设服务。

会议强调，为了搞好1991年的工作，要不断提高广大干警对反贪污、贿赂斗争重要性的认识；各级检察机关要继续坚持检察长带头办案制度和大要案分级管理制度；要加强反贪污、贿赂斗争的宣传工作，运用典型案例，大张旗鼓地进行宣传发动，造成反贪污、贿赂斗争的声势。会议号召全国检察干警再接再厉，努力奋斗，为促进廉政建设，促进社会主义经济建设作出新的贡献。

（最高人民检察院贪污贿赂检察厅　王国平）

全国检察机关反贪污贿赂工作局局长座谈会

1990年5月18日至20日，最高人民检察院贪污贿赂检察厅在广东省珠海市召开了全国检察机关反贪污贿赂工作局局长座谈会，参加会议的有15个省、自治区和部分大城市检察机关的反贪污贿赂工作局局长以及部分省筹建工作局的负责同志。最高人民检察院张思卿副检察长出席会议并讲了话。

会议的主要任务是总结全国检察机关反贪污贿赂工作局的建设情况，交流经验，进一步研究解决工作局的建局指导思想、工作方针、工作机制、机构设置等问题。广东省人民检察院、珠海市人民检察院介绍了他们建立反贪污贿赂工作局和开展工作的经验。

会议分析了19个省、自治区检察机关反贪污贿赂工作局的情况，认为，各地反贪污贿赂工作局的建设和工作都取得了一定成绩，发展是健康的。检察机关反贪污贿赂工作局是在全党开展反腐败斗争中应运而生的，是符合客观实际需要的。反贪污贿赂工作局的建立，有利于检察干部的专业化和工作的规范化，有利于集中力量统一指挥，提高破案能力和工作效率，有利于增强预防犯罪能力，能够更好地实施对国家工作人员贪污贿赂犯罪行为的监督，更好地履行检察机关的法律监督职责。这是建设和完善具有中国特色的社会主义检察制度的重要方面。

会议确定了"积极建设、稳步前进、边干边建、以干促建"的指导思想。会议要求各省、自治区、直辖市人民检察院和大中城市、沿海开放城市和经济发达地区的人民检察院，要根据反贪污贿赂斗争任务的需要，逐步建立反贪污贿赂工作局。

会议强调，要按照强化反贪污贿赂工作体系的要求，建立相应的工作程序，要把工作重点放在加强侦查工作上，特别要集中力量侦破大案要案，打开局面，建立权威，扩大影响，推动反贪污贿赂斗争的深入开展。

（最高人民检察院贪污贿赂检察厅　王国平）

全国检察机关第一次"侵权"、渎职案件侦查工作会议

1990年4月3日至9日，最高人民检察院在北京召开了全国检察机关第一次"侵权"、渎职案件侦查工作会议。参加会议的有各省、自治区、直辖市人民检察院法纪检察处处长、部分省、自治区、直辖市人民检察院主管法纪检察工作的副检察长，计划单列市人民检察院法纪检察处处长，以及部分在查处"侵权"、渎职案件中作出成绩的基层人民检察院的代表，共89人。

会议开始，最高人民检察院法纪检察厅厅长张穹作了题为《努力提高"侵权"、渎职案件侦查工作的水平，为维护稳定和廉政建设服务》的工作报告；最高人民检察院副检察长张思卿作了总结讲话。会议期间，最高人民检察院检察长刘复之接见了会议全体代表，并同张思卿、王晓光、冯锦汶、梁国庆副检察长一起，与部分会议代表进行了座谈。

会议的主要任务是：总结交流"侵权"、渎职案件侦查工作的经验；讨论制定侦查工作的有关规定、制度、细则等文件。

会议认为，检察机关重建以来，"侵权"、渎职案件侦查工作，有了很大的发展。其具体表现是：（1）侦查工作的水平不断提高，办案数量增多，突破了一批"侵权"、渎职大案、要案。1979年至1989年，全国检察机关共立案侦查"侵权"、渎职案件75117件。（2）加强了侦查工作的基础业务建设。不少地方的检察院制定了办案程序、侦查工作细则等规范性文件，制作了统一的法律文书，有效地提高了侦查工作的规范化程度。（3）严肃查处了国家工作人员徇私舞弊、贪赃枉法、报复陷害及妨害邮电通讯等案件，促进了廉政建设的深入发展。（4）深入查处玩忽职守和重大责任事故案件，保障治理整顿的深入进行。（5）及时查处刑讯逼供、非法拘禁致死人命、恶性伤亡事故、商贸活动中扣押人质等重大"侵权"、渎职案件，维护了社会秩序的稳定。（6）认真调查受理的案件，妥善处理非刑事处罚的"侵权"、渎职案件，防止人民内部矛盾的激化。

会议认为，各级检察机关在工作实践

中，对“侵权”、渎职案件的特点不断加深了认识。这些特点主要是：被告人多是国家工作人员，有些还是领导干部、执法人员，反侦查意识和对应能力比较强。他们的反侦查活动常常伴随着甚至先于侦查活动而开始，侦查工作的难度较大；行为人大多是职务犯罪，或在执行公务过程中的犯罪，侦查工作遇到的干扰阻力大；行为表现复杂化，触犯刑律的行为常与违反党纪、政纪的行为交织在一起，政策性强，罪与非罪的界限不容易区分，等。

会议总结了“侵权”、渎职案件侦查工作的经验。主要有：认真进行立案前的调查，取得侦查工作的主动权；努力实现迅速反应、以快制胜这一侦查工作的基本要求；实施有效对策，攻破攻守同盟，破除侦查障碍；及时、全面、细致地勘查现场，获取物证，判明案件性质，明确侦查方向和范围；运用科学的物证鉴定，揭露和证实犯罪；加强审讯工作，突破被告人的心理防线，促其坦白和悔罪；确定嫌疑人的范围，排查作案人员，等。

会议认为，“侵权”、渎职案件的侦查工作，已有了一个良好的基础，初步形成了有特色的侦查方法和经验。但是，从总体上看，“侵权”渎职案件的侦查工作经验还不十分充足，对有些案件的侦查规律、特点，认识还较浅薄，一些法纪检察干部还不能熟练地运用各种侦查措施和方法，目前的侦查能力与所担负的任务还很不适应。因此，各级检察机关和法纪检察干部，必须增强责任心和紧迫感，切实加强“侵权”、渎职案件的侦查工作，以更好地完成法律赋予的任务。

会议强调指出，人民检察院依法查处侵犯公民民主权利、人身权利的犯罪案件和国家工作人员的渎职犯罪案件，既是建设高度的社会主义民主和完备的社会主义法制的需要，也是克服各种腐败现象，恢复和加强党与人民群众血肉联系，进一步稳定政治形势和经济形势的客观要求。各级检察机关应进一步提高对查处“侵权”、渎职案件重要性的认识，奋发进取，下大力把侦查工作提高到一个新水平，开创“侵权”、渎职案件侦查工作的新局面。

会议还讨论修改了《人民检察院直接受理的“侵权”、渎职案件侦查细则》、《人民检察院直接受理的“侵权”、渎职案件管理制度》等文件。

（最高人民检察院法纪检察厅　王钢平）

查处“人质型”侵犯公民人身权利案件座谈会

1990年9月3日至7日，最高人民检察院法纪检察厅在福建省厦门市召开了查处“人质型”侵犯公民人身权利案件座谈会。21个省、自治区、直辖市和深圳、厦门、福州市人民检察院法纪检察处处长参加了座谈会。会议重点探讨了查处“人质型”侵权案件的政策法律界限，以及应注意的问题。

会议认为，近年来，以强行扣押“人质”，胁迫他人履行一定行为为目的的“人质型”侵犯公民人身权利的违法犯罪现象越来越严重，已成为人们普遍关注的一个社会问题。此类案件具有很大的社会危害性，不仅侵犯了公民的人身权利，而且破坏了正常的社会秩序和经济秩序。产生这类犯罪的主要原因：一是当事人法律意识淡薄，无政府主义思想严重；二是有关部门执法不力，当事人对通过法律解决经济纠纷、民事纠纷缺乏信心；三是严重的地方保护主义作祟，为了局部和小团体的利益，置法律于不顾，有的甚至利用司法职权，收审、扣押一方当事人作人质，逼还款物。由于“人质型”侵犯公民人身权利案件情况复杂，行为手段多种多样，多为跨地区作案，且被绑架、扣押的人质多为外地人并有一定的过错，有的甚至有犯罪行为，因此，查处这类案件干扰多，阻力大，格外困难。会议认为，查处“人质型”侵权案件的重点应该是手段恶劣、情节严重的犯罪案件，以及公安、司法人员为徇私情，滥用或超越职权，实施收审、扣押人质的案件。会议要求各地检察机关通力协作，积极查办“人质型”侵权案件，并首先无条件解救人质。会议还指出，在办案中要注意掌握罪与非罪、此罪与彼罪的界限，对构成犯罪的，应根据具体案情，分别以非法拘禁罪、非法管制罪或徇私舞弊罪等定罪处理。

会议讨论修改了《关于查处“人质型”侵犯公民人身权利案件的若干意见》(草稿)，会后将提交最高人民检察院检察委员会讨论通过，正式公布执行。

(最高人民检察院法纪检察厅
王钢平)

全国铁路检察长工作会议

1990年3月8日至14日，最高人民检察院在北京召开了全国铁路检察长工作会议。会议的主要任务是：认真学习贯彻最近召开的中央政法工作会议精神和去年11月召开的全国检察长工作会议精神，总结1989年的铁路检察工作，交流铁路检察机关在反贪污贿赂斗争和打击刑事犯罪活动中的经验；研讨建立有关工作制度，讨论和部署1990年的工作任务。最高人民检察院刘复之检察长，张思卿、王晓光、冯锦汶、梁国庆副检察长，铁道部李森茂部长，屠由瑞、石希玉副部长等领导同志到会，并作了重要讲话。参加会议的有12个省、自治区、直辖市人民检察院主管铁路运输检察工作的副检察长，全国12个铁路运输检察分院、59个铁路运输检察院的检察长，以及中央有关部门和部分新闻单位的同志，共104人。

会议由最高人民检察院副检察长冯锦汶致开幕词。最高人民检察院检察长刘复之讲了话。他说，党和国家历来重视铁路，这是国家大事。铁路运输是事关国计民生的大动脉，搞好铁路运输是国家的大局。我们铁路检察工作，就是发挥检察职能，保障铁路运输畅通，保证铁路工作不受干扰和破坏。铁路检察工作要为加强廉政建设服务。查处贪污贿赂案件，当然是检察工作的一个重点，但是也要用更多的力量加强刑事检察工作。铁路公、检、法配合起来，要贯彻依法从重从快方针，严厉打击刑事犯罪分子，把铁路秩序搞好。铁道部部长李森茂在讲话中指出，通过几年来的实践我们认识到，没有一支专门得力的公、检、法专业队伍，对治理整顿铁路的治安秩序、促进铁路廉政建设和法制建设是不利的。他表示，铁路检察机关的任务十分繁重，我们一定要做好后勤保障工作，全力支持你们的工作，尽可能帮助大家解决实际问题。同时希望大家一方面加强自身的建设，充分发挥检察机关打击犯罪、保护人民合法权益的职能作用；另一方面对铁路的法制建设、路风建设进行法律监督，共同保证铁路安全畅通，为治理整顿，深化改革做出新的贡献。张思卿副检察长在讲话中指出，铁路运输检察机关要在铁路党委和上级检察机关的领导下，在铁路职工的支持下，搞好铁路检察工作。当前要把铁路治安工作搞好，把反贪污贿赂斗争抓好，促进路风建设，保证铁路运输安全生产。最高人民检察院铁路运输检察厅厅长陈振东在会上作了《充分发挥专门检察机关的职能作用，为促进铁路廉政建设和铁路运输安全生产而奋斗》的工作报告。冯锦汶副检察长作了总结讲话。他指出，以反贪污、贿赂作为打击经济犯罪的第一位工作，这是从全国廉政建设和全局工作出发的，铁路系统也不例外。在具体执行中，必须从当时当地实际情况出发，哪一种犯罪突出就集中力量打击哪一种犯罪。

会议对1991年的铁路检察工作进行了部署：

一、继续推动全国铁路反贪污、贿赂斗争向纵深发展。要深刻认识在铁路行业深入开展反贪污贿赂斗争的重要意义，集中力量侦破“以车谋私、以票谋私”等具有行业特点的大要案件。要继续发动群众做好举报工作，发挥铁路检察联络员的积极作用。加强侦查工作，提高侦查水平，不断增强铁路运输检察机关反贪污贿赂斗争的能力。

二、继续坚持依法从重从快的方针，严厉打击铁路上的严重刑事犯罪，保障铁路运输安全生产。重点打击抢劫、杀人、强奸、流氓滋扰案件及破坏铁路交通工具、设备和重大盗窃等严重犯罪活动。要强化依法从重从快的观念，增强法律监督意识。

三、进一步加强思想政治工作和铁路运输检察队伍的建设。

四、自觉接受各级铁路党委和上级检察机关的领导。及时将上级检察机关的有关精神和要求向党委报告，对大要案的情况要及时向党委汇报，以取得党委的支持；加强向上级检察机关的请示报告，完善有关制度和规定。

会议还指出：在抓好“两打”的同时，各级铁路运输检察机关要统筹安排好各项检察工作，进一步加强法纪检察、监所检察、控告申诉检察和综合业务等项工作，推动铁路检察工作全面发展。

（最高人民检察院铁路运输检察厅　王向东）

全国铁路检察工作会议

1990年11月26日至12月1日，最高人民检察院在广州召开了全国铁路检察工作会议。会议的主要任务是：贯彻最近召开的全国检察长工作会议精神，总结1990年的铁路检察工作，部署1991年的工作任务，交流铁路检察机关“两打”斗争的经验，制定《1991年铁路检察工作要点》。

最高人民检察院副检察长冯锦汶出席会议并讲话。最高人民检察院铁路运输检察厅副厅长鞠永春同志主持会议并向大会作1990年铁路检察工作报告。参加会议的有全国12个铁路运输检察分院、部分铁路运输检察院的检察长及刑事检察、经济检察部门的负责同志共75人。最高人民法院、铁道部、广东省人民检察院、广州铁路局等部门的负责同志应邀出席了会议。

会议确定的1991年铁路运输检察工作的指导思想是：在各级铁路部门党委和上级检察机关的领导下，在铁路各级行政机关的支持下，充分发挥铁路检察职能，深入开展打击“以车谋私”等贪污贿赂犯罪斗争，坚持依法从重从快严厉打击“车匪路霸”等严重危害铁路治安秩序的刑事犯罪活动，加强铁路法纪检察，积极开展各项铁路检察业务，为促进铁路的廉政建设和铁路治安秩序的稳定好转，为保障铁路运输安全和铁路建设的发展而努力奋斗。

会议提出：1991年铁路运输检察机关

将继续把查处“以车谋私”犯罪案件作为反贪污贿赂斗争的重点，在查处大案要案上下功夫，提高侦查水平，把反贪污贿赂斗争不断引向深入。要坚持依法从重从快的方针，积极参加“严打”斗争，坚持“两个基本”，坚持提前介入制度，严厉打击团伙性的“车匪路霸”犯罪活动，狠刹路内职工盗窃货物的歪风。要加强铁路法纪检察工作，争取在新的一年使法纪检察工作有新的突破。

会议要求：各级铁路运输检察机关要加强思想政治工作，开展具有铁路检察特点的政治思想教育活动。加强各级领导班子的建设，加强检察纪律，从严治检，积极、认真、稳妥地搞好铁路检察体制的改革，充分发挥铁路专门检察机关的各项职能作用，为铁路建设做出更大的贡献。

（最高人民检察院铁路运输检察厅　王向东）

全国监所检察工作会议

1990年3月1日至6日，最高人民检察院在北京召开了全国监所检察工作会议。参加会议的有各省、自治区、直辖市人民检察院、军事检察院和沈阳、大连、长春、哈尔滨、南京、宁波、厦门、青岛、武汉、广州、深圳、成都、重庆、西安、新疆生产建设兵团等检察院的监所检察处处长，以及湖南省益阳检察分院、河北省承德检察分院、河南省驻马店检察分院的代表共48人。公安部、司法部、武警总部及有关新闻单位派人参加了会议。会议认真贯彻最高人民检察院1989年11月召开的全国检察长工作会议精神，全面总结了过去一年的全国监所检察工作，交流了经验，分析了当前监管改造和监所检察形势，研讨确定了今后一个时期监所检察工作总的指导思想，安排部署了1990年监所检察的各项工作任务。

会议认为，1989年全国各级监所检察部门认真履行法律监督职责，依法对刑事案件的判决、裁定的执行和监狱、看守所、劳动改造机关、劳动教养机关的活动是否合法实行监督，发现违法情况及时纠正，在切实保障国家法律和劳改、劳教工作方针政策在监管改造场所的正确实施，维护监管改造秩序，促进文明管理，提高对劳改犯、劳教人员的改造质量，积极参加社会治安综合治理，预防和减少重新犯罪等方面，都取得了明显的成效。

据统计，1989年全国各级检察机关在劳改、劳教场所设置派出检察院63个，驻场（厂）检察组（室）587个，向2306个看守所派驻了检察组（室）或常驻检察员。派驻检察机构的设置，促进了监所检察工作的经常化、制度化。全年共检察发现各类违法情况73792件次（其中违法超期羁押人犯49213件次），比1988年增加5.7%；共审查批准逮捕劳教人员、留场就业人员中的犯罪分子538人，审查决定起诉劳改犯、劳教人员和留场就业人员犯罪案件5700件7252人；自行复查劳改犯、劳教人员及其家属向人民检察院提出的申诉4507件，经提请复议或者按照审判监督程序提出抗诉，使有关部门对817名劳改人员、109名劳教人员所作的错误或不当判决和劳教决定作了纠正；共立案侦查监管改造场所干警和执勤武警部队人员中的犯罪案件382件（其中贪污、贿赂案件229件；“侵权”、渎职案件153件）。

会议明确了监所检察工作当前和今后一个时期总的指导思想：紧紧围绕党的中心任务和全国检察工作的重点，认真开展监所检察工作，充分发挥法律监督职能作用，为监管改造秩序的稳定和社会的稳定服务。

最高人民检察院检察长刘复之到会讲话。他强调指出，监所检察工作要在注意对犯人是否认罪服法、劳教人员是否认罪认错进行监督的同时，本着对党、对人民、对法律高度负责的精神，加强对监管改造部门及管教干警是否依法和文明管理进行法律监督，及时纠正并查处干警的违法犯罪行为。

最高人民检察院副检察长冯锦汶在会议结束时作了总结讲话，进一步明确了当前监所检察的三项重点任务：一是严厉打击监管改造场所的反改造犯罪活动。通过监所检察，密切配合有关部门，严密注视罪犯中那些仇视党和政府、顽固坚持反动立场、妄图进行反改造破坏活动分子的动向，加强对他们的监管教育，注意做好安全防范检察。二是要继续加强法律、政策检察。认真纠正监管改造活动中的违法行为，促进监管改造工作严格遵守法制原则，从而提高文明管理水平，防止和减少重新犯罪。三是加强对监管改造场所干警违法行为的检察。着重抓贪污、受贿、私放罪犯和体罚虐待被监管人员而构成犯罪的案件，保障干警廉洁，维护被监管人员的合法权益。

（最高人民检察院监所检察厅　孙朝英）

部分省、市劳改劳教检察派驻组（室）工作研讨会

为进一步推动检察机关向劳改、劳教场所派出驻场（厂）检察组（室）工作的深入开展，最高人民检察院监所检察厅于1990年10月30日至11月3日和11月29日至12月3日，分别在安徽省蚌埠市、吉林省延吉市召开了部分省、市劳改劳教检察派驻组（室）工作研讨会。会议共收到论文和经验材料50多篇，其中11篇在大会上作了交流。参加会议的有18个省、自治区、直辖市人民检察院监所检察部门的负责同志以及部分先进驻场（厂）检察组(室)的代表，共33人。会议回顾了1984年全国劳改劳教检察工作座谈会以来，劳改劳教检查派驻组（室）工作情况，研讨了新形势下加强这项工作的措施。

检察机关向劳改、劳教场所派出驻场（厂）检察组（室）的情况：1984年为115个，1990年增加到587个，已承担了64%的劳改、劳教场所的检察任务。据1990年上半年统计：各地劳改劳教检察驻场（厂）组（室）共受理各类案件2058件，占检察机关监所检察部门受案总数的84.3%；受理劳改犯、劳教人员及其家属向检察机关提出的申诉2595件，经复查向有关部门提请复议后，已改判、纠正了200件；对劳改劳教单位在执行刑事判决（裁定)和监管改造活动中发生的违法情况，提出纠正意见4136件（次）；进行安全防范检察11069次，堵塞漏洞3394起，防止重大事故715起；进行法制宣传教育6888次，受教育的劳改犯、劳教人员达635159人(次)，促使其中改造表现不好的7987人有了程度不同的转变。派驻检察组（室）的工作，对于保障国家有关法律和劳改、劳教工作方针的正确实施，及时打击劳改犯、劳教人员在改造期间的犯罪活动，维护监管改造秩序，促进文明管理，提高改造质量，预防和减少重新犯罪，都发挥了积极的作用。

会议就如何进一步加强派驻检察组(室)的工作，进行了讨论。与会同志认为，要加强派驻检察组（室）的工作，必须解

决好以下几个关键问题：首先，要继续建立、健全组织机构。实践证明，向劳改、劳教单位派出驻场（厂）检察组（室），是有效地履行劳改、劳教检察职责的重要组织保证。目前，全国尚有100多个劳改、劳教单位没有派驻检察机构，有关省、自治区、直辖市检察机关应当作出规划，力争在一、两年内建立起来；有些检察组（室）承担了两上以上劳改、劳教单位的检察任务，如果不能实际履行兼管单位的经常检察职责，也应单设检察组（室），以适应实际工作的需要。其次，各级检察机关要加强对派驻检察组（室）的领导，使其在现有的水平上提高一步。要把检察组（室）的工作摆到应有的位置，遇到重大问题和疑难案件，领导同志要亲自出面帮助解决。要做到三个落实，即人员落实、办公地点落实、工作时间落实。要做到工作经常化、制度化，并逐步走向规范化。第三，要进一步明确派驻检察组（室）的业务范围。

会议讨论认为，劳改、劳教派驻检察组（室）的工作重点是：

（一）一切工作服务于监管改造秩序的稳定和社会的稳定。要积极配合主管部门加强安全防范措施，力争把各种重大事故消灭在萌芽阶段，防患于未然。协助有关部门做好改造及改造延伸工作，巩固改造成果。

（二）认真履行法律赋予的监督职责。要着重对劳改犯的减刑、假释、保外就医和劳教人员的减期、提前解除劳教、所外就医等活动加强监督，发现违法情况，要调查清楚，坚决予以纠正。对构成犯罪的，要依法立案侦查，严肃处理。

（三）在劳改、劳教场所内深入开展反贪污、受贿斗争，加强对“侵权”、渎职犯罪案件的查处工作，集中精力查处大案、要案，提高办案质量。

（四）认真复查有冤错可能的申诉案件。

（五）要深入监管改造第一线，及时了解掌握劳改犯、劳教人员的思想动态，配合主管部门做好教育改造工作。

（六）认真解决劳改劳教检察派驻组（室）存在的工作、生活条件等方面的实际困难。

（最高人民检察院监所检察厅　孙朝英）

全国检察机关实施行政诉讼法工作会议

1990年9月10日至12日，最高人民检察院在河南省郑州市召开了全国检察机关实施行政诉讼法工作会议。会议的主要议题是：总结检察机关开展民事、行政诉讼法律监督调查研究和试点工作情况，研究和部署检察机关在行政诉讼法实施后承担的行政诉讼法律监督工作。参加会议的有天津、吉林、河南、湖北、广东、四川六省、市检察院主管民事行政检察工作的副检察长和各省、自治区、直辖市检察院民事行政检察处处长或民事行政检察机构筹备组负责人。全国人大常委会法工委及有关新闻单位派人出席了会议。最高人民检察院副检察长张思卿出席会议并讲了话。

会议总结了1986年下半年以来检察机关对民事、行政诉讼实行法律监督的调查研究和试点工作。会议认为，各地检察机关在开展民事、行政检察工作中，做了大量工作。一是调查研究工作不断深入，取得了大量的成果。二是在试点过程中，积极参与办理案件。据统计，全国检察机关已对1130余起民事、行政案件的诉讼活动实行了法律监督。会议认为，检察机关开展民事、行政诉讼法律监督的调查研究和试点工作是必要的，有意义的。第一，调查研究和试点工作，为检察机关实行民事行政诉讼法律监督工作打开了局面，推进了检察事业的发展。各级党委、人大和政府部门对检察机关实行民事、行政诉讼法律监督是支持和肯定的。一些地方人民法院对试点工作给予了积极的配合和帮助。我国法学理论界也给予很高的评价。人民群众对检察机关监督民事、行政诉讼是欢迎的、赞扬的。第二，调查研究和试点工作为检察机关顺利开展民事、行政诉讼法律监督业务奠定了理论基础，积累了实践经验，培养了干部队伍。第三，调查研究和试点工作为有关法律的制定和修改提供了依据。

会议对检察机关下一步开展民事、行政法律监督工作作了部署和安排：

一、把贯彻实施好行政诉讼法作为当前民事行政检察工作的重点。人民检察院对行政诉讼实行法律监督，是法律赋予检察机关的职责。各地检察机关要认真执行行政诉讼法的有关规定，特别是关于抗诉的规定，切实依法承担起对行政诉讼的法律监督职责。根据行政诉讼法的规定，检察机关对行政诉讼的法律监督，目前主要体现在按审判监督程序提出抗诉的环节上。为此，最高人民检察院将起草下发《关于执行行政诉讼法第六十四条的暂行规定》。各地在依法对人民法院已经发生法律效力的判决、裁定提出抗诉的过程中，必须遵循“积极、认真、稳妥”的方针，要弄清案情，务必搞准，保证抗诉质量。

二、继续深入进行民事行政诉讼法律监督的调查研究和试点工作。调查研究工作，既包括执行行政诉讼法的调查研究，也包括完善民事诉讼法的调查研究。检察机关对行政诉讼实行法律监督，虽然行政诉讼法作了规定，但有一些问题还需要在今后的实践中进一步研究和探索。对行政诉讼法执行问题的研究，主要是如何具体执行行政诉讼法第十条的规定，要提出切实可行的意见。民事诉讼法律监督调查研究的重点主要是两个方面：一是对检察机关监督民事诉讼的必要性和可行性的研究；二是对检察机关参与民事诉讼的问题进行探讨和论证，提出修改和补充民事诉讼法的立法建议。关于试点工作。最高人民检察院与最高人民法院联合下发了《关于开展民事、经济、行政诉讼法律监督试点工作的通知》。通知确定：四川省、河南省进行民事诉讼法律监督试点；天津市、吉林省进行经济诉讼法律监督试点。民事（经济）诉讼法律监督的试点，主要是为民事诉讼法规定的检察机关监督民事诉讼的程序问题提供实践经验。广东省、湖北省进行行政诉讼法律监督试点，主要就行政诉讼法未规定明确的问题进行探索。这六个省、市要抓紧制订措施，确定试点单位，提出试点方案，积极进行试点工作。其他省、自治区、直辖市已进行的试点工作还要坚持下去。

会议要求，各级检察机关要加强对贯彻实施行政诉讼法和对民事、行政诉讼实行法律监督工作的领导。（1）要进一步统一思想，提高认识。检察机关开展民事、行政诉讼法律监督是检察工作的一项重要任务。特别是行政诉讼法的实施，是我国法制建设的一件大事。各级检察机关要切实加强领导，把这项工作抓紧抓好。（2）要配备与开展这项工作相适应的力量。按照最高人民检察院的要求，省级检察院还没有建立民事行政检察机构的，要在1990年10月1日前建立起来。从目前工作发展来看，大、中城市检察院，市辖区检察院，分、州、市院和经济发达、人口众多的县检察院都应建立业务机构，配备人员。其他地方根据需要和实际情况，逐步建立机构。一时没有条件设立机构的，可暂由控告申诉检察部门承担这方面的工作。(3)要采取积极、认真、稳妥的工作方针。积极，就是要加强案件受理工作，及时依法办案；认真，就是要对申诉案件进行认真负责的审查，对法院正确的判决、裁定要给予支持，对确有错误的要依照行政诉讼法的有关规定，该抗诉的提出抗诉，不够抗诉条件的，转有关部门处理；稳妥，就是在工作安排上，要从当地实际出发，先抓重要的，逐步地开展工作。(4)要做好宣传工作。要充分运用各种舆论工具，宣传检察机关在行政诉讼和民事诉讼中的职能、地位和作用，以取得广大群众的支持、监督和其他部门的配合与帮助。(5)要注意总结经验。特别要总结对具体案件的诉讼活动实行监督的经验。建立和完善有关工作制度，使这项工作逐步实现规范化、制度化。(6)要继续抓好干部培训工作。最高人民检察院将有计划地对民事、行政检察干部，进行上岗培训。各省、自治区、直辖市检察院也要举办短训班，提高干部的业务水平。

（最高人民检察院民事行政检察厅　石小申）

控告申诉检察工作座谈会

1990年8月下旬，最高人民检察院控告申诉检察厅在河南省郑州市、吉林省长春市、湖南省长沙市，分别召开了控告申诉检察工作座谈会。参加会议的有河南、山东、江苏、安徽、山西、四川、黑龙江、吉林、辽宁、河北、北京、天津、湖南、上海、广东、湖北、福建、浙江等18个省、直辖市检察院的控告申诉检察处处长。与会同志认真学习了党的十三届六中全会作出的《关于加强党同人民群众联系的决定》，回顾交流了第三次全国检察机关控告申诉检察工作会议以来的工作情况，讨论修改了《人民检察院控告申诉检察工作细则（试行）》。会议重点研究了办理刑事申诉案件的程序，提出了新形势下更好地发挥控告申诉检察工作职能作用的意见。

会议认为，控告申诉检察工作是检察机关同人民群众联系的重要渠道，是检察工作走群众路线的重要体现。全国控告申诉检察部门每年受理100多万件来信来访。实事求是地处理群众反映的各种问题，满足群众的正当要求，做好教育疏导工作，对于消除不安定因素，促进社会稳定，有着重要意义。1988年以来，全国检察机关普遍开展的举报工作，为反贪污、贿赂斗争提供了大量案件线索，已经成为新形势下检察机关发动和依靠群众同贪污、贿赂等犯罪进行斗争的有效形式。认真负责地复查刑事申诉案件，依法维护正确的判决、裁定、决定，纠正冤假错案，是控告申诉检察工作的重要内容。近几年检察机关突出抓了申诉复查工作，取得了良好的社会效果。

会议提出，今后一段时间内控告申诉检察工作的指导思想是：认真贯彻中共中央《关于加强党同人民群众联系的决定》，紧紧围绕检察工作重点，突出抓好举报、申诉检察工作，全面开展各项控告申诉检察业务，实现控告申诉检察工作的制度化、规范化，充分发挥法律监督和内部制约作用，为维护稳定，惩治腐败，保障改革开放和经济建设的顺利进行，作出更大的贡献。会议要求，各级控告申诉检察部门，要在这一指导思想下，严肃查处打击报复举报人案件，及时反馈查处结果；抓好对举报有功人员的奖励工作。认真办理上级检察院交办的案件和受害人不控告而由其他公民、社会团体或有关单位提出控告的重婚案件。控告申诉部门的办案重点是不服免予起诉的申诉案件，要严格按照程序办案，正确区分罪与非罪的界限。要加强控告申诉检察队伍建设和干部培训工作。

（最高人民检察院控告申诉检察厅　尹晋华）

全国检察系统第二次电视剧调演会

1990年8月6日至10日，最高人民检察院在山东省威海市召开了全国检察系统第二次电视剧调演会。各省、自治区、直辖市人民检察院研究室（办公室）主任、宣传处处长，有电视剧作品的分（市）院、县（区）检察院主管宣传工作的检察长，检察系统电视文学创作人员，共56人参加了会议。最高人民检察院副检察长梁国庆到会讲了话。最高人民检察院研究室主任卢泰山主持会议并做工作报告。山东省人民检察院检察长臧坤、副检察长吴恩霖也出席了会议。

会议的主题是：搞好影视宣传，拓宽检察宣传领域，进一步改进和加强检察宣传工作，努力提高宣传水平。会议期间，山东省、上海市、青岛市检察院分别介绍了他们围绕党和国家的中心工作，从检察实际出发，以反贪污贿赂工作为重点，开展多种形式的检察宣传工作的经验；浙江省、哈尔滨道里区检察院分别介绍了他们深入开掘检察题材，创作摄制高质量电视剧作品，拓宽宣传领域的经验。会议调集了1988年以来，检察系统创作、摄制的36部73集检察题材电视剧，并对其中12部31集进行了重点观摩。与会同志围绕会议主题进行了讨论。

会议认为，自1988年全国检察系统第一次电视剧调演会以来，检察机关的影视宣传工作在两个方面取得了明显进展：一是文学性检察影视宣传发展很快。第一次调演会只有26部剧作，自那以后，又有17个省、自治区、直辖市三级地方检察院创作摄制了36部73集检察题材电视剧。这些电视剧以鲜明生动的检察特色，在社会主义文艺领域树起了检察文学的旗帜。二是新闻性影视宣传有了很大进展。各级检察机关摄制的反映检察工作的电视新闻片、专题片、资料片、法制宣传电视讲话等，每年平均在各级电视台播出2000多条（部），及时而又生动形象地宣传了检察工作。会议认为，如果说第一次调演会标志着检察影视宣传尤其是文学性检察影视宣传实现了“从无到有”的话，那么，第二次调演会则标志着检察影视宣传已经进入“从起步到提高”的发展阶段。

会议总结了近两年检察影视宣传的主要经验：（1）坚持为社会主义法制建设服务，为检察工作服务的方向。（2）充分运用多种影视宣传形式，最大限度地扩大宣传效果。（3）要培养造就一支过硬的检察影视创作、制作队伍。（4）各级领导要十分重视影视宣传工作。

会议指出，检察影视宣传是检察宣传工作的重要组成部分，是人们喜闻乐见的宣传形式，搞好影视宣传，对于占领宣传阵地，拓宽宣传领域，提高宣传效果，加强宣传工作，具有不可忽视的重要作用，必须继续抓好。会议对进一步搞好影视宣传工作提出了四点意见：（1）继续加强领导。充分考虑影视宣传工作的特殊需要，切实帮助宣传部门解决实际困难。（2）进一步加强影视宣传队伍建设。要加强业余作者的培训工作，保护他们的创作热情，并提供必要的创作条件。(3) 努力提高电视剧质量。要在坚持检察特色的前提下，强调立本要严，严把创作关。要努力吸引专业作家投身检察文学创作。要重视和加强影视文学评论工作。(4) 加强影视片制作的协调工作：建立“制片计划备案制度”和“录像带备案制度”，以便最高人民检察院宣传处掌握情况，协调各地创作、摄制工作。

梁国庆副检察长在讲话中，着重讲了如何进一步改进加强检察宣传工作，努力提高宣传水平的问题。他指出，随着各项检察业务工作的发展，检察宣传工作有了明显的进展。今后检察宣传工作的任务是要在改进和加强上作文章，即抓好五个方面的工作：第一，领导重视，努力提高宣传水平。各级领导应当结合各个时期检察工作的情况，确定一个时期本地区、本系统宣传工作的具体内容，定题目，出主意，有布置，有检查。第二，加强宣传机构的建设，进一步充实宣传队伍。第三，采取措施，培训宣传干部，提高他们的政治素质和业务素质。第四，继续办好检察刊物，巩固已有的宣传阵地。第五，加强检察宣传工作的计划性。

(最高人民检察院办公厅
马丽莉)

全国检察干部教育培训工作会议

1990年11月30日至12月5日最高人民检察院在湖南省长沙市召开了全国检察干部教育培训工作会议。这次会议的中心议题是：总结“七·五”期间干部培训规划的执行情况，交流经验，研究制定《1991——1995年全国检察干部教育培训规划》，为今后五年的教育培训工作确定目标和任务。参加会议的有各省、自治区、直辖市人民检察院主管教育的领导同志及政治部负责同志和教育处处长；吉林、内蒙古、四川、河南、湖北省检察学校校长；广西、江西、上海检察干部教育培训中心主任，共70余人。

最高人民检察院副检察长张思卿、梁国庆参加会议并讲了话。

最高人民检察院咨询委员会委员马纯一、蔡恩光，湖南省委常委朱东阳，湖南省人民检察院检察长齐振瑛应邀出席了会议。

大会由最高人民检察院政治部副主任王克、干部教育局局长雷铣主持。雷铣同志做了关于《1991——1995年全国检察干部教育培训规划》的说明。有12位同志在大会上发言，介绍了经验。

会议总结了“七·五”期间干部教育培训工作所取得的成绩。截止1990年11月底，全国检察干部中，大专以上文化程度的干部已由1985年占干部总数的10.1%提高到44.1%，远远超过“七·五”规划提出的35%的目标。五年提高了34个百分点，每年平均提高6.7个百分点。同时，初中以下文化程度的干部也由1985年占干部总数的43%下降到18.1%，减少了24.9个百分点。领导干部和业务骨干的培训也有所突破。35%的分、州、市院检察长以上领导干部参加了中央党校的培训。中国高级检察官培训中心创建并连续招生二期。全国有14个省、自治区、直辖市人民检察院建立了教育处，19个省、市、区成立了电大分校，8个省、市、区建立了检察干部学校和检察干部培训中心。培训教材和师资队伍建设也取得了新的进展。“七·五”培训规划的完成为我们制定“八·五”培训规划奠定了基础，创造了条件。

会议确定，“八·五”期间，干部教育培训的目标和任务是：进一步加强对检察干部的马列主义、毛泽东思想教育，不断提高其政治素质是干部教育培训工作的首要任务。用马克思主义基本理论，特别是科学社会主义理论武装检察干部的头脑，增强党的观念，坚定社会主义信念是至关重要的。这是关系到人民民主专政国家法律监督机关的领导权、检察权能否继续掌握在忠于马克思主义的人手里的大问题，关系到能否正确依法独立行使检察权的问题。人民检察官首先应当是政治上可靠的人，其次才是业务上精通的人。把广大干部特别是各级领导骨干的马克思列宁主义、毛泽东思想的理论素养大大提高一步。为建设一支政治立场坚定，严格依法办案，秉公执法，掌握政策，实事求是，联系群众，精通业务的检察官队伍而努力。要进一步改善干部队伍的文化、专业结构，不断提高其业务素质，有计划地培养业务骨干和业务专家，以适应检察事业的发展需要；加强检察干部的岗位职务培训，提高其专业化水平；努力加强培训基地建设和师资培训，不断改善办学条件，壮大师资队伍。到1995年，全国检察干部大专以上文化程度和完成大专层次专业知识教育的干部将达到干部总数的75%的目标。

会议认为，干部教育工作是检察机关的一项长期战略任务。干部素质的提高，靠教育。抓好干部教育培训工作，对促进检察队伍建设和检察事业的发展具有重要的意义。与会同志，对今后五年干部教育培训工作中的一些重大问题，统一了思想，提高了认识，明确了目标任务，增强了信心。

12月4日，最高人民检察院副检察长张思卿作了大会总结。他说：回顾“七·五”成绩喜人，展望“八·五”责任重大。教育工作是“掘井”、“栽树”、福及后人的大好事，大家从事的事业是功德无量的事业。他要求大家，要认真贯彻这次会议精神，按照“八·五”规划的要求，扎扎实实地抓好工作，为建设具有中国特色的社会主义检察制度，培养造就更多更好的合格人才。

（最高人民检察院干部教育局 李永清）

全国检察机关惩治贪污贿赂展览

1990年5月25日至7月20日，最高人民检察院举办的“全国检察机关惩治贪污贿赂展览”在北京中国人民革命军事博物馆隆重展出。展览旨在生动形象地宣传党和国家关于惩治贪污贿赂，加强廉政建设，维护政治稳定、经济稳定和社会稳定，建设有中国特色的社会主义的方针；展现人民检察院履行国家法律监督职能，在惩治贪污贿赂斗争中所发挥的作用和取得的成果。

江泽民、李鹏、宋任穷同志为展览题词。江泽民同志的题词是：“检察机关要继续为惩治腐败、加强廉政建设做出贡献”。李鹏同志的题词是：“强化法律监督，惩治贪污贿赂，大兴清廉之风”。宋任穷同志的题词是：“依法惩治腐败，推进廉政建设”。最高人民检察院检察长刘复之为展览题写了展名。

展览以丰富翔实的文献、图片、录像、案例资料及大量实物展品，从一个侧面真实生动地展示了党和国家肃贪倡廉的方针政策、法律法规，展现了检察机关打击贪污贿赂犯罪的斗争生活及部分成果。展览共选用了836幅照片、77个典型案例、1000多件赃物实物、15000多文字资料、5组（共40分钟）录像资料片。

展览共分五个部分。第一部分："惩治贪污，建设廉政"。展示了党的七届二中全会以来，党和国家关于惩治腐败、加强廉政建设的一系列指示、决策和法律法规，表明党和国家惩治腐败、加强廉政的一贯方针和坚定决心。第二部分："积极行动，打击犯罪"。展现了检察机关从1979年重建以来，坚决贯彻执行党的方针政策和国家法律，把查处贪污贿赂犯罪作为工作重点的部署、措施及行动。第三部分："查处案件，明正法纪"。展出了全国检察机关坚持四项基本原则，依法独立行使检察权，直接受理、立案侦查的55起贪污贿赂典型案例。其中，大案41起，要案14起。第四部分："严格执法，宽严相济"。以1989年最高人民法院、最高人民检察院发布的《关于贪污、受贿、投机倒把等犯罪分子必须在限期内自首坦白的通告》为主要历史背景，展示了检察机关以事实为根据，以法律为准绳，在贯彻执行《通告》过程中取得的成绩及经验。第五部分："坚持奋战，成绩显著"。展现了检察机关紧紧依靠群众，同贪污贿赂等犯罪行为进行坚持不懈的斗争和取得的部分成果。

展览在北京展览出55天，共接待观众63.7万多人，产生了很大的社会影响，收到了很好的宣传效果，获得了圆满成功。

展览受到党中央、全国人大、国务院的重视和关心。5月25日，展览举行开幕式；6月30日，为中央领导和各部委领导举办了专场展出。乔石、宋平、刘华清、伍修权、肖克、陈锡联、习仲勋、彭冲、阿沛·阿旺晋美、雷洁琼、任建新、刘复之、王光英、邓兆祥、马文瑞等领导同志，以及40多个部委的领导同志出席了开幕式或参观了专场展出。刘复之检察长出席开幕式并致开幕词。乔石同志在开幕式上作了重要讲话，他代表党中央、全国人大、国务院热烈祝贺展览开幕，预祝展览圆满成功。他说："我衷心希望通过这次展览，使廉政建设工作进一步向前推进。"他指出："廉政建设不仅是检察机关的事情，而且纪检、监察部门以及政府各个部门都有责任，都要共同努力搞好，都需要在工作中间密切配合，大力支持，互相协助，逐渐地把廉政建设推向前进，逐渐地形成比较健全的法律、法规和制度。"他强调："廉政建设是一个长期性的工作，光搞一次或一段时间突击性的工作，是不能完全解决问题的。只有长期坚持下去，才能真正取得扎扎实实的成就。"

展览受到各级组织的普遍重视和社会各界的热烈欢迎。各级组织把展览当做进行党的基本路线教育、廉政教育、法制教育的形象化教材，认真组织集体参观。中央直属机关工委、国家机关党工委、北京市委、北京市政府、中国人民解放军总政治部、国家教委均分别发出通知，要求所属单位、部门把展览作为一项政治教育内容，认真组织好参观。新闻媒介对展览作了多次专题报道、跟踪报道。各界观众十分踊跃，络绎不绝，日参观人数最高达2.4万多人。

展览也受到国外的关注。一些国家的驻华新闻机构、新闻记者纷纷要求参观展览。7月20日，为各国驻华使节举办了展览专场。32个国家的驻华大使、代办、参赞等参观了展览。参观后，普遍赞赏中国党和政府对贪污贿赂犯罪斗争的高度重视，称道中国司法机关对惩治腐败、打击犯罪所采取的有力措施。

通过展览，使群众增进了对检察机关的了解，激励了人们同贪污贿赂等犯罪斗争的积极性。不少观众表示，要踊跃举报，积极支持检察机关同贪污贿赂犯罪作斗争。

通过展览，有力地推动了全国检察机关打击贪污贿赂犯罪、促进廉政建设的大规模宣传活动。先后有12个省、自治区、直辖市检察院、125个分(市)院举办了137个展览，在全国较大范围内掀起了肃贪倡廉的宣传热潮，收到了较好的社会效果。

展览在京展出结束后，应邀赴各地巡回展出。从1990年8月到12月，先后到山西、宁夏、湖南、贵州等省（自治区）巡回展出。所到之处，都受到当地党委、人大和政府的高度重视和干部群众的热烈欢迎。以上四省（自治区）共接待观众53.8万多人，更加广泛地宣传动员了群众，推动了各地廉政建设和反贪污贿赂斗争的深入开展。

（最高人民检察院办公厅
马丽莉）

第七部分　外事活动

1990 年的检察外事工作

1990 年，国际形势发生了较大的变化。检察机关在外事工作中，遵照中央确定的外事工作方针，努力克服 1989 年春夏之交我国平息动乱和北京地区发生的反革命暴乱之后，西方国家对我国实行“制裁”给外事工作造成的不利影响，力争多做工作，把对外交往的重点放到与周边友好国家、非洲及拉美地区发展中国家的检察机关之间建立和发展友好合作关系上。一年内，先后派出代表团访问了朝鲜、苏联和墨西哥；接待了来我国进行正式访问的坦桑尼亚联合共和国桑给巴尔总检察长、巴西共和国代理副总检察长、印度共和国总检察长。在北京召开第 29 届亚非法律协商委员会年会和第 14 届世界法律大会期间，最高人民检察院的负责同志还分别同新加坡、马来西亚、斯里兰卡、埃及、日本等国检察机关的代表进行了会谈与交流。

检察机关在外事工作中，注意围绕检察工作的重点，了解国外检察机关的情况，收集编译国外有关资料，借鉴有益的经验。对外广泛宣传介绍我国法制建设情况和具有中国特色的检察制度。最高人民检察院在北京举办了全国检察机关反贪污、贿赂斗争成果展览，邀请各国驻华使节参观，30 多个国家驻华外交使节参观了展览，扩大了检察机关的对外影响。

最高人民检察院作为我国的“中央机关”之一，还派员参加了我国与罗马尼亚签署两国间司法协助协议的谈判工作。

（最高人民检察院办公厅　王　晋）

附件一：

1990 年最高人民检察院出访代表团简介

代表团名称　中国检察代表团

访问时间　1990 年 6 月 11 日至 21 日

访问国家　苏维埃社会主义共和国联盟

代表团成员

团长　王晓光　最高人民检察院副检察长

团员　龚读纶　四川省人民检察院检察长

米吉提·库尔班　新疆维吾尔自治区人民检察院检察长

张俊歧　黑龙江省人民检察院

副检察长
雷　铣　最高人民检察院干部教育局局长
李海伟　最高人民检察院办公厅干部
赵向荣　中华人民共和国外交部苏欧司译员

主要活动　代表团与苏联总检察长苏哈列夫进行了工作会谈；与苏联最高法院、司法部、内务部的负责人进行了座谈。代表团访问了莫斯科和俄罗斯共和国、哈萨克共和国、乌兹别克共和国的一些城市。

代表团名称　中国检察代表团
访问时间　1990年6月6日至13日
访问国家　朝鲜民主主义人民共和国
代表团成员
团　长　刘复之　最高人民检察院检察长
副团长　秦　杰　江苏省人民检察院检察长
团　员：张　穹　最高人民检察院法纪检察厅厅长
林有海　最高人民检察院办公厅副主任
雷广明　最高人民检察院办公厅检察长办公室副主任
张立刚　检察长秘书
赵炳哲　延边朝鲜族自治州人民检察院副检察长

主要活动　访问期间，朝鲜人民的伟大领袖金日成主席接见了代表团全体成员。刘复之检察长与朝鲜中央检察所韩相奎所长进行了工作会谈。代表团还访问了平壤、开城、南浦和妙香山等地。

代表团名称　中国检察代表团
访问时间　1990年9月26日至10月4日
访问国家　墨西哥合众国
代表团成员
团长　梁国庆　最高人民检察院副检察长
团员　胡灿时　浙江省人民检察院检察长
张济民　青海省人民检察院检察长
卢泰山　最高人民检察院法律政策研究室主任
王　晋　最高人民检察院办公厅外事处副处长
杨万明　中华人民共和国外交部拉美司译员

主要活动　访问期间，墨西哥参议院和众议院议长分别会见了代表团全体成员。墨西哥联邦总检察长恩里克·阿尔瓦雷斯·德尔·卡斯蒂略与代表团进行了工作会谈。代表团还分别与墨西哥联邦最高法院、总监察部、财政部监察总局、财经法庭、南部监狱、国立刑法科学院等部门的负责人进行了座谈。代表团访问了墨西哥城、莫列罗斯州和克雷塔罗州。

附件二：

1990年来访检察代表团简介

代表团名称　印度检察代表团

来访时间　1990年4月21日至5月1日

代表团成员

团　长　S·J·索拉布吉　印度共和国总检察长

团　员　P·P·拉奥　联合律师协会主席

G·D·乔普拉　司法部联络官员

R·K·加尔　高级律师

D·查克拉瓦蒂　外交部东亚司副秘书

主要活动　代表团在北京访问期间，参加了第十四届世界法律大会开幕式；全国人大副委员长王汉斌在人民大会堂会见了代表团全体成员；最高人民检察院检察长刘复之、副检察长张思卿与代表团进行了工作会谈。代表团还访问了洛阳市和西安市。

（最高人民检察院办公厅外事处）

《山 西 检 察》

《山西检察》由山西省人民检察院主办，其前身是《山西检察通讯》，1989 年 1 月，更名为《山西检察》。现为季刊，内部发行。

《山西检察》是面向全省检察机关的业务性刊物，辟有：“举报之窗”、“检察业务”、“调查研究”、“工作研究”、“法学文摘”、“案例讨论”、“立法建议”、“检察信息”等栏目。《山西检察》通过加强文章的业务指导性、理论性、针对性和及时性，指导检察工作，提高业务素质，传播最新法学信息，开展理论和业务研讨。在全面深化改革的新形势下，探索和解决检察工作中出现的新情况、新问题，为检察体制、检察工作的改革和建设献计献策，为各项检察业务的顺利开展提供较为成熟的经验，为治理经济环境，整顿经济秩序，为促进检察机关的廉政建设发挥积极的作用。

《山西检察》发至全省各级检察院，并与各省、自治区、直辖市检察院，计划单列市检察院，各省检察学会，部分法律院、系进行交流，每期发行 1700 份。

《江 西 检 察》

《江西检察》是江西省人民检察院主办的内部刊物，创刊于 1990 年 7 月，为双月刊。

《江西检察》是一个综合性刊物，设有：“刊首”、“重要文件”、“检察论坛”、“调查报告”、“经验交流”、“检察与社会”、“案例辨析”、“自侦之页”、“检察官风貌”、“检察长园地”、“检察窗口”、“检察室活动”等栏目。

《江西检察》旨在坚持四项基本原则，注重研究检察理论，宣传党在检察工作方面的方针政策，交流检察工作经验，使她成为全省检察干警提高政治业务素质，丰富知识的挚友。在发展检察事业、促进治理整顿、深化改革稳定社会和发展经济中发挥积极的作用。

《江西检察》主要在全省检察机关内部发行，并与各省、自治区、直辖市检察机关建立了交换关系，每期发行 2500 份。

《中 州 检 察》

《中州检察》是河南省人民检察院的机关刊物。创刊于 1990 年 8 月，双月刊，内部发行。

《中州检察》的办刊宗旨是，在马克思列宁主义、毛泽东思想的指引下，坚持党在社会主义初级阶段的基本路线，坚持四项基本原则，反对资产阶级自由化。围绕维护国家稳定、经济稳定、社会稳定，促进廉政建设，保卫改革开放，保障国民经济健康发展的中心任务，结合检察业务实践，积极宣传党的路线、方针、政策和国家法律法规，反映全省检察工作的成就和理论研究成果，探索在新形势下检察工作的新情况、新特点，总结检察工作的新经验、新对策，指导检察业务实践，讴歌当代检察官的风采，弘扬社会主义民主与法制，增强检察工作的透明度，在广大人民群众中树立检察机关积极开展法律监督，捍卫法律尊严的高大形象。

《中州检察》是一个综合性刊物，主要设有："检察论坛"、"检察通讯"、"检察实践"、"检察学研究"、"理论探讨"、"调查报告"、"检察室园地"、"办案札记"、"社会之窗"、"大要案曝光"、"疑案探究"、"简讯"、"检察文艺"等栏目。

《中州检察》发至省内各级检察机关，并与各省、自治区、直辖市人民检察院、部分法学刊物、政法院、校及省内有关部门进行交流，每期发行5000份。

（河南省人民检察院　赵钟麟）

《武　汉　检　察》

《武汉检察》由武汉市人民检察院主办，1990年8月创刊，内部发行，为季刊。

《武汉检察》以四项基本原则和党的基本路线为指针，宣传社会主义法制，联系实际进行检察学的理论研究，探讨新形势下检察工作的新领域，交流执法和法律监督工作的新经验，促进检察机关内部建设和检察干警政治、业务素质和执法水平的提高，为领导的科学决策和全面深入开展各项检察工作服务。

《武汉检察》辟有以下主要栏目："检察论坛"、"检察业务实践"、"执法研究"、"疑难案件探究"、"办案札记"、"公诉人活动"、"法学园地"、"新风赞"、"侦查通讯"、"法制文摘"等。

《武汉检察》主要在全市各区、县检察院内部发行，并与各省、自治区、直辖市检察院及大连、长春等办有检察刊物的城市检察院建立了交换关系，每期发行1000份。

《云　南　检　察》

《云南检察》是由云南省人民检察院法律政策研究室主办的不定期内部专业性刊物。创刊于1989年1月，原名为《实践与研究》，1990年6月改为现名。

《云南检察》旨在坚持四项基本原则，宣传党的方针、政策和国家法律，进行实践与理论探讨，交流经验，指导工作。加强检察机关内部与社会上的横向联系，提高云南省检察干警的政治、业务素质，充分发挥检察机关的职能作用，为检察工作服务，为改革开放和社会主义建设服务。

《云南检察》主要栏目有："调查研究"、"经验总结"、"检察业务"、"案例讨论"、"理论探讨"、"肃贪倡廉"、"队伍建设"、"思想工作"、"风采篇"、"法制文学"、"大家谈"以及"简讯"等。

《云南检察》每期发行2500份，发至全省各级人民检察院，并与本省有关单位，各省、自治区、直辖市人民检察院，全国各政法院、校、系，以及法学研究部门建立了交换关系。

（云南省人民检察院法律政策研究室）

《新　疆　检　察》

《新疆检察》创刊于1990年1月，是由新疆维吾尔自治区人民检察院和新疆维吾尔自治区检察学会合办的内部刊物，为季刊。

《新疆检察》的办刊宗旨是，坚持四项基本原则，反对资产阶级自由化，围绕进一步治理整顿和深化改革，保障国民经济持续、稳定、协调发展的中心任务，理论联系实际，突出检察工作重点，研究新情况、新特点，总结新方法、新经验，探求新问题、新对策，把检察工作推向新的发展阶段。《新疆检察》以选登检察研究成果为基本内容，积极宣传党的方针政策和国家法律法规，弘扬社会主义民主与法制，增强检察工作透明度，讴歌新时代的各族检察干警，树立检察机关捍卫法律尊严的高大形象。

《新疆检察》的固定栏目有："理论研究"、"工作研究"、"调查报告"、"检察长园地"、"经验交流"、"民族地区检察工作"、"难案释疑"、"检察实录"、"改革之声"、"检察史话"、"探索与争鸣"、"读者谈"、"检察官"等。

《新疆检察》发至自治区内各级检察机关，并与各省、自治区、直辖市检察机关和检察学会进行交流。同时，赠送自治区人大常委会、自治区政府及有关部门，每期发行1800份。

（本部分稿件未署名的，均由本刊编辑部根据有关资料整理）

第九部分　　检察机关大事记

1990 年检察机关大事记

一　月

9 日　最高人民检察院召开新闻发布会，公布《人民检察院直接受理的侵犯公民民主权利、人身权利和渎职案件立案标准的规定》和《最高人民检察院关于制定和颁布〈检察人员纪律〉（试行）的决定》。

11 日　中国高级检察官培训中心举行第一期培训班结业典礼。

二　月

19 日　中国高级检察官培训中心举行第二期培训班开学典礼。

27 日　最高人民检察院举行新闻发布会，通报检察机关办理的三起贪污、受贿大案要案。梁国庆副检察长在会上强调，检察机关将把开展反贪污贿赂斗争作为一项长期的主要任务进行下去，绝不搞“一阵风”。

三　月

1 日至 6 日　最高人民检察院在北京召开全国监所检察工作会议。

5 日至 12 日　应最高人民检察院检察长刘复之的邀请，坦桑尼亚共和国桑给巴尔总统府国务部长兼总检察长伊迪·旁杜·哈桑对我国进行友好访问。

8 日至 14 日　最高人民检察院在北京召开全国铁路检察长工作会议。

12 日至 17 日　在亚非法律协商委员会第 29 届北京年会期间，最高人民检察院检察长刘复之分别会见了前来参加会议的新加坡共和国总检察长陈文德一行和埃及共和国总检察长舒曼一行；张思卿副检察长会见了马来西亚副总检察长穆罕默德·阿布杜尔·阿齐兹一行；梁国庆副检察长会见了斯里兰卡共和国副总检察长乌帕尔兰瑟·亚帕一行。

15 日　最高人民检察院举行新闻发布会，通报检察机关 1989 年查处贪污、贿赂大案要案和办理“两高”《通告》期间自首案件以及正在查办的几起贪污、贿赂大案要案的情况。

29 日上午，刘复之检察长在第七届全国人民代表大会第三次会议上作《最高人民检察院工作报告》。4 月 4 日，大会通过了这个报告。

四　月

3日至9日　最高人民检察院在北京召开全国检察机关第一次“侵权”、渎职案件侦查工作会议。

16日　中国法学会和中国检察学会联合召开廉政法制理论讨论会。最高人民检察院检察长刘复之，副检察长张思卿、王晓光、梁国庆出席会议，刘复之检察长在会上讲了话。

21日至5月1日　应最高人民检察院检察长刘复之的邀请，以印度共和国总检察长索拉布吉为团长的印度检察代表团对我国进行友好访问。

27日至5月5日　应最高人民检察院检察长刘复之的邀请，巴西联邦共和国代理副总检察长葆拉女士对我国进行友好访问。

28日　最高人民检察院举行新闻发布会，公布第一季度全国检察机关开展反贪污贿赂斗争和查处“侵权”、渎职犯罪案件情况。

五　月

10日至16日　最高人民检察院在北京召开各省、自治区、直辖市检察院办公室主任会议。

18日至20日　最高人民检察院贪污贿赂检察厅在广东珠海市召开全国部分省、自治区、直辖市检察机关反贪污贿赂工作局局长座谈会。

21日　中共中央组织部批复最高人民检察院：经报请党中央审批，同意设立最高人民检察院政治部。8月17日，成立高检院政治部筹建领导小组。11月21日，政治部正式成立。

25日至7月20日　最高人民检察院在北京举办《全国检察机关惩治贪污贿赂展览》。江泽民、李鹏、宋平同志为展览题词。乔石、宋平等中央领导同志参观了展览。在京展览期间，观众达63万余人。下半年，展览在山西、宁夏、湖南、贵州等地巡回展出。

六　月

6日至13日　应朝鲜民主主义人民共和国中央检察所所长韩相奎的邀请，以最高人民检察院检察长刘复之为团长，江苏省人民检察院检察长秦杰为副团长的中国检察代表团防问朝鲜。

11日至21日　应苏维埃社会主义共和国联盟检察院总检察长苏哈列夫的邀请，以最高人民检察院副检察长王晓光为团长的中国检察代表团访问苏联。

15日　最高人民检察院检察长刘复之就检察机关积极参加严厉打击严重刑事犯罪斗争向记者发表谈话。

15日至16日　最高人民检察院研究室与刑事检察厅在北京联合召开部分省、市检察院免予起诉工作座谈会。

26日至7月1日　最高人民检察院在北京召开各省、自治区、直辖市检察长座谈会，总结上半年工作，部署下半年工作。刘复之检察长在会议开始和结束时讲了话。

30日　最高人民检察院召开全国检察系统反贪污贿赂先进集体、先进个人电话表彰大会。

七　月

1日　最高人民检察院《检察官条例》起草领导小组成立并召开第一次会议。

16日　最高人民法院、最高人民检察院、公安部、新闻出版署联合举行新闻发布会，公布最高人民法院、最高人民检察院制定的《关于办理淫秽物品刑事案件具体应用法律的规定》，并通报了开展除“六害”、“扫黄”斗争的情况。

八　月

6日至10日　最高人民检察院在山东省威海市召开全国检察系统第二次电视剧调演会。

21日至27日　最高人民检察院在北京召开首届全国检察机关政治工作会议。会议根据中共中央关于设立最高人民检察院政治部的批复精神，明确了检察机关政治工作的方向、任务，提出了加强检察机关政治工作的具体措施。

九　月

3日至7日　最高人民检察院法纪检察厅在福建省厦门市召开部分省、自治区、直辖市检察院法纪检察处处长参加的查处“人质型”侵犯公民人身权利案件座谈会。

10日至12日　最高人民检察院在河南省郑州市召开全国检察机关实施行政诉讼法工作会议。

14日至19日　最高人民检察院刑事检察厅在黑龙江省哈尔滨市召开部分省、自治区、直辖市自侦案件免予起诉和出庭支持公诉工作座谈会。

18日　最高人民检察院举行新闻发布会，向新闻界介绍：在查处大要案的同时，结合各地纠正行业不正之风，加强廉政建设，注意从发案多的行业和单位查处贪污贿赂案，从而挖出一批在一个行业或一个单位内进行贪污贿赂犯罪的群案、串案，把反贪污贿赂斗争引向深入。

26日至10月4日　应墨西哥合众国总检察院的邀请，以最高人民检察院副检察长梁国庆为团长的中国检察代表团访问墨西哥。

27日　最高人民检察院召开执法执纪大检查全国电话会议，部署全国检察机关开展执法执纪大检查活动。

十　月

5日　最高人民检察院发出通知，要求各级检察机关积极支持有关部门搞好1990年的税收、财物、物价大检查工作；深入开展打击偷税、抗税犯罪斗争。

7日至9日　最高人民检察院在北京召开部分省、市检察院反贪污贿赂工作座谈会。

12日至17日　最高人民检察院在北京召开全国检察机关第二次反贪污贿赂侦查工作会议。

29日　最高人民检察院公布《关于执行行政诉讼法第六十四条的暂行规定》。

十一月

6日至13日　最高人民检察院在北京召开全国检察长工作会议，总结1990年工作，部署1991年工作。会议期间，江泽民总书记给刘复之检察长打电话，对这次会议和检察工作做了重要指示。乔石同志也做了重要批示。

13日　中国检察学会常务理事会第七次（扩大）会议在北京召开，中国检察学会会长王晓光做工作报告。

26日至12月1日　最高人民检察院在广州召开全国铁路检察工作会议。

30日至12月5日　最高人民检察院在长沙召开全国检察干部教育培训工作会议。会议总结了“七五”期间检察干部教育培训工作的情况和经验，制定了《1991—1995年全国检察干部教育培训规划》，确定把检察干部教育工作的重点由学历教育转到岗位职务培训上来。

十二月

19日　最高人民检察院首批聘请18位民主党派成员和无党派民主人士担任最高人民检察院特约检察员。

28日　第七届全国人民代表大会常务委员会第十七次会议决定：任命肖扬为最高人民检察院副检察长，免去其广东省人民检察院检察长职务。

（最高人民检察院办公厅提供）

第十部分　检察机关负责人、检察委员会、咨询委员会、特约检察员名单

最高人民检察院
检察长、副检察长名单

检 察 长　刘复之

副检察长　张思卿　王晓光　冯锦汶

　　　　　梁国庆　肖　扬

最高人民检察院
检察委员会委员名单

刘复之	张思卿	王晓光	冯锦汶
梁国庆	肖　扬	熊传震	王　克
张　穹	张凤阁（女）	赵登举	陈振东
毛健华（女）			

最高人民检察院
咨询委员会主任、委员名单

主　任　李士英

委　员　王　甫　陈养山　郗占元　关山复　张灿明　江　文

　　　　侯　政　王振中　刘志启　刘砚青　蔡恩光　王　兴

　　　　张世祥　赵文隆　房昭义　马纯一　赵　练　高振中

　　　　盛北光　何　侠　洛　林　吴　濂　张复海　陈克光

　　　　蔺子安　袁恭稳

最高人民检察院
特约检察员名单

党派	姓名	性别	所在单位及职务
民革	王存厚	男	北京大学法律系副教授
	朱维究	女	中国政法大学研究生院行政法导师组副组长、副教授
	温崇真	女	国家外汇管理局处长
民盟	王罔求	男	北京经济学院经济法教研室副教授
	王舜华	男	中国社会科学院法学研究所特邀研究员
	陈祖仁	男	中国人民大学投资经济系副教授
	黄景钧	男	民盟中央宣传部副部长
民建	连永清	女	国家建材局科技开发中心专利代理处副处长、高级工程师
	曾广宇	男	中央财政金融学院金融系副主任、副教授
	高文杰	男	中国水利电力对外公司地区经理、副译审
民进	郭正谊	男	中国科普研究所副所长研究员
	杨学纯	男	世界知识出版社编审
农工党	蒋春松	男	农工党中央组织部副部长
	翟胜德	男	中国社会科学院民族研究所副所长
致公党	司徒擎	男	致公党中央副秘书长兼组织部部长
九三学社	王丙戌	男	九三学社北京市委副主委兼秘书长
台盟	徐萌山	男	台盟中央评议委员会委员
全国工商联	周文仁	男	全国工商联会员部部长

省、自治区、直辖市人民检察院、
军事检察院检察长名单

北京市人民检察院检察长　何访拔
天津市人民检察院检察长　陶毅民
河北省人民检察院检察长　刘宗欣
山西省人民检察院检察长　扆耀光
内蒙古自治区人民检察院检察长　张鹤松
辽宁省人民检察院检察长　徐生
吉林省人民检察院检察长　李向武

黑龙江省人民检察院检察长　贾成文
上海市人民检察院检察长　石祝三
江苏省人民检察院检察长　秦　杰
浙江省人民检察院检察长　胡灿时
安徽省人民检察院检察长　冯建华
福建省人民检察院检察长　陈明枢
江西省人民检察院检察长　王树衡
山东省人民检察院检察长　臧　坤
河南省人民检察院检察长　席宝山
湖北省人民检察院检察长　钟澍钦
湖南省人民检察院检察长　齐振瑛
广东省人民检察院检察长　肖　扬
（1990年12月28日调任最高人民检察院副检察长）
广西壮族自治区人民检察院检察长　丘栋霖
海南省人民检察院检察长　李天相
四川省人民检察院检察长　龚读纶
贵州省人民检察院检察长　李　玲（女）
云南省人民检察院检察长　李林阁
西藏自治区人民检察院检察长　杨有才
陕西省人民检察院检察长　杨　烈
甘肃省人民检察院检察长　王　平
青海省人民检察院检察长　张济民
宁夏回族自治区人民检察院检察长　马　钊（女）
新疆维吾尔自治区人民检察院检察长　米吉提·库尔班
中国人民解放军军事检察院检察长　李宜俊

（本部分均为最高人民检察院政治部提供）

第十一部分　最高人民检察院表彰的先进集体和先进个人

授予英模称号的先进个人事迹简介

“模范检察干部”李东升

河北省永年县人民检察院经济检察科科长李东升同志，自1978年从部队转业到检察机关以来，始终战斗在经济检察工作的第一线。他努力学习，勤奋工作，秉公办案，刚直不阿，为检清廉，无私奉献。在反贪污贿赂斗争中做出了显著的成绩。他先后主办了各类经济犯罪案件47起，其中大案12起，追缴赃款80多万元，为厂矿企业和当事人挽回经济损失720余万元。他连续8年被县检察院评为先进工作者、文明检察官；1983年和1986年分别出席了邯郸地区政法战线“双先”表彰大会和邯郸地区检察系统“双先”表彰大会，1986年荣立三等功一次，1990年河北省检察院和邯郸分院分别为他记二等功，并被评为“优秀侦查员”。

“模范检察干部”孙桂华

黑龙江省哈尔滨市道里区人民检察院检察员孙桂华（女）同志，1985年从事经济检察工作以来，刻苦学习法律，努力钻研业务，勇于拼搏，忘我工作，无私奉献，严格执法，秉公办案，在打击贪污贿赂等经济犯罪斗争中做出了突出贡献。她共参与和主办经济犯罪案件70件，其中大要案18件，特大案件2件，收缴赃款、赃物折合人民币164.7万余元。她办的案件数量多，质量好，无一错案。1986年和1987年连续两年被评为黑龙江省检察系统先进工作者；1988年被评为黑龙江省政法战线先进个人标兵和哈尔滨市道里区“为政清廉”先进个人，并给予晋升一级工资奖励；1989年被评为黑龙江省检察系统先进工作者，并荣立二等功。

“模范检察干部”欧名宇

广东省人民检察院助理检察员欧名宇同志，1983年到广东省人民检察院工作后，一直战斗在反贪污贿赂斗争第一线。几年来，他坚持理论与实践相结合，把革命理想与立足本职工作相结合。政治上，他有共产党员的坚定信念；工作上，他顽强拼搏，任劳任怨，为检清廉。他先后参与和主办侦破了40多起经济犯罪案件，使近百名经济犯罪分子受到了法律制裁，为国家挽回了数百万元的经济损失，为反腐肃贪做出了贡献。由于工作成绩显著，他年年受到省有关部门的表彰，1989年荣立个人二等功。他在短短的几年中，从一名青年大学生迅速成长为优秀的检察干部。

“模范检察员”朱登榜

武汉市汉阳区人民检察院检察员朱登榜同志，1982年从部队转业到检察院工作。他忠于职守，清正廉明，秉公执法，多次拒礼、拒贿。特别是近几年来，他在工作中做出了突出贡献，先后荣立二等功、三等功各一次，两次被评为先进工作者，一次被评为优秀共产党员。

1990年1月6日，朱登榜同志外出办案，在乘长途客车返回武汉途中，发现七名歹徒在车上设赌骗取旅客钱财，即上前制止。歹徒恼羞成怒，一拥而上将朱登榜同志打伤，并用匕首向他猛刺。朱登榜同志在生死关头临危不惧，竭力同歹徒博斗。但终因寡不敌众，身中数刀，昏倒在血泊中，后经医院抢救脱险。朱登榜同志勇斗歹徒的英雄事迹，在社会上引起强烈反响。中共汉阳区委授予他“优秀共产党员、优秀政法干部”称号；武汉市人民政府授予他“劳动模范”称号；湖北省人民检察院给他记一等功。

“模范检察员”游炳炎

湖南省湘潭市人民检察院检察员游炳炎同志，1978年12月到湖南省人民检察院湘潭分院工作。在检察院工作的十余年中，他刻苦学习，不怕困难，勇挑重担，是全院的业务骨干。他严格依法办案，一丝不苟，办理各类刑事案件100多件，大案要案26件，其中死刑案10件，死缓案10件，从未出过差错。他以雷锋同志为榜样，关心同志，乐于助人，谁家的水管、电灯、电视机、自行车坏了，他都帮助修理。1982年以来，他一直帮助邻居一位老人买米、买煤，从未间断。一次，他去重庆出差，在列车上勇擒扒手。他廉洁奉公，鄙视邪恶，仅1987年以来就拒说情40多次，拒礼50多次，价值2000余元。十余年中，他多次被评为先进工作者，还被评为全市检察系统优秀公诉人。

1990年1月25日凌晨，游炳炎同志和另外几名干警到罪犯张志伟岳母家追赃时，张犯突然窜入厨房，企图越窗跳楼逃跑。游炳炎同志奋不顾身地追上去，死死抓住张犯，与张犯搏斗。在搏斗中，被张犯带出窗外坠楼，身负重伤，经抢救无效，壮烈牺牲。游炳炎同志壮烈牺牲后，他的事迹在当地引起极大反响。广大干部、群众深深被他的精神所感动。游炳炎同志为维护社会主义法制，惩治犯罪，勇斗罪犯，英勇献身的壮烈行为，为全体检察人员树立了光辉榜样。

通令嘉奖的先进集体名单

北京市丰台区人民检察院贪污贿赂检察科
天津市和平区人民检察院经济检察科
河北省高邑县人民检察院
河北省秦皇岛市山海关区人民检察院经济检察科
山西省离石县人民检察院
内蒙古自治区人民检察院乌兰察布盟分院
辽宁省沈阳市人民检察院经济检察处
辽宁省大连市中山区人民检察院经济犯罪侦查队
吉林省榆树县人民检察院
黑龙江省宁安县人民检察院
黑龙江省哈尔滨市人民检察院
上海市黄浦区人民检察院经济检察科

江苏省徐州市人民检察院经济检察处
江苏省江阴市人民检察院经济检察科
浙江省舟山市定海区人民检察院
浙江省诸暨市人民检察院
安徽省合肥市人民检察院
福建省福州市郊区人民检察院
江西省宜春市人民检察院
山东省青岛市人民检察院
山东省潍坊市人民检察院
河南省人民检察院郑州铁路运输分院
河南省商丘县人民检察院
湖北省武汉市人民检察院
湖北省利川市人民检察院
湖南省郴州市人民检察院
湖南省新化县人民检察院
广东省广州市人民检察院反贪污贿赂工作局侦查处
广东省珠海市人民检察院反贪污贿赂工作局
广东省深圳市蛇口区人民检察院
广西壮族自治区南宁市永新区人民检察院
四川省重庆市市中区人民检察院
四川省平昌县人民检察院
贵州省毕节县人民检察院
陕西省西安市新城区人民检察院
甘肃省兰州市人民检察院
青海省西宁市人民检察院
新疆维吾尔自治区乌鲁木齐市天山区人民检察院
中国人民解放军南京军区福州军事检察院

通令嘉奖的先进个人名单

马文龙　北京市西城区人民检察院贪污贿赂检察科科长
严承秀　北京市东城区人民检察院助理检察员
孙建明　天津市蓟县人民检察院助理检察员
蔡春和　河北省迁西县人民检察院副检察长
杨景贤　河北省正定县人民检察院经济检察科科长
佟　斌　河北省石家庄市人民检察院经济检察处副处长
赵离平　山西省太原市人民检察院检察员
武秀云（女）　山西省阳泉市城区人民检察院助理检察员
包群英（蒙古族）　内蒙古自治区人民检察院呼伦贝尔盟分院贪污贿赂侦查局副局长
李长久　辽宁省鞍山市人民检察院经济检察处副处长
鲍元英　辽宁省营口市人民检察院检察员
于旭东　吉林省通化市人民检察院检察员
李凤海　黑龙江省大兴安岭地区加格达奇区人民检察院检察长
刘念策　黑龙江省人民检察院农垦区分院检察长
殷之杰　上海市徐汇区人民检察院经济检察科副科长
陈惠石　上海市静安区人民检察院检察员
卢承德　上海市人民检察院分院助理检察员
谈惠正　江苏省吴县人民检察院经济检察科科长
孙保龙　江苏省盐城市城区人民检察院检察长
张玉清　江苏省海门县人民检察院经济检察科科长

李国庆　江苏省连云港市新浦区人民检察院经济检察科副科长

何永星　浙江省洞头县人民检察院检察长

童林焕　浙江省慈溪市人民检察院贪污贿赂侦查局局长

张海江　浙江省嘉兴市人民检察院检察长

张明松　安徽省舒城县人民检察院检察长

宇正福　安徽省无为县人民检察院检察员

陈香勋　福建省建瓯县人民检察院检察长

苏祥荣　福建省福安县人民检察院检察长

陈海连　福建省龙海县人民检察院经济检察科科长

章加江　江西省上饶县人民检察院贪污贿赂检察科副科长

占美金　江西省安义县人民检察院检察长

郭仕清　山东省青岛市沧口区人民检察院检察长

石忠泉　山东省齐河县人民检察院经济检察科副科长

凌自力　山东省临沭县人民检察院经济检察科科长

姚文淮　山东省淄博市淄川区人民检察院检察长

朱继礼　河南省永城县人民检察院检察长

王德合　河南省人民检察院南阳分院检察员

刘自有　河南省灵宝县人民检察院副检察长

苏付根　河南省平顶山市舞钢区人民检察院经济检察科科长

彭中心　湖北省人民检察院荆州分院检察长

刘建桥　湖北省荆门市东宝区人民检察院经济检察科科长

阮幼强　湖北省武汉市武昌区人民检察院检察员

王　杰　湖北省鄂州市华容区人民检察院检察员

朱　鸿　湖南省株州市人民检察院反贪污贿赂工作局局长

荣龙富　湖南省湘潭市雨湖区人民检察院检察长

邵科军　湖南省辰溪县人民检察院副检察长

陈景林　广东省番禺县人民检察院经济检察科副科长

李万里　广东省佛山市人民检察院检察员

梁　佳　广东省阳江市阳东区人民检察院检察员

张录崔　广西壮族自治区柳州市柳南区人民检察院副检察长

王贵文　广西壮族自治区桂平县人民检察院检察长

孙明宇　海南省人民检察院经济检察处副处长

张孝静　四川省彭县人民检察院贪污贿赂检察科科长

向一才　四川省内江市东兴区人民检察院检察长

成云富　四川省石棉县人民检察院检察长

杜建平　贵州省纳雍县人民检察院贪污贿赂检察科科长

杨　洪　贵州省贵阳市人民检察院书记员

吴应昌　云南省人民检察院曲靖分院原检察长

冯克菲　云南省昆明市人民检察院助理检察员

普布索朗（藏族）　西藏自治区江孜县人民检察院检察长

闵建孝　陕西省西安市人民检察院检察员

高景天　陕西省安康市人民检察院经济检察科科长

师建新　甘肃省张掖市人民检察院助理检察员

陈国富　青海省海北藏族自治州人民检察院检察长

姬　云　宁夏回族自治区泾源县人民检察院经济、法纪检察科科长

陶忠华　新疆维吾尔自治区克拉玛依市人民检察院贪污贿赂检察科科长

张凯家　贵州省铜仁市人民检察院检察员

曹华宣　贵州省铜仁市人民检察院助理检察员

陈　岗　贵州省铜仁市人民检察院助理检察员

授予“先进集体”称号的名单

北京市海淀区人民检察院贪污贿赂检察科
天津市河西区人民检察院
河北省张家口市人民检察院经济检察处
河北省人民检察院保定分院经济检察处
河北省孟村回族自治县人民检察院
河北省保定市新市区人民检察院
山西省河曲县人民检察院
内蒙古自治区乌兰浩特市人民检察院
内蒙古自治区人民检察院呼和浩特铁路运输分院
辽宁省丹东市人民检察院经济检察处
锦州铁路运输检察院经济检察科
吉林省通化市人民检察院
吉林省延边朝鲜族自治州人民检察院经济检察处
黑龙江省方正县人民检察院
黑龙江省人民检察院哈尔滨铁路运输分院
黑龙江省红兴隆农垦区人民检察院
上海市杨浦区人民检察院控告申诉检察科
上海市人民检察院分院三处办案二组
江苏省张家港市人民检察院
江苏省南京市鼓楼区人民检察院
江苏省泗阳县人民检察院经济检察科
浙江省兰溪市人民检察院
浙江省平阳县人民检察院经济检察科
浙江省衢县人民检察院监所检察科
安徽省马鞍山市金家庄区人民检察院经济检察科
安徽省阜阳市人民检察院经济检察科
福建省厦门市鼓浪屿区人民检察院
福建省仙游县人民检察院
江西省瑞昌县人民检察院
江西省萍乡市城关区人民检察院
江西省崇仁县人民检察院
山东省济南市人民检察院
山东省枣庄市人民检察院
山东省济南市市中区人民检察院
山东省潍坊市潍城区人民检察院
山东省荣成市人民检察院
河南省洛阳市吉利区人民检察院
河南省义马市人民检察院
河南省沈丘县人民检察院
河南省郑州市中原区人民检察院
河南省人民检察院信阳分院经济检察科
湖北省监利县人民检察院
湖北省黄冈县人民检察院
湖北省宜城县人民检察院
湖北省武汉市江汉区人民检察院

湖南省衡阳市人民检察院经济检察科
湖南省华容县人民检察院
湖南省邵阳市东区人民检察院
湖南省长沙市北区人民检察院
广东省化州县人民检察院反贪污贿赂工作局
广东省新会县人民检察院贪污贿赂检察科
广东省平远县人民检察院
广东省惠来县人民检察院
广西壮族自治区宁明县人民检察院
广西壮族自治区柳州市人民检察院
广西壮族自治区梧州市万秀区人民检察院
海南省人民检察院琼北分院经济检察处
四川省奉节县人民检察院
四川省涪陵市人民检察院
四川省南充市人民检察院
四川省酉阳土家族苗族自治县人民检察院
贵州省息烽县人民检察院
贵州省正安县人民检察院贪污贿赂检察科
云南省昆明市人民检察院
云南省个旧市人民检察院
云南省保山市人民检察院经济案件侦查科
云南省云县人民检察院
西藏自治区人民检察院经济检察处
陕西省韩城市人民检察院
陕西省咸阳市秦都区人民检察院
陕西省宝鸡县人民检察院
甘肃省金昌市金川区人民检察院
宁夏回族自治区银川市城区人民检察院经济检察科
新疆维吾尔自治区巴楚县人民检察院
中国人民解放军兰州军区新疆军事检察院

授予"先进个人"称号的名单

吴同平　北京市密云县人民检察院副检察长
刘跃生　北京市人民检察院分院助理检察员
彭殿军　北京市通县人民检察院贪污贿赂检察科副科长
肖津杰　天津市河东区人民检察院助理检察员
杨增琪　天津市南开区人民检察院经济检察科科长
张占国　河北省张家口市宣化区人民检察院副检察长
张继民　河北省邯郸市人民检察院经济检察处副处长
王炜辰　河北省邯郸市邯山区人民检察院经济检察科科长
许永占　河北省大城县人民检察院经济检察科科长
万长寿　河北省唐县人民检察院贪污贿赂检察科副科长
刘文章　河北省故城县人民检察院经济检察科科长
刘长岁　山西省灵丘县人民检察院检察长
陈西贵　山西省朔州市朔城区人民检察院经济检察科科长
云润万（蒙古族）　内蒙古自治区呼和浩特市新城区人民检察院检察长
林大兴　内蒙古自治区包头市青山区人民检察院副检察长
许　伦　辽宁省辽阳市人民检察院经济检察科科长
陈彩丽（女）　辽宁省朝阳市双塔区人民检察院经济检察科科长

蔡成山（满族） 辽宁省抚顺市望花区人民检察院经济检察科科长

伊绍德（满族） 辽宁省开原市人民检察院经济检察科科长

姜德志 吉林省吉林市龙潭区人民检察院副检察长

朴万俊（朝鲜族） 吉林省长春市宽城区人民检察院助理检察员

王金城 吉林省长白朝鲜族自治县人民检察院检察长

王锡文 吉林省辽源市龙山区人民检察院经济检察科科长

孙春虎（朝鲜族） 吉林省人民检察院吉林林区分院经济、法纪检察处副处长

韩明礼 黑龙江省人民检察院松花江分院检察员

王成河 黑龙江省海林林区人民检察院副检察长

谭树均 黑龙江省富锦市人民检察院经济检察科科长

郭　平 上海市黄浦区人民检察院副检察长

费　丁 上海市松江县人民检察院审查起诉检察科科长

夏咸贵 上海市人民检察院经济检察处副处长

陈修华 江苏省江宁县人民检察院检察长

徐苏利 江苏省常州市天宁区人民检察院经济检察科科长

赵恒兴 江苏省扬中县人民检察院经济检察科科长

施恂宽 江苏省扬州市广陵区人民检察院经济检察科副科长

魏善君 江苏省人民检察院检察员

张光健 浙江省衢州市人民检察院副检察长

袁掌铨 浙江省三门县人民检察院检察长

宋永平 浙江省人民检察院丽水分院经济检察处处长

裘林木 浙江省杭州市江干区人民检察院经济检察科科长

何国富 浙江省湖州市城郊人民检察院检察员

马永昌 安徽省人民检察院滁县分院检察员

金小文 安徽省安庆市郊区人民检察院副检察长

王华发 安徽省泾县人民检察院检察员

陈万华 安徽省淮南市田家庵区人民检察院助理检察员

侯维堂 安徽省宿县人民检察院经济检察科副科长

吴超英 福建省永定县人民检察院副检察长

林金彬 福建省永安市人民检察院检察员

颜和平 福建省泉州市鲤城区人民检察院经济检察科副科长

王声贤 江西省永新县人民检察院贪污贿赂检察科副科长

陈秋林 江西省赣州市人民检察院经济检察科科长

刘俊成 江西省新余市渝水区人民检察院经济检察科副科长

王荣华 山东省广饶县人民检察院经济检察科副科长

张振高 山东省济宁市市中区人民检察院经济检察科科长

傅坤先 山东省烟台市福山区人民检察院经济检察科科长

王建国 山东省泰安市郊区人民检察院助理检察员

孙全祥	山东省惠民县人民检察院检察长
韩宪宏	山东省茌平县人民检察院副检察长
王厚元	山东省成武县人民检察院经济检察科科长
魏绪珊	山东省日照市人民检察院检察员
李谦民	徐州铁路运输检察院检察长
王　萍（女）	河南省安阳市铁西区人民检察院副检察长
刘同文	河南省安阳县人民检察院经济检察科副科长
仝中金	河南省泌阳县人民检察院经济检察科科长
李易光	河南省洛阳市人民检察院助理检察员
苏万太	河南省信阳县人民检察院经济检察科科长
盖予晋	河南省新乡市郊区人民检察院经济检察科副科长
崔金德	河南省孟县人民检察院贪污贿赂检察科科长
王宪修	河南省濮阳县人民检察院副检察长
袁少卿	河南省开封市南关区人民检察院经济检察科科长
陈树生	湖北省应城市人民检察院检察长
郑之权	湖北省秭归县人民检察院副检察长
余国强	湖北省南漳县人民检察院经济检察科科长
李顺炎	湖北省丹江口市人民检察院经济检察科科长
曹　华	湖北省大冶县人民检察院经济检察科副科长
王义宽	湖北省阳新县人民检察院检察员
邵登文	湖北省宜昌市点军区人民检察院经济检察科科长
刘若然	湖南省益阳市人民检察院经济检察科副科长
孔庆祥（土家族）	湖南省常德市武陵区人民检察院副检察长
李甲湘	湖南省永兴县人民检察院调研室主任
夏吉仲	湖南省武冈县人民检察院检察员
王茂宇	湖南省冷水滩市人民检察院检察员
廖桂生	湖南省耒阳市人民检察院检察员
李经国	湖南省慈利县人民检察院检察员
谢茂贵	湖南省永顺县人民检察院检察员
周正杰	湖南省人民检察院反贪污贿赂工作局助理检察员
蓝石兴（畲族）	广东省河源市人民检察院反贪污贿赂工作局侦查科副科长
黄奋强	广东省高要县人民检察院副检察长
李益模	广东省廉江县人民检察院贪污贿赂检察科科长
江士启	广东省普宁县人民检察院贪污贿赂检察科科长
蒋钦国	广西壮族自治区全州县人民检察院检察员
罗兆仁（壮族）	广西壮族自治区南宁市江南区人民检察院检察长
宁步才	广西壮族自治区临桂县人民检察院经济检察科科长

张　强（壮族）　广西壮族自治区都安瑶族自治县人民检察院经济检察科科长

黎上琦　海南省琼海县人民检察院检察员

张玉甫　四川省宜宾县人民检察院检察长

谢正华　四川省彭山县人民检察院副检察长

谭德云　四川省攀枝花市人民检察院经济检察处副科长

刘光维　四川省射洪县人民检察院副检察长

邱世达　四川省绵竹县人民检察院检察长

宋炳武　四川省自贡市大安区人民检察院检察员

易昆渝　昆明铁路运输检察院助理检察员

李高禄　四川省泸县人民检察院经济检察科副科长

杨　辉　四川省广元市人民检察院经济检察处处长

王　斌（藏族）　四川省马尔康县人民检察院检察长

黄运邦　贵州省水城县人民检察院检察长

刘泽溱（布依族）　贵州省黔南布依族苗族自治州人民检察院贪污贿赂检察科科长

杨凤立（侗族）　贵州省黄平县人民检察院检察员

楼美钦　贵州省桐梓县人民检察院检察长

杨　利　贵州省黔西县人民检察院贪污贿赂检察科科长

汪克典　贵州省晴隆县人民检察院贪污贿赂检察科科长

蔡明璋　贵州省铜仁市人民检察院贪污贿赂检察科科长

牛龙江　云南省南涧彝族自治县人民检察院检察长

杨理明　云南省思茅县人民检察院检察长

华永芝（女）　云南省武定县人民检察院检察长

李兴茂　云南省昆明市官渡区人民检察院汽车司机

阿　布（藏族）　西藏自治区江达县人民检察院检察长

黄庭富　西藏自治区米林县人民检察院副检察长

戴新民　陕西省长武县人民检察院检察长

黄德仓　陕西省宝鸡市金台区人民检察院助理检察员

李正明　陕西省洛南县人民检察院检察长

袁　鑫　陕西省吴旗县人民检察院检察员

谢务喜　甘肃省天水市北道区人民检察院检察员

拉毛才旦（藏族）　青海省甘德县人民检察院检察长

杨培礼（回族）　宁夏回族自治区吴忠市人民检察院检察长

刘　勇　新疆维吾尔自治区乌鲁木齐市沙依巴克区人民检察院经济检察科科长

绕孜·纳斯尔（维吾尔族）　新疆维吾尔自治区昌吉回族自治州人民检察院副检察长

吾拉木·吐尔松（维吾尔族）　新疆维吾尔自治区伽师县人民检察院经济检察科科长

吴文平　中国人民解放军海军南海舰队军事检察院检察长

傅占义　中国人民解放军北京军区呼和浩特军事检察院检察长

陈怀军　中国人民解放军济南军区军事检察院检察员

（本部分为最高人民检察院政治部提供）

第十二部分 统计资料

全国检察机构统计表

1990年12月底　　单位:人

院别		机构数
合计		3599
最高人民检察院		1
省级人民检察院		31
分、州、市检察院	小计	374
	分、州、盟、市检察院	352
	军事检察院分院	10
	铁路运输检察分院	12
县级检察院	小计	3023
	县(市、旗、区)检察院	2910
	军事检察院	54
	铁路运输检察院	59
派出检察院	小计	170
	工矿区检察院	10
	农垦区检察院	38
	林区检察院	58
	驻劳改劳教场所检察院	56
	其他检察院	8

全国检察机关人员统计表

1990年12月底　　单位:个

职务		人数
合计		176028
检察人员	小计	165117
	正副检察长	11088
	检察员	70717
	助理检察员	44529
	书记员	22943
	法警	7394
	其他干部	8446
工勤人员		10911

1990年全国检察机关自行侦查案件统计表

表一

案件类别 \ 项目单位	受案	立案				结案			
		合计		其中		合计		其中	
				大案	要案			大案	要案
	件	件	人	件	人	件	人	件	人
合计	175341	88594	104013	18806	1511	91418	109735	21648	1393
经济案件小计	129088	71881	82070	16346	1386	75078	87818	19658	1305
贪污案	59012	29188	34937	7435	321	30270	37304	9038	273
贿赂案	35674	22185	24057	3860	929	24587	27054	5547	915
挪用公款案	15540	10556	11623	1964	94	9875	11138	1778	74
偷税抗税案	11674	7564	8387	1964	7	7290	8270	1927	9
其他	7188	2388	3066	1123	35	3056	4052	1368	34
法纪案件小计	46253	16713	21943	2460	125	16340	21917	1990	88
其中渎职案	19420	7465	8925	1937	105	7283	8864	1503	76

表二

办案部门 \ 项目单位	受案	立案		结案	
	件	件	人	件	人
合计	175341	88594	104013	91418	109735
贪污贿赂检察部门	126165	70963	81029	74218	86817
法纪检察部门	45033	16045	20996	15752	21035
监所检察部门	352	305	366	283	345
控告申诉检察部门	3791	1281	1622	1165	1538

1990年全国检察机关批准、决定逮捕人犯统计表

案件分类	合计		批准公安机关提请逮捕		检察机关自行侦查决定逮捕	
	件	人	件	人	件	人
计	385227	636804	358096	605406	27131	31398
害公共安全案	15370	25266	14919	24696	451	570
社会主义经济秩序案	10314	14701	5078	8728	5236	5973
公民人身民主权利案	86386	111642	84003	108331	2383	3311
犯财产案	241275	426524	230196	413845	11079	12679
害社会管理秩序案	22750	48091	22750	48091	—	—
害婚姻家庭案	132	179	132	179	—	—
职案	7217	7847	—	—	7217	7847
他	1783	2554	1018	1536	765	1018

办案部门	合计	
	件	人
计	385227	636804
检察机关立案侦查	27131	31398
贪污贿赂检察部门立案	22523	25342
法纪检察部门立案	4025	5370
监所检察部门立案	145	169
控告申诉检察部门立案	438	517
公安、安全机关立案侦查	358096	605406
刑事检察部门审查	357671	604810
监所检察部门审查	425	596

1990年全国检察机关提起公诉案件统计表

表一

案件分类	合计		公安机关移送案件		检察机关自行侦查案件	
	件	人	件	人	件	人
合计	385903	636626	356111	599904	29792	36722
危害公共安全案	17760	28698	16698	27361	1062	1337
破坏社会主义经济秩序案	9364	13673	4826	8131	4538	5542
侵犯公民人身民主权利案	86668	109674	84171	106053	2497	3621
侵犯财产案	237786	425148	225338	409863	12448	15285
妨害社会管理秩序案	23854	46671	23854	46671	—	—
妨害婚姻家庭案	188	278	188	278	—	—
渎职案	8218	9371	—	—	8218	9371
其他	2065	3113	1036	1547	1029	1566

表二

办案部门	合计	
	件	人
合计	385903	636626
检察机关立案侦查	29792	36722
贪污贿赂检察部门立案	23936	28651
法纪检察部门立案	5290	7260
监所检察部门立案	139	176
控告申诉检察部门立案	427	635
公安、安全机关立案侦查	356111	599904
刑事检察部门审查	351972	594343
监所检察部门审查	4139	5561

1990年全国检察机关免予起诉案件统计表

表一

案件分类	合计		公安机关移送案件		检察机关自行侦查案件	
	件	人	件	人	件	人
合计	59630	96746	17914	46038	41716	50708
危害公共安全案	3581	4644	1468	2117	2113	2527
破坏社会主义经济秩序案	10461	13019	737	1567	9724	11452
侵犯公民人身民主权利案	6203	9429	3147	5050	3056	4379
侵犯财产案	22244	44186	10189	28612	12055	15574
妨害社会管理秩序案	2168	8347	2168	8347	—	—
妨害婚姻家庭案	29	54	29	54	—	—
渎职案	14305	16053	—	—	14305	16053
其他	639	1014	176	291	463	723

表二

办案部门	合计	
	件	人
合计	59630	96746
检察机关立案侦查	41716	50708
贪污贿赂检察部门立案	34527	41218
法纪检察部门立案	6834	8999
监所检察部门立案	90	111
控告申诉检察部门立案	265	380
公安、安全机关立案侦查	17914	46038
刑事检察部门审查	17782	45810
监所检察部门审查	132	228

1990 年全国检察机关出庭支持公诉情况统计表

单位:件

办案部门	合计	一审	二审		
			小计	上诉案	抗诉案
合计	338643	336334	2309	1847	462
检察机关立案侦查	20955	20622	333	213	120
贪污贿赂检察部门立案	17327	17034	293	190	103
法纪检察部门立案	3268	3231	37	21	16
监所检察部门立案	111	108	3	2	1
控告申诉检察部门立案	249	249	—	—	—
公安、安全、劳改机关立案侦查	317688	315712	1976	1634	342
刑事检察部门审查起诉	314318	312363	1955	1614	341
监所检察部门审查起诉	3370	3349	21	20	1

1990 年全国检察机关抗诉情况统计表

单位:件

办案部门	提出抗诉	撤回抗诉	审判结果			
			合计	改判	改判率(%)	维持原判
合计	2396	177	946	512	54.1	434
检察机关立案侦查	622	38	207	97	46.9	110
贪污贿赂检察部门立案	538	33	186	90	48.4	96
法纪检察部门立案	77	4	18	5	27.8	13
监所检察部门立案	3	—	2	1	50	1
控告申诉检察部门立案	4	1	1	1	100	—
公安、安全、劳改机关立案侦查	1774	139	739	415	56.2	324
刑事检察部门审查起诉	1769	139	738	414	56.1	324
监所检察部门审查起诉	5	—	1	1	100	—

1990年全国检察机关纠正违法统计表

单位:次

类别	合计	书面通知纠正	口头通知纠正
合计	145998	18966	127032
侦查监督	12764	2466	10298
审判监督	3217	413	2804
监所监督	130017	16087	113930

1990年全国检察机关处理申诉案件统计表

单位:件

案件分类	受理	立案复查	结案	
			合计	其中改变原决定
合计	73355	9246	4166	809
不服不立案	1971	266	94	7
不服撤案	554	96	40	8
不服刑事拘留	3950	168	31	3
不服逮捕	9932	1349	249	29
不服不批捕	2077	383	204	55
不服不起诉	1250	287	165	30
不服免予起诉	11355	4503	2660	614
不服判刑	28261	1912	614	49
不服劳教	1426	93	31	5
不服民事判决	9850	123	47	6
不服行政判决	2729	66	31	3

1990年全国检察机关受理人民来信来访统计表

单位：件次

类别	数量
合计	910420
来信	738436
来访	171984

1990年全国检察干警培训情况统计表

单位：人

类别		正在学习	本年度结业
合计		45437	22301
研究生	小计	57	4
	其中法律专业	53	3
大学本科	小计	774	41
	其中法律专业	604	22
大学专科	小计	24450	2324
	其中法律专业	23700	2168
中专	小计	1132	657
	其中法律专业	511	427
专业证书	小计	16336	16944
	其中法律专业	15953	16543
业务培训		2688	2331

（本部分均为最高人民检察院办公厅统计处提供）

Procuratorial Yearbook of China 1991

Contents

Part I A Survey of Procuratorial Work

Part II Working Reports

Part III Important Reports and Speeches by the Procurator-General and the Deputy Procurators-General of the Supreme People' s Procuratorate

Part IV Selections of Judicial Interpretation by the Supreme People' s Procuratorate

Part V Selections of Important Documents of the Supreme People' s Procuratorate

Part VI A Brief Introdnction of Important Sessions and Exhibitions of the Supreme People' s Procuratorate

Part VII Activities of Foreign Affairs

Part VIII Procuratorial Publications (Continuation)

Part IX Chronicle of Procuratorial Organs

Part X Name List of Persons in Charge of Procuratorial Organs, Procuratorial Committee, Advisory Cmmittee and Special Procurators

Part XI Example Units and Persons Commended by the Supreme People's Procuratorate

Part XII Statistic Data

京新登字 109 号

中国检察年鉴（1991）
《中国检察年鉴》编辑部
中国检察出版社出版发行
北京市东城区东总布胡同 10 号
新华书店经销
京安印刷厂印刷
787×1092 毫米 16 开 23 印张 8 插页 480 千字
1992 年 8 月第一版　　1992 年 8 月第一次印刷
印数：1—4000 册
ISBN7－80086－159－×/D·160
定价：25.00 元